CHARLOTTE LINK

Die letzte Spur

Buch

Enttäuschungen und Misserfolge ziehen sich wie ein roter Faden durch das Leben der 23-jährigen Elaine Dawson. Und so ist sie auch kaum verwundert, als an einem kalten Januartag des Jahres 2003 wieder einmal alle ihre Pläne umstürzen: Gerade wollte sie eine Reise nach Gibraltar zur Hochzeit einer Freundin antreten, da werden sämtliche Flüge des Londoner Flughafens Heathrow wegen dichten Nebels gestrichen. Anstatt in der Abflughalle auf den nächsten Morgen zu warten, nimmt sie das Angebot eines sympathischen Fremden an, in seiner Wohnung zu übernachten. Sie verlässt gemeinsam mit ihm den Flughafen – und wird von diesem Moment an nie wieder gesehen.

Fünf Jahre später beschäftigt sich ihre Freundin, die Journalistin Rosanna Hamilton, im Zusammenhang mit einer geplanten Serie über spurlos verschwundene Menschen erneut mit dem Fall. An ihrer Seite der Londoner Anwalt Marc Reeve – jener Mann, den Elaine damals in seine Wohnung begleitet hatte. Obwohl ihm eine Schuld im Zusammenhang mit dem Verschwinden der jungen Frau nie nachgewiesen werden konnte, hat ihm der bloße Verdacht sowohl beruflich als auch privat schwer geschadet. Nach wie vor beteuert er seine Unschuld.

Plötzlich gibt es Hinweise, dass Elaine noch lebt. Doch als Rosanna diesen Spuren folgt, ahnt sie nicht, welche dramatischen Entwicklungen sie erwarten. Und dass sie eine tödliche Gefahr heraufbeschwört.

Autorin

Charlotte Link ist die erfolgreichste deutsche Autorin der Gegenwart. Ihre psychologischen Spannungsromane stehen regelmäßig über Monate an den Spitzen der Bestsellerlisten und werden in mehrere Sprachen übersetzt. Die zumeist mehrteiligen TV-Verfilmungen werden mit riesigem Erfolg im ZDF ausgestrahlt. Auch ihre letzten beiden Romane »Der fremde Gast« und »Das Echo der Schuld« eroberten jeweils Platz 1 der deutschen Bestsellerlisten! Charlotte Link lebt mit ihrer Familie und ihren Hunden in der Nähe von Frankfurt/Main.

Weitere Romane von Charlotte Link:

Charlotte Link

Die letzte Spur

Roman

GOLDMANN

FSC

Mix
Produktgruppe aus vorbildlich
bewirtschafteten Wäldern und
anderen kontrollierten Herkünften

Zert.-Nr. SGS-COC-1940
www.fsc.org
© 1996 Forest Stewardship Council

Verlagsgruppe Random House FSC-DEU-0100
Das für dieses Buch verwendete FSC-zertifizierte Papier
München Super liefert Mochenwangen.

5. Auflage
Originalausgabe April 2008
© 2008 by Wilhelm Goldmann Verlag, München,
in der Verlagsgruppe Random House GmbH
Umschlaggestaltung: Design Team München
Umschlagmotive/Collage:
Getty Images/Noton und Getty Images/Stahl
Lektorat: Silvia Kuttny · Herstellung: Str.
Satz: Uhl+Massopust, Aalen
Druck und Bindung: GGP Media GmbH, Pößneck
Printed in Germany
ISBN: 978-3-442-46458-6

www.goldmann-verlag.de

November 2002

Es würde schneien an diesem Wochenende. Das hatten die Meteorologen prophezeit, und es sah aus, als könnten sie recht behalten: Es war eisig kalt an diesem Novembernachmittag. Ein scharfer Wind blies aus Nordost. Wer aus dem Haus musste, dem tränten rasch die Augen, und die Haut brannte. Die frühe winterliche Dunkelheit brach bereits herein. Den ganzen Tag war es nicht richtig hell geworden, und nun schien die Dämmerung schon wieder in den Abend überzugehen.

Die junge Frau sah erbärmlich aus. Verfroren, bleich, mit roten Flecken auf den Wangen. Sie hielt beide Arme um ihren Körper geschlungen, als könnte sie der gnadenlosen Kälte, die draußen herrschte, auch hier drin nicht entkommen. Dabei war der Keller des gerichtsmedizinischen Instituts gut geheizt. Jedenfalls der kleine Vorraum, in den Inspector Fielder und seine Mitarbeiterin, Sergeant Christy McMarrow, die Besucherin geleitet hatten, nachdem diese die unbekannte Tote aus dem Epping Forest identifiziert hatte.

Sie hatte nur einen einzigen, kurzen Blick auf das wächserne Gesicht geworfen, sich dann rasch abgewandt und hörbar mit einem Würgen in der Kehle zu kämpfen gehabt. Dabei hatte sie nicht einmal den übel zugerichteten Körper gesehen.

Der, so hatte Fielder gedacht, hätte sie wahrscheinlich in Ohnmacht fallen lassen.

Es hatte ein paar Augenblicke gedauert, bis sie hatte sprechen können.

»Das ist sie. Das ist Jane. Jane French.«

Im Vorraum bat sie um eine Zigarette. Fielder gab ihr

Feuer. Ihre Hände zitterten heftig, aber das lag nicht nur an der belastenden Situation. Die Frau war drogensüchtig, das hatte er auf den ersten Blick erkannt. Prostituierte, wie ihre Kleidung verriet. Ihr Rock war so kurz, dass es nicht viel geändert hätte, wenn sie ihn überhaupt nicht getragen hätte. Hauchdünne schwarze Strümpfe, nicht im Mindesten geeignet, sie vor der Kälte zu schützen. Hochhackige Stiefel, eine blousonähnliche Jacke aus einem metallisch glänzenden Stoff, weit geöffnet, um möglichst viel von ihren üppigen, gut geformten Brüsten zur Geltung zu bringen. Sie war jung, Anfang Zwanzig, schätzte Fielder.

»Also, Miss Kearns«, sagte er, bemüht, besonders sachlich und kühl zu erscheinen, um auch ihr Gelegenheit zu geben, sich zu fassen, »Sie sind völlig sicher, dass es sich bei der Toten um eine … *Jane French* handelt?«

Lil Kearns zog heftig an ihrer Zigarette und nickte. »Absolut. Das ist sie. Hab sie sofort erkannt. Sieht schon … na ja, verändert aus, aber klar, sie ist es!«

»Sie muss fast eine Woche im Wald gelegen haben, ehe sie gefunden wurde. Das heißt, sie wurde um den zehnten November herum ermordet.«

»Ermordet … ist das sicher?«

»Leider ja. Die Art ihrer Verletzungen, die Tatsache, dass sie gefesselt war, als sie gefunden wurde, lässt keinen anderen Schluss zu.«

»Schöne Scheiße«, sagte Lil.

Sie hatte sich am Morgen dieses Tages gemeldet, nachdem die Polizei es schon fast aufgegeben hatte, noch irgendeinen Hinweis auf die Identität der Toten aus dem Epping Forest zu bekommen. Man tappte seit fast vierzehn Tagen völlig im Dunkeln. Spaziergänger hatten die Frau gefunden, und die Art ihrer Verletzungen, die Grausamkeit, die sich in der Gewalttätigkeit offenbarte, mit der sie gequält und umgebracht worden war, hatte selbst hartgesottenen Beamten erst einmal die Sprache verschlagen.

»Das war ein Psychopath«, hatte irgendjemand schließlich gesagt, und alle hatten genickt. Die junge Frau musste einem völlig durchgeknallten Typen in die Hände gefallen sein.

Ihre Kleidung – oder vielmehr: was von ihrer Kleidung noch übrig war – hatte sie als Prostituierte ausgewiesen, so dass die Vermutung nahelag, dass sie zu dem falschen Freier ins Auto gestiegen war. Leider kamen solche Fälle nicht allzu selten vor, auch wenn sie dann nicht mit einer solch beispiellosen Brutalität einhergingen. Aber es liefen jede Menge Perverse herum, und nirgendwo konnten sie sich so bequem bedienen wie auf dem Straßenstrich. Nicht jedem sah man es an, dass er falsch tickte. Inspector Fielder hatte Triebtäter erlebt, die ein Aussehen und Auftreten hatten, dass jede Mutter sie sich als Schwiegersohn gewünscht hätte.

Die Tote hatte keine Papiere bei sich gehabt, und sie passte auch zu keiner der vorliegenden Vermisstenmeldungen. Man hatte ihr Bild in den Zeitungen veröffentlicht, aber auch darauf hatte es zunächst keine Reaktion gegeben. Bis Lil Kearns aufgekreuzt war und behauptet hatte, ihre ehemalige Zimmergenossin erkannt zu haben.

»Die ist seit Anfang März verschwunden! Ohne ein Wort zu sagen. Kam plötzlich nicht mehr wieder. Und jetzt sehe ich sie auf einmal in der Zeitung!«

Fielder hatte wissen wollen, weshalb Miss Kearns das Verschwinden ihrer Freundin nicht angezeigt habe, doch er hatte nur ein Schulterzucken als Antwort bekommen. Er konnte sich den Grund denken: Lil Kearns war auf einen näheren Umgang mit der Polizei alles andere als erpicht. Als Drogenabhängige war sie vermutlich in kriminelle Aktivitäten verstrickt, oder sie kannte zumindest genügend Leute, die sich in der Verbrecherszene bewegten. Sie hatte keine Lust, plötzlich selbst in irgendeinem Schlamassel zu stecken.

Obwohl sie behauptete, das Bild ihrer Freundin erst jetzt in einer alten Zeitung entdeckt zu haben, vermutete Inspector Fielder, dass sie schon über einen längeren Zeitraum hinweg Kenntnis davon gehabt hatte. Sie hatte einigen Anlauf gebraucht, den Weg zu einem Polizeirevier zu wagen. Immerhin aber, sie hatte es getan. Er hatte kein Interesse daran, ihr an den Karren zu fahren. Ihm ging es lediglich um Informationen zur Person des Opfers.

Leider wusste Lil nicht viel zu sagen. Während sie in dem kleinen Zimmer der Gerichtsmedizin stand, an ihrer Zigarette zog und nervös auf ihren halsbrecherisch hohen Absätzen wippte, zählte sie auf, was sie wusste.

»Jane French. Stammt aus Manchester. Ich glaube, nur ihre Mutter lebt noch. Ist vor drei Jahren nach London gekommen. Wollte Karriere machen!« Sie betonte das Wort *Karriere* in einer Art, dass es fast obszön klang. »Na ja, unter uns, in Wahrheit wollte sie einen netten Typen kennen lernen. Irgendeinen Kerl, der sie heiratet und ihr ein besseres Leben bietet als das, was sie hatte. Sie hat mal diesen Job, mal jenen gemacht… keine Ahnung, was genau. Schließlich stellte sie sich an den Straßenrand. Hatte nichts mehr zu beißen und kein Dach über dem Kopf. Ich hab sie noch angemotzt. Weil es mein Revier war.«

»Wann war das?«, hakte Christy McMarrow ein.

»Vor'm Jahr etwa. Hatte dann Mitleid. Sie durfte bei mir einziehen. Wir sind zusammen anschaffen gegangen.«

»Für wen?«

Lil blitzte Christy an. »Für niemanden! Ich liefere nicht mein Geld bei irgendeinem miesen Zuhälter ab! Jane und ich waren unabhängig.«

»Und im darauffolgenden März verschwand sie?«

»Ja. Tauchte plötzlich nicht mehr auf. Ich komme nachts zurück, sie ist nicht da. Nicht ungewöhnlich. Aber, na ja, sie kam dann eben *nie mehr* wieder!« Sie warf die Zigarettenkippe auf den Linoleumboden, trat sie aus. »Aber seit März ist sie nicht tot, oder?«

»Nein«, sagte Fielder, »wie gesagt, nicht länger als inzwischen drei Wochen.«

»Komisch. Wo war sie denn in der Zeit dazwischen?«

Das hätte Inspector Fielder auch gern gewusst, aber es sah nicht so aus, als könne Lil Kearns ihnen in dieser Frage weiterhelfen.

»Kennen Sie Freunde von ihr? Bekannte? Irgendjemanden, mit dem sie Kontakt hatte?«

»Nein. Da gab's, glaube ich, auch niemanden. Obwohl... einmal hab ich gedacht...« Sie sprach nicht weiter.

»Ja?«, hakte Inspector Fielder nach.

»Das war im Januar ungefähr. Da hab ich sie mal gefragt, ob sie jemanden kennen gelernt hat. Näher. Weil sie auf einmal besser angezogen war.«

»Was genau heißt, *besser angezogen*?«

»Na ja, schon noch...«, sie grinste, »schon noch Berufskleidung. Sie wissen schon. So wie ich. Aber irgendwie... bessere Qualität. Teurer. Als ob sie plötzlich einfach mehr Kohle gehabt hätte.«

»Und sie gab Ihrer Ansicht nach dabei nicht das Geld aus, das sie selbst verdiente?«

»Nee. Ich kriegte ja mit, was sie verdiente. Das reichte im Grunde vorn und hinten nicht.«

»Sie meinen, sie hatte einen Freund, der ihr Geschenke machte?«

»Hab ich vermutet, ja. Aber sie stritt das ab. Ich hab auch nicht groß weitergefragt. War mir letztlich egal.«

Fielder seufzte. Sie waren insofern weitergekommen, als

die Tote nun einen Namen, eine Identität hatte. Leider aber schien der Fall an dieser Stelle zu stagnieren. Lil Kearns führte selbst einen so erbarmungslosen Überlebenskampf, dass sie auf ihre Zimmergenossin nur sehr am Rande hatte achten können. Sie steckte längst in einer Situation, in der ihr andere Menschen egal waren, es sei denn, sie finanzierten ihr den nächsten Schuss.

»Sie haben uns sehr geholfen, Miss Kearns«, sagte er dennoch, »vielen Dank, dass Sie gekommen sind.«

»Ja, klar… ich meine… mir tut das total leid mit Jane. Echt blöd gelaufen!« Sie strich sich die Haare aus der Stirn, auf der noch immer Schweiß glänzte. Es ging ihr gar nicht gut, seitdem sie die Leiche hatte ansehen müssen.

Inspector Fielder kramte seinen Autoschlüssel aus der Tasche. »Kommen Sie«, sagte er, »ich fahre Sie nach Hause.«

»Ehrlich? Das ist total nett!«, sagte Lil dankbar.

Er würde dabei das Zimmer in Augenschein nehmen können, in dem Jane French bis zu ihrem Verschwinden gelebt hatte. Leider hatte er bereits die Ahnung, dass ihn auch das nicht weiterbringen würde.

Er verfügte über viele Jahre Berufserfahrung, und er hätte fast gewettet, dass er den Fall *Jane French* zu seinen Niederlagen würde rechnen müssen. Die junge Frau hatte in einem schwierigen sozialen Umfeld gelebt, das machte die Sache so kompliziert.

Zeugen für die Tat schien es ebenfalls nicht zu geben.

Und sollte doch irgendjemand Näheres zum grausamen Tod der jungen Jane French aussagen können, so bewegte sich diese Person aller Wahrscheinlichkeit nach in derselben Szene, in der Jane beheimatet gewesen war. Mit Informationen an die Polizei war man in diesem Umfeld äußerst vorsichtig. Um nicht selbst wegen irgendwelcher krimineller Machenschaften aufzufliegen, aber auch aus Angst vor Vergeltung.

Höchst unwahrscheinlich also, dass sich ein möglicher Zeuge melden würde.

Inspector Fielder hasste es, sich diesen Gedanken einzugestehen, aber es sah ganz danach aus, als werde der Mörder von Jane French ungestraft davonkommen.

Freitag, 10. Januar 2003

Hätte sie die Frühmaschine von Heathrow nach Malaga genommen, wäre sie jetzt längst am Ziel. In Gibraltar. Vermutlich war das Wetter in der britischen Enklave am südlichsten Zipfel der Iberischen Halbinsel wesentlich besser als in London, wo sich der Nebel seit den Morgenstunden nicht verzogen hatte, ja sogar immer dichter geworden war. Jetzt, verstärkt durch die frühe winterliche Dunkelheit, versank die Stadt in einer Art undurchdringlicher, feuchter Masse, die alle Lichter und sogar Geräusche und Bewegungen zu schlucken schien.

Während in Gibraltar die Sonne als roter Feuerball von einem pastelligen Himmel in ein dunkelblaues Meer gefallen war und nun erste Sterne aufzublitzen begannen. Wahrscheinlich. Und wenn nicht, so wäre das auch egal: Hauptsache, sie wäre jetzt *dort*.

Ohne Geoffs tränenreichen Zusammenbruch am Vorabend wäre sie bei ihrem Plan geblieben, die Maschine am Vormittag zu nehmen. Sie hätte sehr früh aufstehen müssen, um rechtzeitig in London zu sein, und das hätte bedeutet, dass die für die nächsten drei Tage angeheuerte Krankenschwester bereits das Frühstück für Geoff hätte zubereiten müssen. Aber alles war abgesprochen gewesen. Die resolute Pflegerin hatte zugesagt, pünktlich zu sein.

»Machen Sie sich mal keine Sorgen, Miss Dawson! Reisen Sie in aller Ruhe ab. Wir werden das Kind schon schaukeln.«

Später wusste sie, dass sie die ganze Zeit über insgeheim schon auf einen Zusammenbruch Geoffs gewartet hatte. Er hatte ihre Ankündigung, für drei Tage nach Gibraltar zu reisen, allzu ruhig aufgenommen. Er war nicht erfreut gewesen, aber er war auf eine ziemlich erwachsene Art damit umgegangen.

»Es tut dir gut, mal rauszukommen, Elaine. Klar bin ich nicht glücklich. Aber du tust so viel für mich, da will ich nicht egoistisch sein. Du brauchst mal ein bisschen Abstand!«

»Ich verstehe ja selber nicht, weshalb Rosanna mich eingeladen hat. Eigentlich hatten wir ja nie viel miteinander zu tun. Ich meine, ich bin nicht direkt eine Freundin von ihr…«

An dieser Stelle hatte Geoff durchblicken lassen, dass er ihre Reise nach Gibraltar im Grunde auch für völlig überflüssig hielt.

»Du musst wissen, was du tust, Elaine. Ich denke, es ist ein Almosen von Rosanna. Wahrscheinlich hat ihre Mutter sie dazu überredet. Die war doch schon immer so sozial angehaucht. *Wir müssen der armen, lieben Elaine mal etwas Gutes tun…* Und schließlich hat sich Rosanna seufzend bereit erklärt. Na ja…« Er schwieg vielsagend. Unausgesprochen standen die Worte im Raum: *Wenn dir das trotzdem Spaß macht…*

Spaß vielleicht nicht, dachte sie jetzt, während sie verzweifelt die blinkende Schalttafel anstarrte, die ihr signalisierte, dass ihr Flug nach Spanien gestrichen war, so wie alle anderen Flüge auch, die Heathrow an diesem späten Januarnachmittag hätten verlassen sollen, aber es erschien mir wie eine Möglichkeit. Eine Möglichkeit, dass sich… irgendetwas ändert. Es hätte eine Chance sein können, die mir das Schicksal schenkt.

An allen Schaltern drängten sich aufgeregte Menschen, Reisende, die wissen wollten, wie es nun weitergehen würde. Überfordertes Flughafenpersonal versuchte, die Ruhe zu bewahren und Auskunft zu geben. Im Grunde stand aber nur eines klar und unveränderlich fest: An diesem Abend würden von Heathrow keine Flüge mehr starten.

Es gelang ihr, eine Angestellte von *British Airways* anzusprechen.

»Entschuldigen Sie bitte... ich muss unbedingt heute Abend noch nach Malaga fliegen!«

Die andere lächelte, professionell und unbeteiligt. »Es tut mir leid. Wir können nichts gegen den Nebel unternehmen. Es wäre einfach zu gefährlich.«

»Ja, aber...« Sie konnte es einfach nicht fassen. Einmal, ein einziges Mal in ihrem verdammten dreiundzwanzigjährigen Leben verließ sie das Dorf, in dem sie geboren und aufgewachsen war, und schickte sich an, eine Reise anzutreten, versuchte, sich aus der tödlichen Routine und Eintönigkeit ihres Alltags zu befreien, und dann scheiterte sie am Londoner Nebel. Sie merkte, dass Tränen in ihr aufstiegen, und mühte sich panisch, sie zurückzuhalten. »Ich wollte eigentlich schon heute Morgen fliegen«, erklärte sie unsinnigerweise, »aber ich hatte umgebucht...«

»Das ist schade«, meinte die Angestellte, »bis heute Mittag ging noch alles klar.«

Geoff war am Vorabend völlig unvermittelt zusammengebrochen. Beim Abendessen hatte er plötzlich seinen Löffel sinken lassen. Schon vorher hatte er in allen Speisen nur lustlos gestochert, aber das tat er auch sonst oft. Nun rannen auf einmal Tränen über seine Wangen.

»Es tut mir leid«, schluchzte er, »es tut mir leid!«

»Ach, Geoff! Geoff, nicht weinen! Ist es wegen mir? Weil ich... weil ich nach Gibraltar reise?«

Eine rein rhetorische Frage. Sie wusste, dass es wegen Gibraltar war. Seltsamerweise hatte sich im darauffolgenden Gespräch alles um den *Zeitpunkt* ihrer Abreise gedreht, nicht um die Reise selbst.

»Wenn du wenigstens noch zum Frühstück da wärst!

Dass du so früh wegmusst… dass ich dann so bald schon dieser Fremden ausgeliefert bin…«

»Vielleicht«, hatte sie halbherzig angeboten, »geht noch ein späterer Flug. Die Hochzeit ist ja erst am Samstag…«

Er war sofort darauf angesprungen. »Das würdest du tun? Das würdest du wirklich tun? Am Nachmittag fliegen? Mein Gott, Elaine, das würde einfach alles viel leichter für mich machen!«

Wieso eigentlich? Die paar Stunden? Das Frühstück? Aber sie hatte sich in all den Jahren an derartige Verhaltensweisen bei Geoff gewöhnt. Irrational. Unverständlich. Nicht nachvollziehbar. Aber so war er eben. So würde er immer sein.

»Was soll ich denn nun machen?«, fragte sie ratlos. »Glauben Sie, dass andere Flughäfen… Gatwick? Stansted? Glauben Sie, dort gehen Flüge?«

Die Angestellte von *British Airways* schüttelte den Kopf. »Die haben mit demselben Problem zu kämpfen wie wir.«

»Ja, aber…«

»Wohnen Sie in London?«, fragte die andere.

»Nein. Ich wohne in Kingston St. Mary.« Glaube ich ernsthaft, irgendjemand kennt das Kaff?, fragte sie sich. »In Somerset«, setzte sie hastig hinzu. »Es ist leider nicht allzu nah.«

Und verkehrstechnisch eine Katastrophe, wollte sie weiter erklären, hätte sie nicht gemerkt, dass ihr Gegenüber schon sein Lächeln verloren hatte und zwischen Entnervtheit und Gereiztheit schwankte. »Ich glaube, da komme ich heute Abend nicht mehr hin.«

»Dann würde ich mir rasch ein Hotel suchen. Hier in Heathrow sind heute Abend so viele Menschen gestrandet, da wird im Umkreis sehr schnell nichts mehr zu haben sein. Oder Sie sichern sich einen Platz in einer der Wartehallen und verbringen die Nacht dort. Essen und Getränke kann man sich hier ja überall besorgen.«

»Denken Sie, dass ich morgen früh fliegen kann?«

Schon im Weiterlaufen, zuckte die andere mit den Schultern. »Das kann Ihnen niemand garantieren. Aber es ist möglich!«

Eine Frau, die das Gespräch mitangehört hatte, schimpfte los. »Unmöglich! Keiner hilft einem hier weiter! Keine Ahnung, wohin ich jetzt gehen soll! Die müssten doch irgendetwas unternehmen!«

Elaine sah sich in der Abfertigungshalle um. Ein solches Gewimmel von Menschen hatte sie noch nie gesehen. Wer sollte da *irgendetwas unternehmen*? Die Angestellte hatte ihr vermutlich den einzigen Rat gegeben, der realistisch war: Sie musste sich einen halbwegs bequemen Platz für die Nacht suchen.

Schon wieder wollten ihr die Tränen kommen. Minutenlang blieb sie mit hängenden Armen inmitten des Chaos stehen, unfähig, sich zu rühren, unfähig, einen vernünftigen Plan zu fassen. Das Stimmengewirr der Menschen schwoll an zu einem Orkan. Lautsprecheransagen übertönten den Lärm. Vorbeihastende Reisende rempelten sie an. Sie vermochte nicht zu reagieren. Sie stand nur da, in ihrem abgetragenen braunen Wintermantel, der schon nicht elegant gewesen war, als sie ihn vor vier Jahren gekauft hatte, und der jetzt wie ein Sack aussah, den sie sich um die Schultern gehängt hatte. Neben ihr stand ihr Koffer. In der einen Hand hielt sie ihre Plastikhandtasche, eine Designerimitation, die bei Woolworth zehn Pfund gekostet hatte. Mit der anderen Hand umklammerte sie ihren Pass, der in ihrer Manteltasche steckte. Bereit zum Vorzeigen. Was sich offensichtlich für heute erledigt hatte.

Ich muss überlegen, was ich jetzt mache, dachte sie schließlich.

Sie hatte etwas sehr Leichtsinniges getan und sich für Rosannas Hochzeit ein wirklich teures Kleid gekauft. Für gewöhnlich ging sie sehr vorsichtig mit ihrem Geld um, denn ihre Halbtagsstelle in einer Arztpraxis im nahe gelegenen Taunton brachte nur wenig ein. Geoffrey erhielt eine kleine Rente, und so kamen sie halbwegs über die Runden. Es reichte nie für große Sprünge, aber trotzdem hatte Elaine dann und wann etwas zur Seite legen können, ihren *Notgroschen*, wie sie es nannte. Er war natürlich für echte Engpässe gedacht gewesen, nicht für ein schickes Kleid und einen Flug nach Gibraltar, aber plötzlich hatte sie gedacht: So etwas muss es doch für mich auch einmal geben! Ein schönes Kleid! Ein tolles Fest! Ein bisschen ... Unvernunft.

Sie erlaubte sich für gewöhnlich wenig Unvernunft in ihrem Leben. Ein pflegebedürftiger Bruder im Rollstuhl ließ kaum Spielraum für alles, was leicht und unbesonnen war. Und Geoffrey selbst, als der Mensch, der er nun einmal war, ließ überhaupt in jeder Hinsicht wenig Spielraum.

Er war wie ein Krake. Mit langen, starken Schlingarmen. Er hielt sie fest, er hielt das Einzige fest, was ihm im Leben geblieben war: seine Schwester. Er würde sie niemals loslassen.

Und offensichtlich stand jeder Emanzipationsversuch ihrerseits unter einem schlechten Stern. Denn kaum raffte sie sich auf, dem Schicksal einen Spalt breit die Tür zu öffnen, verschworen sich alle Mächte gegen sie. Sie konnte sich nur zu gut vorstellen, wie sie nach einer Nacht aussehen würde, die sie sitzend in dieser überfüllten Abflughalle verbrachte. Wenn sie Glück hatte, ging morgen ein Flieger, der aber in jedem Fall so knapp landen würde, dass an einen kurzen Rückzug in ihr Hotel nicht mehr zu denken war. Wahrscheinlich musste sie sich in einer öffentlichen Toilette auf dem Flughafen von Malaga umziehen, wo es keine Chance gab, zu duschen oder wenigstens ihre Haare zu waschen und einigermaßen in Form zu föhnen. Das Kleid würde völlig zerdrückt und verknittert sein. Abgehetzt und wie ein struppiger Besen aussehend, würde sie im letzten Moment in der Kirche eintreffen. Während der gesamten Feierlichkeiten wäre sie sich ihrer unvorteilhaften Erscheinung mit quälender Intensität bewusst, und von irgendeinem Moment an würde sie die Minuten bis zu ihrer Heimreise zählen. So viel zu Leichtigkeit und Lebenslust!

Wieder einmal würde sie das gewohnte Bild abgeben, jeder würde sehen, dass sich nichts geändert hatte. Rosanna, die Braut, war natürlich da. Ihre Eltern. Ihr Bruder. Menschen, die Elaine kannte, seit sie auf der Welt war. Die ihr Heranwachsen begleitet hatten. Die nur zu gut wussten, dass sie schon immer auf der Schattenseite des Lebens gestanden hatte. Wie hatte es Geoffrey so schön zitiert? *Wir müssen der lieben, armen Elaine etwas Gutes tun ...*

Die liebe Elaine. Die arme Elaine. Zu deren Gesamtgeschichte es so perfekt passte, dass ihr Flug wegen Nebels gestrichen wurde, dass sie fast das Fest versäumte, dass sie in einem Kleid erschien, das wie eine einzige große Knitterfalte aussah. Ungeduscht und ungekämmt. Unscheinbar sowieso.

Die arme Elaine, wie sie leibt und lebt, würde es heißen.

Jetzt schossen ihr die Tränen mit solcher Gewalt in die Augen, dass sie sie nicht mehr zurückhalten konnte. Ein Mann sah sie erstaunt an. Zwei Frauen tuschelten und blickten zu ihr herüber. Ein Kind deutete auf sie und wandte sich dann aufgeregt an seine Mutter.

Sie konnte nicht hier stehen bleiben und sich ihrem Weinen hingeben, das in wenigen Sekunden einem Dammbruch gleichen würde. Sie nahm ihren Koffer hoch, stolperte schluchzend und fast blind vorwärts. Die Toilette. Irgendwo musste doch eine Toilette sein. Sie wollte in der Abgeschlossenheit einer kleinen, stinkenden Kabine verschwinden, allein im Dämmerlicht, verborgen vor den hastenden, rufenden, eilenden, glotzenden Menschen ringsum.

Auf einem Klodeckel zusammensinken können, sich vornüber zusammenrollen wie ein Embryo und weinen, weinen, weinen…

Durch den Schleier vor ihren Augen nahm sie das ersehnte Schild wahr. Die kleinen Piktogramme, die eine Möglichkeit zum Verstecken verhießen. Den Koffer hinter sich her zerrend, stolperte sie auf die Tür zu, fast blind von Tränen, stieß sie auf und prallte mit einem Mann zusammen, der den weiß gekachelten, menschenüberfüllten Raum gerade verlassen wollte.

»Hoppla«, sagte er.

Sie wollte an ihm vorbeidrängen, aber er hielt sie am Arm fest. »Entschuldigen Sie. Das ist die Herrentoilette. Möchten Sie da wirklich hinein?«

Obwohl sie schluchzte und zitterte, drangen die Worte irgendwie an ihr Ohr.

Sie starrte den Fremden an. »Die Herrentoilette?«, fragte sie in einem Ton, als habe sie dieses Wort noch nie gehört.

»Sie müssen eigentlich eine Tür weiter«, sagte er und zeigte nach nebenan.

»Ach so«, sagte sie, ließ den Koffer neben sich auf den Boden fallen und weinte weiter.

Da andere Männer sowohl in die Toilette hinein- als auch herauswollten und sie beide den Weg blockierten, nahm der Fremde Elaines Koffer hoch und zog Elaine ein paar Schritte mit sich, bis sie in einer Ecke standen, in der sie niemanden störten.

»Hören Sie«, sagte er, »kann ich irgendetwas für Sie tun? Ich meine… sind Sie ganz allein auf dem Flughafen, oder ist irgendwo…?« Er ließ seinen Blick schweifen, so als hege er die Hoffnung, aus der unüberschaubaren Menschenmenge werde jemand auftauchen und ihm die haltlos weinende Frau abnehmen. Da sich weder jemand zeigte, der zu der Fremden zu gehören schien, noch von dieser eine

Antwort kam, kramte er schließlich ein Taschentuch hervor und reichte es ihr.

»Beruhigen Sie sich doch. Bestimmt ist alles nur halb so schlimm. Na, geht's wieder?«

Tatsächlich fühlte sie sich ein wenig ruhiger durch seine besänftigende Stimme. Sie entfaltete das Taschentuch, schnäuzte sich kräftig, betupfte ihr nasses Gesicht.

»Entschuldigen Sie bitte«, brachte sie leise hervor.

»Keine Ursache«, sagte er. Sie hatte den Eindruck, dass er gern weitergegangen wäre, jedoch aus irgendeinem Verpflichtungsgefühl heraus unschlüssig stehen blieb.

»Es ist nur... mein Flug nach Malaga ist gestrichen«, murmelte sie und kam sich gleich darauf albern vor.

Er lächelte. »Jeder Flug von London ist heute Abend gestrichen. Verdammter Nebel. Ich wollte nach Berlin und kann jetzt auch wieder nach Hause fahren.«

»Eine Freundin von mir heiratet morgen in Gibraltar.«

»Vielleicht schaffen Sie es ja morgen früh noch. Falls der Flugverkehr dann wieder aufgenommen wird.«

Ihr stiegen schon wieder die Tränen in die Augen. »Vielleicht...«

Er wirkte genervt. Kurz überlegte sie, was wohl in ihm vorging. Wahrscheinlich fragte er sich, weshalb er solches Pech haben musste an diesem Tag. Er kam nicht nach Berlin, und vielleicht platzte ihm dadurch ein wichtiges berufliches Vorhaben. Und dann stieß er noch mit einer verheulten, unattraktiven Frau zusammen, die konfus in die Herrentoilette zu stolpern versuchte, und war zu anständig, sie einfach ihrem Schicksal zu überlassen.

»Also, ich fahre jetzt nach Hause«, sagte er, »kann ich Sie irgendwo absetzen? Ich habe meinen Wagen hier am Flughafen.«

»Ich wohne nicht in London.« Sie schnäuzte sich noch einmal. Ich muss toll aussehen, dachte sie resigniert, mit

rot geflecktem Gesicht und dicker Nase. »Ich wohne in ...
ach, da komme ich unmöglich heute noch hin. Am Ende
der Welt. Ausgeschlossen.«

»Na ja ...« Er sah sich um. »Hier am Flughafen übernachtet man nicht gerade komfortabel. Irgendein Hotel ...?«

»Ich weiß nicht, ob noch irgendwo ein Zimmer frei ist.
Außerdem ...«

»Ja?«

Es spielte eigentlich keine Rolle mehr, es war ohnehin
schon alles peinlich genug. »Außerdem reicht dafür mein
Geld wahrscheinlich nicht. Das Hotel in Gibraltar muss
ich bestimmt bezahlen, selbst wenn ich heute dort nicht er-
scheine ...«

»Unter Umständen auch nicht«, meinte er, »aber Sie haben natürlich recht: Es ist sehr fraglich, ob man hier in
Heathrow etwas findet.«

»Na ja«, sie versuchte ein Lächeln, froh, dass wenigstens
ihre Tränen versiegten, »dann sehe ich mal zu, dass ich ein
behagliches Plätzchen in einer der Wartehallen finde. Es ist
hier ja zumindest warm und trocken.«

Er zögerte. »Wissen Sie, ich könnte Ihnen anbieten ...
möchten Sie vielleicht bei mir übernachten? Mein Gästezimmer ist winzig, aber es ist wahrscheinlich doch etwas be-
quemer als die Wartehallen hier. Und morgen früh könnten
Sie problemlos mit der U-Bahn wieder hierherfahren.«

Sein Angebot überraschte sie. Sie konnte inzwischen
wieder klar genug sehen und denken, um zu registrieren,
dass sie einem sehr gut aussehenden Mann gegenüberstand. Groß und schlank, das Gesicht schmal und intelligent. Ende Dreißig, Anfang Vierzig. Teurer Mantel. Der
Typ Mann, der mit dem Finger schnippt und sofort unter einer Menge attraktiver und interessanter Frauen seine
Auswahl treffen konnte. Der ganz bestimmt nicht auf eine
verheulte, unscheinbare Dreiundzwanzigjährige abfuhr, die

auf dem Flughafen herumirrte und wie ein Kind quengelte, weil ihre Pläne durcheinandergeraten waren. Aber er bot ihr sein Gästezimmer natürlich auch nicht an, weil sie ihn in irgendeiner Form faszinierte. Oder weil er sie gern näher kennen lernen würde. Er war einfach nett, und sie tat ihm leid. Unter normalen Umständen hätte er sie überhaupt nicht wahrgenommen.

»Ich glaube, das kann ich nicht annehmen«, sagte sie, um Zeit zu gewinnen.

Er zuckte mit den Schultern, leicht ungeduldig, wie ihr schien. »Was mich betrifft, können Sie es annehmen, andernfalls hätte ich es nicht angeboten. Mein Name ist übrigens Reeve. Marc Reeve. Hier«, er kramte in der Innentasche seines Jacketts, zog eine Karte heraus und reichte sie Elaine, »meine Karte.«

»Sie sind Anwalt?«

»Ja.«

Ihre verstorbene Mutter hatte ihr natürlich beigebracht, dass man nie mit fremden Männern ging. Keinesfalls in ihre Autos einstieg oder sie gar in ihre Wohnungen begleitete.

»Das missverstehen Männer immer«, hatte sie erklärt, »und du stehst hinterher dumm da, weil dir keiner glaubt, dass du es nicht selber auf eine kompromittierende Situation angelegt hast.«

Ach, Mummy, dachte sie, du meintest es so gut, aber wenn du mich nicht immer vor allem und jedem gewarnt hättest, würde mein Leben heute vielleicht nicht in solch einer schrecklichen Sackgasse stecken.

Außerdem war ihr völlig klar, dass sie unglücklicherweise von Marc Reeve nicht das Geringste zu befürchten hatte. Ein attraktiver, offensichtlich wohlhabender, also erfolgreicher Londoner Anwalt. Er fand sie wahrscheinlich ebenso prickelnd wie einen Schluck abgestandenes Wasser. Hatte aber eine soziale Ader.

Ich bin seine gute Tat für heute. Na, großartig!

»Ich heiße Elaine Dawson«, sagte sie, »und es wäre wirklich sehr nett, wenn ich bei Ihnen übernachten dürfte.«

»Na also«, sagte er und nahm ihren Koffer, »dann kommen Sie mit. Mein Wagen steht im Parkhaus.«

Sie schoss noch einen Testballon ab. »Hat Ihre Frau nichts dagegen, wenn Sie unangekündigt jemanden mitbringen?«

»Ich lebe getrennt«, erwiderte er kurz.

Sie folgte ihm durch das Gewühl. Trotz der vielen Menschen schritt er sehr rasch voran, sie hatte etwas Mühe, ihn nicht zu verlieren. Ihr Herz klopfte schneller und stärker als sonst.

Und auch wenn nichts ist, wenn nichts daraus wird, es ist besser als Kingston St. Mary, dachte sie, es ist besser als immer dasselbe. Tagaus, tagein. Es ist besser!

Unauffällig ließ sie ihre Hand in ihre unelegante Plastikhandtasche gleiten, suchte ein wenig herum, fand ihr Handy und schaltete es aus. Es war gemein von ihr, aber ausnahmsweise wollte sie nicht für Geoffrey erreichbar sein.

Nur für diese eine Nacht.

Teil 1

Freitag, 8. Februar 2008

Es gab an nahezu jedem Freitagabend Streit zwischen Dennis Hamilton und seinem Sohn Robert, und Rosanna fand es langsam ermüdend. Sie verstand beide: den sechzehnjährigen Robert, der mit seinen Kumpels losziehen und das Nachtleben erkunden wollte, und Dennis, der ihn für zu jung hielt und an allen Ecken Alkohol, Drogen oder andere Versuchungen witterte.

»Mein Vater hätte mir aber was erzählt, wenn ich mich mit sechzehn nachts hätte herumtreiben wollen«, sagte Dennis, und mit dem Wort *herumtreiben* löste er natürlich sofort eine heftige Gegenreaktion bei seinem Sohn aus.

»Wir treiben uns nicht herum! Warum musst du alles, *alles,* was ich tue, immer angreifen? Warum musst du, wenn ich…«

»Ich will nicht diskutieren!«

»Das ist nicht fair! Dad, du bist so was von unfair!«

Es waren an diesem Freitag genau die gleichen Sätze gefallen wie sonst auch. Die Szene hatte auch geendet wie immer: indem Robert in seinem Zimmer verschwand und lautstark die Tür hinter sich zuknallte. Jetzt dröhnte die Stereoanlage, die Bässe wummerten, dass das Haus vibrierte.

Dennis wollte aus seinem Sessel springen. »Ich sage ihm, dass…«

Rosanna, die neben ihm saß, legte die Hand auf seinen Arm und hielt ihn zurück. »Lass. Die Geschichte eskaliert sonst. Lass ihn jetzt einfach mal in Frieden.«

»Es ist rücksichtslos, die Musik derart laut zu spielen!«

»Er baut seinen Frust ab. In einer Viertelstunde gehe ich zu ihm und bitte ihn, etwas leiser zu sein. Das funktioniert dann schon.«

»Frust«, knurrte Dennis, »jetzt erlaubt sich der junge Herr auch noch, frustriert zu sein! Ich hätte in seinem Alter mal …«

»Die Zeiten haben sich geändert, Dennis. Vielleicht solltest du ihm mehr Vertrauen entgegenbringen.«

»Ach ja? Jetzt bin ich wieder schuld, dass wir ständig streiten? Wer benimmt sich denn daneben? Verdammt!« Dennis stand auf, ging aber glücklicherweise nicht zum Zimmer seines Sohnes, sondern nahm sich nur ein Glas aus dem Schrank und schenkte sich einen Whisky ein. »Söhne in der Pubertät sind einfach eine Strafe des Himmels!«

Rosanna hatte gehofft, dass an diesem Abend ausnahmsweise eine gewisse Harmonie gewahrt bliebe, da sie selbst ein heikles Anliegen mit Dennis zu besprechen hatte. Die Ausgangslage war nun denkbar ungünstig. Dennis' Laune befand sich unter dem Nullpunkt, nicht nur wegen des Verhaltens seines Sohnes, sondern auch weil er spürte, dass Rosanna bei allem Bemühen um diplomatischen Ausgleich Roberts Argumenten und seiner Sichtweise aufgeschlossener gegenüberstand als denen seines Vaters.

»Du hast ja am Ende nicht die Verantwortung!«, fauchte er.

Sie zuckte zusammen. »Entschuldige«, sagte sie, »ich hätte mich natürlich nicht einmischen sollen. Du bist der Vater. *Ich* bin nicht die Mutter. Wenn es darum geht, für Robert zu kochen, seine Wäsche zu waschen, ihm bei den Schularbeiten zu helfen, bei seinen Lehrern um gut Wetter zu bitten oder ihn mitsamt seiner kompletten Computerausrüstung zu einer LAN-Party zu kutschieren, habe ich allerdings immer den Eindruck, dass weder er noch du in dieser Hinsicht so genau differenziert!«

»Ich habe doch gar nicht gesagt, dass du …«

»Doch. Wenn du in den Raum stellst, dass ich am Ende ja nicht die Verantwortung für Robert trage, was rein formal sicher stimmt, dann sagst du mir im Grunde, dass ich mich raushalten soll. Was keineswegs der Fall ist, wenn ich...«

»... wenn du seine Wäsche wäschst oder sonst etwas für ihn tust, ja. Ich weiß. Entschuldige.« Er sah plötzlich erschöpft aus. »Ich habe es so nicht gemeint«, lenkte er ein.

Rosanna war sofort bereit, ihren Teil zur Friedensstiftung beizutragen. »Ich verstehe ja seine Sorgen. Mit sechzehn halten sie sich für erwachsen, aber in Wahrheit sind sie noch halbe Kinder. Man hat einfach Angst um sie.«

Sie konnte Dennis wirklich verstehen. Als sie beide heirateten, war Robert elf Jahre alt gewesen, ein sommersprossiger, liebenswerter Junge, Ergebnis einer Beziehung zwischen einem noch sehr jungen Dennis und einer noch jüngeren Studentin, die sich von dem Kind völlig überfordert gefühlt hatte und es unter keinen Umständen hatte behalten wollen. Sie war erleichtert gewesen, als Dennis das alleinige Sorgerecht übernahm. Vater und Sohn hatten allein gelebt, bis Rosanna in beider Leben getreten war. Für Robert war sie vom ersten Moment an die Mutter, die er nie gehabt hatte. Im Prinzip empfand es auch Dennis so, aber es gab gelegentlich Momente, in denen er die Tatsache, dass juristisch gesehen nur er das Sagen hatte, für seine Zwecke ausnutzte. Anfangs war das praktisch nie passiert, aber seitdem Robert in der Pubertät war und es naturgemäß viel mehr Schwierigkeiten mit ihm gab, kam es häufiger zu derartigen Situationen. Sie belasteten die Beziehung zwischen Dennis und Rosanna weit mehr, als es Dennis bewusst war.

Aber was ist ihm schon bewusst?, fragte sich Rosanna.

Sie litt unter seinem schlechten Verhältnis zu Robert, aber wenn sie ihm das sagte, hörte er nicht hin.

Sie war unglücklich in Gibraltar und sehnte sich nach England, aber wenn sie ihm das sagte, hörte er nicht hin.

Sie vermisste ihren Beruf als Journalistin, aber wenn sie ihm das sagte, hörte er nicht hin.

Hätte ihn jemand gefragt, er hätte im Brustton der Überzeugung erklärt, dass seine Frau glücklich und ihrer beider gemeinsames Leben voller Harmonie war.

Rosanna wusste, dass es unklug war, an diesem Abend noch mit ihrem eigenen Anliegen herauszurücken, aber im Grunde blieb ihr keine andere Gelegenheit.

»Ich fliege ja morgen nach England«, sagte sie.

Dennis setzte sich wieder, schwenkte seinen Whisky im Glas sacht hin und her. »Ich weiß. Und ich weiß auch, du erwartest eigentlich, dass ich…«

Sie unterbrach ihn hastig. »Nein. Wirklich. Es ist schon in Ordnung, dass du hierbleibst.«

Ihr Vater würde am Sonntag seinen 66. Geburtstag feiern, den ersten, seit er am Ende des vergangenen Jahres völlig überraschend Witwer geworden war, und das war der Grund für Rosannas Reise. Am Anfang hatte sie gewünscht, ihr Mann könnte sie begleiten, aber Dennis hatte wichtige Termine am darauffolgenden Tag geltend gemacht – vorgeschoben oder nicht, das ließ sich nicht überprüfen. Er mochte seinen Schwiegervater, aber er reiste nicht gern nach England. Beruflich ließ es sich nicht umgehen, aber privat vermied er es, wo immer er konnte. In den fünf Jahren ihrer Ehe war es Rosanna nicht gelungen herauszufinden, woher sein Unbehagen gegenüber seiner Heimat eigentlich genau rührte.

»Ich rufe deinen Vater am Sonntag natürlich an«, versicherte Dennis.

Rosanna holte tief Luft und sprang ins kalte Wasser. »Du erinnerst dich doch bestimmt noch an Elaine Dawson?«, fragte sie.

»Elaine Dawson?«

»Meine Freundin aus Kingston St. Mary… na ja, nicht direkt eine Freundin. Ihr Bruder ging in eine Klasse mit meinem Bruder. Sie war um viele Jahre jünger als ich.«

Er runzelte die Stirn. »Ist das nicht die Frau, die zu unserer Hochzeit damals kommen sollte, aber stattdessen verschwunden ist?«

»Spurlos verschwunden. Bis heute.«

»Ich erinnere mich. Dunkel. Ich kannte sie ja gar nicht.«

»Ich habe manchmal an sie gedacht in den vergangenen Jahren«, sagte Rosanna, »und mich gefragt, was wohl damals geschehen ist.«

Es war Dennis anzusehen, dass ihn das nicht im Geringsten interessierte. »Wahrscheinlich ist sie durchgebrannt«, meinte er, »und macht sich jetzt irgendwo ein schönes Leben.«

»Der Typ war sie eigentlich nicht. Die Polizei ging irgendwann allerdings auch davon aus, aber zwischendurch gab es in der Tat Vermutungen, dass sie einem Verbrechen zum Opfer gefallen ist.«

»Soweit ich noch weiß, saß sie doch in Heathrow wegen Nebel fest. Wer sollte sie denn auf einem derart belebten Flughafen ermorden oder verschleppen?«

»Sie ist mit einem Mann mitgegangen. Das kam irgendwie heraus. Ich meine, er hat sich sogar selber gemeldet. Er hatte ihr angeboten, bei ihm zu übernachten, weil keine Hotelzimmer mehr zu bekommen waren.«

»Und dieser Mann war in Wahrheit natürlich Jack the Ripper und hat sie…«

»Unsinn. Er hat damals geschworen, sie am nächsten Morgen wieder in die U-Bahn Richtung Flughafen gesetzt zu haben. Etwas anderes konnte ihm auch nicht nachgewiesen werden.«

»Dann stimmt wahrscheinlich meine Theorie«, meinte Dennis, »und sie lässt es sich irgendwo gutgehen.«

»Ich würde es ihr wünschen«, sagte Rosanna, und übergangslos fügte sie hinzu: »Ich soll eine Reportage über diesen Fall schreiben.«

Dennis ließ sein Glas sinken und starrte sie an. »Was sollst du?«

»Eigentlich nicht nur über diesen Fall. Nick Simon hat mich heute Morgen angerufen.«

»Nick Simon?«

»Der Chefredakteur von *Cover*. Du weißt, der…«

»Ich weiß, wer Nick Simon ist. Der Typ, für den du mal gearbeitet hast. Was will der von dir?«

»Er plant eine Serie für seine Zeitschrift. Über Menschen, die spurlos verschwunden sind. Von denen man nie wieder gehört, die man aber auch nie tot aufgefunden hat. Die einfach… wie vom Erdboden verschluckt sind.«

»Aha. Und wie kommt er da auf dich? Du arbeitest seit fünf Jahren nicht mehr für ihn!«

Sie blickte ihren Mann nicht an. »Ich hatte ihm einmal gesagt, dass ich mich über den einen oder anderen Auftrag durchaus freuen würde. Daran hat er sich jetzt erinnert. Hinzu kommt, dass er von meiner Bekanntschaft mit Elaine Dawson weiß. Er hält mich offenbar für geeignet, die Serie zu schreiben.«

»Wir hatten doch vereinbart, dass du für einige Jahre nicht arbeitest!«

»*Wir* hatten das gar nicht vereinbart. Du hast es dir gewünscht, und da es hier in Gibraltar für mich ohnehin kaum Möglichkeiten gibt, habe ich zugestimmt. Aber ich habe dir oft gesagt, dass mir mein Beruf fehlt.«

»Und ich habe dir oft genug angeboten, in meinem Büro halbtags mitzuarbeiten!«

Sie wünschte, er zeigte etwas mehr Verständnis. »Dennis, du bist Immobilienmakler. Mit diesem Beruf habe ich absolut nichts zu tun. Ich bin Journalistin. Kannst du dir vorstellen, dass ich gerne in *meinem* Beruf arbeiten würde?«

»Ich kann es mir vorstellen, aber ich hätte dir auch eine gewisse Flexibilität zugetraut«, sagte Dennis mürrisch. Dann knallte er plötzlich sein Glas auf den Tisch und sprang auf. »Ich werde Robert jetzt sagen, dass er diese verdammte Musik…«

Sie erhob sich ebenfalls. »Jetzt lass deinen Ärger über mich nicht an ihm aus. Ich regle das dann schon mit der Musik!«

Sie standen einander gegenüber. Es war Dennis anzumerken, dass er sich überfahren fühlte, aber aus Erfahrung wusste Rosanna, dass er immer so empfunden hätte, auch wenn der Moment günstiger oder ihr eigenes Vorgehen diplomatischer gewesen wäre. Er kam nicht damit zurecht, wenn seine Frau zu irgendeinem Thema eine andere Ansicht hatte als er selbst. Er war kein ausgesprochener Macho, aber Rosanna hatte manchmal den Eindruck, dass sein Kontrollbedürfnis gelegentlich zwanghafte Züge annahm. Es gab ihm Sicherheit, Rosanna seelisch und gedanklich zu hundert Prozent hinter sich zu wissen, und obwohl er ein nüchtern kalkulierender und sehr realistischer Mann war, schien er sich nicht klarzumachen, dass eine derartige Übereinstimmung mit einem anderen Menschen nicht durchzuhalten und schon gar nicht zu erzwingen war.

»Ich nehme an«, sagte er schließlich, »du hast Mr. Simon bereits zugesagt.«

»Ich habe ihm zugesagt, mit ihm am Montag in London zu Mittag zu essen«, sagte sie und hasste das Schuldgefühl, das sie beschlich. Sie war sechsunddreißig Jahre alt! Sie hatte das Recht, eine berufliche Verabredung zu treffen, ohne zuvor die Erlaubnis ihres Ehemanns einzuholen.

»Am Montagmittag wolltest du bereits wieder hier landen«, sagte Dennis.

»Ich weiß. Ich habe den Flug storniert. Ich möchte mit Nick über den Auftrag sprechen. Entweder mir sagt die ganze Sache ohnehin nicht zu, dann versuche ich für Montagabend oder Dienstagfrüh einen Flug nach Gibraltar zu bekommen. Andernfalls…«

»Ja?«

»Andernfalls würde ich natürlich noch ein bisschen länger in England bleiben. Weil ich ja ein paar Recherchen tätigen müsste. Schreiben kann ich das alles dann auch hier.«

Dennis schwieg einen Moment.

»Du hast ja alles bestens geplant«, meinte er dann, »gratuliere. Mir erklärst du, lediglich zum Geburtstag deines Vaters nach England zu wollen und sofort im Anschluss daran zurückzukommen. In Wahrheit hattest du längst eine Verabredung mit deinem früheren Chef, und ebendiese Verabredung dürfte ja wohl von Anfang an der wahre Anlass für deine Reiseplanung gewesen sein!«

»Da irrst du dich aber gewaltig«, sagte Rosanna heftig, »es ging ausschließlich um Dads Geburtstag. Aber als Nick anrief, dachte ich, da ich ohnehin in England bin und am Montag nach London muss, um überhaupt wieder nach Hause zu kommen, könnte ich einem Treffen zustimmen. Mein Gott, Dennis, was ist denn dabei?«

Er kippte seinen Whisky in einem Zug hinunter.

»Nichts. Im Prinzip nichts. Nur muss dir klar sein, dass dich die Recherchen für eine ganze Serie ziemlich lange in England festhalten werden. Dass das für unsere kleine Familie hier nicht gut ist, muss ich dir nicht sagen.«

»Unsere kleine Familie ... Ich weiß, wo dich der Schuh drückt, Dennis. Du hast jeden halbwegs positiven Kontakt zu deinem Sohn verloren, und ich bin dein Mittelsmann. Nur über mich hast du noch einen Funken Einfluss. Nur ich sorge dafür, dass es zwischen euch nicht ständig eskaliert. Wenn ich nicht da bin, weißt du nicht einmal, wie du ihn morgens aus dem Bett und in die Schule bekommen sollst!«

»Und wenn es so wäre? Er ist nun einmal in einem äußerst problematischen Alter. Viele Jungen hören da nicht mehr auf ihre Väter!«

»Trotzdem kann ich nicht andauernd zwischen euch stehen und das Schlimmste verhindern. Du musst wieder einen eigenen Draht zu ihm bekommen, Dennis. Ich kann dir deine Rolle als Vater nicht abnehmen. Das ist für Robert nicht gut – und mir gegenüber ist es zunehmend rücksichtslos.«

»Ich dachte, du...«

»Ich mag Robert. Ich ersetze ihm auch gern die Mutter. Aber nicht den Vater. Und ich kann nicht festgekettet an dieses Haus leben, nur weil zwischen euch beiden Krieg ausbricht, wenn ich mal eine Woche weg bin. Ich werde verrückt darüber. Es muss in meinem Leben noch andere Aufgaben geben als die einer Vermittlerin zwischen euch beiden!«

»Du reißt dich doch förmlich darum. Wenn ich Robert nur sagen will, er soll seine Musik leiser drehen, hältst du mich schon davon ab. Weil du die bessere Art hast, ihm eine so ungeheuerliche Bitte vorzutragen.«

»Ich bin sicher nicht unschuldig an der Entwicklung. Ich hänge mich zu sehr rein, ja. Trotzdem ist es nicht gut. Und ein Grund mehr, für eine Weile einfach mal weg zu sein.«

»Für eine Weile, aha. Für dich steht also längst fest, dass du diese Serie machen wirst. Dieses *informative Mittagessen*, von dem angeblich deine Entscheidung abhängt, ist doch nur eine Farce!«

»Woher willst du das wissen? Ich weiß zum Beispiel noch gar nicht, wie die Bezahlung aussieht.«

»Oh – da wird Mr. Simon sich bestimmt nicht lumpen lassen. Du warst schließlich mal ein ganz gutes Pferd in seinem Stall. Sicher freut er sich, dich zurückzugewinnen.«

»Sonst hätte er mich wahrscheinlich auch nicht gefragt«, sagte Rosanna wütend. Sie wusste, dass es im Grunde keinen Sinn mehr machte, das Gespräch fortzusetzen. Dennis war schlecht gelaunt und verärgert, sie selbst sah sich in die

Position gedrängt, sich rechtfertigen zu müssen, und wollte damit nicht fortfahren. Sie fühlte sich im Recht, wusste aber, dass es zwecklos war, Dennis auch nur zum Nachdenken über eine mögliche andere Sicht der Dinge bewegen zu wollen.

Trotzdem fügte sie hinzu: »Ich muss sowieso abwarten, was ich empfinde, wenn ich erst wieder in Kingston St. Mary bin. In Elaines Umfeld. Kann sein, die ganze Sache belastet mich so, dass ich mich gar nicht in der Lage fühle, dieser Geschichte noch einmal nachzugehen.«

»Dann habe ich ja direkt noch Hoffnung«, bemerkte Dennis zynisch. Er ging erneut zum Schrank, holte die Whiskyflasche noch einmal heraus und schenkte sich sein Glas randvoll.

Rosanna ging zur Tür, um Robert zu bitten, die Musik ein wenig leiser zu stellen.

Eigentlich, dachte sie im Hinausgehen, würde uns eine gewisse Zeit der Trennung ganz gut tun.

Samstag, 9. Februar

Noch immer, wenn sie tief in der Nacht den stillen Platz vor dem *The Elephant* überquerte, sich nach rechts wandte und durch die enge, vollkommen ausgestorbene Gasse ging, an deren Ende ihre Wohnung lag, fühlte sie sich unbehaglich.

Nein, dachte sie, während sie mit gesenktem Kopf vorwärtshastete, *unbehaglich* ist gar nicht das richtige Wort. Ich habe Angst. Ich habe immer noch Angst.

Den Freitagabend und die ersten Stunden des Samstags hasste sie besonders. Am Freitag wurden, wenn der letzte Gast gegangen war, die Wocheneinnahmen berechnet und akribisch jeder einzelne Cent in einem dicken Ordner notiert. Justin McDrummond, der Besitzer des Pubs, nahm es sehr genau mit dem Geld, aber natürlich ging es dabei auch um seine Existenz. Seine beiden Angestellten durften nicht verschwinden, ehe nicht alles kontrolliert war und auf den Cent genau stimmte. Dadurch wurde es weit nach Mitternacht, ehe man sich auf den Heimweg machen konnte. Die Aushilfskräfte waren zu diesem Zeitpunkt längst auf und davon; nur Bert, der Koch, und sie, das Serviermädchen, hatten auszuharren.

Unglücklicherweise wohnte Bert in der entgegengesetzten Richtung, so dass es keine Chance gab, wenigstens ein Stück des Weges mit ihm gemeinsam zu gehen. Zudem hatte er es immer schrecklich eilig, zu seiner Frau und seinen kleinen Kindern nach Hause zu kommen.

Aber ohnehin, dachte sie, wäre er gar nicht auf die Idee gekommen, mir seine Begleitung anzubieten. Niemand geht davon aus, dass hier etwas geschieht. Nicht in Langbury. Wo sich Fuchs und Hase gute Nacht sagen.

Sie sah auf ihre Uhr. Kurz nach halb zwei. Natürlich war

kein Mensch mehr auf der Straße. Nicht, dass es hier überhaupt je von Menschen gewimmelt hätte, aber in hellen Sommernächten stieß man wenigstens gelegentlich auf ein Liebespaar oder auf irgendeinen späten Spaziergänger mit Hund. Aber natürlich nicht im Februar. Es war eine eisig kalte Nacht, der Wind jagte durch die Straßen und wirbelte ein paar Schneeflocken herum. Hinter allen Fenstern herrschte völlige Dunkelheit.

Sie hatte den Platz vor dem Pub überquert und tauchte in die kopfsteingepflasterte Gasse, die leicht bergan stieg und die so schmal war, dass man den Eindruck hatte, die Menschen könnten sich aus den Häusern rechts und links herauslehnen und einander ohne große Schwierigkeiten die Hände schütteln. Tatsächlich waren die Häuser sehr alt und neigten sich fast alle mit den oberen Stockwerken ein Stück nach vorn. Touristen, die nach Langbury kamen, begeisterten sich an den Häusern, gerade weil sie so schmalbrüstig und schief waren. So alt, so englisch!

Sie dachte, dass man die zugigen, engen Kästen mit den schlecht schließenden, viel zu kleinen Fenstern, den winzigen Räumen und halsbrecherisch steilen Treppen im Innern nur bejubeln konnte, wenn man selbst nicht darin leben musste. Hatten sich die Leute mal überlegt, wie wenig Licht in die Zimmer dringen konnte? Wie dunkel es darin sein musste, selbst im Sommer? Wie beengt man hauste? Aber natürlich machte sich niemand darüber Gedanken. Man nannte das Bild, das das kleine Dorf in Northumberland bot, *romantisch* und kehrte dann nach Hause zurück, wo man es heller, komfortabler und großzügiger hatte.

Obwohl sie froh sein musste, die Wohnung gefunden zu haben, keine Frage. Und die Arbeit bei Mr. McDrummond. Als sie ihren letzten Job verloren hatte – sie hatte im Lager eines Schuhgeschäfts die Ware sortiert und etikettiert –, war sie völlig verzweifelt gewesen. Nicht, dass diese Tätigkeit ihr besonders viel Spaß gemacht hätte, aber sie hatte sich in dem abgeschiedenen Raum so fern der Welt und damit sicher gefühlt. Außer ihren Kollegen traf sie kaum je einen Menschen. Es war nicht das Leben, von dem sie geträumt hatte, aber es hatte ihr allmählich eine innere Ruhe vermittelt, die schwerer wog als Anflüge von Einsamkeit und das Bewusstsein, dass das eigentliche Leben an ihr vorüberging. Die Angst war das Schlimmste. Jedes Bollwerk gegen die Angst, und wenn es sie gleichzeitig gegen Menschen, Freundschaften und Liebe blockierte, war willkommen.

In einem Pub hatte sie eigentlich zuallerletzt arbeiten wollen. Die meisten Gäste dort waren Menschen aus dem Dorf, aber gerade im Sommer kamen auch viele Touristen. Fremde. Jeder konnte kommen, jeden Augenblick. Auch…

Sie arbeitete seit dem vergangenen Juni im *Elephant*. Aber noch immer schrak sie zusammen, wenn sich die Tür von draußen öffnete. Noch immer brach ihr der Schweiß in den Handflächen aus. Noch immer dauerte es Minuten, ehe sich Herzschlag und Puls halbwegs normalisiert hatten.

Sie hatte einfach keinen anderen Job gefunden. Zwei Mieten war sie schon im Rückstand gewesen. Mr. Cadwick, der Hausbesitzer, der in der Wohnung unter ihr wohnte, hatte ihr ständig im Treppenhaus aufgelauert. »So geht das nicht weiter. Sie können hier nicht umsonst wohnen. Ich bin kein Wohltätigkeitsverein. Wenn ich nicht nächste Woche das Geld habe, rufe ich die Polizei!«

In ihrer Not hatte sie die Stelle im *Elephant* angenommen. Justin zahlte nicht schlecht, und zusammen mit dem Trinkgeld verdiente sie nun besser als vorher. Dafür schlief sie schlechter und hatte wieder an Gewicht verloren. Sie hielt Ausschau nach einer anderen Tätigkeit, hatte aber bislang nichts gefunden.

Sie hatte die Hälfte des Weges zurückgelegt und hielt für einen Moment inne. Eigentlich besaß sie eine gute Kondition, aber sie hatte in ihrer Verspannung und Furcht wieder einmal falsch geatmet und wurde nun von heftigem Seitenstechen geplagt. Die Hand an die Taille gepresst, versuchte sie tief Luft zu holen. Rechts und links von ihr lagen schwarz und stumm die tiefen Hauseingänge. Als sie daran dachte, was und wer sich alles ganz leicht dort verbergen konnte, atmete sie sofort wieder verkrampft und spürte, wie die Schmerzen schlimmer wurden. Es hatte keinen Sinn, hier stehen zu bleiben, es machte sie nur verrückt.

Du bist neurotisch, schimpfte sie mit sich, während sie weiterlief, total neurotisch. Irgendwann drehst du noch komplett durch!

Aber wer gesehen hatte, was sie gesehen hatte. Wer erlebt hatte…

Nicht weiterdenken. Sie hatte noch etwa zweihundert Meter zu laufen. Wenn sie erst in der Wohnung war, wenn sie festgestellt hatte, dass sich niemand dort verborgen hielt, wenn sie die Fensterläden verriegelt und verrammelt hatte und unter ihrer warmen Bettdecke lag, eine Wärmflasche auf dem Bauch und ein Glas heiße Milch mit Honig neben sich, dann würde es ihr besser gehen. Dann würde sie sich sicherer fühlen. Und wissen, dass sie wieder einen Tag geschafft hatte.

Kurz vor der Haustür hielt sie inne, um ihren Schlüssel aus der Tasche zu kramen. Es war völlig dunkel, sie konnte nichts sehen, aber urplötzlich blitzte eine Taschenlampe auf und leuchtete ihr ins Gesicht.

Sie hob den Kopf, wollte schreien. Und brachte keinen Laut hervor.

Sonntag, 10. Februar

I

Es überraschte Rosanna zu sehen, dass Cedric wieder rauchte.

»Als wir… bei Mummys Beerdigung hattest du es dir abgewöhnt«, sagte sie.

Er nickte und nahm einen tiefen, genießerischen Zug. »Irgendwann um Weihnachten herum ging es wieder schief. Du weißt schon, ständig Weihnachtsfeiern und der ganze Mist. Die anderen rauchen, und irgendwie fängst du dann auch wieder an.«

»Ich dachte, in Amerika kann man gar nicht anders, als enthaltsam zu leben. Dort ist das Rauchen doch inzwischen fast überall verboten.«

Cedric grinste. »Wo ein Wille ist, ist auch ein Weg. Je mehr Verbote, desto mehr Schlupflöcher. Oder glaubst du, während der Prohibition wurde weniger gesoffen als davor und danach?«

Sie betrachtete ihren großen Bruder mit einem liebevollen Lächeln. Sie rechnete es ihm hoch an, dass er zum Geburtstag seines Vaters extra aus New York angereist war, obwohl sie insgeheim mutmaßte, dass dies nicht in erster Linie mit einer Fürsorglichkeit dem frischgebackenen Witwer gegenüber zu tun hatte, sondern mit seiner eigenen Einsamkeit. Cedric lebte ein wildes, oberflächliches Leben, das er einerseits zu brauchen schien, das ihm andererseits nicht allzu gut tat. Bei der Beerdigung seiner Mutter im vergangenen Herbst hatte ihn eine Freundin begleitet, ein Mädchen mit dramatisch geschminkten Augen, das kaum dem Teenageralter entwachsen war. Er hatte sie als *meine Lebensgefähr-*

tin vorgestellt. Die Geschichte schien sich bereits wieder erledigt zu haben, aber Rosanna hatte auch nichts anderes erwartet. Cedrics bisher längste Beziehung hatte ein halbes Jahr gedauert, alle anderen waren noch eher zerbrochen. Er war achtunddreißig. Rosanna fand, dass es höchste Zeit für ihn war, seinen Platz im Leben zu finden. Eine Familie zu gründen und eine innere Heimat zu haben.

»Willst du?«, fragte Cedric nun und hielt ihr seine Zigarettenschachtel hin. Sie schüttelte den Kopf. »Nein danke. Ich bleibe standhaft.«

»Dein lieber Dennis würde dir auch was erzählen, stimmt's? Frauen, die rauchen, passen garantiert nicht in sein konservatives Weltbild!« Cedric hatte seinen Schwager vom ersten Moment an nicht leiden können, und diese Abneigung wurde von Dennis aus ganzem Herzen erwidert. Verschiedener als die beiden konnten zwei Männer allerdings auch kaum sein.

Sie standen in Hazels Garten. So hatten sie ihn immer genannt, Hazels Garten, obwohl er natürlich der ganzen Familie gehört hatte und von allen benutzt worden war. Aber Hazel hatte den Garten geliebt, gepflegt und ihm sein unverwechselbares Gesicht gegeben. Sie hatte Bäume, Büsche und Blumen gepflanzt. Ihr war es zu verdanken, dass die etwas düstere Mauer, die das Grundstück umschloss, vollständig unter Efeu verschwand, und dass man sich im Spätsommer im hinteren Teil des Gartens mit Obst vollstopfen konnte: Brombeeren, Stachelbeeren und Johannisbeeren, und natürlich Äpfel, Birnen und Pflaumen, so viel man nur wollte. Wenn Rosanna sich an ihre Mutter erinnerte, so hatte sie immer das Bild einer Frau vor Augen, die, in Gummistiefeln oder Sandalen, zwischen ihren Pflanzen herumstapfte und jeden Besucher, ganz gleich, wie zufällig er hereinschneien mochte, mit irgendeinem Geschenk aus ihrem Garten beglückte: mit ein paar langen, blühenden

Zweigen für eine Bodenvase, einem Strauß dicker, glänzender Tulpen, einer einzelnen Rose, die unnachahmlich duftete. Hazel hatte gern geschenkt. Es war schwer vorstellbar, dass sie nie mehr zwischen den Bäumen auftauchen und sich mit einem Lächeln auf dem Gesicht ihrem Haus nähern würde.

An diesem trüben, grauen Februarsonntag hatte es in den frühen Morgenstunden geschneit, einen späten, nassen, schweren Schnee, der jetzt am Mittag bereits wieder wegzutauen begann. Die Grashalme stachen aus dem Weiß hervor, ebenso die vielen lilafarbenen und gelben Krokusse, die überall auf der Wiese schon zu blühen begonnen hatten. Es war ein trauriges Bild, das Verlassenheit und Schwermut auszudrücken schien.

Der Garten ist verlassen, dachte Rosanna, verlassen von Hazel. Wie wir alle. Heute besonders.

Sie ging auf Cedrics Provokation, Dennis betreffend, nicht ein, sondern hob stattdessen fröstelnd die Schultern. »Es ist kalt. Bist du bald fertig mit deiner Zigarette? Ich möchte wieder ins Haus gehen.«

»Du bist viel zu dünn angezogen. An einen richtigen Winter erinnerst du dich wohl kaum mehr da unten in Gibraltar.«

»Ich erinnere mich, doch. Und ich vermisse ihn.« Sie starrte in den traurigen Garten. »Das ist der letzte oder vorletzte Schnee in diesem Jahr. Irgendwann in den nächsten Wochen bricht der Frühling mit aller Macht aus. Du glaubst nicht, wie mir das fehlt. Dieser klare Wechsel der Jahreszeiten. Ich glaube, den Frühling in England kann man mit nichts auf der Welt vergleichen.«

Cedric warf seine Zigarette in den Schneematsch zu seinen Füßen. »Na ja, wenn ich das richtig verstanden habe, bleibst du ja nun eine Weile hier. Wegen dieser Zeitungsgeschichte.«

»Wenn ich das mache. Mal sehen, wie das Gespräch mit Nick morgen verläuft.«

»Ach komm! Du machst es, ganz gleich, wie das Gespräch verläuft! Glaubst du, man merkt dir nicht an, wie sehr du dich danach sehnst, wieder eine richtige Aufgabe zu haben? Mir ist das schon bei Mummys Beerdigung aufgefallen. Du wirkst total frustriert!«

»Bei Mummys Beerdigung habe ich *traurig* gewirkt und war es auch, und das hing nicht mit einer fehlenden Aufgabe zusammen.«

»Klar warst du traurig. Aber da war schon etwas in deinem Gesicht, das hatte nichts mit dem Tod unserer Mutter zu tun. Da waren Linien, die hatten sich über einen längeren Zeitraum eingegraben. Du bist nicht gerade glücklich mit deinem Dennis in Gibraltar, liebste Schwester, und das sieht man dir an.«

»Aber du bist richtig glücklich in New York, oder wie?«

»Habe ich ja gar nicht behauptet. Aber du hast damals so getan, als sei Dennis der tollste Mann, den die Welt je gesehen hat, und Gibraltar der einzige Ort, an dem es sich leben lässt. Man konnte es ja schon bald nicht mehr hören. Und irgendwie scheint sich da manches verändert zu haben in den letzten fünf Jahren.«

»Immerhin sind es fünf Jahre«, entgegnete Rosanna spitz, »und so lange hat meines Wissens noch keine einzige deiner Beziehungen auch nur annähernd je gedauert. Dass bei Dennis und mir der Lack ein bisschen ab ist, ist wohl normal. Trotzdem gehören wir zusammen.«

Cedric wollte etwas erwidern, und nach seinem Gesichtsausdruck zu schließen, wäre es eine nicht eben freundliche Bemerkung gewesen, aber gerade da ging hinter ihnen ein Fenster auf, und Victor, ihr Vater, lehnte sich heraus.

»Rosanna! Cedric! Kommt ihr? Das Essen ist fertig!«

Cedric schluckte hinunter, was er hatte sagen wollen,

und folgte seiner Schwester ins Haus. Von der Terrasse trat man sofort ins Esszimmer, wo Victor bereits den Tisch gedeckt hatte. Hazels gutes Porzellan. Rosanna hatte angeboten, das Lieblingsessen ihres Vaters zu kochen, aber Victor hatte darauf bestanden, das der Kinder zuzubereiten: Irish Stew nach Hazels Rezept.

»Das hätte eure Mutter heute auch gekocht, wenn sie euch beide nach so langer Zeit wieder einmal dagehabt hätte. Sie wäre so glücklich gewesen!«

Rosanna betrachtete ihren Vater, während er das Essen auftrug und eine Flasche Wein entkorkte. Weder sein freundliches Lächeln noch seine warme, anteilnehmende Art hatte er durch den Tod seiner Frau verloren, obwohl er damals wochenlang unter Schock gestanden hatte. Hazel war an jenem Samstag Ende November noch mit ihm morgens beim Einkaufen auf dem Markt gewesen und hatte nachmittags bereits mit der Weihnachtsbäckerei beginnen wollen. Aber dann war ihr plötzlich übel geworden, sie hatte über Sehstörungen geklagt und kaum noch geradeaus gehen können. Der herbeigerufene Arzt hatte einen leichten Schlaganfall diagnostiziert und sofort einen Krankenwagen gerufen. Noch im Auto hatte Hazel einen zweiten Schlaganfall erlitten und war innerhalb weniger Minuten gestorben. Rosanna war am späten Abend aus Gibraltar eingetroffen und hatte ihren Vater in der Küche vorgefunden, wo er völlig verwirrt damit beschäftigt war, Weihnachtsplätzchen zu backen.

»Sie hatte ja den Teig noch angerührt«, sagte er immer wieder.

Inzwischen funktionierte Victor wieder völlig normal, aber die Einsamkeit umgab ihn wie ein dichter, schwerer Mantel, dessen Gewicht ihn ganz langsam, fast unmerklich zu Boden zu ziehen schien.

Als sie sich jetzt alle an den Tisch setzten und hinaus in

den grauen Tag blickten, dachte Rosanna, wie so ein Sonntag allein in diesem Haus für ihren Vater aussehen mochte. Die Stille des Schnees und das gleichmäßige Ticken der Uhr. Sie fror plötzlich, viel schlimmer als kurz zuvor im Garten. Das Frieren kam tief aus ihrem Innern.

Cedric bestritt die Unterhaltung beim Mittagessen fast allein, indem er höchst amüsant und witzig von New York und seinen Erlebnissen der letzten Wochen erzählte. Er trank viel und schnell vom Wein, und wie immer unter Alkoholeinfluss wurde er ein lebhafter, kurzweiliger Gesellschafter. Rosanna registrierte dankbar, dass Victor häufig lachte und sehr gelöst wirkte. Als sie mit dem Nachtisch fertig waren, sagte er: »Wisst ihr was, Kinder, ich erledige jetzt den Abwasch, und ihr beide macht einen schönen Spaziergang zusammen. Ihr wart lange nicht mehr in Kingston St. Mary. Bestimmt habt ihr Lust, euch umzusehen!«

»Das kommt gar nicht...«, setzte Rosanna an, aber Cedric unterbrach sie sofort: »Es wäre fantastisch, wenn du uns für ein, zwei Stunden entbehren könntest, Dad. Ich würde gern... na ja, ich dachte, ich sollte vielleicht Geoff mal besuchen. Habe ihn lange nicht gesehen.«

»Aber doch nicht an Dads Geburtstag!«, sagte Rosanna empört.

»Wer weiß, wann ich wieder hier bin!«

»Willst du etwa morgen schon wieder nach New York zurück?«

»Nein. Aber nach London. Ein paar Leute von früher besuchen.«

»Typisch. Schon ein Tag in Kingston St. Mary ist zu viel. Ich dachte, du bleibst ein paar Tage hier!«

»Ach!« Cedric funkelte sie über den Tisch hinweg an. »Wenn ich das richtig verstanden habe, bist du selber morgen in London, kleine Schwester, oder nicht? Auch ziemlich eilig!«

»Ich habe dort einen beruflichen Termin. Das ist ja wohl etwas anderes!«

»Nun ja, wie man…«, setzte Cedric an, aber Victor hob beschwichtigend beide Hände. Er sah plötzlich sehr müde aus und älter, als er war.

»Bitte, Kinder, nicht streiten! Ich verstehe sehr gut, dass ihr beide, aus welchen Gründen auch immer, morgen nach London wollt. Und das ist kein Problem für mich. Ich komme gut mit meinem Leben zurecht.«

»Aber heute ist dein Geburtstag. Ich finde es nicht richtig, wenn…«

»Ich kann nach dem Abwasch ein Schläfchen ganz gut brauchen. Auch an meinem Geburtstag. Warum gehst du nicht mit Cedric und besuchst Geoffrey, Rosanna? Du kennst ihn doch auch noch gut von früher. Wenn ihr um fünf Uhr zum Tee zurück seid, freue ich mich. Bis dahin ruhe ich mich aus.«

Cedric sprang auf den Vorschlag sofort begeistert an. »Klasse. Rosanna, würdest du das tun? Ich würde mich viel besser fühlen, wenn du mitkommst. Die Unterhaltungen mit Geoff sind… na ja, du weißt ja. Seit seinem Unfall ist es nicht einfach mit ihm.«

»Es ist ja auch kein Zuckerschlecken, querschnittsgelähmt in einem Heim zu sitzen, ohne die geringste Zukunftsperspektive.«

»Vielleicht könnte das Gespräch mit ihm ganz interessant sein, Rosanna«, meinte Victor, »im Hinblick auf deine geplante Serie, meine ich. Hör dir doch mal seine Meinung an, was das Verschwinden von Elaine betrifft. Er hat da sicher seine ganz eigenen Ideen. Im Übrigen fände ich es auch nicht in Ordnung, wenn ihr beide hier seid und ihn nicht besucht. Als Kinder habt ihr so viel miteinander gespielt.«

Rosanna erhob sich seufzend. »Okay. Überredet. Ich komme mit. Er lebt jetzt in Taunton, nicht?«

»Der wird Augen machen, wenn er uns sieht!«, sagte Cedric.

Rosanna folgte ihrem Bruder aus dem Wohnzimmer und dachte, dass Cedric eine bewundernswerte Gabe hatte, sich das Leben möglichst einfach zu gestalten. Die schwierige Unterhaltung mit einem verbitterten und vielleicht aggressiven Geoffrey würde er nun ihr überlassen, später jedoch mit dem guten Gefühl nach New York zurückfliegen, sich um seinen alten Freund ausgiebig gekümmert zu haben.

Aber im Übrigen hatte ihr Vater natürlich recht: Sollte sie den Artikel über Elaine Dawson wirklich schreiben, brauchte sie ohnehin ein Gespräch mit deren Bruder – Elaines letztem lebenden Verwandten und dem Mann, der von ihrem spurlosen Verschwinden am meisten betroffen gewesen war.

2

The Elephant hatte sonntags geöffnet, aber nach einigem Hin und Her hatte sie bei Justin angerufen und sich für diesen Tag erneut krankgemeldet. Erwartungsgemäß hatte Justin gemurrt und gejammert, aber da zu dieser Jahreszeit praktisch überhaupt keine Touristen unterwegs waren und zudem an den Sonntagabenden auch kaum Dorfbewohner den Weg in die Kneipe fanden, konnte er nicht behaupten, unter der Arbeit zusammenzubrechen, wenn seine Serviererin nicht erschien. Die drei oder vier Besucher, die heute zu erwarten waren, würde die Aushilfe leicht bewältigen. Selbst am Abend zuvor, dem Samstag, war nicht allzu viel los gewesen, aber Justin hatte sich aufgeführt, als gehe seine Existenz den Bach hinunter, weil sie da bereits abgesagt hatte.

»Gestern meinten Sie, heute wären Sie wieder auf dem Damm«, knurrte er.

»Ich habe es gehofft. Aber mir ist heute immer noch furchtbar schlecht«, erwiderte sie. »Vielleicht habe ich doch nichts Falsches gegessen, sondern mir ein Virus eingefangen.«

»Kann man nichts machen«, sagte Justin grimmig und legte den Hörer auf.

»Sie sehen wirklich nicht gut aus«, meinte Mr. Cadwick, der Vermieter, mitfühlend. Sie hatte ihn, wie schon am Vortag, bitten müssen, von seinem Apparat aus telefonieren zu dürfen, da sie selbst kein Telefon hatte. Sie hatte gewusst, dass er jedem Wort des Gesprächs aufmerksam lauschen würde, aber sie hatte auch gewusst, dass er ihr das Märchen von der Magenverstimmung, die womöglich sogar eine ernsthafte Magen-Darm-Grippe war, sofort abkaufen würde. Sie hatte noch immer eine ungesunde Gesichtsfarbe und tiefe Ringe unter den Augen.

»Mir geht es auch nicht besonders gut«, sagte sie. Sie wollte wieder nach oben in ihre Wohnung. Die Tür hinter sich verriegeln, sich im Bett zusammenrollen. Sich jetzt bloß nicht dem fürsorglichen Geplapper Mr. Cadwicks aussetzen. Als sie mit der Miete im Rückstand war, hatte er sie an die Luft setzen wollen. Seitdem sie wieder regelmäßig zahlte und den guten Job im *Elephant* hatte, machte er auf Freundschaft. Klar, für das dunkle Loch da oben würde er nicht so schnell jemanden finden, wer zog schon nach Langbury und vergrub sich dann auch noch in der finstersten Ecke des ganzen Ortes? So viele Neurotiker liefen auf dieser Welt nicht herum, dass ihm rascher Ersatz garantiert war.

»Sie sollten zum Arzt gehen«, schlug Mr. Cadwick vor, »Sie sehen geradezu erbärmlich aus, wenn ich das sagen darf. Man sollte solche Geschichten nicht auf die leichte Schulter nehmen.«

»Ich brauche bloß noch einen Tag im Bett, dann geht's schon wieder«, beteuerte sie.

»Soll ich einen Tee für Sie kochen? Es gibt doch niemanden, der sich um Sie kümmert! Haben Sie überhaupt etwas zu essen daheim?«

Hätte sie ihn während der Zeit ihrer Zahlungsrückstände nicht so knallhart erlebt, sie hätte jetzt direkt ein dankbares Gefühl empfinden können. Obwohl sie ihn einfach nur schleimig fand. Mr. Cadwick war bald siebzig Jahre alt, unverheiratet, und vielleicht tat sie ihm unrecht, aber oft hatte sie den Eindruck, dass er sie mit ausgesprochen lüsternen Blicken verfolgte. Sie war sich sicher, dass er in seinem stickigen, ungelüfteten Wohnzimmer, in dem der jahrealte Dunst ungezählter Mahlzeiten zwischen den Wänden zu hängen schien, regelmäßig Pornovideos anschaute, obwohl sie auch darauf keinen Hinweis hatte. Er war einfach der Typ dafür. Zweimal im Monat machte er sich mit Bus und Bahn auf den Weg nach Newcastle, ohne irgendetwas darüber verlauten zu lassen, was er dort tat. Sie war überzeugt, dass er ein Bordell besuchte. Und dass er auf perverse Sexspiele stand. Sie roch das förmlich. Ihr Unbehagen ihm gegenüber war auch der Grund, weshalb sie jeden Abend eine kleine Kommode unter die Klinke ihrer Wohnungstür schob. Mr. Cadwick besaß einen Zweitschlüssel. Sie hatte keine Lust, eines Nachts davon aufzuwachen, dass er neben ihrem Bett stand und sich einen runterholte.

»Ich habe genug zu essen, danke«, behauptete sie, obwohl es nicht stimmte, »aber, ehrlich gesagt, ist mir im Moment nicht sehr danach. Ich muss jetzt einfach diese blöde Geschichte auskurieren, dann ist wieder alles in Ordnung. Danke fürs Telefonieren, Mr. Cadwick.« Sie wandte sich zum Gehen.

»Wenn Sie Hilfe brauchen ...«, rief er ihr noch hinterher, ehe er allein und frustriert in seinem trostlosen Sonntag zurückblieb.

Aber sein trostloser Sonntag ist nicht mein Problem, dachte sie, während sie, oben angekommen, aufatmend die Wohnungstür hinter sich schloss und sofort die Kommode davorrückte, mein Leben besteht überhaupt nur noch aus trostlosen Tagen, und wen kümmert das?

Es ging ihr besser, kaum dass sie sich in Sicherheit fühlte. Sie hatte zwei Tage gewonnen, die sie hier eingeschlossen verbringen konnte, denn am morgigen Montag hatte *The Elephant* seinen Ruhetag. Danach musste sie allerdings wieder auf der Matte stehen, und sie konnte nur hoffen, dass es ihr gut genug ginge, um erneut in den Ring zu steigen. Vor zweieinhalb Jahren hatte sie schon einmal einen derartigen Nervenzusammenbruch gehabt – wenn man ihre Übelkeit, das Fieber, das Zittern und das Schwindelgefühl so nennen konnte. Damals hatte sie plötzlich geglaubt, in Morpeth vor einem Fischgeschäft Pit gesehen zu haben. Sie war vollkommen sicher gewesen, ihn erkannt zu haben, den flachen Hinterkopf mit den dünnen Haaren, die sehnige Gestalt, von der man nicht glaubte, wie viel Kraft in ihr steckte, ehe man nicht Bekanntschaft mit seinen Fäusten gemacht hatte. Selbst von hinten strahlte er eine Brutalität aus, die atemlos machte. Sie hatte ihn immer viel mehr gefürchtet als Ron, denn Ron war klüger und berechenbarer. Pit hingegen war, ihrer festen Überzeugung nach, ein Psychopath. Er konnte jeden Augenblick komplett durchknallen, und wehe dem, der ihm dann zwischen die Finger geriet.

In Morpeth war sie nur gewesen, weil sie dringend eine neue Jeans gebraucht hatte, und sie war überzeugt gewesen, dass nun ihre letzte Stunde geschlagen hätte. Bis heute wusste sie nicht, wie sie es noch bis zur Bushaltestelle, dann zurück in den Ort, in dem sie damals lebte, und in ihre Wohnung geschafft hatte.

Sie hatte sich den restlichen Tag über immer wieder übergeben und bis zum Abend Fieber gehabt. Immer wieder hatte sie sich gesagt, dass es absolut keinen nachvollziehbaren Grund gab, weshalb sich Pit in Morpeth, Northumberland, herumtreiben sollte. Der einzige Grund konnte nur *sie selbst* sein.

Sogar dem Schuhgeschäft war sie damals zwei Tage ferngeblieben, weil sie sich so krank fühlte und das dauernde Zittern ihrer Hände nicht unterdrücken konnte. Zunächst hatte sie alle Brücken hinter sich abbrechen und weiterziehen wollen, weit weg, an einen fernen Ort. Schottland vielleicht, die Hebriden... Aber am Abend des zweiten Tages war sie schon nicht mehr so sicher gewesen, dass der Mann vor dem Fischgeschäft wirklich Pit gewesen war. Sie rekonstruierte das Bild in Gedanken wieder und wieder, und plötzlich erschien es ihr nicht mehr überzeugend. Der Mann war größer gewesen als Pit, und seine ganze Körperhaltung hatte irgendwie nicht gestimmt. Die Haare waren zu dunkel, eine Nuance vielleicht nur, aber eben doch – dunkler.

Auf einmal fragte sie sich erstaunt, wie sie überhaupt einen Moment lang hatte glauben können, bei dem Mann in Morpeth handele es sich um Pit, und schlagartig war es ihr besser gegangen.

Diesmal war sogar noch weniger passiert. Samstagnacht, die dunkle Gasse, das gleißende Licht der Taschenlampe. Sie hatte geglaubt, dies sei das Ende. Er hatte sie gefunden. Hatte in einem dunklen Hauseingang verborgen auf sie gewartet. Gnade hatte sie nicht zu erwarten, dafür aber ein furchtbares Ende.

Bis sie realisierte, dass es die kleine, alte Miss Pruett von schräg gegenüber war, die, ihren Basset an der Leine, eine Taschenlampe in der Hand und selbst zu Tode erschrocken, vor ihr stand, hatte ihr Körper bereits das ganze bekannte Programm durchlaufen: jäher Schweißausbruch, unkontrollierbares Zittern, ein Herzschlag, von dem sie meinte, er müsse die Erde beben lassen. Sie erinnerte sich, dass sie hatte schreien wollen, aber dass ihr plötzlich der Hals wie zugeschnürt war und dass sie keinen Ton herausbringen konnte.

Wahrscheinlich hatte sie nur ein paar Sekunden so dagestanden, geblendet vom Licht der Lampe, aber ihr war es wie eine Ewigkeit erschienen. Dann hatte Miss Pruett endlich die Lampe sinken lassen und mit ihrer zittrigen Stimme erstaunt gesagt: »Ach – *Sie* sind das. Was tun Sie denn hier?«

Ihre eigene Stimme hatte ihr erst nach zwei vergeblichen Anläufen gehorcht. »Miss Pruett«, hatte sie schließlich krächzend hervorgebracht, »das… das wollte ich Sie eigentlich fragen!«

Wie sich herausstellte, war Zeb, der Basset, krank, eine Blasenentzündung, wie Miss Pruett beschämt verriet, und musste immer wieder vor die Tür. Da das Haus der alten Dame weder über einen Garten noch über einen Hof verfügte, blieb ihr nichts anderes übrig, als die ganze Nacht hindurch stündlich eine kleine Runde zu drehen.

Eine harmlose Situation, die wieder einmal in ein Drama geführt hatte.

Ich muss aufhören, in dieser ständigen Angst zu leben, sagte sie sich nun und betrachtete stirnrunzelnd die Kommode, die unter die Türklinke gerückt dastand, das macht mich krank. Und verrückt. Und zerstört mich.

Es waren Jahre vergangen. Vielleicht hatte sie längst nichts mehr zu befürchten. Vegetierte ganz umsonst, wie ein Tier tief vergraben in einer dunklen Höhle, vor sich hin. Es mochte längst an der Zeit sein, dass sie die Vergangenheit abschüttelte und daranging, sich ein neues Leben aufzubauen.

Vielleicht sollte sie den ersten Schritt tun, indem sie die lächerliche Kommode wegrückte. Mr. Cadwick war nicht gefährlich, er war nur widerlich. Angestrengt lauschte sie, ob sie ihn unten in der Wohnung hörte, aber alles war still. Normalerweise wusste sie meist, wo er sich aufhielt, da sie sowohl seine schlurfenden Schritte als auch sein häufiges Räuspern deutlich mitbekam. Wenn kein einziger Laut ihn verriet, so wie jetzt, hegte sie stets die beklemmende Vorstellung, er könne sich auf Strümpfen durch das Treppenhaus geschlichen haben und sich auf dem Absatz vor ihrer Wohnung herumdrücken – in der Absicht vermutlich, irgendetwas von ihr mitzubekommen, woran er sich aufgeilen konnte.

Aber womöglich hingen solche Gedanken auch nur mit ihrer verrückten Angstneurose zusammen. Am Ende saß Mr. Cadwick einfach nur friedlich unten in einem Sessel und las Zeitung oder trank eine Tasse Tee. Und würde im Traum nicht daran denken, im Treppenhaus herumzuschleichen oder gar heimlich in die Wohnung seiner Mieterin einzudringen.

Trotzdem – sie konnte sich nicht überwinden, das Möbelstück zu entfernen. Sie brauchte diese Schranke, gegen Mr. Cadwick, gegen mögliche andere Gefahren und gegen ihre eigene Panik.

Noch weit entfernt von der Normalität, dachte sie.

Sie trat an eines der kleinen Fenster, die so schlecht schlossen und alle Wärme zuverlässig hinaus- und alle Kälte hereinließen, und blickte hinaus. Kein Mensch auf der Gasse und ein paar Schneeflocken in der Luft. Wie neulich nachts. Das Wetter änderte sich nicht. Kalt und grau. Von Frühling hier oben im Norden keine Spur.

Sie legte sich auf ihr Bett, starrte an die Decke und versuchte, Geräusche im Haus auszumachen und einzuordnen. Eine Gewohnheit, die ihr in Fleisch und Blut übergegangen war: immer wach sein, präsent sein, wissen, woran sie war, die Kontrolle behalten.

Irgendwann einmal konnte ihr Überleben davon abhängen.

Aber das Haus lag in völliger Stille, und über dieser Lautlosigkeit schlief sie schließlich ein.

3

Geoffrey Dawson war völlig perplex, als die Schwester in seinem Zimmer erschien und ihm mitteilte, dass Besuch für ihn da sei. Er bekam sehr selten Besuch, obwohl in der Gegend noch etliche Freunde und Bekannte von früher lebten. Anfangs hatten sie häufig nach ihm gesehen, in den ersten beiden Jahren nach dem Unfall. Dann war der Strom mitfühlender Menschen recht abrupt abgerissen – klar, wer hatte schon Lust, stundenlang neben einem Krüppel im Zimmer zu sitzen und sich dessen Leidensmiene anzusehen. Nach Elaines Verschwinden, als er in das Pflegeheim nach Taunton hatte umziehen müssen, war das Interesse an ihm wieder kurzfristig erwacht. Einigen mochte er wirklich leidgetan haben, weil er sein Zuhause verlor und weil sein ständiger Albtraum, das Heim, nun wahr wurde. Aber Geoff machte sich nichts vor: Die meisten hatte nur der Nervenkitzel gereizt. Elaines Verschwinden hatte Staub aufgewirbelt, und mancher mochte gehofft haben, von ihrem Bruder ein paar Details zu erfahren, die man der Presse nicht hatte entnehmen können. Außerdem genossen sie den Grusel des Pflegeheims. Die langen Gänge mit blank geputztem Linoleum, das ständige eingeschaltete Kunstlicht, die kleinen Zellen rechts und links, hinter denen die bedauernswerten Geschöpfe hausten, die hier ihr Leben verbringen mussten. Wer finanziell besser gestellt war, konnte auf ein Einzelzimmer hoffen. Geoff gehörte nicht dazu. Er teilte sich seinen Raum mit zwei anderen Männern, von denen der eine häufig wirres Zeug brabbelte und seine Mitbewohner damit halb zu Tode nervte.

Leider tatsächlich nur *halb*. Geoff dachte viel und ausgiebig über Selbstmord nach, aber ihm fiel keine Möglichkeit ein, die er aus eigener Kraft hätte bewerkstelligen können.

Jedenfalls waren Besuche zu einem seltenen Ereignis geworden. Von Elaine hatte seit fünf Jahren niemand etwas gehört, und inzwischen war jegliches Interesse an ihrem Schicksal erlahmt. Auch das Pflegeheim jagte niemandem mehr einen wohligen Schauer über den Rücken. Wozu sollte jemand seine Zeit opfern, um nach Geoffrey zu sehen, dessen Schicksal sich doch nicht änderte, so dass einem jedes tröstliche Wort – *Wird schon wieder!* – nur noch zynisch vorkam. Lediglich Victor Jones aus Kingston St. Mary erschien noch hin und wieder – aus reinem Mitleid, da machte sich Geoffrey nichts vor.

»Wer ist es denn?«, fragte er, nachdem er sich von seiner Überraschung ein wenig erholt hatte.

Die Schwester, eine von den Netten, lächelte. Sie schien sich aufrichtig für ihn zu freuen. »Ein Mr. Jones und eine Mrs. Hamilton«, sagte sie, »beide warten unten im Aufenthaltsraum.«

Sieh an, dachte Geoff, die Jones-Geschwister! Cedric und Rosanna. Ewig nicht mehr gesehen. Und plötzlich tauchen sie hier bei mir auf.

Er wusste, dass Rosanna in Gibraltar verheiratet war – wie sollte er das auch je vergessen? War es doch ihre Hochzeit seinerzeit gewesen, zu der Elaine unbedingt hatte reisen wollen. Ihre letzte Spur verlor sich auf dem Flughafen London-Heathrow. Später hatte niemand sie je wieder gesehen.

Und Cedric lebte seit langem in New York, kam kaum je nach England zurück. Seltsam, dass sie nun beide auf einmal in Taunton standen und nichts Besseres zu tun hatten, als den alten Freund aus Kinder- und Jugendtagen zu besuchen, dem das Schicksal so übel mitgespielt hatte.

Für eine Sekunde spürte er die Versuchung, die Schwester zu bitten, seine ungeladenen Gäste wieder nach Hause zu schicken. Ausgerechnet diese beiden! Der attraktive Cedric, der sein Leben zwar nicht so recht auf die Reihe brachte, dafür aber so unheimlich gut bei den Mädchen ankam. Und Rosanna, der er nie verzeihen würde, dass sie Elaine unbedingt zu ihrer Hochzeit hatte einladen müssen.

»Ich …«, setzte er an, aber die Schwester hatte bereits den Griff seines Rollstuhls gepackt und das Gefährt energisch herumgedreht.

»Nichts da!«, sagte sie. »Die beiden empfangen Sie jetzt!«

Sie musste seinem Gesicht angesehen haben, was in ihm vorging.

»Aber ich glaube, ich …«, versuchte er es noch einmal, während sie ihn bereits durch die Tür auf den Gang hinausschob.

»Sie müssen da jetzt durch!«, bestimmte sie, und plötzlich hasste er sie. Dafür, dass sie ihn dieser Begegnung aussetzte. Dafür, dass sie ihm sein Recht auf Selbstbestimmung so einfach entzog.

Und dabei meint sie es bloß gut, dachte er erschöpft.

Er hatte sich zunächst gesträubt, in das dem Heim schräg gegenüberliegende Café zu gehen, genau genommen: sich dorthin schieben zu lassen, aber Rosanna hatte in der gleichen freundlichen, unnachgiebigen Art, die die meisten der Schwestern hatten, darauf beharrt.

»Ich glaube, du brauchst mal ein bisschen frischen Wind um die Nase«, hatte sie gesagt und sich in dem Aufenthaltsraum umgesehen, unter dessen Neonlicht selbst die gesündesten Menschen krank aussahen, und dessen Linoleumfußboden dieselbe abstoßende Färbung altgewordener Magermilch hatte wie alle Fußböden im Haus. Zwar standen Blumentöpfe auf den Fensterbänken, und an den Wänden hingen Bilder, die von Patienten gemalt worden waren, aber die Atmosphäre blieb trist und der Raum das, was er war: der Aufenthaltsraum eines Pflegeheims für schwerbehinderte Menschen. Nicht gerade einladend.

»Man kann hier Kaffee bekommen«, hatte er gesagt, »und ihr könntet rasch etwas Kuchen kaufen, wenn ihr mögt ...«

Aber Cedric, dem man das Unbehagen nur zu deutlich ansah, war schon aufgesprungen. »Tolle Idee«, hatte er gesagt, »Rosanna hat recht, Geoff. Du musst hier mal raus!«

Und nun saßen sie in dem Café, rührten in ihren Tassen und fühlten sich alle drei befangen. Geoffrey dankte seinem Schöpfer, dass er wenigstens seine Arme bewegen und selbstständig essen und trinken konnte, wenn auch etliche Brösel auf den Tisch und auf seinen Schoß fielen. Es gab andere im Heim, Tetraplegiker, die konnten buchstäblich nichts mehr, außer noch den Hals drehen. Sie mussten gefüttert werden wie Babys. Aber das hätte er nicht mit sich machen lassen. In diesem Fall hätte er sich mit Händen und Füßen gegen diesen blödsinnigen Ausflug gewehrt.

Mit Händen und Füßen, dachte er und hätte gelacht, wäre es nicht so traurig gewesen.

Cedric, den er immer wieder von der Seite betrachten musste, weil er so gesund, so kräftig, so *gut* aussah, berichtete ein wenig von New York, aber nicht fröhlich und locker, sondern in der verkrampften Art, die Geoffrey auch von anderen gesunden Menschen kannte: Sie wollten die Stimmung aufhellen, aber sie wussten, dass sie von einem Leben berichteten, das ihrem Gegenüber für immer verwehrt sein würde, und sie quälten sich in dem Spagat ab, etwas von ihrem Alltag zu schildern, ohne dass der andere über dem Zuhören allzu depressiv wurde. Man merkte immer, dass sie Mitleid hatten und sich im Grunde weit fort sehnten. Wie er diese Situation hasste! Letztlich war es wirklich besser, keinen Besuch zu bekommen.

»Wenn ich das richtig verstehe, arbeitest du bei einem Fotografen?«, fragte er höflich. Nicht, dass es ihn interessierte …

Cedric nickte. »Ich habe eine Ausbildung gemacht, ja. Ich hoffe, dass ich irgendwann mein eigenes Studio eröffnen kann.«

»Ehe? Kinder?«

»Affären. Die richtige Frau war noch nicht dabei«, sagte Cedric. In einem Anflug von Selbstkritik fügte er hinzu: »Das liegt wahrscheinlich an mir. Ich bin achtunddreißig, da hätte ich in dieser Hinsicht schon mehr auf die Beine stellen müssen. Wahrscheinlich mache ich irgendetwas falsch. Es gibt ja viele Gründe, weshalb es zwischen einem Mann und einer Frau nicht funktioniert.«

»O ja«, erwiderte Geoff bissig, »die gibt es. Ein Grund kann zum Beispiel darin bestehen, dass ein Mann nicht alleine laufen, scheißen, pinkeln oder gar vögeln kann. Ich sage euch, das schränkt die Auswahl an möglichen Partnerinnen gewaltig ein!«

Rosanna und Cedric machten betroffene Gesichter, und eine Sekunde lang freute er sich daran. Manchmal machte es ihm Spaß, seine Umwelt zu schockieren, gerade Typen wie die Jones-Geschwister, die so unverschämt begünstigt waren vom Schicksal. Aber aus Erfahrung wusste er, dass der kleine Triumph nur sehr kurz anhielt. Sowieso war es kein echter Triumph, denn die Dinge blieben, wie sie waren: Die anderen blieben gesund und stark, er blieb krank und schwach.

Während Cedric an seinem Kuchen herumbröselte und dabei verstohlen auf seine Armbanduhr schielte, straffte Rosanna die Schultern und nahm eine Haltung an, die

Geoff irgendwie als... offensiv empfand. Sie hatte etwas Konkretes auf dem Herzen. Wahrscheinlich etwas Unangenehmes, aber wenigstens würde das vielleicht dem zähen Smalltalk ein Ende bereiten.

»Geoffrey, weshalb ich in England bin, abgesehen vom Geburtstag meines Vaters natürlich, hat einen besonderen Grund«, sagte sie, »und ich würde gern kurz mit dir darüber sprechen...«

»Ja?«

Sie zögerte. »Es geht um Elaine«, sagte sie schließlich.

Er atmete tief. Er hatte doch gewusst, dass nun etwas Unangenehmes kam. »Um Elaine?«

»Genau genommen um eine Serie, die ich für *Cover* schreiben soll. Du weißt, dieses...«

»Ich weiß. Dieses ziemlich schrille Boulevard-Magazin, für das du früher mal gearbeitet hast.«

Er kannte sie als Kratzbürste, wenn sie sich provoziert fühlte. Normalerweise hätte sie sich gegen eine abwertende Äußerung gewehrt. Aber mit ihm wollte sie nicht streiten. Die Menschen wurden so schrecklich anständig gegenüber Krüppeln.

»Ich soll eine Serie über spurlos verschwundene Menschen schreiben. Und mit Elaine beginnen.«

»Aha.« Er hätte sich ohrfeigen können, aber das Thema löste Reaktionen in ihm aus. Beschleunigter Herzschlag, trockener Mund, Schweißausbruch in den Handflächen. Immer noch. Nach fünf Jahren.

»Nick – der Chefredakteur – hat mich wohl ausgewählt wegen meiner persönlichen Bekanntschaft mit Elaine. Ich... würde den Auftrag gern annehmen.«

»Klar. Dazu brauchst du wohl kaum meine Erlaubnis.«

»Nein. Aber du könntest dich weigern, mit mir über Elaine zu sprechen. Und ich würde das auch verstehen.«

»Würdest du das? Was willst du denn eigentlich schreiben? Alles, was man weiß, ist gesagt worden. Es gibt keine neuen Erkenntnisse. Wozu dieser Artikel?«

»Er soll einfach die Ereignisse von damals noch einmal zusammenfassen. Das, was passiert ist an jenem Abend in Heathrow. Er soll die Nachforschungen der Polizei beleuchten. Ein bisschen über Elaine berichten, über den Menschen, der sie war. Es ist einfach ein…« Sie hob etwas hilflos die Schultern. »Es ist einfach ein Bericht über ein mysteriöses Ereignis, dessen Hintergründe nie geklärt wurden.«

»Und an dem sich die Menschen gern aufgeilen, ich weiß!« Geoff schob seinen fast unberührten Kuchenteller weg. Aus den Augenwinkeln konnte er sehen, dass Cedric sich vor Unbehagen geradezu wand. Auch Rosanna wirkte nicht mehr so selbstbewusst wie sonst. Geschah den beiden ganz recht.

»Weißt du«, sagte er, »ich rede mit dir über Elaine. Ich rede auch über diese hirnverbrannte Idee von dir, sie zu deiner Hochzeit einzuladen. Ich rede auch mit dir über das beschissene Leben, das ich jetzt führe, denn das Schicksal des armen, behinderten, völlig allein zurückgebliebenen Bruders ist genau ein Thema, das die Leser von *Cover* lieben werden. Ich tue das alles, aber ich will dafür etwas von dir. Ich will, dass du in deinem Artikel Marc Reeve noch einmal richtig hinhängst. Ihn noch einmal den Leuten zum Fraß vorwirfst. Seinen Alptraum noch einmal zum Kochen bringst, dass seine Nachbarn mit den Fingern auf ihn zeigen und seine letzten erbärmlichen Mandanten wegbleiben. Das ist meine Bedingung. Ansonsten erfährst du nichts von mir, kein Sterbenswörtchen!«

Sie wirkte völlig perplex. »Marc Reeve?«

»Marc Reeve«, wiederholte Geoff. »Der Mann, der sie an jenem Abend in seine Wohnung gelockt hat. Er ist Elaines Mörder, Rosanna. Es konnte ihm nur nicht nachgewiesen werden. Marc Reeve hat meine Schwester umgebracht und mein Leben zerstört, und wäre ich nicht ein so erbärmlicher Krüppel, ich hätte ihn längst dafür zur Rechenschaft gezogen, das schwöre ich dir. Mach ihn fertig, Rosanna. Du bekommst jede Hilfe von mir!«

Sie sah ihn aus großen, nachdenklichen Augen an.

Montag, 11. Februar

I

Angela Biggs wusste, was sie wollte: Sie wollte aus der trostlosen Sozialwohnung in Islington heraus und in ein besseres Leben hinein. Sie hatte keine Lust, noch viele Jahre lang in der bedrückenden Enge von achtzig Quadratmetern zusammen mit ihren Eltern und ihren vier jüngeren Geschwistern zu hausen. Sie teilte sich eine winzige Kammer mit ihrer Schwester. Die drei Jungs schliefen in einem etwas größeren Zimmer nebenan. Die Eltern klappten nachts das Sofa im Wohnzimmer aus, um darauf schlafen zu können. Dad hatte manchmal Arbeit, meistens aber nicht. Mum hatte begonnen, schon am frühen Morgen zu trinken. Den ältesten der Brüder hatte neulich erst die Polizei nach Hause gebracht, weil er zusammen mit anderen Jugendlichen in einen Spirituosenladen eingebrochen war. Angelas Schwester, die sechzehnjährige Linda, knallte sich seit einigen Monaten pfundweise Schminke ins Gesicht und zog Röcke an, die so kurz waren, dass sie es auch gleich hätte sein lassen können. Deswegen hatte sie Streit mit ihrem Vater gehabt, drei Tage zuvor.

»In dem Aufzug verlässt du nicht das Haus!«, hatte er gebrüllt, als sie sich anschickte, im Jeans-Mini und Overknee-Stiefeln aus der Wohnung zu stöckeln.

»Mensch, was ist denn dabei?«, hatte sie zurückgeschrien. »Schau dich doch mal um! So laufen jetzt alle rum!«

Was nicht stimmte, wie Angela wusste. Viele junge Mädchen zogen sich sehr sexy an, aber nicht so grell, so völlig übertrieben. Linda konnte vor lauter Farbe fast nicht mehr aus den Augen schauen, und die bleistiftdünnen Absätze ihrer Stiefel waren mörderisch hoch. Der Rock bedeckte kaum ihren Po. Was Angela aber wieder einmal aufgefallen war, war die Qualität der Klamotten: Die Aufmachung mochte billig sein, die Sachen selbst waren es mit Sicherheit nicht gewesen. Angela kannte sich ein wenig aus, weil sie in ihrer Sehnsucht nach einem besseren Leben oft durch die feinen Etagen von *Harrods* streifte und heimlich edle Stoffe berührte und mit Blicken in sich aufsog. Sie hatte ein Gespür dafür entwickelt, was Dinge wert waren. Es war ihr schleierhaft, wie Linda, die nach ihrer abgebrochenen Schullaufbahn, einer abgebrochenen Lehre und einem abgebrochenen Job im Büro einer Autowerkstatt arbeitslos war, ihre Outfits finanzierte.

Sie hatte die Schwester danach fragen wollen, aber dazu war es nicht mehr gekommen. Denn der Streit mit Dad war an jenem Abend eskaliert, und nach einem heftigen Wortgefecht, von dem sämtliche Bewohner des Sozialblocks, in dem sie lebten, jedes Wort mitbekommen haben dürften, hatte Dad gebrüllt: »So will ich dich hier nicht mehr sehen, du Nutte!«

»Du wirst mich hier überhaupt nicht mehr sehen!«, hatte Linda zurückgeschrien, bevor sie türenschlagend die Wohnung verließ.

Seitdem war sie nicht mehr aufgetaucht. Seit drei Nächten blieb ihr Bett leer.

Während der ersten beiden Nächte hatten alle gedacht, Linda sei zu ihrem Exfreund gegangen. Von ihm hatte sie sich zwar ein halbes Jahr zuvor getrennt, aber die beiden kamen noch immer recht gut miteinander klar, und sie hatte noch zwei- oder dreimal bei ihm übernachtet. Am Sonntag aber hatte ihn Angela zufällig an einer Bushaltestelle getroffen, wo er mit anderen Jugendlichen herumhing und Bierdosen durch die Gegend kickte. Sie hatte ihn nach Linda gefragt, aber er hatte sie nur erstaunt angesehen. »Linda? Die is nich bei mir. Die hab ich ewig nich mehr gesehen.«

Das hatte Angela daheim erzählt, ohne zunächst allzu große Aufregung damit auszulösen.

»Dann ist sie eben bei einem anderen Kerl«, hatte ihr Vater gebrummt. »Die hat doch immer mit irgendeinem was laufen. Ohne einen Typen, der sie anhimmelt, kann die doch gar nicht!«

Jetzt war es Montag früh, und beim Aufwachen hatte Angela gleich hinüber zu dem anderen Bett gespäht, in der vagen Hoffnung, Linda sei vielleicht doch irgendwann in der Nacht zurückgekehrt, und sie werde die neuerdings in schimmerndem Platinblond gefärbten langen Haare auf dem Kopfkissen sehen. Aber das Bett war leer, und allmählich kam das Angela seltsam vor. Sie hatte plötzlich ein mulmiges Gefühl.

Sie stand auf und trat in den engen Flur hinaus. Sally, ihre Mutter, verquollen vom Bier des Vorabends, mühte sich gerade damit ab, ihre Söhne aus den Betten zu jagen und zu überreden, in die Schule zu gehen. Ihr Vater, Gordon, saß am Tisch in der Küche und las die Zeitung. Angela setzte sich neben ihn.

»Linda ist immer noch nicht da«, sagte sie.

Ihr Vater blickte nicht auf. »Na und? Dann wird sie irgendwo vielleicht mal nachdenken, wie man sich anständig anzieht. Kann ihr nur guttun.«

»Aber wo hält sie sich die ganze Zeit über auf? Es ist kalt draußen. Sie kann ja nicht in den Parks herumhängen.«

»Ich hab's doch gestern schon gesagt. Die ist bei einem Kerl. Inzwischen hat sie ja bald mit so ziemlich jedem Mann in London geschlafen, da wird sich wohl einer finden, der sie bei sich wohnen lässt.«

Sally kam in die Küche und ließ sich ächzend auf einen

alten Barhocker fallen, der in der Ecke stand. Sie zündete sich eine Zigarette an und inhalierte tief.

»Wenn ich die durch die Schule hab«, sagte sie, wobei sie mit *die* ihre drei Söhne meinte, »dann zünde ich in der Kirche eine Kerze an. Das schwöre ich.«

Ihr Mann lachte, aber Sally ließ sich nicht beirren. »Doch. Das tu ich. Die kosten mich den letzten Nerv.«

Aus dem Badezimmer war wüstes Gebrüll zu hören. Die Jungen schienen sich um den Vortritt in die Dusche zu prügeln.

Sally sah sich um. »Wo ist Linda?«

»Das versuche ich ja gerade mit Dad zu besprechen«, sagte Angela, »sie ist immer noch nicht nach Hause gekommen. Ich finde das langsam sehr merkwürdig.«

»Ich finde das auch merkwürdig«, meinte Sally, »die dritte Nacht! Mein Gott! Das hätte ich mir früher mal erlauben sollen! Mit sechzehn!«

»Du hast sie ja immer total verwöhnt!«, brummte ihr Mann. »Die durfte doch alles. Kein Wunder, dass dabei ein erstklassiges Flittchen herausgekommen ist.«

»Meine Tochter ist kein Flittchen!«

»Ach nein? Hast du sie dir mal genau angeschaut in der letzten Zeit? Wie die rumläuft? Die ist nicht mehr dein kleines Mädchen!«

»Sie ist sechzehn! Was erwartest du denn?«

»Ein bisschen Anstand! Benehmen! Wenigstens ihren Eltern gegenüber! Was ist denn das für eine Art, einfach wegzulaufen und nächtelang nicht heimzukommen!«

»Du hast gesagt, du willst sie hier nicht mehr sehen«, sagte Angela.

Ihr Vater ließ endlich die Zeitung sinken. »Ich hab gesagt, ich will sie *in dieser Aufmachung* hier nicht mehr sehen! Wenn sie sich normal anzieht und sich nicht mit Schminke zukleistert, kann sie wieder herkommen!«

»Habt ihr eigentlich bemerkt, dass ihre Klamotten ziemlich teuer sind?«, fragte Angela.

Ihre Eltern starrten sie an.

»Teuer?«, fragte Sally zurück.

»Das ist doch weniger als nichts, was sie anzieht«, meinte der Vater, »wie kann denn das teuer sein?«

»Es sind teure Stoffe. Aus teuren Geschäften. Ich frage mich, wie sie die alle bezahlt hat.«

»Also, wenn sich herausstellt, dass sie klaut...«, setzte Gordon mit drohender Miene an, aber Sally fuhr sofort dazwischen: »Das tut sie nicht! Meine Kinder klauen nicht!«

»Ach nein? Deswegen hatten wir auch neulich erst die Polizei im Haus, als dein Sohn...«

»Er ist verführt worden. Er hat die falschen Freunde. Von allein... Himmel, jetzt brauche ich erst mal einen Schnaps!« Sally nutzte die Gelegenheit, sich den ersten Alkohol des Tages einzuverleiben.

»Vielleicht hat Linda neuerdings einen Typen mit Kohle aufgetan«, meinte Gordon, »und der schenkt ihr die feinen Sachen. Das zeigt, dass sie wenigstens ein bisschen Verstand hat. Ihr letzter war ja der größte Versager von ganz Islington. Wäre ja der Wahnsinn gewesen, mit dem zusammenzubleiben.«

Der Geruch von Alkohol durchzog die Küche. Sally hatte sich ordentlich eingeschenkt und saß wieder auf ihrem Barhocker. »Wieso, vielleicht kommt sie nach mir!«, meinte sie spitz. »Was das Einfangen von Versagern angeht!«

Gordon knallte die Zeitung neben sich auf den Boden. Aus schmalen Augen sah er seine Frau an. »Was willst'n damit sagen?«

Sally war noch nicht betrunken, sie ließ sich einschüchtern. »Nichts«, meinte sie.

Angela war verzweifelt. Ihre Eltern drohten schon wieder in Alkohol und Streit abzugleiten. Bald würden sie nicht mehr ansprechbar sein.

»Und wenn Linda etwas passiert ist?«, fragte sie. »Wenn sie deshalb nicht nach Hause kommt?«

»Was soll ihr denn passiert sein?«, fragte Gordon zurück. »Die liegt mit irgendeinem Kerl im Bett und lässt es sich gutgehen, und irgendwann steht sie hier wieder vor der Tür. Wirst sehen!«

»Aber Angela hat recht«, sagte Sally, »sie ist erst sechzehn und seit drei Nächten nicht nach Hause gekommen.«

»Ja, und was soll ich da machen?«, fragte Gordon. »Soll ich jetzt auf die Suche gehen, oder was?«

»Ihr müsst die Polizei verständigen«, sagte Angela. »Linda ist minderjährig, und sie ist verschwunden. Sie schwimmt seit einiger Zeit im Geld, und wir wissen nicht, warum. Ich meine, vielleicht ist das alles ja ganz harmlos, aber...« Sie sprach den Satz nicht zu Ende. Sie konnte förmlich zusehen, wie die Gesichter ihrer Eltern langsam versteinerten. Mit der Polizei mochte man in diesem Teil Islingtons, speziell in diesem Wohnblock, so wenig wie möglich zu tun haben. Nicht, dass die Beamten nicht ziemlich oft gerade hier herumschwirrten. In den meisten Familien kam es mit schönster Regelmäßigkeit zu gewalttätigen Auseinandersetzungen, und häufig rief dann irgendein Nachbar anonym die Streife herbei, weil die Situation bedrohlich eskalierte. Auch die Jugendlichen, die hier lebten, waren immer wieder in Delikte verwickelt. Die Arbeitslosigkeit war hoch, der Alkoholkonsum noch höher. In nahezu jeder Familie gab es wenigstens ein Mitglied, das in kriminellen Aktivitäten steckte. Schon deshalb wäre es niemandem eingefallen, die Polizei ohne einen absolut zwingenden Grund aufzusuchen oder herbeizurufen. Eigentlich waren die Bullen die Gegner. Man brauchte sie bloß hin und wieder.

»Nur weil die 'n Liebhaber hat«, meinte Gordon.

»Vielleicht bringen wir sie damit in Schwierigkeiten«, stimmte Sally zu. Sie hatte ihr Glas fast leer getrunken. Zeit für ein neues.

Angela wusste, dass für diesen Tag von ihren Eltern keine Hilfe zu erwarten war. Und vielleicht hatten sie recht. Linda hatte einen neuen Freund, einen, der sie offenbar recht großzügig beschenkte und der sie nach dem Streit mit ihrem Vater bei sich aufgenommen hatte. Am Ende wäre sie richtig wütend, wenn man ihr nun die Polizei auf den Hals hetzte. Und doch ... Angela hatte ein dummes Gefühl. Sie konnte es sich selbst nicht recht erklären, denn sie kannte ihre Schwester gut genug, um zu wissen, dass es ihr zuzutrauen war, ihre Familie ein wenig in Angst zu versetzen und ein paar Tage und Nächte einfach fortzubleiben. Aber eine innere Stimme sagte ihr, dass etwas nicht stimmte. Es gab keine logische Begründung. Es war ein Bauchgefühl, dem sie natürlich, wie die meisten Menschen in derartigen Situationen, heftig misstraute.

Trotzdem würde sie am Nachmittag zur Polizei gehen. Ihre Arbeit in einer Gärtnerei endete um halb fünf. Sie würde Lindas Verschwinden melden.

Und sich in diesem Fall aus tiefster Seele freuen, wenn sich herausstellte, dass sie mit ihrer Sorge völlig danebengelegen hatte.

2

»Ja«, sagte Nick Simon, »mit Marc Reeve musst du natürlich unbedingt sprechen, Rosanna. Ob du ihn allerdings *hinhängen* solltest, steht auf einem anderen Blatt. Meiner Ansicht nach hatte der Mann nichts mit Elaines Verschwinden zu tun und ist dennoch schlimm bestraft.«

Sie saßen in einem indischen Restaurant in London – Rosannas Lieblingsinder von früher, und es hatte sie gefreut und gerührt zu erleben, dass Nick sich daran erinnerte –, und gerade hatte sie ihm von ihrer Unterredung mit Geoffrey Dawson berichtet, auch von seiner wütenden Attacke gegen Marc Reeve. Sie konnte es Nick förmlich ansehen, wie sehr es ihn freute, sie für diese Geschichte gewonnen zu haben: Was Elaine Dawson anging, saß sie einfach dichter an der Quelle als irgendjemand sonst.

Aber auch Rosanna freute sich. Sie freute sich, in London zu sein, in einem Restaurant zu sitzen, in dem etliche Journalisten zu Mittag aßen. Sie hatte schon einige Kollegen von früher erkannt und freudig begrüßt. Die Atmosphäre um sie herum vibrierte von Lebendigkeit, von Hektik und Aufregung. Berufstätige Menschen, die rasch etwas aßen, sich dabei austauschten und dann weiterhasteten zu all dem, was sie noch an diesem Tag erwartete.

Früher war das ihre Welt gewesen, ihr Alltag. Normalität. Jetzt erst ging ihr auf, wie sehr sie dieses Leben vermisste. Wie eingesperrt und gelangweilt sie sich fühlte. Sah man ihr die Frustration an, wie Cedric behauptet hatte? Nick hatte davon nichts gesagt. Er hatte ihr allerdings auch keine Komplimente gemacht, wie früher so oft.

Plötzlich fragte sie sich in leiser Panik, ob es sich wirklich auf ihrem Gesicht abzeichnete. Welches *es*?, war zwangsläufig die nächste Frage. Stand *es* für eine unglückliche Lebenssituation? Für eine unglückliche Ehe? Für Dinge, die nicht so liefen, wie sie sollten?

Nicht der Moment, darüber nachzudenken, entschied sie. Später, nicht jetzt.

Sie konzentrierte sich auf Nick, auf das Gespräch. Sie würde den Auftrag annehmen, und sie würde versuchen, eine Glanzleistung zu vollbringen.

»Marc Reeve«, wiederholte sie, »der letzte Mann, der

Elaine gesehen und mit ihr gesprochen hat. Wie hat man ihn damals eigentlich ausfindig gemacht? Hatte er sich nicht sogar selbst gemeldet?«

An die genauen Abläufe in jenen Wochen nach ihrer Hochzeit konnte sie sich tatsächlich nicht mehr genau erinnern, was auch damit zusammenhing, dass sie ja bereits in Gibraltar gelebt hatte und damit weitab von den Geschehnissen gewesen war. Was in der Presse zu dem Fall erschienen war, hatte ihr ihre Mutter am Telefon berichtet. Sie wusste, dass die Polizei damals einen Mann im Zusammenhang mit Elaines Verschwinden vernommen hatte, dass ihm jedoch nichts Ungesetzliches hatte nachgewiesen werden können. Genaueres hatte sie nicht mitbekommen.

»Soweit ich mich erinnere«, sagte Nick, »ging damals ein Hinweis aus seiner Nachbarschaft ein, aber fast gleichzeitig hat er sich auch selber gemeldet. Ich habe die Zeitungskopien aus unserem Archiv für dich mitgebracht, so dass du alles noch einmal nachlesen kannst. Elaines Bild war im *Daily Mirror* erschienen, und es gab sofort etliche Anrufe aus der Bevölkerung, wie das in solchen Fällen wohl immer üblich ist. Einer hatte sie in Schottland gesehen, der andere gleichzeitig in Land's End, und der dritte schwor, sie sei eine Woche zuvor auf dem Straßenstrich in Paris herumgestöckelt. Anrufe dieser Art, verstehst du? Aber zwei kristallisierten sich als sowohl wahrscheinlich als auch übereinstimmend heraus: der eines Nachbarn von Marc Reeve und der von Marc Reeve selbst. Der Nachbar hatte Elaine an jenem nebligen Abend gemeinsam mit Reeve in dessen Haus verschwinden sehen. Und Reeve selbst bestätigte das. Er ist in Heathrow irgendwie mit ihr zusammengetroffen und hat ihr für die Nacht sein Gästezimmer angeboten. An den Flughäfen ging ja nichts mehr, Tausende von Reisenden saßen fest, Hotelzimmer waren kaum mehr zu bekommen, man richtete sich auf Übernachtungen in den Wartehallen ein. Kein Wunder vielleicht, dass Elaine das Angebot annahm. Reeve schwor, dass er sie am nächsten Morgen in aller Frühe zur U-Bahn-Station Sloane Square begleitet hat, von wo aus sie erneut nach Heathrow fahren wollte, um noch irgendwie nach Gibraltar zu kommen. Es gibt keine Zeugen, die die beiden auf dem Weg zur U-Bahn gesehen haben, aber das ist nicht weiter verwunderlich, denn es war noch dunkel und zudem neblig. Und man konnte Reeve nicht nachweisen, dass es *nicht* so gewesen war. Am Ende führte diese Spur ins … Nichts.«

»Und doch ist es eine Spur«, sagte Rosanna, »die letzte. Weshalb ist Geoffrey Dawson so felsenfest überzeugt, dass Marc Reeve seine Schwester ermordet hat? Gab es noch irgendwelche Anhaltspunkte?«

Nick schüttelte den Kopf. »Eigentlich nicht. Es sei denn, man würde argumentieren, dass sich Reeve höchst verdächtig gemacht hat, als er eine ihm wildfremde junge Frau einlud, die Nacht bei ihm zu verbringen. Andererseits hat er es vielleicht wirklich nur nett und ohne jeden Hintergedanken gemeint. In den Zeitungen wurde über ihn berichtet. Danach kann ich mir überhaupt nicht vorstellen, dass er ein Mörder, Vergewaltiger oder sonst etwas in dieser Art sein soll. Er war damals ein sehr angesehener Anwalt auf dem Sprung in die große Karriere in einer der renommiertesten Kanzleien Londons. Geld, Erfolg. Ein gut aussehender Mann. Der Typ, der es absolut nicht nötig hat, Frauen in seine Wohnung zu locken. Ich würde sagen, er dürfte eher Schwierigkeiten gehabt haben, Frauen daran zu hindern, sich ihm an den Hals zu werfen. Ich vermute, Geoffrey Dawson braucht einen Schuldigen, und da bietet sich Reeve an. Das haben ja manche so gesehen.«

»Wer noch?«

»Die Presse damals vor allem. Aus anderen Beweggründen als Dawson, versteht sich. Jener Nachbar, der Reeve bei der Polizei gemeldet hatte, ist mit seinem Wissen auch in die Medien gegangen. Der Mann war wohl einfach ein Wichtigtuer. Oder er hatte irgendetwas gegen Reeve, keine Ahnung. Jedenfalls wäre die ganze Sache weitgehend unter Ausschluss der Öffentlichkeit über die Bühne gegangen, wenn dieser Mensch nicht so ein Theater darum veranstaltet hätte. Wobei er übrigens heftigst von dem rachedurstigen Geoffrey Dawson unterstützt wurde. Und du weißt, wie die Zeitungen sind – ich will mich und *Cover* da gar nicht ausnehmen: Man braucht Storys. Ständig. Elaines Verschwinden allein wäre keine große Sache gewesen. Das ist bei Kindern anders, aber eine erwachsene Frau... Gott, die kann auch mit einem Liebhaber durchgebrannt sein oder so etwas! Also hat man Reeve ausgeschlachtet. Der Mann, der sie in Heathrow angesprochen und mit nach Hause genommen hat. Kurz darauf ist sie wie vom Erdboden verschluckt. Daraus ließ sich etwas machen, und das hat man dann auch ziemlich gründlich getan. Reeve wurde ganz schön durch den Dreck gezogen, und die Tatsache, dass ihm am Ende nichts nachzuweisen war, hat ihn dann auch nicht mehr wirklich gerettet.«

Sie runzelte die Stirn. »Du sagtest vorher, er wurde schlimm bestraft?«

»Die Sache blieb einfach an ihm kleben. Er galt nicht als ein Mann, dessen Unschuld erwiesen war, sondern als ein Mann, dessen Schuld nicht beweisbar war – das ist ein sehr relevanter Unterschied. Die Geschichte mit der renommierten Kanzlei war danach erst mal vom Tisch. Mandanten blieben fern. Für die Kanzlei, in der er bis dahin assoziiert gewesen war, war er nicht mehr tragbar. Ich glaube, er ging freiwillig. Machte sich selbstständig und schlägt sich heute wohl wieder recht gut durch. Ich meine, nicht dass die Leute noch groß darüber nachdenken oder mit dem Finger auf ihn zeigen. Aber es hat einfach einen massiven Knick in seiner Karriere gegeben, und den hat er nie ganz ausbügeln können. Geht man davon aus, dass er wirklich unschuldig ist, so ist das natürlich eine Tragödie.«

»Ist er verheiratet?«

»Geschieden. Ob er wieder geheiratet hat, weiß ich nicht. Als das mit Elaine passierte, lebte er gerade in Scheidung. Seine Frau war mit dem gemeinsamen Sohn ausgezogen. Auch das hat man in der Presse gegen ihn benutzt: Warum läuft die Frau ihm weg? Was sagt das über ihn aus?« Nick schüttelte den Kopf. »Blödsinn, natürlich. Kein Mensch weiß, warum es zwischen den beiden schiefging. Passiert doch ständig. Wenn eine gescheiterte Ehe einen Menschen zum potenziellen Verbrecher macht, dann… gnade mir Gott!« Er grinste. Rosanna erwiderte sein Grinsen. Sie wusste, dass Nick bereits dreimal geschieden war.

»Hast du Reeves Adresse?«, fragte sie.

»Ich habe die Telefonnummer seines Büros. Er lebt übrigens nicht mehr unter derselben Adresse wie damals. Soweit ich weiß, ist er nach der Scheidung in eine kleine Wohnung umgezogen. Was du brauchst, um ihn zu kontaktieren, findest du in der Mappe mit den Zeitungsartikeln. Rosanna«, er sah sie ernst an, »du weißt, mir war sehr an dir gelegen für diese Serie, gerade wegen deiner persönlichen Bekanntschaft mit Elaine Dawson. Aber denk daran, der Fall stellt nur die erste Geschichte dar. Häng dich nicht zu sehr da hinein. Du hast noch mehr Fälle zu bearbeiten. Es geht auch nicht darum, das Rätsel zu lösen. Es geht nur darum, die Geschehnisse von damals noch einmal darzustellen und aufzuzeigen, welche Auswirkungen auf andere Menschen sich daraus ergaben. Im Fall Dawson sind die beiden interessantesten Figuren zweifellos der Bruder, der im Pflegeheim gelandet ist, und der Anwalt, dessen Karriere in die Binsen ging. Mehr brauchen wir nicht zu wissen.«

Sie nickte. »Ich nehme den Auftrag an, Nick, ganz klar«,

sagte sie, »aber auf einmal denke ich, dass es emotional für mich doch schwerer wird, als gedacht. Als ich wieder in Kingston St. Mary war, als ich Geoffrey in Taunton traf – da stiegen so viele Bilder in mir auf. Von früher. Wir waren immer ein ganzes Rudel Kinder, das zusammen herumzog. Mein Bruder Cedric und Geoffrey waren dicke Freunde und zugleich die Anführer von uns allen. Sie bestimmten, was gespielt wurde, und gaben den Ton an. Elaine war ein ganzes Stück jünger als ich, und daher hatten wir persönlich nicht so viel miteinander zu tun, aber sie gehörte einfach dazu. Ich meine… sie war in den Jahren meiner Kindheit ein Teil meines Lebens. Ich würde wirklich gern wissen, was mit ihr geschehen ist.«

»Das kann ich verstehen«, sagte Nick, »aber versteif dich nicht auf diesen Gedanken. Du wirst es nicht herausfinden. Die Polizei hatte keine Spur, und inzwischen sind auch noch fünf Jahre vergangen. Manchmal muss man mit ungelösten Rätseln leben.«

»Das ist schwierig.«

»Du schaffst das«, meinte Nick optimistisch und winkte dem Kellner. »Ich muss zurück in die Redaktion. Was tust du als Nächstes?«

»Ich gehe ins Hotel und rufe meinen Mann an. Ich muss ihm sagen, dass ich den Auftrag annehme und länger in England bleibe.«

»Deiner Miene nach zu urteilen, wird das ein schwieriges Gespräch.«

»Er hat mich lieber daheim in Gibraltar.«

»Was, wenn ich das sagen darf, eine gewisse Verschwendung von Fähigkeiten darstellt. Du warst eine gute Journalistin.«

Sie lächelte. »Und ich werde dich auch diesmal nicht enttäuschen, Nick. Du wirst mit meiner Arbeit zufrieden sein, das verspreche ich dir.« Sie nahm die zusammengehefteten

Klarsichthüllen mit den Zeitungsartikeln darin entgegen, die er ihr über den Tisch reichte. Zuoberst entdeckte sie einen Zettel mit dem Namen und der Telefonnummer von Marc Reeve.

»Das ist dann das nächste Telefonat«, sagte sie, »Marc Reeve. Ich werde versuchen, einen persönlichen Gesprächstermin mit ihm zu vereinbaren. Ich bin sehr gespannt, ihn kennen zu lernen.«

»Und ich bin gespannt, was du über ihn berichtest«, sagte Nick. Er legte ein paar Geldscheine zu der Rechnung, stand auf, beugte sich über den Tisch und küsste Rosanna rechts und links auf die Wangen. »Bis bald. Wenn du Hilfe und Unterstützung brauchst, ruf mich an!«

Sie sah ihm nach und dachte: Hätte ich nur erst das Gespräch mit Dennis hinter mir!

3

Sally war zu betrunken, um mit den Polizeibeamten zu sprechen, aber Gordon, der grundsätzlich erst nach Einbruch der Dunkelheit trank, war Herr seiner Sinne und entsprechend wütend darüber, dass sich Angela eigenmächtig an die Polizei gewandt hatte. Sie stand mit den beiden Männern in der Wohnungstür ihrer Eltern und hätte sich am liebsten weit weg gewünscht. Sie hatte gedacht, sie könnte das Verschwinden ihrer kleinen Schwester einfach melden und dann wieder nach Hause gehen, aber man hatte darauf beharrt, mit ihren Eltern sprechen zu müssen. Zwei Beamte, die sich als Constables Burns und Carley vorstellten, hatten sie im Wagen nach Hause gefahren und waren mit hinaufgekommen. Angela sah, dass die Miene ihres Vaters nichts Gutes verhieß. Er war wütend, und sie würde nachher den dicksten Ärger bekommen.

»Ihre Tochter Linda wird seit vergangenem Freitag vermisst, ist das richtig?«, fragte Burns, der Ältere der beiden. »Jedenfalls hat das Ihre Tochter Angela bei uns auf der Wache so angegeben.«

»Vermisst. Vermisst, was heißt das schon?«, knurrte Gordon. »Sie ist bei irgendeinem Kerl. Wie immer.«

»Wie immer? Ihre Tochter ist schon öfter so lange fort gewesen?«

»So lange nicht«, musste Gordon widerwillig zugeben.

»Können wir hineinkommen?«, fragte Carley. »Wir müssen das ja nicht im Treppenhaus besprechen.«

Gordon geleitete sie in die Küche, wo Sally am Tisch saß, eine Schnapsflasche vor sich, und an die Wand starrte.

»Oh... B-besuch«, lallte sie.

»Haben Sie eine Vorstellung, bei welchem *Kerl* sich Ihre Tochter aufhalten könnte?«, fragte Burns.

Gordon machte eine abfällige Handbewegung. »Ich kann die Kerle nicht alle kennen, mit denen meine Tochter was hat«, sagte er, »wäre völlig unmöglich. Is' heute der, morgen ein anderer. So is' sie. Ein Flittchen. Leider.«

»M-meine Tochter ist k-kein...«, hob Sally an, verlor dann aber den Faden und verstummte wieder.

Burns versuchte es trotzdem. »Sie haben auch keine Idee, wo sich Ihre Tochter aufhalten könnte, Mrs. Biggs?«, fragte er.

Sally legte die Stirn in Falten und bekam einen sehr angestrengten Blick, sagte jedoch nichts. Burns seufzte.

»Miss Angela Biggs erwähnte, dass ihre Schwester in jüngster Zeit offensichtlich finanziell aufwändiger lebte als vorher«, sagte er, »was wohl vor allem an ihrer Kleidung abzulesen war. Sie haben keine Ahnung, woher sie plötzlich Geld bekommen hat?«

»Nee«, sagte Gordon, »keine Ahnung. Bestimmt nicht durch Arbeit. Arbeiten tut die nämlich nicht. Wahrscheinlich lässt sie sich endlich von dem richtigen Typen bumsen, von einem, der Kohle hat. Was anderes kann ich mir nicht denken.«

»Sie hatten mit Ihrer Tochter Streit, bevor sie am Freitag diese Wohnung verließ?«, fragte Burns.

Gordon schoss Angela einen wütenden Blick zu. »Streit kann man das nicht richtig nennen«, versuchte er die Aussage abzumildern.

»Sie müssen sich in der Art geäußert haben, dass sie sich nicht mehr blicken lassen soll, wenn sie sich nicht... anständiger kleidet?«

»Sie hätten die sehen müssen! Wie eine Nutte! So kann ich doch meine Tochter mit sechzehn Jahren nicht rumlaufen lassen! Die sah echt total verboten aus!«

»Trotzdem haben Sie sie nicht daran gehindert, *so herumzulaufen*, wie Sie es nennen«, sagte Burns. »Im Gegenteil, Sie haben ihr die Tür gewiesen. Könnte es sein, dass Linda es gar nicht mehr wagt, nach Hause zu kommen?«

»Die? Die is' überhaupt nicht einzuschüchtern, das können Sie mir glauben. Die traut sich alles. Wenn die jetzt nich' heimkommt, dann nich' wegen mir.«

»Sondern...?«

»Weiß nicht. Wie ich gesagt hab. Sie is' bei 'm Kerl. Jede Wette!«

»Ich würde Ihnen dennoch raten, eine Vermisstenmeldung abzugeben«, sagte Burns. »Ihre Tochter ist erst sechzehn. In dem Alter sollte sie nicht tagelang unterwegs sein, ohne dass Sie wissen, wo sie sich aufhält.«

»Ich denk, Angela hat schon...«

»Die Erziehungsberechtigten müssen das tun.«

»Okay«, brummte Gordon, »also, was soll ich machen?«

Carley kramte ein Formular und einen Stift hervor, setzte sich unaufgefordert an den Küchentisch der völlig geistesabwesenden Sally gegenüber.

»Wir brauchen Informationen, die Person Ihrer Tochter betreffend. Name, Geburtsdatum, Alter, Größe, Haarfarbe und so weiter. Welche Kleidung trug sie am Tag ihres Verschwindens? Und es wäre auch nützlich, wenn wir ein Foto von ihr haben könnten.«

»Schwachsinn«, murmelte Gordon, aber er zog sich einen weiteren Stuhl heran und ließ sich darauf nieder.

»Also, Linda Biggs«, begann er, »sechzehn Jahre alt, geboren am 8. Dezember 1991, blond gefärbte Haare...«

Angst schnürte Angelas Kehle zu. Ganz plötzlich. Es musste an der Situation liegen. An dem Polizisten, der in der schmuddeligen Küche an dem unordentlichen Tisch saß und Linda auf einen Steckbrief reduzierte. Sie wurde vermisst.

Ihre kleine Schwester wurde vermisst.

Lieber Gott, lass sie einfach nur weggelaufen sein, betete sie im Stillen, sie, die sonst nie betete.

Aber aus irgendeinem Grund glaubte sie nicht an das Weglaufen.

4

Jenseits des Fensters wirbelte ein Schneeschauer aus dem tiefhängenden, fast anthrazitgrauen Himmel zur Erde, aber die Flocken blieben nicht liegen, sondern schmolzen, kaum dass sie den Asphalt der Straße berührten. Die Autos, die sich durch den spätnachmittäglichen Londoner Berufsverkehr quälten, hatten ihre Scheibenwischer auf höchste Stufe gestellt, um in dem wilden Gewirbel noch etwas sehen zu können. Das Bild der Stadt war grau und trostlos. Im Innenbereich von London hatte der Frühling seine ersten Boten noch nicht etablieren können.

Rosanna wandte sich vom Fenster ab und betrachtete

das Hotelzimmer, in dem sie während der nächsten vierzehn Tage wohnen würde. Nick hatte sich nicht lumpen lassen: Hilton on Park Lane, der eindrucksvolle Wolkenkratzer, direkt am Hyde Park gelegen. Die Zimmer waren großzügig und luxuriös. Ein breites Bett, eine schöne Sitzgruppe, Fernseher, Mini-Bar, ein begehbarer Kleiderschrank in Mahagonitäfelung, ein mit Marmor gefliestes Bad. Sie verfügte zudem über einen großen Schreibtisch, an dem sie auch einen Internetanschluss für ihren Laptop besaß. Einem gründlichen, effizienten Arbeiten in angenehmer Umgebung stand nichts im Wege.

Es klopfte an die Tür, und Cedric kam herein. Er hatte sich für seinen London-Aufenthalt, während dem er vor allem Freunde und Bekannte von früher besuchen wollte, ein Zimmer direkt neben dem seiner Schwester gebucht. Rosanna vermutete, dass dies sein Budget ziemlich überfordern würde, mochte aber nichts sagen. Cedric war erwachsen, er war achtunddreißig Jahre alt. Er konnte es vermutlich nicht leiden, wenn man sich ungefragt in seine Angelegenheiten mischte, auch nicht oder erst recht nicht, wenn es die jüngere Schwester tat.

Cedric trug eine dunkelbraune Lederjacke, die vor Nässe glänzte, und auch seine Haare waren tropfnass. Er schüttelte sich ein wenig, wie ein Hund. »O Gott, was für ein beschissenes Wetter! Ich bin auf dem Weg von der U-Bahn hierher total durchweicht! Hast du mal ein Handtuch für mich?«

»Im Bad«, sagte Rosanna. Ihr Bruder verschwand, dicke nasse Fußspuren auf dem hellgrauen Teppichboden und den weißen Fliesen hinterlassend.

Er hätte ja auch erst mal zu sich hinübergehen können, dachte sie verärgert.

Cedric kam zurück, ein riesiges weißes Badetuch in den Händen, mit dem er sich das nasse Gesicht abtrocknete und dann die Haare rubbelte. Typisch, dachte Rosanna, dass er ihr großes flauschiges Badetuch genommen hatte. Mit einem der kleineren Handtücher begnügte er sich natürlich nicht.

»Wo warst du?«, fragte sie.

»Eine Kommilitonin von früher besuchen. Du kennst sie nicht.« Er ließ das Badetuch auf ihr Bett fallen. Sie betrachtete ihn, mit seinen verstrubbelten Haaren, der lässigen Kleidung. Obwohl er ihr Bruder war, konnte sie die Anziehungskraft nachvollziehen, die er auf Frauen ausübte, es schien ihr kein Wunder, dass er jede bekam, und wenn er nur mit den Fingern schnippte. Unglücklicherweise schnippte er allerdings immer bei den Falschen.

Sie rieb sich kurz mit den Fingern über beide Schläfen.

»Kopfweh?«, fragte Cedric.

»Nein. Es ist nur ... ich habe gerade mit Dennis telefoniert. Ihm gesagt, dass ich den Auftrag annehme und erst mal hierbleibe. Es war ... ein unerfreuliches Gespräch.« Sie biss sich auf die Lippen. Eigentlich hatte sie Cedrics Abneigung gegen Dennis keine neue Nahrung geben wollen, aber sie war so getroffen von der eben geführten Unterhaltung, dass sie ihren Kummer bei irgendjemandem loswerden musste. Genau genommen konnte man es gar nicht als *Unterhaltung* bezeichnen, was zwischen ihnen beiden abgelaufen war. Sie hatte geredet, erklärt, argumentiert, sich praktisch ununterbrochen gerechtfertigt, während er eisig und verbissen geschwiegen hatte. Am Ende hatte er nur gesagt: »Du musst wissen, was du tust. Wenn du dich wochenlang von deiner Familie trennen willst – bitte, ich kann es dir nicht verbieten. Die Konsequenzen interessieren dich vermutlich ohnehin nicht.«

»Welche erschütternden Konsequenzen kann es denn geben? Wenn ich zwei Wochen in England bin und ...«

»Es ist alles gesagt«, hatte er sie unterbrochen und dann einfach den Hörer aufgelegt.

»Wenn du mich fragst«, sagte Cedric nun, »hat der gute Dennis ein Kontrollproblem. Das ist mir von Anfang an bei ihm aufgefallen. Keine Ahnung, woher das kommt, vielleicht hängt es mit irgendeiner Verlustangst zusammen, aber er scheint nur ruhig atmen zu können, wenn er dich im Griff hat. Dein Aufenthalt in England, dein Kontakt mit deinem früheren Beruf, mit Menschen, die er nicht kennt – ich vermute, das alles ängstigt ihn zutiefst.«

Sie war verblüfft. »Ausgerechnet du hast Verständnis für Dennis?«

»Verständnis eigentlich nicht. Ich habe nur überlegt, woher sein seltsames Verhalten rühren kann. Ich mag ihn nicht, das weißt du. Ich habe nie begriffen, weshalb du...«

»Ich weiß«, sagte sie rasch. Sie wollte das Gespräch unterbrechen, ehe es in die unvermeidliche Spirale geriet: Cedrics vernichtende Analysen von Dennis' Fehlern und Mängeln, an denen Rosanna jedes Mal voller Schrecken viel Wahres erkannte. Und ihre heftigen Verteidigungsreden, bei denen sie stets das bedrückende Gefühl hatte, vor allem sich selbst überzeugen zu müssen.

»Cedric, ich muss jetzt noch ein wichtiges Gespräch führen«, fuhr sie fort und beendete damit abrupt das Thema um ihren komplizierten Ehemann, »ich will Marc Reeve anrufen und um einen Termin bitten, und ich fürchte, auch das wird nicht ganz einfach werden.«

»Er wird nicht begeistert sein, wenn die ganze Geschichte schon wieder aufgewärmt wird«, meinte Cedric. »In seinem Interesse kann es nur sein, wenn sich mehr und mehr der Schleier des Vergessens über all das legt.«

»Sehr poetisch formuliert. Und nun bitte...« Sie machte eine Kopfbewegung zur Tür hin. »Du weißt, im Unterschied zu dir bin ich hier, um zu arbeiten.«

»Schon kapiert«, sagte Cedric.

Sie hatte plötzlich den Eindruck, zu schroff gewesen zu sein. »He, Cedric«, sagte sie leise, »ich bin froh, mal wieder eine Weile mit dir zusammen zu sein. Es ist so lange her …«

»Geht mir auch so.« Er öffnete die Tür. »Willst du heute Abend mit mir unten im Trader Vic's etwas essen?«

»Gern. Bis später.« Sie wartete, bis er die Tür hinter sich geschlossen hatte, dann wandte sie sich wieder dem Telefon zu. Sie verbot sich jeden weiteren Gedanken an Dennis, der jetzt wahrscheinlich schmollend in seinem Büro saß und darauf wartete, dass sie erneut anrief und um gut Wetter bat, und tippte die Nummer von Marc Reeve ein, die ihr Nick gegeben hatte. Halb und halb hoffte sie, der Anwalt werde sich nicht melden, denn sie fürchtete seine Reaktion, die von Wut über Ärger bis hin zu endlosem Lamento reichen konnte, aber Reeve hob nach dem zweiten Läuten schon ab.

»Ja? Reeve?«, sagte er.

Sie räusperte sich. »Äh… ja, Mr. Reeve, guten Tag, hier spricht Rosanna Hamilton …«

»Ja?« Er klang freundlich und geduldig. Wahrscheinlich vermutete er eine potenzielle Mandantin.

»Ich bin Journalistin. Ich arbeite derzeit frei für *Cover*. Das ist ein Magazin, das …«

»Danke. Ich kenne *Cover*.« Das kam schon weniger freundlich. »Und was kann ich für Sie tun?« Seiner Stimme war anzuhören, dass er ahnte, was nun folgen würde.

Sie fühlte sich immer unwohler. »Ich schreibe eine Serie. Über Menschen, die spurlos verschwunden sind, deren Schicksal nie geklärt werden konnte. Und …«

»Und dazu zählt auch Elaine Dawson.« Er klang plötzlich resigniert. »Mein Gott, vor ziemlich genau fünf Jahren war ich so idiotisch, einer fremden, in Tränen aufgelösten jungen Frau eine Übernachtung in meiner Wohnung anzubieten, und Sie können kaum ahnen, wie oft und wie heftig ich das bisher bereut habe! Heute nehme ich vorsichtshalber nicht mal mehr Anhalter mit, aber das nützt nun auch nichts mehr.«

»Das kann ich gut verstehen, Mr. Reeve. Ich meine… dass Sie verbittert sind, und…«

»Ich bin nicht verbittert«, unterbrach er sie, »ich habe mir ziemlich viel Mühe gegeben, genau dies nicht zu werden. Aber die Geschichte damals hat mein Leben vollkommen durcheinandergebracht, und, ehrlich gesagt, ich habe wirklich keine Lust, das alles noch einmal aufzukochen und mich schon wieder in den Schlagzeilen der Boulevardpresse vorzufinden.«

»Es geht nicht um Schlagzeilen. Es geht einfach um verschiedene Fälle und darum, was ein solches mysteriöses Verschwinden, dessen Umstände nie aufgeklärt werden, mit den Menschen macht, die in der einen oder anderen Weise davon betroffen sind. Im Fall Dawson ist das natürlich vor allem Elaines Bruder Geoffrey, der, wie Sie vielleicht wissen, schwer behindert ist und…«

Er unterbrach sie erneut. »Danke, Geoffrey Dawson kenne ich zur Genüge. Und ich weiß auch, dass er in dem Wahn lebt, ich hätte seine Schwester damals ermordet. Er hat mich telefonisch terrorisiert, bis ich eine einstweilige Verfügung gegen ihn erwirkt habe, aber das hat auch wenig genützt. Na ja, inzwischen hat er es aufgegeben, mich zu drangsalieren. Was er noch immer an wirren Gedanken hegt, weiß ich nicht.«

Rosanna begriff, dass er genau das war, was er offenbar so sehr zu vermeiden gesucht hatte: verbittert und auf gewisse Weise unversöhnlich.

Sie versuchte es trotzdem noch einmal. »Genau dafür könnten Sie meinen Artikel nutzen, Mr. Reeve. Als eine Plattform für Ihre Sicht der Dinge, für Ihren Standpunkt.

Sie können den Verlauf des Abends noch einmal schildern und möglicherweise dabei auch Missverständnisse ausräumen, die nie geklärt wurden. Mir liegt wirklich an einer fairen Berichterstattung, nicht daran, irgendjemandem etwas anzuhängen, was im Bereich nebulöser Vermutungen liegt. Ich kann Ihnen auch anbieten, Ihren Namen nicht zu nennen und stattdessen einen anderen Namen zu benutzen.«

»Es wird genug Leser geben, die sofort wissen, dass ich gemeint bin«, sagte Reeve, »nein, Mrs. Hamilton, tut mir leid. Ich stehe nicht zur Verfügung.«

»Würden Sie mich trotzdem zu einem Gespräch empfangen? Vielleicht kann ich Ihnen dabei noch einmal genau erklären, was ich ...«

»Mrs. Hamilton ...«

Sie hatte den Eindruck, dass er jeden Moment das Gespräch abbrechen würde.

»Wissen Sie, schlafen Sie doch eine Nacht darüber und überlegen Sie sich alles in Ruhe«, sagte sie hastig, »so weit könnten Sie mir doch entgegenkommen, oder? Mein Anruf jetzt war sicherlich etwas überfallartig. Darf ich Ihnen meine Nummer geben? Dann könnten Sie mich morgen zurückrufen und mir Ihre Entscheidung mitteilen.«

»Ich glaube nicht, dass sich meine Haltung ändern wird«, sagte Reeve, aber er notierte ihre Handynummer. Ohne einen weiteren Kommentar legte er den Hörer auf.

Sie war enttäuscht. Sie konnte und würde die Geschichte auch schreiben, ohne mit Reeve über alles geredet zu haben, aber jenseits ihrer journalistischen Tätigkeit hegte sie persönliches Interesse an dem Fall, und sie brannte darauf, mit dem Mann, der sie zuletzt gesehen und gesprochen hatte, über Elaine zu reden.

Sie beschloss, ein langes, heißes Schaumbad zu nehmen. Die beiden unerfreulichen Telefonate unmittelbar hintereinander hatten sie frustriert. Wenn sie nicht den ganzen Abend über schlechte Laune haben wollte, musste sie nun etwas tun, um ihr seelisches Gleichgewicht wiederzufinden.

Dienstag, 12. Februar

I

Sie verließ ihre Wohnung um halb elf, um hinüber zum *Elephant* zu gehen. Der gestrige Ruhetag hatte ihr geholfen, ihre Nerven zu beruhigen und sich von einem zitternden Wrack wieder in ein einigermaßen normales menschliches Wesen zurückzuverwandeln. Am Abend war es ihr sogar gelungen, zu einem kurzen Spaziergang durch das Dorf aufzubrechen. Sosehr sie die Gefahr, die draußen auf sie lauern mochte, fürchtete, so tief deprimierte sie nach drei Tagen auch die Enge und Hässlichkeit der Räume, in denen sie lebte. Man konnte nicht rund um die Uhr lesen oder fernsehen, nicht, wenn man eigentlich jung war, beweglich und erlebnishungrig. Manchmal fragte sie sich, wie lange sie dieses Leben, das eigentlich keines war, noch aushalten konnte. Oft kam ihr dann auch der Gedanke, dass sie das ganze Versteckspiel ohnehin umsonst betrieb, dass kein Mensch mehr auf der Suche nach ihr war. Die Vorstellung war verlockend, zugleich verstärkte sie ihre Depressionen, weil sie die Phobie, die ihr Handeln und Leiden bestimmte, auch noch unter das Vorzeichen völliger Sinnlosigkeit stellte. Und ihr klar machte, dass sie, ganz gleich, welche Entscheidung sie traf – weitermachen oder aus dem Untergrund auftauchen –, nicht wissen konnte, ob sie einen fatalen Fehler beging. Dass sie deshalb weder der Depressionen noch der Ängste jemals würde Herr werden können. Als sie am Vorabend durch das Dorf gegangen war und die Luft geatmet hatte, die zum ersten Mal so etwas wie eine Ahnung von Frühling in sich trug, hatte sie plötzlich mit den Tränen kämpfen müssen. Ihre Sehnsüchte, die sie zumeist recht gut kontrollierte, brachen sich Bahn und über-schwemmten sie förmlich mit Traurigkeit und Verzweiflung. Liebe, Wärme, Leben. Ein Mann, Kinder, Freunde. Frieden und Sicherheit. Sie fragte sich, wie es sich anfühlen musste, dem Frühling mit Freude und Erwartung entgegenzublicken, anstatt ihn zu fürchten, weil seine Buntheit und Fröhlichkeit die Dunkelheit des eigenen Daseins noch schärfer betonte.

Sie war nach Hause geflüchtet, ehe sie noch jemandem begegnete, der sich über die weinende Frau wundern konnte. Der Grundsatz, um keinen Preis jemals aufzufallen, war ihr so tief in Fleisch und Blut übergegangen, dass sie ihn automatisch selbst dann befolgte, wenn ihre eigentlichen Gedanken in völlig andere Richtungen gingen.

Heute wenigstens konnte sie sich wieder ein wenig am Alltag festhalten. *The Elephant* öffnete bereits mittags, sie musste rechtzeitig da sein, und wenn sie sich auch und gerade dort ihrer Nervosität besonders heftig ausgesetzt sah, erschien der Pub ihr im Moment als rettender Hafen im Meer ihres Schmerzes.

Als sie die Wohnungstür öffnete, prallte sie fast gegen Mr. Cadwick, der lautlos davorgestanden und offensichtlich nach drinnen gelauscht hatte.

Sie stieß einen leisen Schreckenslaut aus, aber auch Mr. Cadwick machte einen erschrockenen Schritt zurück.

»Oh!«, sagte er.

Wahrscheinlich, dachte sie, steht er wirklich öfter davor, als ich denke.

Für gewöhnlich warnte ihn das Wegschieben der Kommode, aber heute hatte sie sich in aller Frühe etwas Brot und Butter kaufen müssen, da sie absolut nichts Essbares mehr im Haus hatte, und sie hatte sich nach ihrer Rückkehr nicht erneut verbarrikadiert. Ein winzig kleiner Übungsschritt in Richtung Normalität.

»Mr. Cadwick«, sagte sie und registrierte, dass ihr Herz bereits wieder raste, »was tun Sie denn hier?«

»Ich stehe hier«, sagte er, »es ist mein Haus, und deshalb stehe ich hier!«

Die Tatsache, dass er ertappt worden war, schien ihn aggressiv zu machen. Er wusste, dass er lächerlich wirkte, wie er sich da in der Dunkelheit des alten Treppenhauses herumtrieb. Sie starrte auf seine Füße. Er war in Strümpfen, in grauen, ziemlich dreckigen Wollsocken. Genau wie sie es sich immer vorgestellt hatte. Er zog seine Schuhe aus und schlich im Haus herum.

Sie erwiderte nichts. Ekelhafter Typ, dachte sie.

»Heute Nacht«, sagte er, »konnte ich nicht schlafen. Und da habe ich ziemlich viel nachgedacht. Über Sie.«

Sie erwiderte noch immer nichts.

Komm, du Wichser, dachte sie, sprich dich aus.

»Eigentlich kommen Sie mir ganz schön komisch vor«, fuhr Mr. Cadwick fort. Er wurde langsam selbstsicherer, nachdem er nun ganz zum Gegenangriff übergegangen war. »Von Anfang an war das so! Wie Sie leben, wie Sie sich benehmen… Ich meine, Sie sind doch eine hübsche, noch ziemlich junge Frau! Wieso leben Sie so komisch?«

Am liebsten hätte sie ihn einfach zur Seite geschoben und wortlos das Haus verlassen, aber sie wusste, dass das Thema damit nicht ausgestanden wäre. Irgendetwas wollte er loswerden. Er würde bei ihrer Rückkehr hier stehen und am nächsten Morgen wieder.

»Was meinen Sie denn mit *komisch*?«, fragte sie zurück.

»Na ja… Sie kommen mir vor wie so ein Maulwurf. Immer im Dunkeln. Immer in der Wohnung. Keine Freunde. Kein… Mann. Gibt's denn gar keinen Mann in Ihrem Leben? Das ist doch nicht gesund!«

»Geht Sie das irgendetwas an?«

»Sie leben in meinem Haus!«

»Ich zahle Ihnen regelmäßig die Miete, ich mache nichts kaputt, belästige Sie nicht und halte mich an die Hausordnung. Darüber hinaus hat Sie nichts an mir zu interessieren!«

Er schlug einen anderen Ton an. »Nicht gleich so patzig! Nur weil ich's gut mit Ihnen meine? Ich mache mir Sorgen um Sie. Sie sehen gar nicht glücklich aus!«

Sie trat ganz aus ihrer Wohnung und zog die Tür hinter sich zu, schloss sie sehr nachdrücklich zweimal ab – obwohl das, wie sie wusste, sinnlos war, falls Mr. Cadwick in ihrer Abwesenheit hineinwollte.

»Im Gegensatz zu Ihrer Meinung, dass ich mich ausschließlich im Haus vergrabe, habe ich einen Job«, sagte sie, »und dorthin möchte ich nicht zu spät kommen. Sie müssen sich Ihre Gedanken um mich leider allein weitermachen.«

»Sie sind sehr unfreundlich«, stellte er betrübt fest und stierte sie sehnsüchtig an, trat aber zur Seite und ließ sie vorbei. Als sie schon fast unten war, lehnte er sich über die Brüstung.

»Wissen Sie, was ich glaube?«, rief er.

Gegen ihren Willen blieb sie stehen.

Er kann nichts wissen, dachte sie, er kann keine Ahnung haben.

»Sie verstecken sich vor irgendjemandem! Ja, genauso kommen Sie mir vor. Vor irgendetwas oder irgendjemand haben Sie schreckliche Angst! Sie sind auf der Flucht, und ausgerechnet mein Haus haben Sie sich als Versteck ausgesucht! Und das soll mich nichts angehen?«

Ihr Herz klopfte bis zum Hals. Mit schnellen Schritten ging sie zur Haustür.

»Aber ich will Ihnen doch nur helfen!«, rief er.

Sie trat auf die Gasse, schlug die Tür hinter sich zu, lehnte sich aufatmend dagegen. Sie wusste, dass sie hektische rote

Flecken im Gesicht hatte und dass ihre Stirn von Schweiß glänzte.

Ich darf nicht in Panik geraten, dachte sie, ich muss gut überlegen.

Sie glaubte tatsächlich nicht, dass Cadwick irgendetwas wusste. Er hatte lediglich einen Verdacht geäußert und war zufällig in die richtige Richtung geraten. Wozu allerdings nicht viel Scharfsinn gehörte. Sie verhielt sich ängstlich, neurotisch, kapselte sich von ihrer Umwelt ab, hatte keinerlei Privatleben. Keine Freunde, keine Familie. Einem Mann wie Mr. Cadwick musste sie vorkommen wie eine Frau, die aus dem Nichts gekommen war, im Nichts lebte und ins Nichts gehen würde. Und dazwischen offenbar von Panikattacken heimgesucht wurde. Kein Wunder, dass ihm dies seltsam vorkam und seine Fantasie beschäftigte.

Die Frage war: Konnte er ihr gefährlich werden?

Sie lief die Gasse entlang, wie immer mit gesenktem Kopf, den Schal hochgezogen, so dass er halb ihr Gesicht verdeckte. Das Wetter war nicht mehr so kalt wie während der letzten Wochen, aber noch immer wehte ein recht frischer Wind, so dass ihre Vermummung nicht merkwürdig wirkte. Noch nicht. Mit dem fortschreitenden Frühling würde sie mehr und mehr von der Tarnung, die ihr die Kleidung bot, ablegen müssen. In jedem Jahr empfand sie den Frühling deshalb als problematisch. Wenn es dann Sommer geworden war, hatte sie sich an den Zustand verstärkter Schutzlosigkeit einigermaßen gewöhnt, aber der Weg dorthin war hart.

Eigentlich konnte er nicht gefährlich werden. Es war nahezu ausgeschlossen, dass er etwas von ihrer Vorgeschichte wusste oder gar dass er jemanden kannte, der ein Teil davon gewesen war. Ansonsten hätte er das mit Sicherheit angedeutet. Blieb nur, dass er zur Polizei ging. Aber womit? Wollte er den Beamten erzählen, dass seine Mieterin seltsam war, keine Männerbekanntschaften pflegte und ihm als äußerst schreckhaft auffiel? Mehr konnte er schließlich nicht gegen sie vorbringen. Deswegen rückte die Polizei nicht aus.

Sie hielt den Kopf nun höher, merkte, wie etwas von dem Gewicht, das Mr. Cadwick ihr aufgeladen hatte, von ihren Schultern fiel.

Dennoch beschlich sie das Gefühl, dass sich ihre Zeit in Langbury dem Ende zuneigte. Mr. Cadwick war ihr von Anfang an zutiefst unangenehm gewesen, aber er hatte sie wenigstens in Ruhe gelassen. Damit konnte sie von nun an nicht mehr rechnen. Der Mann war nicht dumm. Er hatte sicherlich gespürt, wie sehr er sie am Morgen in die Enge hatte treiben können, und er würde es wieder versuchen. Vielleicht sollte sie sich eine andere Unterkunft suchen. Aber Langbury war klein. Am Ende würde auch ein Umzug Mr. Cadwick nicht daran hindern, sie weiterhin zu verfolgen. Außerdem hatte sie es sich von Anfang an zum Prinzip gemacht, nicht zu lange an einem Ort zu bleiben. Es war besser, das Weite gesucht zu haben, ehe nach und nach alle damit anfingen, dumme Fragen zu stellen und sich über das eigenartige Verhalten der Fremden zu wundern.

Die Vorstellung, nicht mehr allzu lange in dem dunklen Loch über Mr. Cadwick wohnen zu müssen, belebte sie ein wenig; sie ging schnellen Schrittes die Straße entlang und hielt den Kopf höher als sonst.

2

Marc Reeves Weigerung, mit ihr zu kooperieren, hatte Rosanna aus dem Konzept gebracht, aber sie versuchte, vernünftig zu sein und sich zu sagen, dass dies ihre Arbeit nicht behindern musste. Nick hatte ihr genügend Material aus dem Archiv mitgebracht, dass sie die Geschehnisse von damals rekonstruieren konnte. Was Reeves heutiges Leben anging, blieb sie allerdings auf Vermutungen angewiesen. Immerhin wusste sie, dass sein Einstieg in die große Kanzlei nicht geklappt und er sich stattdessen selbstständig gemacht hatte. Das mochte nicht ganz leicht gewesen sein. Wo stand er heute? Hatte er sowohl sein berufliches wie sein privates Leben wieder geordnet, die Scharten ausgewetzt, die ihm damals zugefügt worden waren? Aber wenn alles gut lief, wäre er dann so bitter? Er hatte erschöpft und frustriert geklungen, als sie auf das Thema *Elaine* zu sprechen gekommen war.

Hatte er noch immer mit Auswirkungen zu kämpfen?

Vorsicht mit Spekulationen, ermahnte sie sich, bleib bei den Fakten!

Sie hatte an diesem Morgen im Hotel auch das Material zu den anderen Fällen gesichtet, über die sie schreiben sollte. Ein alter Mann, der acht Jahre zuvor aus einem Heim davongelaufen war und von dem man nie wieder etwas gehört, dessen Leiche man jedoch auch nicht gefunden hatte. Ein junger Mann, der sich abends von seiner Familie verabschiedet hatte, um sich noch rasch irgendwo ein paar Flaschen Bier zu kaufen, und der seitdem ebenfalls als vermisst galt. Ein junges Mädchen, das sich mit seinem Freund an einer Bushaltestelle hatte treffen wollen. Sie war von daheim weggegangen, an der Haltestelle jedoch nie angekommen. Der Weg dorthin hatte nur ein paar Meter betragen, der Freund, der bereits länger gewartet hatte, hätte sie von der Haustür auf sich zukommen sehen müssen. Und zwei weitere Fälle. Sechs Stück insgesamt.

Sie hatte viel zu tun. Eine Menge Menschen zu kontaktieren, zu treffen, ihre Aussagen zu notieren. Und schließlich noch die Serie zu schreiben. Sie hatte nicht die Zeit, sich zu sehr in Elaines Geschichte zu verbeißen und sich von Reeves Absage tagelang blockieren zu lassen. Nick hatte sie gewarnt, dem Fall Elaine auf Grund ihrer persönlichen Betroffenheit zu viel Gewicht zu geben.

Es klopfte an der Tür, und Cedric kam herein. Frisch geduscht, in seiner üblichen Lederjacke und den abgetragenen Jeans.

»Morgen«, sagte er.

Sie musste lachen. »Es ist elf Uhr. Bist du eben erst aufgestanden?«

Er gähnte. »Ja. Und du? Arbeitest du schon?«

»Ich bin die ganzen Fälle durchgegangen. Ziemlich viel Arbeit, das alles.«

»Ein Grund mehr, Reeve Reeve sein zu lassen und einfach anzufangen«, meinte Cedric. Am Vorabend im Restaurant hatte sie ihm deprimiert von ihrem Telefonat mit dem Anwalt erzählt, und Cedric hatte gesagt, sie solle sich dadurch nicht behindern lassen. Sie hatte versucht, ihm zu erklären, was in ihr vorging: dass sie über Reeve Elaine näherkommen wollte, nicht für die Serie, sondern für sich selbst.

»Ich kann nicht direkt sagen, dass ich ein Schuldgefühl wegen all dem habe«, hatte sie gesagt, »aber es ist nicht abzustreiten, dass es meine Hochzeit war, zu der sie wollte. Wegen meiner Einladung hat sie Kingston St. Mary verlassen und ist nach London gereist. Für die Elaine, die wir kannten, war das ein ungeheures Unternehmen. Sie kommt bis Heathrow, und dann verschwindet sie.«

»Nicht deine Schuld.«

»Nein. Aber trotzdem war ich die Ursache. Ich bin irgendwie ... ein Teil der Geschichte. Ohne mich – ohne meine Hochzeit – wäre vielleicht alles ganz anders gekommen.«

»Aber«, hatte Cedric entgegnet, »darüber darfst du dich jetzt nicht aufreiben. Das bringt niemandem etwas. Wir sind alle immer Teil von irgendwelchen Geschichten und dennoch nicht jedes Mal für deren Verlauf verantwortlich. Du hast geheiratet, und es war eine nette Geste von dir, die gute, alte Elaine einzuladen. Irgendetwas ist schiefgelaufen, aber du kannst noch nicht einmal mit Sicherheit sagen, dass es etwas mit der Reise zu tun hatte. Vielleicht hat Elaine deine Hochzeit als Gelegenheit benutzt. Um mit einem verheirateten Liebhaber durchzubrennen, zum Beispiel. Was sie eine Woche später von Kingston St. Mary aus auch getan hätte!«

»Also, Cedric, wirklich! Elaine und ein verheirateter Liebhaber! Elaine und überhaupt ein Liebhaber ist schon schwer vorstellbar!« Sie hatten beide gelacht, aber es war kein fröhliches, entspanntes Lachen gewesen. Dafür lag zu viel grausames Schicksal über der Familie Dawson, mehr, wie Rosanna manchmal gedacht hatte, als eine einzige Familie verdiente. Zwei Geschwister, der Bruder querschnittsgelähmt, die Schwester spurlos verschwunden. Beide Eltern schon lange tot, was den jungen Mann zu einem Leben im Schwerbehindertenheim verurteilte.

»Es ist schon seltsam«, meinte Rosanna nun, »dass ich all die Jahre kaum über Elaine und ihr Schicksal nachgedacht habe, und nun auf einmal fällt es mir so schwer, souverän damit umzugehen. Ich bin viel zu beteiligt, Cedric. Aber deswegen alles absagen…«

»Dann glaubt Dennis noch, er habe gewonnen«, sagte Cedric. »Apropos: Hat sich dein Gatte heute schon gemeldet?«

Sie schüttelte den Kopf. »Nein. Und ich mich auch nicht. Er hat mir gestern mit den Worten, es sei alles gesagt, das Gespräch abgeschnitten und einfach aufgelegt. Ich finde, es ist an ihm, wieder anzurufen.«

»Wenn du diese Einstellung durchhältst, bin ich stolz auf dich«, sagte Cedric etwas skeptisch. Er sah auf seine Uhr.

»Ich muss los. Ich fahre nach Cambridge und treffe eine Kommilitonin von früher. Kann ich das Auto haben?«

Sie hatten sich von Kingston St. Mary nach London gemeinsam einen Leihwagen genommen. Rosanna nickte. »Ich brauche ihn nicht. Cedric…« Sie zögerte.

»Ja?«

»Ach nichts.« Es war nicht der Moment, ihm einen Vortrag darüber zu halten, dass er seine Zeit vergammelte. Dass er schon wieder in den Tag hineinlebte, anstatt etwas anzustreben, das ihn voranbrachte.

Sie hatte keine Lust, mit ihm zu streiten.

»Es ist wirklich nichts«, wiederholte sie.

Er wirkte erleichtert. Vermutlich ahnte er, welche Gedanken ihr im Kopf herumgegangen waren.

»Ich muss los«, sagte er, »leb wohl! Bis heute Abend!« Er öffnete die Tür, blieb aber dann stehen. »Ich hatte da noch einen Gedanken«, sagte er, »weil doch Reeve nicht mit dir sprechen will. Du erwähntest gestern Abend einen Nachbarn, der ihn und Elaine gesehen und Reeve daraufhin bei der Polizei gemeldet hatte. Vielleicht gibt's den noch. Du könntest versuchen, mit ihm zu reden. Es ist nicht das Gleiche, aber er hat Elaine noch einmal gesehen. Und er könnte ein bisschen erzählen, was Reeve für ein Typ ist.«

Sie sah ihren Bruder an. »Manchmal bist du einfach genial, Cedric!«

Er grinste. »Mir liegt an deinem Seelenheil. Mach's gut!« Er verschwand.

Sie griff sofort nach dem Ordner *Dawson*.

Wo konnte sie Angaben zu dem Mann finden, der Reeve damals der Polizei gemeldet hatte?

Zwei Stunden später saß sie Marc Reeves einstigem Nachbarn gegenüber und konnte es kaum fassen, so viel Glück gehabt zu haben: den Mann zu finden und ihn auch noch daheim anzutreffen. Und Zeit nahm er sich auch für sie. Wobei das kein Wunder war: Sie hatte ihn während der ersten beiden Minuten schon als einen Schwätzer und Wichtigtuer erkannt. Die Sache mit Reeve und Elaine damals und seine eigene Rolle in der Presse waren vermutlich das Highlight in seinem Leben gewesen. Wahrscheinlich konnte er es seinerseits kaum fassen, dass er sich nach all den Jahren noch einmal äußern durfte.

Es war nicht allzu schwer gewesen, ihn ausfindig zu machen. In einer der Zeitungen aus dem Jahr 2003 hatte Rosanna einen Hinweis auf Reeves damalige Adresse gefunden: Belgravia, natürlich. Die Straße wurde nicht genannt, es hieß aber, es handele sich um eine »kleine Nebenstraße der King's Road, sehr nahe dem Sloane Square gelegen«. Das schränkte den Radius bereits erheblich ein. Eine andere Zeitung hatte ein Foto des Hauses abgedruckt. Es war Teil einer Kette von fünf Reihenhäusern, alte Klinkersteinbauten mit schönen Erkern und giebelverzierten Dächern. Gepflegte, winzige Vorgärten, Kopfsteinpflaster auf der schmalen Straße davor. Ein paar Bäume, deren kahle Zweige an dem Tag, an dem das Bild enstanden war, von dickem Schnee bedeckt waren. Überhaupt sah die Gegend wie ein weißes Zuckerbäckermärchen aus. Ruhig. Gediegen. Sehr teuer.

Der Nachbar war nirgendwo mit vollem Namen genannt, er geisterte lediglich als *Richard H. (45)* durch die Presse. Sollte er noch unter seiner einstigen Adresse leben, würde sie ihn finden.

Er hieß Richard Hall, war inzwischen fünfzig Jahre alt und lebte in dem Haus rechts von Reeves einstigem Domizil. Er hatte eine Frau und zwei Kinder und arbeitete im Büro einer Finanzagentur. Zum Mittagessen kam er stets nach Hause, daher konnte Rosanna mitten am Tag mit ihm sprechen. Sie bot ihm natürlich an, zu einem anderen Zeitpunkt wiederzukommen, um ihn nicht während der Mahlzeit zu stören, aber unter der Aussicht, die ganze Geschichte noch einmal erzählen zu dürfen und erneut in der Zeitung zu landen, vergaß Hall seinen Hunger und wies seine Frau, eine unscheinbare Blondine mit schüchternen Augen, an, das Essen wieder abzutragen.

»Du wärmst es mir dann heute Abend auf«, sagte er, und Mrs. Hall machte sich ohne irgendeinen Kommentar daran, den sorgfältig gedeckten Tisch im Esszimmer wieder abzudecken.

Da sie zudem den Kamin im Esszimmer bereits entfacht hatte, schlug Hall vor, das Gespräch dort zu führen, rückte zwei Stühle dicht ans Feuer und setzte sich seinem Gast gegenüber. Rosanna musterte ihn unauffällig, aber gründlich. Er war groß, hatte keine schlechte Figur und trug einen gut geschnittenen Anzug, aber sein Aussehen litt unter seinem vollkommen runden, farblosen Gesicht, in dem die Augen sehr klein waren und zu eng beieinander standen. Er wirkte wie ein unattraktiver Mann, der sich bemühte, das Beste aus seinem Typ zu machen, dabei jedoch nicht wirklich einen Erfolg zu erzielen vermochte. Rosanna meinte zu spüren, dass er unter Minderwertigkeitsgefühlen litt, aber sie versuchte, nicht zu viel in ihn hineinzuinterpretieren. Sein Wesen war für sie ohnehin nur insoweit interessant, als es ihr eine bessere Einschätzung, was den Wahrheitsgehalt seiner Angaben betraf, erlaubte. Sie ahnte, dass er zu Ausschmückungen neigte und dazu, Dinge, die er lediglich vermutete, als Tatsachen hinzustellen, aber wahrscheinlich war er kein Lügner.

»Ja«, sagte er, »ich habe die beiden an jenem Abend gesehen. Reeve und Miss Dawson. Sie kamen in Reeves Auto und gingen gemeinsam in sein Haus. Er trug ihren Koffer. Er selbst hatte nur eine Reisetasche dabei.«

»Woher wussten Sie, dass der Koffer Miss Dawson gehörte?«

»Er war rot, soweit ich das im Schein der Laternen erkennen konnte«, sagte Hall, der sich offenbar noch an jedes Detail erinnerte, »und er wirkte... billig. Aus Plastik. Nicht Reeves Stil.«

»Ich verstehe. Um wie viel Uhr kamen die beiden?«

»Gegen sieben Uhr. Ich stand vorn am Wohnzimmerfenster und hielt nach unserem Sohn Ausschau. Er war bei einem Freund gewesen und sollte um sieben daheim sein. Er war damals neun Jahre alt.«

»Welchen Eindruck hatten Sie von Elaine Dawson? Wenn Sie überhaupt einen hatten auf die Entfernung und bei der Dunkelheit?«

»Wir haben hier sehr helle Straßenlaternen«, sagte Hall, »ich konnte alles gut sehen. Ich schaute auch ganz genau hin, weil ich irgendwie... irritiert war.«

»Irritiert?«

»Miss Dawson passte nicht in Reeves Beuteschema.«

»Sie meinen«, sagte Rosanna, »dass er für gewöhnlich einen anderen Typ Frau bevorzugte?«

»Nun«, sagte Hall genießerisch, und Rosanna stellte fest, dass er für einen Mann eine ungewöhnliche Vorliebe für Tratsch und Klatsch hatte, »es war ja so... also, etwa ein Dreivierteljahr vor jenem Januarabend war Mrs. Reeve nebenan ausgezogen. Den gemeinsamen Sohn hatte sie mitgenommen. Seitdem lebte Marc Reeve allein, und nach allem, was ich so mitbekam... gab es ein paar Damenbekanntschaften in der Zeit. Verschiedene Damen. Die zumeist über Nacht blieben.«

Du hast aber ganz genau aufgepasst, dachte Rosanna. Sie empfand Mitleid mit Reeve. Ein Alptraum für einen Mann, der mitten im Sprung in die ganz große Karriere war, wenn ein solcher Nachbar mit derlei intimen Details an die Öffentlichkeit ging.

»Und in diese Reihe passte Elaine Dawson nicht?«

»Absolut nicht. Reeves… Begleiterinnen waren allesamt überdurchschnittlich attraktive Frauen. Gut und teuer gekleidet. Zumeist Anwältinnen, nehme ich an, oder Frauen, die sonst irgendwie mit seinem Beruf zu tun hatten. Frauen mit Stil und Klasse… wenn man davon absieht, dass sie sich offenbar nicht zu schade für einen One-Night-Stand waren. Aber was das betrifft, haben sich die Zeiten ja geändert.«

Und du warst verdammt neidisch, Abend für Abend hinter deinem Wohnzimmerfenster, dachte Rosanna, und du hast es richtig genossen, ihm dann eins auszuwischen. Du genießt es ja heute noch!

»Na ja, und diese Miss Dawson gab ein völlig anderes Bild ab«, fuhr Hall fort, »einmal war sie wirklich sehr jung – und Reeve hatte bis dahin nie ausgesprochen junge Frauen mit nach Hause gebracht. Und dann war sie so… unscheinbar. Ja, das ist das richtige Wort. Nicht direkt hässlich, aber einfach eine graue Maus. Sie trug einen wirklich scheußlichen Mantel, billig und schlecht geschnitten. Dann dieser Plastikkoffer. Ihre Haare – unmöglich! Sie sah aus wie eine vom Dorf, die absolut keine Ahnung hat, wie man sich als Frau ein bisschen ansehnlich zurechtmachen kann.«

Das war eine ziemlich gute Beschreibung von der Elaine, die auch Rosanna gekannt hatte.

»Wie wirkte sie? Ängstlich? Freudig?«

»Sie war verweint. Sie weinte nicht mehr, aber sie hatte sichtlich geweint. Freudig wirkte sie ganz bestimmt nicht.

Ängstlich allerdings auch nicht. Eher... ein bisschen apathisch vielleicht. Erschöpft.«

»Die beiden verschwanden im Haus?«

»Ja, aber nach zehn Minuten etwa kamen sie wieder raus.«

»Ja?«

»Ich stand immer noch am Fenster. Ich machte mir Sorgen. Unser Sohn war normalerweise immer pünktlich. Mary – meine Frau – telefonierte inzwischen mit den Eltern des Freundes...«

»Was taten Reeve und Elaine?«

»Sie gingen die Straße entlang. Richtung King's Road.«

»Hatten Sie den Eindruck, dass die beiden...?«

»... ein Liebespaar waren? Absolut nicht. Weder hatten sie die Arme umeinander gelegt, noch hielten sie sich an den Händen oder irgendetwas in der Art. Sie gingen einfach nebeneinander her. Wie zwei Bekannte, die keine nähere Verbindung haben.«

»Wissen Sie, wohin sie gingen?«

»Reeve soll bei der Polizei behauptet haben, dass sie ein italienisches Restaurant aufsuchten. Offenbar ist das von dem Besitzer dort auch bestätigt worden. Er konnte sich an die beiden erinnern. Aber was danach war...« Hall hob beide Schultern.

»Sie haben sie jedenfalls nicht zurückkommen sehen?«

»Nein. Mein Sohn kam, wir haben zu Abend gegessen, ich habe die Schulaufgaben der Kinder kontrolliert und später mit meiner Frau ferngesehen. Ich habe nicht mehr rausgeschaut.«

»Dass Reeve Miss Dawson am nächsten Morgen zur U-Bahn begleitet hat, haben Sie auch nicht gesehen?«

»Nein. Ich stehe ja nicht ständig am Fenster!«, sagte Hall fast empört. »Im Grunde interessiert es mich ja nicht, was die Nachbarn so treiben.«

»Verstehe«, sagte Rosanna. Sie war überzeugt, dass er ziemlich genau wusste, was seine Nachbarn trieben. Sie kam sich ein wenig voyeuristisch vor und hatte ein leises Schuldgefühl gegenüber dem unbekannten Marc Reeve, dennoch stellte sie die nächste Frage: »Wissen Sie, weshalb Mrs. Reeve ausgezogen war?«

Hall wandte sich zu seiner Frau um, die gerade das Tischtuch akkurat zusammenfaltete. Sie bewegte sich so leise, dass Rosanna ihre Anwesenheit völlig vergessen hatte. »Mary, du hast doch öfter mit der Reeve geredet!«

»Ich habe nur selten mit ihr geredet«, widersprach Mrs. Hall, »sie erzählte nicht viel von sich. Sie hatte eine kranke Mutter, die in einem Altenheim bei Cambridge untergebracht war. Sie fuhr oft dorthin. Sie wirkte dann immer... irgendwie verstört. Das Leiden ihrer Mutter ging ihr wohl sehr nahe. Mrs. Reeve war eine sehr sensible Frau. Sie hat immer gemalt. Sehr schöne Aquarelle. Ich habe gehört, dass sie in Kunstkreisen recht bekannt war.«

»Du hast mir damals erzählt, dass du sie ein paar Mal angetroffen hast, als sie aus dem Haus kam und völlig verweint war«, erinnerte ihr Mann ungeduldig.

»Das stimmt. Ich habe sie aber nicht angesprochen, sondern so getan, als bemerkte ich sie nicht. Ich dachte mir... nun, dass sie so nicht gesehen werden möchte. Daher weiß ich auch nicht, weshalb sie so... aufgelöst war.«

»Man kam manchmal nicht umhin, ziemlich lautstarke Auseinandersetzungen von nebenan mitanzuhören«, sagte Richard Hall, und es war ihm anzumerken, dass er diesen Umstand durchaus genossen hatte. »Und wenn Sie mich fragen...« Er machte eine bedeutungsvolle Pause.

Das geht mich eigentlich nichts an, dachte Rosanna unbehaglich, und es hat auch nichts mit der Geschichte zu tun.

Obwohl gerade die eheliche Situation Marc Reeves damals in der Presse durchaus eine Rolle gespielt hatte. Sie entsann sich der verschiedenen Artikel und Berichte, die sie gelesen hatte, vorwiegend aus dem Bereich des Klatschjournalismus. Nirgends war unerwähnt geblieben, dass Mrs. Reeve mitsamt ihrem Sohn ausgezogen war, und zwischen den Zeilen waren die verschiedensten Vermutungen über den Grund hierfür durchgeschimmert: Sie reichten vom ununterbrochenen Fremdgehen Mr. Reeves über einen Hang zu extrem jungen Mädchen bis hin zu Gewalttätigkeiten, zu denen es in seiner Ehe immer wieder gekommen sein sollte. Soweit es der juristische Rahmen zuließ, hatte man nichts unversucht gelassen, ihn in die Nähe eines triebgesteuerten Gewalttäters zu rücken, um dann den Lesern die alles entscheidende Frage zu stellen: *Hatte Marc Reeve Elaine Dawson umgebracht?*

Obwohl Rosanna stumm geblieben war, konnte es sich Mr. Hall natürlich nicht verkneifen, seine Meinung kundzutun. »Wenn Sie mich fragen«, wiederholte er, »dann hatte sie seine Seitensprünge satt. Und ich würde mich auch nicht wundern, wenn...«

»Ja?«

»Ich glaube, dass er ganz schön ausrasten konnte, wenn die Dinge anders liefen, als er wollte. Und das dürfte die arme Mrs. Reeve manchmal auch zu spüren bekommen haben.«

Rosanna nickte langsam. »Dafür haben Sie aber keine konkreten Anhaltspunkte?«

»Dafür, dass er sie misshandelt hat? Dass er ständig fremdging? Natürlich nicht. Er war ein sehr ehrgeiziger und kluger Mann. Solche Typen tarnen sich perfekt. Aber... es war einfach... es lag so in der Luft, verstehen Sie? Es gibt Menschen, da ahnt man förmlich, dass sich hinter ihrem feinen Äußeren etwas Unangenehmes verbirgt. Das ist wie ein schlechter Geruch, den man wahrnimmt, aber sich nicht erklären kann. Reeve war mir von Anfang an zutiefst unsympathisch und suspekt. Ich bin heilfroh, dass er nach der Scheidung dann ziemlich bald von hier fortzog.«

Rosanna hatte sich ein paar Notizen gemacht. Nun klappte sie ihr kleines schwarzes Buch zu und verstaute es in ihrer Handtasche. Sie stand auf.

»Ich will Ihre Zeit nicht länger in Anspruch nehmen«, sagte sie. »Ich danke Ihnen für das Gespräch, Mr. Hall.«

Auch Hall erhob sich. »Gern geschehen. Hier«, er reichte ihr ein weißes Kärtchen, »finden Sie alle Informationen, wie Sie mich kontaktieren können. Telefon zu Hause und im Büro, E-Mail-Anschrift, Fax... Ich stehe Ihnen jederzeit wieder zur Verfügung.«

Er schien es kaum erwarten zu können.

»In Ordnung«, sagte Rosanna, »ich komme darauf zurück, wenn ich noch eine Information brauche.«

Als sie zur Tür gingen, sagte sie provozierend: »Sie meinen also, Marc Reeve hat etwas mit Elaine Dawsons Verschwinden zu tun?«

Er blieb stehen. »Das habe ich nicht gesagt.«

»Aber...«

»Lassen Sie es mich so formulieren: Wenn sich herausstellte, dass er etwas damit zu tun hat, ich würde mich nicht wundern.« Er öffnete ihr die Tür. Feuchtkalte Luft schlug ihnen entgegen. Es hatte zu regnen begonnen.

»Nein«, bekräftigte er, »wirklich, ich würde mich überhaupt nicht wundern.«

4

Georgina Ennis liebte ihren Hund Bluebird, einen schwarzen Labrador-Irgendetwas-Mischling, dessen Fell als Welpe einen Blaustich gehabt hatte, dem er seinen Namen verdankte. Inzwischen ging der Farbton eher ins Grau, denn Bluebird war schon stolze zwölf Jahre alt. Georgina, die immer nur Pech mit den Männern gehabt hatte und nun mit fast fünfzig Jahren beschlossen hatte, den Gedanken an die große Liebe aufzugeben und sich mit dem Alleinsein anzufreunden, sah in Bluebird ihre einzige Bezugsperson und wünschte nichts mehr, als dass er noch viele Jahre mit ihr lebte, aber an Tagen wie diesem dachte sie auch ein klein wenig neidisch, und deswegen zugleich sehr schuldbewusst, an Menschen, die keinen Hund besaßen. Und deswegen nicht bei jedem noch so scheußlichen Wetter vor die Tür mussten.

Der Februar hatte in der letzten Woche schon einen frühlingshaften Anstrich gehabt, dann war über das Wochenende noch einmal leichter Schneefall gekommen, und nun war alles in kalten Regen und graue Trostlosigkeit übergegangen. Man hätte meinen können, in den November zurückgekehrt zu sein. Georgina, die in einem Friseursalon arbeitete, hätte sich gern wie ihre Kolleginnen eine Pizza bestellt und es sich in dem kleinen Hinterraum für eine Dreiviertelstunde gemütlich gemacht, aber wie jeden Mittag musste sie nach Hause hasten, um eine Runde mit Bluebird zu gehen. Der Hund freute sich schrecklich, wenn er sie sah, und wenn sie nach der Leine griff, flippte er völlig aus. Seine Leidenschaft, nach draußen zu gehen, wurde mit dem Alter nicht geringer.

Georgina lebte in Epping, einer Gemeinde im Norden Londons, und sie hatte es von ihrer Hochhauswohnung nur ein paar Schritte weit hinüber zum Epping Forest, einem riesigen Waldgebiet, das an den Wochenenden von erholungssuchenden Londonern nur so überschwemmt wurde. Man konnte stundenlang wandern, wunderbar Fahrrad fahren, Picknicks veranstalten oder auf einer der vielen Bänke sitzen und einfach nur träumen. Selbst unter der Woche traf man immer wieder auf Menschen, so dass sich Georgina selten wirklich allein in den tiefen Wäldern gefühlt hatte. Ängstlich war sie ohnehin nicht. Sie hatte schließlich Bluebird. Er war eine imposante Erscheinung und noch immer ganz schön fit, und sie konnte sich nicht vorstellen, dass jemand sie überfiel, solange der Hund in ihrer Nähe war.

An diesem scheußlichen, kalten, nassen Tag war natürlich niemand unterwegs. Georgina schritt kräftig aus. Einmal hoffte sie, dass ihr dadurch warm würde, zum anderen aber war auch ihre Mittagspause begrenzt, und sie konnte sich nie allzu viel Zeit lassen, wenn sie die gewohnte Runde schaffen wollte. Auf einem breiten, sandigen Weg ging es ein gutes Stück in den Wald hinein, dann bog sie in einen dunklen, schmalen Trampelpfad ein, den jeder übersehen hätte, der ihn nicht kannte. Hier konnte man durch die Wipfel der Bäume hindurch kaum mehr den Himmel sehen, zudem war der Boden jetzt im Winter völlig verschlammt. Georgina benutzte ihn nur deshalb, weil er nach einer Weile wiederum auf einen breiten Weg stieß, der in einem Bogen zu ihrem Ausgangspunkt zurückführte.

An diesem Tag bereute sie es, an ihrer Gewohnheit festgehalten zu haben und nicht einfach umgekehrt zu sein. Tiefhängende, nasse Zweige schlugen ihr ins Gesicht, und mehr als einmal wäre sie im Schlamm fast ausgerutscht und hingefallen. Sie trug hohe, gefütterte Gummistiefel, die sie unter der Dusche würde abbrausen können, aber Bluebird wieder einigermaßen sauber zu bekommen, dürfte zum Kraftakt werden. Aus unerfindlichen Gründen wurde er panisch, wenn sie sich ihm mit einem Handtuch näherte. Sie würde zu spät in den Salon zurückkommen, und Mrs. Wentworth, die Chefin, würde missbilligend die Augenbrauen hochziehen.

Wo war Bluebird überhaupt?

Georgina blieb stehen. Mit gesenktem Kopf gegen Regen und Äste ankämpfend, hatte sie auf den Hund gar nicht mehr geachtet. Für gewöhnlich lief er ein Stück vorweg, drehte aber regelmäßig um und vergewisserte sich, dass sie folgte. Jetzt ging ihr auf, dass er dies schon seit einer Weile nicht getan hatte.

»Bluebird!«, rief sie. »He, Bluebird!«

Ein Vogel hob sich über ihr kreischend in die Luft, sonst blieb alles still.

Sie machte ein paar Schritte zurück. »Bluebird! Bei Fuß! Sofort! Bluebird!«

Er war kein Jäger. Sie hatte es noch nie erlebt, dass er Hasen oder Rehen nachsetzte, deshalb glaubte sie auch nicht, dass er das jetzt getan hatte.

Sie fühlte auf einmal etwas, was sie in all den Jahren auf ihren Spaziergängen im Epping Forest noch nie gefühlt hatte: eine unbestimmte, noch ganz leise Furcht, die sich durch ein sanftes Ziehen im Magen und ein Kribbeln in den Handflächen ankündigte und kaum merklich stärker wurde. Sie registrierte, wie allein sie war. Wie undurchdringlich und dunkel der Wald ringsum. Wie fern alle anderen Menschen.

Wieder kreischte irgendwo ein Vogel. Der Regen rauschte.

Du darfst dich in nichts hineinsteigern, ermahnte sie sich, es ist bloß so, dass dein Hund offenbar losgestreunt ist. Mehr ist nicht passiert.

»Birdie!«, rief sie ihn bei seinem Kosenamen. »Birdie! Birdie, wo bist du?«

Sie lauschte ihrer Stimme nach. Sie hatte den Eindruck, dass der Klang nicht weit reichte. Der Regen verschluckte das Geräusch.

»Birdie!«

Plötzlich meinte sie in der Ferne ein Bellen zu vernehmen.

So leise, dass sie im ersten Moment dachte, sie habe sich getäuscht. Jeder einzelne Muskel in ihrem Körper spannte sich an, als sie erneut lauschte. Doch, da war es. Ziemlich weit weg, wie ihr schien. Ein Hund bellte. Es konnte Bluebird sein.

Sie eilte den Trampelpfad weiter entlang, nahm jetzt rücksichtslos in Kauf, dass ihr die schweren Äste ins Gesicht schlugen. Ihre Füße verursachten saugende Geräusche im Schlamm. Sie würde zu spät in den Salon kommen, und sie würde wahrscheinlich blutige Kratzer im Gesicht haben und aussehen, als sei sie unter den Räubern gelandet, aber das war ihr egal. Es ging um Bluebird. Ihren einzigen echten Freund.

Am Ende des Pfads blieb sie schwer atmend stehen. Sie hatte sich so beeilt, dass sie Seitenstechen bekam. Normalerweise wäre sie auf dem breiteren Weg nun nach rechts abgebogen, um zur Siedlung zurückzukehren, aber sie hatte vorhin den Eindruck gehabt, dass das Bellen jedenfalls nicht von dort kam.

Sie rief erneut. »Bluebird! Birdie!«

Wieder das Bellen. Es klang schon ein wenig näher. Gegenüber der Stelle, an der ihr Pfad in den befestigten Weg mündete, entdeckte sie eine Art Schneise zwischen den Bäumen. Eine Fortsetzung des Schlammlochs, aus dem sie gerade kam. Nur noch schmaler. Und wahrscheinlich noch schlammiger.

Sie stolperte vorwärts. Tauchte in ein fast undurchdringliches Dickicht ein. Wasser lief ihr in den Kragen und rann ihren Rücken hinunter. Es fühlte sich eiskalt und widerlich auf ihrer völlig verschwitzten Haut an. Das, was zu Beginn noch wie ein minimaler Durchgang zwischen den Bäumen gewirkt hatte, verengte sich ganz, und sie musste sich direkt durch die Büsche kämpfen. Nach wenigen Minuten schon wusste sie nicht mehr, wo vorne und hinten war, woher sie kam und wohin sie ging. Ihr einziger Anhaltspunkt war das Bellen des Hundes – Birdie? –, das zuverlässig antwortete, wann immer sie innehielt und rief. Ihr kam der Gedanke, dass man sich in dem unübersichtlichen, meilenweiten Waldgebiet durchaus verlaufen konnte. Sie hatte von Menschen gelesen, denen das passiert war, von Wanderern, denen es nicht mehr gelungen war, einen Ausweg zu finden. Es hatte Suchtrupps gegeben, die alles nach ihnen durchkämmt hatten.

Wann würde man nach ihr suchen? Wer würde sie überhaupt vermissen? Die Chefin, die Kolleginnen. Wie lange würde es dauern, bis sie sich ernsthaft Sorgen machten? Und wie lange konnte sie bei Kälte und Regen in den Wäldern überleben?

Sie blieb stehen, um Luft zu holen und sich zu beruhigen. *So weit ist es noch nicht. Und sowie du auf Bluebird gestoßen bist, ist alles okay. Ein Hund findet seinen Weg zurück.*

Sie rief seinen Namen. Das Bellen klang eindeutig näher.

Ein letztes, extrem zugewuchertes Stück, heimtückische lange Brombeerranken, die sie böse zerkratzten und sich in ihren Haaren verfingen, dann sah sie bereits, dass es heller wurde. Sie erreichte eine Lichtung, auf der sich ein Weiher befand, ein kleiner Waldsee. Grau wie der Himmel, an den Rändern von Schilf und Gras zugewachsen. Die Wasseroberfläche kräuselte sich unter dem einfallenden Regen.

Es gab ein paar kleine Seen im Waldgebiet, und etliche davon waren zum Baden geeignet. Die Forstverwaltung hielt das Ufer sauber, die Wiesen ringsum wurden regelmäßig gemäht, und es waren auch ein paar Bänke aufgestellt worden. Dieser Tümpel, vor dem Georgina nun stand, gehörte eindeutig nicht dazu. Er war ziemlich klein, offenkundig nur schwer zu erreichen und vom Wald sehr dicht umzingelt. Ein paar Moorhühner stoben aus dem Schilf. Es sah aus, als sei hier noch nie ein Mensch gewesen, was aber nicht stimmen musste. Sicher schien bloß, dass wohl um diese Jahreszeit niemand hierherkam.

Sie atmete für den Moment auf, erleichtert, dass sie den Himmel wieder sehen konnte, und froh, dass ihr nicht mehr ständig irgendetwas ins Gesicht schlug. Dann sah sie Bluebird, der in großen Sprüngen auf sie zujagte. Er schien sehr aufgeregt und bellte laut und fordernd, wie er es für gewöhnlich nur tat, wenn er einen Ball geworfen haben wollte.

Sie kniete nieder und umarmte ihn. Der Hund war eine einzige tropfnasse Schlammkugel, aber das war ihr egal.

»Birdie, du Schaf, was machst du denn? Du kannst doch nicht einfach weglaufen! Ich habe solche Angst gehabt! Nun komme ich viel zu spät zur Arbeit und habe jede Menge Ärger!«

Bluebird, der normalerweise nichts lieber tat, als zu kuscheln, entwand sich ihren Armen, machte ein paar Sprünge zurück und bellte wieder. Sie erhob sich.

»Was ist denn? Willst du mir etwas zeigen?«

Er rannte vor ihr her. Sie folgte ihm. Der Regen rauschte. Die Moorhühner waren verstummt. Trotz der Hitze in ihrem Körper begann Georgina wieder zu frösteln. So wie vorhin, als sie sich ihres Alleinseins plötzlich bewusst geworden war. Da war wieder das Ziehen im Magen. Dieses ungute Gefühl.

Was hatte Bluebird gefunden?

Sie sah die Frau im Schilf liegen. Der Bewuchs war hier so dicht, dass sie sie nie entdeckt hätte, wäre sie nicht hinter dem Hund hergekrochen. Die Frau lag sehr seltsam da, mit einem verkrampften, verdrehten Körper. Ihr Gesicht verschwand im brackigen Wasser. Um ihren Kopf herum schwammen lange blonde Haare auf der braunen Brühe. Bluebird, der sich offenbar schon seit einiger Zeit an dem

Körper zu schaffen machte, hatte den Schlamm des Sees an dieser Stelle gründlich aufgewühlt.

»O Gott«, flüsterte Georgina, »o Gott!«

Sie wollte umdrehen und so schnell sie konnte davonlaufen, aber sie vermochte sich nicht zu bewegen. Sie stand ein paar Sekunden völlig still da und starrte fassungslos auf das Bild, das sich ihr bot. Erst als Bluebird laut aufjaulte, erwachte sie aus ihrer Reglosigkeit. Aber anstatt zu tun, was sie eigentlich tun wollte und was ihr auch eine leise Stimme in ihrem Kopf wieder und wieder zuraunte – *Mach, dass du wegkommst! Mach, dass du wegkommst!* –, trat sie näher an die Frau heran, gefangen in einem seltsamen Bann des Grauens.

Es war ein eigentlich noch mädchenhafter Körper, schmal, glatt und fest. Lange, schlanke Beine, um deren Knöchel sich eine schwarze, zerrissene Strumpfhose wand. Das Mädchen trug keine Schuhe, aber Georgina erblickte unweit der Szenerie einen dunklen Stöckelschuh, der im Uferschlamm dümpelte. Der Slip des Mädchens hing in den Kniekehlen, ein winziges, nasses, schwarzes Stück Wäsche; ob er, wie die Strumpfhose, zerrissen war, vermochte Georgina nicht zu erkennen. Die langen dunklen Blutkrusten entlang der Oberschenkel, der bis in die Taille hochgeschobene Rock verrieten ohnehin, was geschehen war: Auf brutalste Art war dieses Mädchen oder diese junge Frau vergewaltigt worden, irgendwo in diesen einsamen Wäldern, und dann... hatte sie sich in ihrer Verzweiflung mit dem Gesicht voran in diesen Tümpel gestürzt...

Das konnte nicht stimmen.

Georgina registrierte die mit Stricken auf den Rücken gefesselten Arme des Mädchens, und ihr kam der Gedanke, dass wohl niemand sich selber fesselte, bevor er sich ertränkte, und das führte sie zu der entsetzlichen Folgerung, dass jemand anders, der Vergewaltiger wahrscheinlich, sein wehrloses Opfer hierhergeschleift und wie einen Müllsack in die Uferböschung gekippt hatte. Das Bild vor ihren Augen zeigte nicht nur eine ungewöhnliche Brutalität, sondern auch eine grausame Verächtlichkeit, eine Demütigung, die über den Akt der Vergewaltigung hinausreichte und dem Opfer noch im Tod die Würde nahm.

Ein Moorhuhn schrie und störte die Stille, die über der Lichtung lag, und auf einmal schoss Georgina die Vorstellung durch den Kopf, dass das alles, was sie hier sah, nicht ein tage- oder stundenaltes Stillleben war, sondern am Ende gerade eben passiert war. Bluebird hatte den Täter überrascht und vertrieben, aber irgendwo lungerte er noch herum, und es erschien auf einmal fraglich, ob er sich von einem alten Hund und einer Frau wirklich daran hindern ließe, zu vollenden, was immer er vorgehabt haben mochte.

»Birdie«, zischte sie, »Birdie, schnell, komm! Wir verschwinden hier!«

Bluebird bellte.

Was, wenn die Frau noch lebte? Wenn sie gerade erst… Wie lange überlebte ein Mensch, der mit dem Gesicht nach unten im Wasser lag? Georgina hatte keine Ahnung, aber es war ihr klar, dass die Frau keinesfalls noch leben würde, bis sie selbst den Rückweg gefunden und von ihrer Wohnung aus die Polizei alarmiert hatte. Sie war fast krank vor Angst, aber mit aller Energie ignorierte sie das Grauen, das sie zu überwältigen drohte, und balancierte durch das flache, sanft ans Ufer schwappende Wasser näher zu dem Körper hin.

»Hallo?«, flüsterte sie und kam sich gleich darauf schrecklich albern vor.

Natürlich kam keinerlei Reaktion. Sie stand jetzt direkt neben dem misshandelten Körper und musste einen heftigen Brechreiz unterdrücken. Es gab keinen Gestank, nichts dergleichen, aber das Bild war zu schlimm, und irgendwie ein Teil davon zu sein in dieser erschreckenden Einsamkeit, das trübe Wasser über den lehmverschmierten Stiefeln, dem kalten Regen ausgeliefert, überstieg Georginas Nervenkraft. Sie würgte, dann beugte sie sich langsam, mit den steifen Bewegungen einer alten Frau, hinunter, griff mit beiden Händen um den Kopf des Mädchens und hob ihn an, drehte ihn zu sich um.

Ein pilzförmiger, weißer Schaum quoll aus der Nase und aus den leicht geöffneten Lippen. Ein verschwollenes, blutverkrustetes Gesicht. Blicklose Augen.

Das Mädchen war tot.

Georgina ließ sie ins Wasser zurücksinken, drehte sich um und erbrach sich ins Schilf, wieder und wieder, bis nur noch bittere Galle kam, dann stolperte sie vom Ufer weg auf die Lichtung, und als Bluebird ihren inzwischen nur noch schwach und heiser hervorgebrachten Rufen noch immer nicht Folge leistete, entsann sie sich der Leine, die sie um den Hals gelegt trug. Sie schwankte zurück, befestigte den Karabiner am Halsband des Hundes und zerrte so heftig, dass Bluebird, der eine solch grobe Behandlung nicht gewohnt war, ohne weiteren Widerstand verwirrt folgte.

»Wir müssen weg«, flüsterte sie, »wir müssen so schnell wie möglich weg hier!«

Sie hasteten zum Wald. Zu Georginas Erleichterung übernahm Bluebird die Führung und schien keine Sekunde zu zögern, welchen Weg er einschlagen sollte.

Der Regen wurde heftiger und vermischte sich mit den Tränen, die Georgina über das Gesicht strömten, ohne dass sie es merkte.

5

Auf dem Weg zum U-Bahnhof Sloane Square, der nicht weit von Mr. Halls Haus lag, holte Rosanna ihr Handy aus der Tasche und stellte fest, dass sie einen Anruf erhalten hatte. Die angezeigte Nummer kam ihr vage bekannt vor, und ihr Verdacht, um wen es sich bei dem Anrufer handeln könnte, bestätigte sich bei einem Blick in ihre Unterlagen.

Sie fluchte. Marc Reeve. Ausgerechnet seinen Rückruf hatte sie überhört, hatte ihn offensichtlich während Mr. Halls lautstark vorgetragenen Ausführungen verpasst. Sie war schon zu lange nicht mehr im Job, sonst hätte sie daran gedacht, das Handy aus der Tasche zu nehmen und vor sich auf den Tisch zu legen.

Angesichts des Regens überlegte sie kurz, ob sie in die U-Bahnstation flüchten sollte, ehe sie Reeve anrief, entschied sich aber dagegen. Zwar war es dort trocken, aber zugleich voller Menschen, und sie würde jede Menge Mithörer haben. Hier, am Ende der kleinen Seitenstraße, stand sie zwar im strömenden Regen, aber dafür ließ sich weit und breit keine Seele blicken. Nass war sie ohnehin schon, es kam also fast nicht mehr darauf an.

Wieder meldete sich Reeve beim zweiten Klingeln.

»Mrs. Hamilton«, sagte er. Offenbar konnte er ihre Kennung inzwischen auch auf Anhieb identifizieren.

»Sie hatten mich angerufen, Mr. Reeve. Ich bin gerade in der Stadt unterwegs und habe das Telefon nicht gehört.« Sie verschwieg, dass sie vor seiner früheren Adresse stand und soeben von seinem ehemaligen Nachbarn etliche intime Details über sein Privatleben erfahren hatte. Als vertrauensbildende Maßnahme wäre ein Hinweis darauf sicher völlig ungeeignet.

»Wir hatten vereinbart, dass ich mich noch einmal wegen Ihrer gestrigen Anfrage melde«, sagte Reeve, »und ich möchte Ihnen sagen, dass es mir leidtut, dass sich an meiner Einstellung jedoch nichts geändert hat. Ich habe kein Interesse daran, noch einmal mit dieser ganzen Geschichte in Verbindung gebracht zu werden. Vielleicht können Sie das verstehen.«

Das Problem war, dass sie ihn nur zu gut verstand, dass es aber nicht in ihrem Interesse lag, ihn in Ruhe zu lassen. Blitzartig entschied sie sich für eine andere Strategie, und zwar für die der ganz und gar offenen Karten.

»Mr. Reeve, das kann ich sehr gut verstehen«, sagte sie hastig, »wirklich, und bitte glauben Sie mir, die Rolle der nervtötenden Reporterin, die Sie so heftig bedrängt, behagt mir überhaupt nicht. Es ist nur so... ich habe Ihnen gestern nicht alles über meine... meine Motive gesagt.«

»Über Ihre Motive?«

»Ich... es stimmt alles, mit der Serie und so weiter... aber es gibt einen Grund, weshalb man gerade mich ausgewählt hat, sie zu schreiben, obwohl ich seit fünf Jahren nicht mehr im Berufsleben bin...« Sie holte tief Luft. »Ich bin... war mit Elaine Dawson befreundet.«

»Oh«, sagte er überrascht.

Sie korrigierte sich sofort. Ein Instinkt sagte ihr, dass sie bei Reeve etwas erreichen konnte, wenn sie vollkommen aufrichtig war. »Ehrlicherweise – *befreundet* ist übertrieben. Aber wir kannten einander seit unserer Kindheit. Wir sind in demselben Dorf aufgewachsen. Elaine war sieben Jahre jünger als ich. Aber in dem Ort gehörten irgendwie alle zusammen.«

»Ich verstehe«, sagte Reeve, »über Ihren journalistischen Auftrag hinaus haben Sie ein persönliches Interesse an dem Fall?«

Sie nickte, obwohl er das nicht sehen konnte. »Ja. Ja, genau. Ich weiß nicht, ob Elaine Ihnen damals erzählt hatte, welchen Anlass ihre geplante Reise nach Gibraltar hatte…«

Er schien kurz zu überlegen. »Soweit ich mich erinnere – wollte sie nicht zu einer Hochzeit?«

»Sie wollte zu *meiner* Hochzeit, Mr. Reeve. Ich habe am 11. Januar 2003 in Gibraltar geheiratet. Ich habe Elaine dazu eingeladen, aber sie ist nie angekommen. Ich kann nicht sagen, dass ich mich schuldig fühle an ihrem Verschwinden. Aber… involviert.«

»Ich verstehe«, sagte Reeve noch einmal.

Rosanna hatte den Eindruck, dass er sie tatsächlich verstand. »Sie sind der letzte Mensch, der sie gesehen und mit ihr gesprochen hat«, fuhr sie fort, »zumindest der letzte, der mir bekannt ist. Ich würde einfach gern wissen, wie sie war, was sie erzählte, wie Sie sie erlebt haben. Ich habe mich fünf Jahre lang nicht um sie und ihr Schicksal gekümmert, aber nun merke ich, dass ich ein großes Bedürfnis danach habe, ihr noch einmal nahezukommen. Ich glaube, es gibt mir das Gefühl, sie nicht völlig dem Vergessen zu überlassen. Sie als den Menschen, der sie war, noch einmal wichtig zu nehmen.«

»Mrs. Hamilton…«

»Könnten Sie sich vorstellen, sich privat mit mir zu treffen? Ich verspreche Ihnen, ich erwähne nichts davon in meinem Artikel. Ich schreibe nichts mit, ich nehme nichts auf.«

»Ihr Chefredakteur wird davon nicht begeistert sein.«

»Mein Chefredakteur wird davon nichts erfahren.«

Er zögerte. Sie konnte ihm nicht verdenken, dass er ihr als Vertreterin der Presse misstraute – besonders mit seiner Vorgeschichte.

»Bitte«, sagte sie, »ich will Sie wirklich nicht hereinlegen. Es geht mir um Elaine. Ich werde Nick – meinem Auftraggeber – sagen, dass Sie nicht zu einem Gespräch bereit waren.«

»Ich schlage Folgendes vor«, sagte Reeve, »wir treffen uns, damit wir einander kennen lernen. Wie weit ich mich dann einlasse, werde ich sehen.«

Sie war erleichtert. »Ich danke Ihnen. Vielen Dank. Soll ich in Ihr Büro kommen?«

»Das passt heute tagsüber schlecht«, sagte er, »wie wäre es mit heute Abend? Irgendwo zum Essen?«

»Gern. In welcher Ecke Londons leben Sie?«

»In welcher leben Sie denn?«

»Hilton on Park Lane.« Sie begriff, dass er sie nicht auf sein Terrain lassen wollte. Nicht in sein Büro, nicht einmal in die Nähe seiner Wohnung. Er war ein gebranntes Kind. Er hielt Abstand. Ein Treffen nur auf neutralem Boden und möglichst weit fort von seinem Zuhause.

»Ich hole Sie dort um sieben Uhr ab«, sagte er, »auf Wiedersehen, Mrs. Hamilton.«

Sie verabschiedete sich, verstaute dann ihr nasses Handy wieder in ihrer nassen Tasche. Der Regen war noch heftiger geworden. Sie fragte sich, was Nick zu dem Deal sagen würde, den sie gerade abgeschlossen hatte, und zog bei dem Gedanken an Nicks wütenden Kommentar unwillkürlich den Kopf ein Stück ein.

Das Wasser quietschte in ihren Schuhen, als sie das letzte Stück zur U-Bahn lief. Sie würde jetzt ins Hotel zurückkehren und sich wieder einmal ein heißes Bad einlassen, ein Sandwich bestellen und vielleicht sogar ein Glas Wein dazu.

Sie fand, dass sie es sich verdient hatte.

6

Es waren wieder die Constables Burns und Carley, die am frühen Abend vor der Wohnungstür der Familie Biggs standen. Gordon, der ihnen öffnete, hatte immer ein unangenehmes Gefühl, wenn er die Polizei sah, aber diesmal wurde ihm besonders mulmig zumute. Ihm gefielen die Mienen der beiden ganz und gar nicht.

»Mr. Biggs ...«, sagte Carley, verstummte dann aber und sah seinen Kollegen an.

»Dürfen wir hereinkommen?«, fragte Burns.

»Klar«, sagte Gordon, obwohl er die beiden am liebsten zum Teufel geschickt hätte. Von den Bullen kam nie etwas Gutes, und heute wirkten die Männer vor ihm besonders unheilverheißend.

Er geleitete sie, wie schon am Vortag, in die Küche, wo Sally und Angela am Tisch saßen und einer der Söhne, Patrick, mit einer Bierdose in der Hand in einer Ecke lehnte. Sally hatte zwar wie üblich getrunken, lag jedoch, da sie über Mittag einen Arzttermin gehabt hatte und für fast drei Stunden von daheim und damit von ihrem Schnaps ferngehalten worden war, ein gutes Stück hinter ihrem üblichen Konsum. Für ihre Verhältnisse war sie sogar fast nüchtern. Sie blätterte in einer Zeitschrift. Angela trank einen Tee.

»Die Polizei schon wieder«, sagte Gordon, als sie eintraten.

Irgendwie war auch den anderen sofort klar, dass eine Bedrohung in der Luft lag. Angela erhob sich unwillkürlich. Patrick ließ die Bierdose, die er gerade an den Mund gesetzt hatte, sinken. Sally blickte auf.

»Ja?«, fragte sie alarmiert.

Burns räusperte sich. »Ich muss vorwegschicken, dass wir keineswegs sicher sind, dass es sich um Ihre Tochter Linda handelt ...«, begann er.

»Sie haben sie gefunden?«, fragte Angela.

»Das eben wissen wir nicht«, antwortete Burns. Er zögerte, dann gab er sich einen Ruck. »Heute Mittag hat eine Spaziergängerin im Epping Forest die ... Leiche eines jungen Mädchens gefunden. Der Beschreibung nach könnte es Linda sein.«

»Eine Leiche?«, fragte Gordon schwerfällig.

Sally presste sich die Hand auf den Mund.

»Scheiße«, sagte Patrick.

»Wie gesagt«, mischte sich Carley ein, »wir können nicht sicher sein. Deshalb wäre es gut, wenn jemand von Ihnen uns begleiten würde, um die Tote zu identifizieren – oder eben um auszuschließen, dass wir es mit Linda zu tun haben.«

»Was soll sie denn im Epping Forest?«, fragte Gordon. »Da ist sie doch noch nie gewesen!«

»Vorläufig können wir nicht sagen, ob das Verbrechen überhaupt dort passiert ist oder ob das Mädchen erst später dorthin gebracht wurde. Der Gerichtsmediziner hat einiges zu tun in diesem Fall. Die Tatsache, dass sie im Regen da draußen gelegen hat, macht es nicht einfacher, die genauen Umstände zu rekonstruieren.«

»Wie ist sie … ich meine, wie hat man sie …«, begann Angela, vermochte jedoch nicht auszusprechen, was sie sagen wollte.

Burns wusste, was sie hatte fragen wollen. »Wir haben den Abschlussbericht natürlich noch nicht. Es scheint, als sei der Tod durch Ertrinken eingetreten.«

»Linda konnte aber schwimmen«, warf Patrick aus seiner Ecke ein, »und zwar ziemlich gut sogar.«

»Das stimmt«, sagte Sally, »als Kind war sie sogar in so 'ner Schwimmmannschaft. Die haben Wettkämpfe gemacht. Sie hat zwei Pokale heimgebracht, stimmt's, Gordon?«

»Stimmt«, bestätigte Gordon. Ein Anflug von Hoffnung legte sich über die Gesichter aller anwesenden Familienmitglieder, eine Hoffnung, die Constable Burns sogleich wieder zerstören musste.

»Sie ist nicht… einfach so ertrunken«, sagte er vorsichtig, »es hat den Anschein, als sei sie… man hat sie gefesselt an den Rand eines Weihers gelegt. Sie war wahrscheinlich bewusstlos. Ihr Kopf lag im Wasser. Sie musste ertrinken.«

Stille. Da die Biggs keine Küchenuhr besaßen, erklang nicht einmal das übliche Ticken. Nur der Kühlschrank brummte leise.

Nach ein paar Sekunden sagte Carley: »Vielleicht geht es überhaupt nicht um Linda, und Sie alle machen sich jetzt umsonst das Herz schwer. Mr. Biggs, würden Sie uns begleiten?«

Gordon fuhr sich mit der Hand über das Gesicht. Die Hand zitterte dabei leicht. »Hat man sie… vergewaltigt?«, fragte er leise.

»Vor einer möglichen Identifizierung möchte ich nicht in weitere Details gehen«, wich Burns aus.

Sally stand auf. »Ich komme auch mit«, verkündete sie. »Gordon, wir gehen da jetzt zusammmen hin.«

»Mum, ich glaube, das schaffst du nicht«, wandte Angela ein. Sie war aschfahl im Gesicht.

»Ich will aber«, beharrte Sally, »vielleicht ist das meine Linda, die sie gefunden haben. Komm, Gordon. Das ist vielleicht unser Kind. Wir müssen da jetzt hingehen.«

»Ich muss Schuhe anziehen«, sagte Gordon. Er trug Filzpantoffeln. Sie machten ein trauriges Geräusch, als er aus der Küche schlurfte.

»Mum«, sagte Angela flehend.

»Du kümmerst dich um deine Brüder«, wies Sally sie an, »die Kleinen kommen jeden Moment nach Hause. Ihr sagt ihnen noch nichts. Mach ihnen Abendbrot, und bring sie ins Bett. Okay? Kann ich mich darauf verlassen?«

»Okay«, sagte Angela. Sie begann zu weinen.

»Patrick, du hilfst ihr«, sagte Sally.

Für gewöhnlich widersprach Patrick derartigen Ansinnen heftig, aber diesmal nickte er. »Klar. Mach ich.«

Gefolgt von den beiden Polizisten, verließ auch Sally die Küche. Angela starrte ihnen nach. Zum ersten Mal in ihrem Leben verspürte sie das Bedürfnis, niederzuknien und laut zu beten, nicht nur leise und heimlich für sich. Sie tat es nicht. Es war nicht üblich in ihrer Familie, und sie hatte Angst, ihr Bruder könnte sie auslachen.

7

Es war kurz vor sieben, und Rosanna hatte sich gerade für die Verabredung mit Marc Reeve umgezogen, als ihr Handy klingelte. Einen Moment lang fürchtete sie, es könnte Reeve sein, der ihr absagen wollte, weil er es sich doch anders überlegt hatte, aber dann erkannte sie auf dem Display ihre eigene Telefonnummer in Gibraltar. Dennis. Endlich. Sein Schweigen hatte über vierundzwanzig Stunden gedauert, und sie war allmählich nervös geworden. Konnte er so böse auf sie sein?

»Hallo?«, meldete sie sich.

Nach einem kurzen Moment der Stille kam von der anderen Seite zögernd: »Rosanna?«

Robert. Es war Robert, nicht Dennis. Sie war enttäuscht, zugleich aber entschlossen, es nicht zu zeigen.

»Robert! Wie schön, dass du anrufst! Wie geht es dir?« Sie klang zu munter, das merkte sie selbst. Ob er wusste, dass sein Vater und seine Stiefmutter Krach miteinander hatten?

»Schon okay«, sagte er in dem coolen Ton, den sein Alter nun einmal verlangte. »Und wie ist es bei dir?«

»Auch alles okay. Das Wetter ist unmöglich, aber das erwartet man ja von England.«

»Dad sagt immer, in England kann man nicht leben, weil das Wetter so schlecht ist«, meinte Robert.

»Ich weiß.« Sie gab sich einen Ruck. Ihr Stiefsohn rief bestimmt nicht an, um mit ihr über das Wetter zu sprechen, offenbar wusste er aber auch nicht so recht, wie er zur Sache kommen sollte.

»Rob, dein Dad und ich haben Streit im Moment«, sagte sie, »ich hoffe, er ist nicht allzu schlechter Laune?«

Rob war sichtlich erleichtert, dass sie das heikle Thema angeschnitten hatte. »Er hat eine Scheißlaune.« Obwohl er sich bemühte, ungerührt zu wirken, klang er bedrückt. »Ich darf überhaupt nichts mehr. Am Wochenende ist eine Party von den Abschlussklassen in der Schule. Ein paar von uns sind dazu eingeladen. Jetzt hat er gesagt, ich darf nicht hingehen.«

»Oh – Rob! Das ist hart für dich, ich weiß. Aber seid ihr nicht tatsächlich noch ein bisschen jung dafür? Ich meine, die Abschlussklassen… die sind doch alle ein ganzes Stück älter!«

»Die sind achtzehn! Ich bin sechzehn! Wo ist da der Unterschied?«

»Zwei Jahre, Rob. Zwei Jahre sind der Unterschied!«

»Die anderen dürfen. Nur ich nicht. Dad ist einfach…« Er suchte nach Worten. Offenbar fiel es ihm schwer, einen Begriff zu finden, der auch nur annähernd wiedergab, wie unmöglich sich sein Vater verhielt. »Dad ist einfach gemein«, sagte er schließlich, aber man spürte, dass ihm dieser Begriff viel zu schwach erschien.

Es war das alte Lied. Rosanna konnte Dennis' Sorgen und Vorbehalte durchaus verstehen und nachvollziehen, aber sie wusste auch, in welchem Ton er sein Verbot vermutlich wieder einmal hervorgebracht hatte. Das Problem mit Dennis war nicht, dass er seinen Sohn vor Gefahren schützen wollte, sondern die Art, wie er das tat. Wenn Dennis an eine Party der Abschlussklasse dachte, kamen ihm nur negative Assoziationen in den Sinn, wie: Alkohol, Drogen, unkontrollierter und ungeschützter Sex. Aus Gründen, über die sich Rosanna noch nicht wirklich klar war, gelang es ihm nicht, mit seinem Sohn darüber ein ruhiges und sachliches Gespräch zu führen, in dessen Verlauf Robert vielleicht etwas von den Ängsten seines Vaters begriffen hätte. Er konnte ihm nur das Verbot hinknallen, schroff, in scharfem Ton, hinter jedem Satz ein unausgesprochenes und dennoch unmissverständliches *Keine Widerrede!* Die Eskalation zwischen den beiden war jedes Mal vorprogrammiert. Meist gelang es dann nicht einmal mehr Rosannas Diplomatie, all die Scherben auch nur halbwegs zu kitten.

»Dein Dad ist nicht gemein, Robert«, sagte sie, »das darfst du nicht denken. Es ist nur ... er macht sich Sorgen. Kannst du das gar nicht verstehen? Er hat Angst, dass du zu viel trinkst. Dass die alle zu viel trinken. Dass sich die Älteren mit euch in ihre Autos setzen und betrunken losrasen. Er hat Bilder vor Augen, die ihn tief beunruhigen.«

»Aber ...«

»Dein Dad liebt dich, Rob. Er hat manchmal eine schwierige Art, aber er liebt dich wirklich. Sehr.«

Rob schwieg einen Moment, und Rosanna dachte, dass selten ein Schweigen ungläubiger geklungen hatte. Dann fragte er in einem bemüht gleichmütigen Tonfall: »Wann kommst du denn wieder?«

»Sobald ich kann, Rob. Ich vermisse euch doch auch. Ich vermisse besonders dich.« Sie vermisste ihn wirklich, das stimmte. Das sommersprossige Gesicht. Der permanente Ausdruck von *egal* auf seiner Miene und in seiner Stimme, dem man so sehr anmerkte, wie aufgesetzt er war. Hinter der coolen Art war noch immer das Kind so spürbar, das er gewesen war und das er noch nicht ganz abgelegt hatte –

der verletzliche kleine Junge, der nie eine Mutter gehabt hatte, der ein solch großes Problem für seine viel zu jungen und überforderten Eltern dargestellt hatte, als er ungeplant und ungewollt und zum völlig falschen Zeitpunkt auf die Welt kam. Sein Vater hatte ihn schließlich übernommen, aber Rosanna wusste, dass er das keineswegs begeistert getan hatte. Das Baby Rob mochte davon viel mehr gespürt haben, als es irgendjemandem klar war.

»Na ja«, sagte Rob.

Im selben Moment klingelte das Zimmertelefon.

»Bleib mal dran«, sagte Rosanna und nahm den Hörer ab. Es war die Rezeption des Hotels. »Mr. Reeve ist da, Mrs. Hamilton.«

»Ich komme gleich«, sagte Rosanna. Sie wandte sich wieder an Robert.

»Rob, hör mal, ich muss leider...«

»Wer ist Mr. Reeve?«, fragte Rob misstrauisch. Er hatte die Concièrge offenbar gehört.

»Er hat etwas mit einem der Fälle zu tun, über die ich schreiben muss. Ein Zeuge sozusagen. Ich muss ihm ein paar Fragen stellen.«

»Aha. Okay. Na dann... mach's gut. Ciao!«, sagte Robert und legte auf.

Sie schaltete ihr Handy aus, dachte ein paar Sekunden lang nach. Als sich Robert nach Reeve erkundigt hatte, hatte sie echte Angst in seiner Stimme wahrgenommen. Der Junge hatte nicht einfach nur angerufen, um sich über seinen Vater zu beschweren. Er hatte angerufen, um den Kontakt zu ihr, Rosanna, herzustellen, um sich buchstäblich zu vergewissern, dass es sie noch gab, dass sie noch zu seinem Leben gehörte. Er wusste von dem Streit zwischen seinem Vater und ihr. Er wusste wahrscheinlich noch viel mehr: dass sie so ungern in Gibraltar lebte. Dass sie sich nach ihrem alten Beruf zurücksehnte. Dass ihr Zusammensein mit Dennis von vielen Auseinandersetzungen im Alltag geprägt war – und von einer steigenden Frustration auf ihrer Seite. Ihr war immer klar gewesen, wie sehr er sie als Frau im Leben seines Vaters und als Mutter für sich selbst willkommen geheißen hatte, aber zum ersten Mal ging ihr auf, dass ihn womöglich ständig die latente Furcht beherrschte, die Familie, die er endlich bekommen hatte, könnte wieder auseinanderbrechen. Dass er unter der Englandreise seiner Stiefmutter wirklich litt, weil er sich nicht sicher war, ob sie zurückkommen würde. Schließlich war sie nicht seine leibliche Mutter. Und selbst die hatte ihn verlassen. Er war vier Wochen alt gewesen, da hatte ihn die Frau, die ihn zur Welt gebracht hatte, hysterisch weinend dem jungen Mann in die Arme gelegt, der ihn gezeugt hatte, und geschrien: »Ich kann nicht! Ich kann nicht! Ich kann nicht!«

Nicht, dass er diesen Moment bewusst mitbekommen hatte. Und doch war er ein entscheidender Teil seiner Biografie und seines Wesens, in seinen Träumen und Ängsten fest verwurzelt.

Ach, Rob, dachte Rosanna, wenn du mir doch glauben könntest… Natürlich komme ich zu dir zurück. Natürlich!

Am liebsten hätte sie ihn sofort noch einmal angerufen und ihm gesagt, dass sie ihn lieb hatte und dass er zu ihrem Leben gehörte, aber es erschien ihr nicht der richtige Zeitpunkt. Der Satz, einfach nur so gesagt, hätte ihn peinlich berührt. Im Grunde brauchten sie ein längeres Gespräch über das Thema, aber das war nicht geeignet für das Telefon. Und unten in der Lobby wartete Marc Reeve.

Von Cedric hatte sie nichts mehr gehört, aber sie hatte ihm einen Zettel unter seiner Tür hindurchgeschoben. *Bin essen mit Marc Reeve!*

Sie nahm ihren Mantel und verließ ihr Zimmer.

Sie kannte Reeve von Zeitungsfotos und hatte gewusst, dass er ein gut aussehender Mann war. Mehr war nicht erkennbar gewesen. Sein Gesicht hatte verschlossen auf sie gewirkt, sein Ausdruck hatte nichts preisgegeben. Es war nicht erkennbar gewesen, ob er ein fröhlicher oder ein ernster Mensch war, freundlich oder hart, entgegenkommend oder abweisend, herzlich oder kalt. Die Telefongespräche mit ihm hatten ihr verraten, dass sie seine Stimme als angenehm empfand und dass er sehr höflich war. Mehr nicht. Sie hatte sich ein eigenes Bild gezimmert, gefüttert von dem, was sie den Zeitungen entnehmen konnte, untermalt auch von ihrem Gespräch mit Mr. Hall. Danach hatte er sich aus ein paar Schlagwörtern und Begriffen in ihrem Kopf zusammengesetzt: Attraktiv. Intelligent. Karrierist. Ehrgeizig. Glatt. Berechnend oder zumindest kalkulierend.

Sie hatte ihm die typischen Attribute zugewiesen, die man erfolgreichen Anwälten eben so zuschreibt. Hätte man sie nach der ersten Stunde des Zusammenseins mit ihm erneut gefragt, was sie von ihm hielte, so wäre ihr zunächst einmal nur ein einziger Begriff eingefallen: vorsichtig. Er war einer der vorsichtigsten Menschen, denen sie je begegnet war.

Sie saßen in einem indischen Restaurant in der Marshall Street. Er hatte gefragt, ob sie indisches oder italienisches Essen bevorzuge oder etwas ganz anderes haben wolle, und plötzlich hatte sie gemerkt, wie viel Hunger sie hatte und dass ihr beim Gedanken an ein Lammcurry das Wasser im Mund zusammenlief.

»Indisch«, hatte sie gesagt, und er hatte genickt und erwidert: »Ich kenne einen guten Inder in Soho. Wenn Sie mögen...«

»Gern.«

Er fuhr schnell und sicher durch den Londoner Abendverkehr. Er schien die Stadt wie seine Westentasche zu kennen, denn zweimal, als sich Staus andeuteten, nahm er Schleichwege durch kleine Nebenstraßen, deren verworrener Verlauf Rosanna völlig in die Irre geführt hätte, aber er kam offensichtlich genau dort wieder an, wo er hingewollt hatte. Er fand einen Parkplatz in gut erreichbarer Nähe des Restaurants, obwohl es nach menschlichem Ermessen dort keinen geben konnte; die Autos standen Stoßstange an Stoßstange. Beim Aussteigen fragte sich Rosanna, ob er den schwarzen Range Rover wohl schon fünf Jahre zuvor besessen hatte. War es das Auto, in das Elaine gestiegen war? Hatte sie auf denselben Polstern gesessen? Der Wagen sah zumindest nicht mehr neu aus, aber sie mochte nicht fragen. Marc Reeve hatte sich unter größten Vorbehalten überhaupt nur bereit erklärt, sich mit ihr zu treffen, sie wollte ihn nicht verschrecken, indem sie ihn sofort mit Fragen bombardierte und die eifrige Reporterin herauskehrte.

Das Restaurant war warm und gemütlich, es roch wunderbar nach indischen Gewürzen, und alle Ober trugen bestickte Jacketts und große Turbane. Es war noch früh am Abend und zudem mitten in der Woche, und so waren nicht allzu viele Tische besetzt. Marc Reeve fragte nach einem Tisch in der hintersten Ecke. Rosanna war klar, dass er keine Zuhörer wollte.

Sie bestellten ihr Essen. Während sie warteten und an dem Wein nippten, der ihnen sofort gebracht wurde, machten sie nur belanglosen Smalltalk. Rosanna erzählte ein wenig vom Leben in Gibraltar, dann sprachen sie über das Wetter in England und über die katastrophale Verkehrssituation in London. Das persönlichste Statement, das Reeve dabei von sich gab, war: »Manchmal träume ich davon, aufs Land zu ziehen. Wir haben so wunderschöne Orte in England. Ruhige Orte.«

Sie musterte ihn unauffällig. Aus irgendeinem Grund

hatte sie ihn sich gebräunt vorgestellt, wenn nicht von der Sonne, dann doch vom Solarium, aber er war sehr blass. Die typische Winterblässe, die den Menschen Mittel- und Nordeuropas im Februar zu eigen ist. Dunkle Haare, hier und da von ein paar grauen Strähnen durchzogen. Hemd, Krawatte, dunkler Anzug. Er kam wahrscheinlich direkt aus seinem Büro. Er sah müde aus.

Schließlich tat er selbst den ersten Schritt. Sein Gesichtsausdruck wurde ernst, er neigte sich ein wenig vor und blickte Rosanna sehr direkt an.

»Wir haben uns nicht getroffen, um über das Wetter oder den baldigen Verkehrsinfarkt Londons zu sprechen«, sagte er, »sondern über Elaine Dawson. Ich möchte Ihnen sagen, dass ich mich zu dieser Begegnung mit Ihnen wirklich ausschließlich deshalb bereit erklärt habe, weil ich nachvollziehen kann, dass Sie aufgrund Ihrer Freundschaft zu Miss Dawson auf sehr persönliche Weise an ihrem Schicksal interessiert sind. Ich gehe aber davon aus – und bitte verzeihen Sie, wenn das wie eine Unterstellung klingt –, dass es sich bei dieser Darstellung nicht um einen journalistischen Trick handelt. Ebenso verlasse ich mich auf Ihre Versicherung, dass wir hier ein rein privates Gespräch führen und dass ohne meine ausdrückliche Autorisierung nichts davon in der Presse landet. Das ist meine Bedingung für diesen Abend.«

Rosanna nickte. »Ich stehe voll zu meinem Versprechen, Mr. Reeve. Ich sitze hier als eine Freundin – oder besser: gute Bekannte – von Elaine Dawson. Nicht als Journalistin.«

Obwohl er endlich einmal ein leichtes Lächeln zeigte, das geeignet war, der Situation etwas von ihrer Spannung zu nehmen, hatte Rosanna nicht den Eindruck, dass er auch nur die Spur gelöst war. Es war nicht so, dass er ihr kein Wort geglaubt hätte, aber er war auch weit davon entfernt, ihr wirklich zu vertrauen. Plötzlich fragte sie sich, weshalb er überhaupt zu dem Gespräch mit ihr erschienen war. Konnte er nicht nach seiner Vorstellung dabei nur verlieren?

Er schien ihre Gedanken zu erraten, denn er sagte auf einmal: »Ich will ganz ehrlich sein, Mrs. Hamilton. Ich habe mich wirklich schwergetan nach Ihrem Anruf. Es gibt kaum etwas auf der Welt, das ich so wenig möchte wie das Wiederaufwärmen dieser Geschichte von damals. Aber letztlich habe ich mir gedacht…« Er stockte.

»Ja?«, fragte Rosanna.

Er gab sich einen Ruck. »Ich sagte ja schon, ich habe Verständnis für Ihr persönliches Anliegen. Aber darüber hinaus hat mich auch der Gedanke bewogen, dass Sie ja in jedem Fall für *Cover* die Geschichte schreiben werden. Wenn ich meine Mitarbeit nicht gänzlich verweigere, habe ich eine gewisse Chance, etwas Einfluss zu nehmen. Vielleicht. Andernfalls habe ich jedenfalls gar keine.«

»Sie sind sehr aufrichtig«, sagte Rosanna. Nach einem Moment des Schweigens fügte sie hinzu: »Und Sie sind ein ganz schön gebranntes Kind, habe ich den Eindruck.«

Er lächelte wieder, bitter diesmal. »Im Januar vor fünf Jahren hatte ich das Pech, in der Tür einer der Herrentoiletten in Heathrow mit einer in Tränen aufgelösten jungen Frau buchstäblich zusammenzustoßen. Ich hätte sie stehen lassen und weitergehen können. Ich hatte nichts mit ihr zu tun, und sie ging mich nichts an. Aber sie weinte so heftig, so… hoffnungslos, dass ich sie fragte, ob ich irgendetwas für sie tun könne. Das Einzige, was ich dann tatsächlich tun konnte, war, ihr einen Schlafplatz für die Nacht anzubieten. Unglücklicherweise nahm sie mein Angebot an. Und danach… war nichts mehr wie vorher.«

Ein Ober brachte das Essen. Es duftete verlockend.

»Ich habe riesigen Hunger«, sagte Rosanna.

Er nickte. »Ich auch. Meine erste richtige Mahlzeit heute.«

»Meine auch«, sagte Rosanna. Statt ordentlich zu Mittag zu essen, habe ich mich mit deinem Exnachbarn über dich unterhalten, dachte sie beschämt. Sie hoffte, Reeve würde davon nie etwas erfahren.

Nachdem sie ein paar Minuten gegessen hatten, fragte Reeve übergangslos: »Wieso glauben eigentlich alle, dass Elaine damals etwas zugestoßen ist?«

»Glauben das alle?«, fragte Rosanna zurück.

Er nickte. »Einige jedenfalls. Miss Dawsons Bruder allen voran. Er ist ja felsenfest überzeugt davon. Die Polizei zog es zumindest in Erwägung, was natürlich zu ihrem Job gehört. Die Presse fuhr völlig auf dieser Schiene, aber ... na ja, Mord verkauft sich natürlich auch besser als ein bloßes Verschwinden.«

»Wahrscheinlich konnte sich niemand so recht erklären, wohin Elaine so spurlos verschwunden sein sollte. Und warum. Ich meine ... auch ich kann mir nicht vorstellen ...«

Er unterbrach sie. »Aber Sie haben sie doch gekannt. Wer sie gekannt hat, muss doch gewusst haben, wie verzweifelt unglücklich sie war in ihrem Leben. Mir, einem Fremden, hat sie das jedenfalls sofort erzählt. Gefesselt an ihren Bruder. Gefesselt an dieses Dorf. Sie sah keine Perspektive in diesem Leben. Für mein Gefühl war sie eine Frau, die von nichts so sehr träumte wie von einem Ausbruch.«

»Aber ...«

Er ließ seine Gabel sinken. »Warum hat sich niemand gesagt, dass sie doch höchstwahrscheinlich mit ihrem Freund davongelaufen ist? Und sich vor ihrem Bruder versteckt hält? Ganz einfach.«

Rosanna starrte ihn entgeistert an. »Freund? Elaine hatte einen *Freund*?«

Er schien überrascht. »Wussten Sie das nicht?«

»Nein. Nein, ich hatte keine Ahnung.«

Er zuckte mit den Schultern. »Mir hat sie jedenfalls erzählt, dass sie einen hatte. Und dass sie ihn ihrem Bruder gegenüber nicht erwähnen darf. Und dass sie im Grunde nur noch weg möchte. Wissen Sie, ehrlich gesagt, als ich hörte, dass sie verschwunden ist, habe ich mich eigentlich keinen Moment lang gewundert.«

Rosanna saß wie vor den Kopf geschlagen da. Es hatte einen Mann in Elaines Leben gegeben.

Sie fand, das veränderte alles.

Mittwoch, 13. Februar

I

In der Nacht hatte sie von Pit geträumt. Das war schon so lange nicht mehr geschehen, dass sie am Morgen völlig verstört und benommen aufwachte und sich für einen Moment in die ersten Monate nach ihrer Flucht zurückversetzt sah, als die Albträume häufiger und regelmäßiger Bestandteil ihres Lebens gewesen waren. Sie hatte es als einen allerersten Sieg über ihre Vergangenheit verbucht, dass sie sich so völlig verzogen hatten. Nun aber...

Ein Ausrutscher, dachte sie und kletterte aus dem Bett. Wie immer war es in dem kleinen Zimmer sehr kalt, und es zog heftig durch die klapprigen Fenster. Der Blick hinaus offenbarte trübes, regnerisches Wetter. Im gegenüberliegenden Haus hatte jemand seine Bettdecke hinausgehängt, die am Ende mehr feucht als frisch gelüftet sein dürfte.

Sie hatte die Szene auf dem Parkplatz des Supermarkts geträumt. Teilweise ins Unrealistische verkehrt, wie das in Träumen häufig so ist. Der Supermarkt hatte aus einem riesigen Hochhaus bestanden, einer Art Wolkenkratzer, was in Wahrheit überhaupt nicht stimmte, denn es hatte sich um ein ausgesprochen flaches, langgestrecktes Gebäude gehandelt. Im Traum hatte der Bau seine ganze Umgebung weithin in einen eiskalten, düsteren Schatten getaucht. Man war sich wie eine frierende, kleine Ameise vorgekommen, die ewig nach dem Licht sucht, es aber nie mehr wiederfinden wird.

Das lag sicher daran, dass es hier im Zimmer so kalt war, dachte sie und zog fröstelnd die Schultern zusammen, denn in Wahrheit... damals...

Sie meinte, es sei Anfang Oktober gewesen, ein fast noch spätsommerlich warmer Tag. Damals hatte sie Pit geliebt, zumindest hatte sie sich eingebildet, das zu tun. Natürlich hatte sie sich über ihre ständige Nervosität gewundert, darüber, dass sie sich nicht so richtig glücklich fühlte. Wenn sie erst einmal wirklich verliebt wäre, so hatte sie immer geglaubt, dann würde sie vollkommen glücklich, strahlend, schwebend sein. Das Leben genießen und nur noch herrlich finden. Euphorisch sein.

Das war ganz klar an Pits Seite nicht der Fall. Was sie aber mehr und mehr auf die ständige Anwesenheit Rons schob. Ron war ein mieser Typ, aber Pit vergötterte ihn leider. Dauernd lud er ihn in ihrer beider Wohnung ein. Und sie musste dann kochen, tolle, aufwändige Gerichte, damit Ron bloß zufrieden war.

An jenem Tag hatte Ron sich Truthahn gewünscht, mit »allem Drum und Dran«, wie er es ausdrückte. Als sie sich auf den Weg zum Supermarkt machte, um dafür einzukaufen, fiel es Pit im letzten Moment ein, sie zu begleiten.

Heute dachte sie, wie blöd sie eigentlich gewesen sein musste, um nicht gleich zu wissen, dass ihre Beziehung zu Pit von vorne bis hinten nicht in Ordnung war. Sie hatte von einem gemeinsamen Leben mit ihm geträumt, aber wenn er sie nur zum Supermarkt begleiten wollte, erschrak sie schon und fühlte sich den Tränen nahe. Einkaufsfahrten waren für sie jedes Mal wie ein kurzer Ausflug in die Freiheit gewesen. Sie konnte allein durch die Regalreihen schlendern, Preise vergleichen, andere Menschen beobachten. Sie konnte sich wie eine der betulichen Hausfrauen fühlen, die langsam und umsichtig ihre Einkaufswagen füllten, mit Gegenständen, die Rückschlüsse auf ihre Lebensumstände zuließen. Sie liebte es, Vermutungen darüber anzustellen, wie andere Leute wohl lebten. Die Frau, die so viele Milchflaschen und Pakete mit den verschiedensten

Müslis einpackte, hatte wahrscheinlich viele Kinder. Eine andere Frau kaufte nach sorgfältigem und – wie es den Anschein hatte – sehr liebevollem Auswählen mehrere Dosen Katzenfutter und ein Päckchen Brekkies. Der junge Mann, der es so eilig zu haben schien, war wahrscheinlich Student; er deckte sich reichlich mit Cola und Kaffee ein und dachte offenbar kaum daran, dass er auch etwas zum Essen brauchte. Vielleicht stand er kurz vor einer Prüfung und musste sich beim nächtelangen Lernen irgendwie wach halten.

Derartige Gedankenspiele konnte sie nicht treiben, wenn Pit bei ihr war. Sich mit ihm darüber austauschen zu wollen, war ohnehin sinnlos, sie hatte es daher auch nie versucht. Er konnte durchaus liebevoll mit ihr umgehen, wenn er in der richtigen Stimmung dafür war, aber er konnte ihr auch mit großer und verletzender Härte klarmachen, dass er sie für die dümmste Kuh aller Zeiten hielt. Irgendwie hatte sie die Ahnung, dass er ihre Geschichten um fremder Menschen Einkaufswagen unter *Schwachsinn* verbuchen würde.

An jenem Tag war ihr Pit von Anfang an latent aggressiv vorgekommen. Er hatte gesagt, sie solle fahren, aber dann hatte er die ganze Zeit über nur an ihr herumgemeckert. Sie fuhr zu schnell oder zu langsam, bremste zu früh oder zu spät, machte überhaupt falsch, was man nur falsch machen konnte. Das Ergebnis war natürlich, dass sie immer nervöser und dadurch tatsächlich unsicherer wurde.

»Ich fass es nicht«, stöhnte Pit theatralisch, als sie beim Einbiegen auf den Parkplatz des Tesco-Markts um ein Haar mit einem Radfahrer kollidiert wäre, der durch einen waghalsigen Schlenker gerade noch ausweichen konnte und wild schimpfend weiterfuhr. »Ich fass es nicht, wie jemand so schlecht Auto fahren kann!«

»Warum bist du nicht gefahren, wenn du findest, dass ich es so schlecht mache?«, fragte sie, den Tränen nahe.

»Wie sollst du es denn lernen, wenn ich dir immer alles abnehme? Wird Zeit, dass du selbstständig wirst! Meine Fresse!«

Immerhin gelang es ihr, den Wagen in eine Parklücke zu bugsieren, ohne dabei allzu sehr Pits Missfallen zu erregen. Er maulte zwar ein wenig, weil sie angeblich zu weit vom Eingang entfernt waren, aber natürlich hatte sie die Lücke mit Bedacht gewählt: Der Platz direkt daneben war frei, und so hatte sie einen weiteren Bogen fahren können. Zittrig, wie sie inzwischen war, hätte sie sonst bei einem normalen Parkmanöver am Ende noch eine Schramme verursacht.

Was danach geschah, konnte sie nie ganz genau rekonstruieren. Die entscheidenden Sekunden hatte sie selbst nicht mitbekommen, und ob es sich wirklich um einen *Mordanschlag* gehandelt hatte, wie Pit später behauptete, wusste sie nicht. Gerade als sie jeder an seiner Seite ausstiegen, bog ein roter Mini-Cooper in die Parklücke links von ihnen, und zwar angeblich mit solchem Schwung, dass er zunächst fast die geöffnete Autotür abrasiert und sodann um ein Haar Pit überfahren hätte, der neben dem Wagen stand und sich wie üblich nach Autofahrten – ganz gleich, wie kurz sie gewesen sein mochten – reckte und streckte und dabei seine beachtlichen Oberarmmuskeln spielen ließ.

Tatsächlich war aber überhaupt nichts passiert. Der Mini-Cooper war rechtzeitig zum Stehen gekommen, nichts und niemand war überhaupt berührt worden, und der Fahrer, ein junger Mann in Jeans und Pullover, lächelte entschuldigend. Wahrscheinlich hatte er die Kurve wirklich etwas schwungvoll genommen und bedauerte, dass er jemanden dadurch erschreckt hatte.

Pit rastete vollkommen aus.

»Ey, du Wichser!«, brüllte er. »Komm raus! Komm mal sofort raus!«

Das Lächeln des jungen Mannes gefror und wandelte sich in einen Ausdruck von Verwirrung.

»Raus, hab ich gesagt!«, schrie Pit.

Eine junge Frau, in deren Einkaufswagen ein kleines Kind saß, blickte erschrocken herüber und beschleunigte dann ihren Schritt. Auch ein älteres Ehepaar sah zu, dass es weiterkam.

Der junge Mann setzte seinen Wagen ein Stück zurück. Einen Moment schien es, als wolle er rasch davonfahren, und vermutlich war ihm dieser Gedanke auch tatsächlich gekommen, aber dann siegte sein Stolz. Vorsichtig, aber unnachgiebig parkte er sein Auto neben dem tobenden Pit.

Hilflos dachte sie: Fahr weg! Fahr doch weg!

Stattdessen stieg der junge Mann aus. Größere Gegensätze als zwischen ihm und Pit ließen sich kaum denken. Der Fremde war groß gewachsen, teuer und zurückhaltend gekleidet, wirkte gebildet und intelligent. Pit war mehr als einen Kopf kleiner, dafür ein einziges Muskelpaket. Seine kurzen, krummen Beine steckten in zu engen, verwaschenen und ausgefransten Jeans. Er trug ein ärmelloses weißes Unterhemd, das seine zahlreichen Tätowierungen an den Oberarmen offenbarte.

»Ey, komm her«, brüllte er, »was gibt's? Was gibt's?«

»Ich weiß nicht, was Sie meinen«, sagte der junge Mann. »Wenn ich Sie beim Einbiegen in diese Parklücke erschreckt habe, dann tut es mir leid. Sie sind jedoch nicht verletzt worden, und soweit ich sehen kann, ist auch Ihrem Wagen nichts passiert.«

»Frech werden, was? Mich angreifen und dann frech werden, ja?« Die gepflegte Ausdrucksweise des anderen ließ Pits Aggressionen noch wachsen. Wie auch der Mini-Cooper, der Pullover von Lands' End, die Schuhe von Tod's. Der Typ repräsentierte alles, was Pit hasste.

»Ich schlag dir die Fresse ein!«, schrie er.

Der junge Mann wirkte unsicher, bemühte sich jedoch, dies zu verbergen. Er war wesentlich größer als Pit und wäre trotzdem aller Wahrscheinlichkeit nach bei einer Schlägerei unterlegen. Handgreifliche Auseinandersetzungen war er nicht gewohnt, auch verfügte er nicht über einen Bruchteil der Brutalität, für die Pit berüchtigt war.

»Es ist nichts passiert«, wiederholte er ruhig, aber seine Wangen waren um eine Schattierung blasser geworden.

»Nichts passiert, was? Nichts passiert? Du fährst mich fast platt, du Wichser, du Scheißer mit deinem feinen Auto, und dann dröhnst du hier rum, dass nichts passiert ist?« Zur Untermalung seiner Worte trat Pit kräftig gegen die Stoßstange des Mini. Es gelang ihm tatsächlich, sie mit einer Delle zu verzieren.

»Hören Sie auf damit!«, protestierte der junge Mann.

»Was gesagt, wie? Na komm, ich hab dich nicht verstanden, Wichser. Was hast du gesagt? Schön laut, damit ich's auch höre!« Pit kam um das Auto herum, stand in bedrohlicher Nähe des Fremden.

Diesem schlug sichtlich das Herz bis zum Hals. Hilfesuchend blickte er sich um, aber die wenigen Menschen, die sich in diesem hinteren Bereich des riesigen Parkplatzes aufhielten, hasteten gesenkten Blickes davon. Pit war der Typ Mensch, um den jeder instinktiv einen Bogen machte. Niemand wollte sich in eine Auseinandersetzung mit diesem Inbegriff an Brutalität und Hass einlassen.

»Ich sagte, Sie sollen aufhören, gegen meinen Wagen zu treten«, wiederholte der junge Mann, weil ihm nichts anderes übrig blieb, »sonst werde ich die Polizei rufen.«

»Die Bullen? Die Bullen willst du rufen, Wichser? Mich platt fahren und dann die Bullen rufen? Findest du nicht, dass das 'n bisschen frech ist, wie? Bisschen sehr frech? Was? Lauter, Wichser. Ich höre nichts.«

»Ich sagte auch nichts«, erwiderte der junge Mann.

Warum bist du bloß nicht weggefahren?, dachte sie verzweifelt.

Pits Faust schnellte nach vorne und traf den jungen Mann
an der Nase. Er brach sofort in die Knie und ging zu Boden.
Aus seiner Nase schoss ein Schwall Blut. Er presste seine
Hand ins Gesicht und starrte fassungslos zu Pit hinauf.

»Willst du immer noch die Bullen rufen? Ja? Ich hör
nichts! Ich hör immer noch nichts!« Er trat seinem Opfer
mit aller Kraft in die Rippen. Mit einem Schrei kippte der
Mann zur Seite, lag zusammengekrümmt auf dem sonnen-
warmen Asphalt.

»Bitte«, stöhnte er leise, »nicht…«

»Was? Was gesagt? Hast du echt was gesagt?« Der
nächste Tritt folgte. Er war geeignet, dem anderen etliche
Rippen zu brechen. Der junge Mann stöhnte lauter.

Sie merkte, dass sein Blick hilfesuchend zu ihr glitt. Sie
sah zur Seite. Sie konnte nichts für ihn tun. Sie wusste, was
ihr blühte, wenn sie sich jetzt einmischte. Es war schrecklich für ihn, wegen nichts und wieder nichts auf diesem
Parkplatz zusammengeschlagen zu werden, nur weil er
das Pech gehabt hatte, im falschen Moment am falschen
Ort gewesen und dabei einem Versager wie Pit begegnet
zu sein, der einen Blitzableiter für seine Aggressionen und
für seinen Hass auf die Gesellschaft suchte. Aber er würde
daran nicht sterben, und er würde in sein normales Leben
zurückkehren, in dem Männer wie Pit nicht vorkamen und
in dem man höflich und auf kultivierte Art miteinander
umging. Sie selbst konnte das nicht. Sie war an Pit gebunden und an Ron, und sie konnte es sich nicht leisten, ihre
Lage zu verschlechtern. Pit hatte sie noch nicht geschlagen,
aber er war mehr als einmal dicht davor gewesen, und sie
wusste genau, dass er es irgendwann tun würde. Im Grunde
kannte sie die Hölle, die sie erwartete, zu diesem Zeitpunkt
bereits.

An jenem Oktobertag auf dem Tesco-Parkplatz, den sich krümmenden, blutenden Mann zu ihren Füßen, stellte sie sich zum ersten Mal die Frage, ob das alte Leben nicht trotz allem besser gewesen war.

Bis zum heutigen Tag erinnerte sie sich an die Antwort, die sie sich damals gegeben hatte: Aber ich kann nicht ohne Pit sein! Ich kann nicht mehr ohne einen Mann sein, der zu mir gehört.

Sie hatte sich abgewandt und den wimmernden Mann auf dem Asphalt nicht angesehen, und schließlich hatte Pit genug gehabt, hatte ihr den Autoschlüssel aus der Hand gerissen und gesagt: »Los. Wir fahren.«

»Aber … unsere Einkäufe?«, hatte sie gefragt, als komme es nur darauf im Moment an.

»Kriegen wir woanders auch. Steig ein.«

Sie waren eingestiegen und losgefahren, ziemlich hektisch und mit quietschenden Reifen, aber das tat Pit sonst auch, wenn er am Steuer saß, er ließ bei jeder Gelegenheit die Reifen quietschen. Im Rückspiegel hatte sie die zusammengekrümmte Gestalt gesehen, und ihr war kalt geworden am ganzen Körper. Während Pit vor sich hin pfiff. Er war jetzt glänzender Laune, und später war er sogar noch mit ihr in ein Schuhgeschäft gegangen und hatte ihr ein Paar Pumps spendiert, schwarzer Lack, zwölf Zentimeter hohe Absätze, zwei große strassbesetzte Schnallen vorn auf den Spitzen. Er mochte es, wenn sie solche Schuhe trug. Sie nicht, aber sie hätte ihm nie widersprochen.

Wie ging das aus damals?, fragte sie sich. Sie stand wieder in ihrem kleinen, verschlagähnlichen Bad in der Wohnung über Mr. Cadwick, dem Spanner, betrachtete ihr verhärmtes Gesicht im Spiegel, das so viel älter aussah, als es tatsächlich war, und zog noch immer ihre Schultern frierend zusammen.

Der Mann hatte Pit angezeigt. Passanten, die zwar zu

feige gewesen waren, ihm zu helfen, hatten sich zumindest das Autokennzeichen gemerkt. Allzu viel war nicht passiert. Pit hatte eine Geldstrafe bekommen sowie eine Freiheitsstrafe, die jedoch zur Bewährung ausgesetzt wurde. Dass er nun vorbestraft war, hatte ihn nicht gestört. Er schien diesen Umstand sogar eher als eine Art Ritterschlag zu empfinden.

Sie spritzte etwas Wasser in ihr Gesicht, bürstete ihre Haare. Auf die Dusche verzichtete sie an diesem Morgen, der Boiler war so klein, dass das warme Wasser immer viel zu schnell aus war, und sie meinte, den plötzlich eiskalten Strahl heute nicht zu ertragen. Sie huschte in ihr Schlafzimmer zurück, schlüpfte rasch in Wäsche, Jeans, Pullover und dicke Socken. Sie brauchte dringend einen heißen Kaffee, um irgendwie warm zu werden. Es war eine Schande, dass Mr. Cadwick es wagte, eine derart zugige Wohnung zu vermieten. Er hätte längst die Fenster erneuern lassen müssen. Wenn er dabei wenigstens ein netter Kerl gewesen wäre. Aber am Ende schlich er schon wieder im Treppenhaus herum oder presste sich gegen ihre Wohnungstür, drückte sich das Ohr platt und wurde dabei von Frühlingsgefühlen durchrieselt. Sie schüttelte sich.

In der Küche nebenan lag eine Zeitung auf dem Tisch. Sie hatte sie gestern gekauft und sorgfältig den Immobilienteil studiert. Zwei Dörfer weiter wurden zwei Wohnungen angeboten, die nicht mehr kosteten als das Loch, in dem sie jetzt lebte, die aber sicherlich nicht schlechter sein konnten. Das Problem war, dass sie dann nicht mehr zu Fuß zum *Elephant* gehen konnte. Zwar gab es einen Bus, aber der fuhr natürlich nicht spätnachts, wenn sie endlich mit der Arbeit fertig war. Sie würde sich ein Fahrrad kaufen müssen, aber was wäre im Winter? Vielleicht fand sie aber auch einen Job in dem anderen Dorf, zumindest konnte sie sich umhören. Ideal war es sicher so, wie sie jetzt lebte, aber sie hatte inzwischen eine fast krankhafte Abneigung gegen Mr. Cadwick entwickelt, sie konnte an nichts anderes mehr denken als an einen Umzug.

Vielleicht war es auch nicht schlecht, sich wieder einmal zu verändern. Sie erinnerte sich, wie sie sich am Anfang, kurz nach ihrer Flucht, geschworen hatte, nie zu lange an einem Ort zu bleiben. Vielleicht war sie schon dabei, leichtsinnig zu werden, und der grässliche Mr. Cadwick war ein Wink des Himmels, dass sie ihre Zelte abbrechen sollte. Manchmal hatte sie ja schon gedacht, dass sie sich alles nur einbildete, dass sie, traumatisiert wie sie war, eine ganz unnötige Dauerflucht inszenierte. Aber nachdem ihr gerade wieder die Geschichte auf dem Tesco-Parkplatz eingefallen war, wusste sie, dass sie nicht vorsichtig genug sein konnte. Mit dem Parkplatz hatte es angefangen. Danach waren noch andere Dinge passiert. Sie hatte es bei Pit mit einem Psychopathen zu tun. Im tiefsten Innern wusste sie, dass er mit einer offenen Rechnung unmöglich leben konnte. Manchmal wachte sie mitten in der Nacht auf und spürte, dass Pit noch immer nach ihr suchte.

Sie verstaute die Zeitung in ihrer Tasche. Von Mr. Cadwicks Telefon konnte sie bei den Vermietern nicht anrufen, das war klar. Sie würde es vom *Elephant* aus tun.

Vielleicht würde sie nie wieder an dunklen, kalten Wintermorgen so frieren müssen wie in ihrer derzeitigen Herberge.

Allein diese Vorstellung hob ihre Laune bereits gewaltig.

2

Inspector Fielder von Scotland Yard saß in der Küche der Familie Biggs in Islington und mochte seinen Job an diesem Morgen nicht besonders gern. Als Junge hatte er die gängige Kriminalliteratur verschlungen, sich mit berühmten Detektiven und Polizisten identifiziert und zu keinem Zeitpunkt einen anderen Berufswunsch gehabt als den, zur Polizei zu gehen. Er wollte Morde aufklären. Er wollte den Toten zu einem posthumen Recht verhelfen. Er wollte die zur Rechenschaft ziehen, die vor dem schlimmsten Verbrechen nicht zurückgeschreckt waren: anderen das Leben zu nehmen.

Dass sich die Realität anders darstellte als in den Romanen, war ihm natürlich rasch klar geworden. Ewig blieb man ja auch nicht ein kleiner Junge mit einem glühenden Sinn für Gerechtigkeit. Es ging ihm natürlich immer noch genau darum: um Gerechtigkeit. Aber viel von seinem Enthusiasmus war inzwischen verloren gegangen. Nicht nur, weil sich viele Fälle am Ende doch nicht aufklären ließen. Auch nicht nur deshalb, weil es einen Polizisten manchmal mit Verbitterung erfüllte, erleben zu müssen, mit welch geringem Strafmaß Leute davonkamen, die anderen unermessliches Leid zugefügt hatten. Was vor allem zermürbte, war der ständige Umgang mit Gewalt. Mit den niederen, scheußlichen, verdorbenen und perversen Seiten der Menschen. Immer wieder stand er an Leichenfundorten. Starrte auf tote Körper. Sah ausgelöschtes Leben. Wurde mit den Spuren nicht nachvollziehbarer Brutalität konfrontiert. Und mit der Trauer, dem Schmerz der Hinterbliebenen. Über diesen Aspekt hatte er als Teenager am wenigsten nachgedacht. Dass er immer und immer wieder mit den Angehörigen der Opfer würde zusammensitzen und das Entsetzen ansehen müssen, in das deren Leben so unvermittelt getaucht worden war. Dass er ihnen Fragen stellen musste, obwohl sie unter Schock standen und Ruhe, allenfalls noch psychologischen Beistand, gebraucht hätten. Er musste ihnen auf die Nerven gehen, solange die Spur noch einigermaßen warm war. Manchmal kam er sich dabei vor wie jemand, der ein Messer in eine Wunde stieß und es ständig umdrehte.

Der Fall Biggs hatte eine Dimension angenommen, die ihn in den Zuständigkeitsbereich von Scotland Yard katapultiert hatte, daher blieb Fielder nichts anderes übrig, als die fassungslose Familie an diesem Morgen zu belästigen. Sally und Gordon hatten am Vortag die Tote aus dem Epping Forest einwandfrei und ohne zu zögern als ihre Tochter Linda identifiziert. Damit hatte die Leiche einen Namen, ein Gesicht, eine Geschichte bekommen.

Linda Biggs, sechzehn Jahre alt, geboren am 8. Dezember 1991, wohnhaft im Londoner Stadtteil Islington. Abgebrochene Schullaufbahn. Keine Lehrstelle. Keine Arbeit.

Es schien in Linda Biggs' Leben nicht allzu viele Perspektiven gegeben zu haben. Die enge Wohnung in einem sozial schwachen Viertel. Sieben Personen auf knapp achtzig Quadratmetern. Der Vater immer wieder arbeitslos. Die Mutter Alkoholikerin. Der älteste Bruder bereits mit dem Gesetz im Konflikt. Fielder wusste, dass es Jugendliche gab, die sich aus derartigen Konstellationen befreiten, aber es war die Minderzahl. Die meisten wurden in das soziale Elend hineingeboren, lebten darin und starben darin.

Eine kleine Chance mochte es für Linda gegeben haben: Sie war ungewöhnlich attraktiv gewesen. Die Gene ihrer ausgesprochen unansehnlichen Eltern hatten sich in ihr aufs Günstigste vermischt und ein bildschönes Geschöpf ergeben. Woraus sie leider nichts zu machen verstanden hatte. Ihre Art, sich zu kleiden und zu schminken, hätte ihr nie den Aufstieg in eine andere gesellschaftliche Schicht ermöglicht. Es stimmte leider, was ihr Vater gesagt hatte: Sie war wie eine Prostituierte herumgelaufen.

Hatte das ihren Mörder angezogen?

Alle Biggs waren versammelt. Die Jungs waren still und verstört und offensichtlich nicht in der Lage, an einem solchen Tag zur Schule zu gehen. Auch Angela hatte in ihrer Arbeitsstelle angerufen und sich entschuldigt. Sie hatte verquollene, rote Augen. Sie musste die ganze Nacht geweint haben und wirkte völlig entkräftet.

Gordon starrte die Wände an. Sally hatte eine Schnapsflasche vor sich stehen, hatte sich jedoch zumindest in Inspector Fielders Anwesenheit noch nicht daraus bedient. Sie legte nur hin und wieder die Hände fest um das Glas, als wolle sie sich vergewissern, dass es diesen Halt noch gäbe, wenn sie das Entsetzen nicht länger ertrug.

Fielder hatte sein Beileid ausgesprochen, ohne darauf eine Reaktion zu bekommen, aber was sollten sie auch sagen. Nun räusperte er sich. Für sein Kommen an diesem Morgen hatte er sich bereits entschuldigt, und Sally hatte mit leiser, wie zerbrochen klingender Stimme gesagt: »Sie müssen Ihre Arbeit machen. Ist doch klar.«

»Wir brauchen eine Aufstellung aller Freunde und Bekannten, mit denen Ihre Tochter Umgang hatte«, sagte er, »vor allem natürlich solche, mit denen sie in den letzten Monaten verstärkt zusammen war. Aber auch aus der Zeit davor, versteht sich. Glauben Sie, dass Sie mir eine Liste anlegen können?«

Wie auf ein geheimes Kommando hin schauten alle Angela an. Diese fuhr sich mit der Hand über die geschwollenen Augen.

»Ich kann das machen, ja. Ich glaube, ich… ich weiß am besten Bescheid.«

»Sie hatten ein enges Verhältnis zu Ihrer Schwester?«, fragte Fielder.

Angela zuckte mit den Schultern. »Eigentlich ja. Im letzten halben Jahr… nicht mehr so.«

»Woran war das feststellbar?«

»Sie hat mir früher immer ganz viel erzählt. Nächtelang. Wir… hatten ein Zimmer zusammen. Manchmal hab ich gesagt, sei doch endlich still, ich muss schlafen. Aber sie fing immer wieder an. Sie... freute sich so sehr an allem. Sie brauchte jemanden, der sich mit ihr freute.«

»Ich verstehe«, sagte Fielder. Er überlegte und wandte sich dann an Gordon. »Mr. Biggs, wie ich dem Bericht von Constable Burns entnommen habe, sprachen Sie bei dessen Besuch davon, dass Ihre Tochter... nun, dass es recht zahlreiche Männerbekanntschaften in ihrem Leben gab. Sie waren sogar ziemlich sicher, dass sie sich bei einem Mann aufhielt. Haben Sie da Namen und Adressen?«

Gordon hob schwerfällig den Kopf. »Da war doch dieser... wie hieß er denn? Ben. Ben Brooks. Der wohnt einen Block weiter.«

»Er war ihr Freund?«

Gordon nickte. »Der war ihr Freund, ja. Ganz netter Kerl. Aber unbrauchbar.«

»Unbrauchbar?«

»Keine Lehrstelle. Zu viel Alkohol. Keine Zukunft. Verstehen Sie?«

Fielder nickte. Er verstand. Ben Brooks war einfach wie die meisten in der Gegend.

»Mit Ben war sie zwei Jahre zusammen. Vor einem halben Jahr hat sie sich von ihm getrennt.«

»Vor einem halben Jahr...«, wiederholte Fielder nachdenklich. »Und vor einem halben Jahr etwa hörte sie auch auf, sich Ihnen so rückhaltlos wie gewohnt anzuvertrauen, Miss Biggs. Wissen Sie, warum sie sich getrennt hat?«

Angela schüttelte den Kopf. »Sie hatte mir zuerst gar nichts davon erzählt. Ich habe Ben getroffen, und der fragte mich ganz verzweifelt, was los sei. Linda hatte ihm Knall auf Fall die Beziehung aufgekündigt und ihm nicht einmal Gründe genannt. Sie hätte einfach keine Lust mehr, so hat sie gesagt. Ben dachte, ich wüsste Näheres, aber ich hatte keine Ahnung.«

»Sie haben Ihre Schwester aber sicher gefragt?«

»Klar. Sie meinte nur, Ben sei ein Milchbubi, so drückte sie es aus. Kein richtiger Mann. Mit Milchbubis wollte sie sich nicht länger abgeben.«

»Wie alt ist Brooks?«

»Achtzehn. Er ist wirklich nett. Mit ihm hatte sie keinen schlechten Griff getan.«

»Er is 'n Versager«, brummte Gordon, »'n netter Versager.«

»Die anderen Männer…?«, hakte Fielder vorsichtig nach.

Angela warf ihrem Vater einen zornigen Blick zu. »Dad hat das einfach immer unterstellt. Dass sie in ganz London herumschläft, wie er sagte. Das stimmte überhaupt nicht. Sie war Ben in den zwei Jahren nicht immer treu. Auf irgendeiner Party hat sie es mal mit einem Typen auf der Toilette getrieben. Und einmal hat sie einer bei *Boots* angequatscht, und mit dem hatte sie zwei Wochen lang was nebenher laufen. Das war's aber auch schon.«

»Zumindest soweit Sie das wissen?«

»Sie hat mir alles erzählt«, beharrte Angela.

»Mr. Biggs, Sie haben auch keine konkreten Anhaltspunkte für die angeblich so zahlreichen Männerbekanntschaften Ihrer Tochter?«, fragte Fielder.

Gordon knurrte etwas Unverständliches.

»Dad fand ihre Aufmachung unmöglich«, sagte Angela, »er sagte, sie sieht aus wie eine…«

Sally, die bislang geschwiegen hatte, fuhr mit unerwarteter Schärfe dazwischen. »Nein! Sag es nicht! Sag nie wieder dieses Wort über deine Schwester!«

»*Er* hat es immer gesagt«, verteidigte sich Angela. Sie hatte rote Wangen bekommen. »Er hat gesagt, sie sieht aus wie… *so eine*, und deshalb benimmt sie sich auch wie *so eine*.«

»Also, ihre Aufmachung«, begann Gordon, aber Fielder

unterbrach rasch das heikle Thema. »Es gibt jedenfalls keine weiteren Namen von Männern, mit denen sie Affären hatte?«

»Nein«, sagte Angela.

»Nein«, räumte Gordon ein.

»Wir werden natürlich mit Ben Brooks sprechen«, sagte Fielder, »ebenso mit Freunden, Bekannten, Nachbarn. Jedes noch so kleine Mosaikteilchen kann wichtig sein, aber das ist Ihnen sicher klar. Für mich ergibt sich vorläufig die Vermutung, dass sich vor etwa einem halben Jahr, also ungefähr im August des vergangenen Jahres, etwas Entscheidendes in Lindas Leben verändert hat. Aus folgenden Gründen: Sie trennt sich um diese Zeit offensichtlich ohne Vorwarnung von ihrem langjährigen Freund. Sie hört plötzlich auf, ihre Schwester und bis dahin wohl engste Vertraute über die Vorkommnisse in ihrem Leben auf dem Laufenden zu halten. Zum dritten: Angela erwähnte in dem ersten Gespräch mit der Polizei, dass ihre Schwester auf einmal auffallend teure Kleidung getragen habe. Man konnte sich in der Familie nicht erklären, woher sie die finanziellen Mittel dafür hatte. Könnte auch diese Veränderung vor etwa einem halben Jahr ihren Anfang genommen haben?«

Angela überlegte. »Das könnte hinkommen«, meinte sie dann.

Fielder nickte. »Das klingt nach einem neuen Mann in ihrem Leben«, sagte er, »einem, der Geld hatte und mit dem es ihr womöglich sehr ernst war. So ernst, dass er nicht länger nächtliches Gesprächsthema mit ihrer Schwester war.«

»Glauben Sie, dass der sie umgebracht hat?«, fragte Gordon.

»Darauf gibt es vorläufig keinen Hinweis. Und solange wir den Mann nicht kennen, stochern wir ziemlich im Nebel. Er muss überhaupt nichts mit ihrem Tod zu tun haben.

Aber er ist vielleicht der einzige Anhaltspunkt, den wir haben. Bei ihm hat sie sich nach dem Streit mit ihrem Vater höchstwahrscheinlich aufgehalten. Zumindest könnte er uns etwas über ihre letzten Tage erzählen.« Fielder erhob sich. »Würden Sie mir erlauben, mich in Lindas Sachen umzusehen? Schränke, Schubladen, Taschen, alles. Vielleicht findet sich ein Hinweis auf den großen Unbekannten.«

Auch Gordon stand auf. »Klar«, sagte er, »kommen Sie, ich zeige Ihnen ihr Zimmer.«

»Ich komme mit«, sagte Angela hastig. Fielder nickte. Schließlich war es auch ihr Zimmer.

»Übrigens«, er blieb noch einmal stehen, »sagt Ihnen der Name *Jane French* etwas?«

Alle starrten ihn an.

»Jane French?«, wiederholte Sally.

»Is' das 'ne Freundin von unserer Linda?«, fragte Gordon.

Fielder schüttelte den Kopf. »Nein. Wohl nicht. Jane French ist eine junge Frau, die vor mehr als fünf Jahren ermordet wurde. Man fand sie im Epping Forest, allerdings in einer ganz anderen Ecke als Linda. Die beiden Fälle müssen überhaupt nichts miteinander zu tun haben. Aber... als ich die Fotos von Linda dort draußen anschaute, als ich den Autopsiebericht las, fiel mir sofort die Geschichte von damals ein. Jane war vergewaltigt und böse misshandelt worden, anschließend hatte man sie gefesselt am Rand eines Tümpels abgelegt, in dem sie ertrank.«

»Wie... unsere...«, stammelte Sally leise.

»Es muss trotzdem nichts miteinander zu tun haben«, wiederholte Fielder.

»Hat man... weiß man, wer damals...?«, fragte Gordon.

Fielder schüttelte bedauernd den Kopf. Der Fall Jane French gehörte zu den größten Frustrationen, die er in seiner bisherigen Laufbahn erlebt hatte. Es hatte sich nicht die kleinste Spur ergeben, kein Hinweis aus der Bevölkerung, der nicht im Sande verlaufen wäre.

»Der Fall Jane French wurde nie aufgeklärt«, sagte er.

3

Rosanna musste eine Weile warten, ehe sie Geoffrey an den Telefonapparat bekam. Die Schwester, die im Pflegeheim den Hörer abgenommen und von Rosannas Anliegen gehört hatte, hatte gestöhnt. »Ich versuche es«, hatte sie gesagt, »aber es ist schwierig mit Mr. Dawson. Ich hoffe, er erklärt sich bereit, mit Ihnen zu sprechen.«

Offenbar war man von Geoffrey wenig Kooperationsbereitschaft gewohnt. Während sie wartete, dachte Rosanna an den lebhaften jungen Mann, der er einst gewesen war, und verglich dieses Bild mit dem Bündel verbitterten Elends, dem sie wenige Tage zuvor begegnet war. Ein schmerzhafter Gedanke. Sie verstand seine Wut, seinen Hass auf die Umwelt, auf alle Menschen, auf das Schicksal. Wahrscheinlich hätte sie selbst sich nicht anders verhalten.

Sie konnte hören, dass sich jemand dem Telefon näherte – ein leises Quietschen, vermutlich die Gummireifen des Rollstuhls auf dem magermilchweißen Linoleumboden –, und gleich darauf vernahm sie Geoffreys Stimme.

»Rosanna? Was gibt's?«

»Hallo, Geoffrey. Entschuldige, dass ich störe…« Kaum hatte sie die Worte gesagt, biss sie sich auf die Lippen. Eine Floskel, aber für jemanden wie Geoffrey musste sie wie Hohn wirken. Wenn er einmal im Monat einen Anruf bekam, war das für ihn wahrscheinlich eine kleine Abwechslung, keine Störung.

»Oh, schon gut, in meinem Alltag gibt es nicht allzu viel,

wobei du mich stören könntest«, sagte er denn auch sofort und fügte im selben Atemzug hinzu: »Hast du mit Reeve, dem Schwein, gesprochen?«

»Ja, gestern Abend. Es war ein langes Gespräch.«

»Ach, tatsächlich? Hat er sich herabgelassen? Er scheint sich ja ausgesprochen sicher zu fühlen. Na ja, kein Wunder. Im Grunde kräht kein Hahn mehr nach Elaine. Haben sich ja alle mit ihrem Verschwinden abgefunden. Kann ja mal passieren, dass eine Frau so ganz einfach verschwindet. Sollte man nicht zu ernst nehmen!«

»Geoffrey«, sagte Rosanna, »wusstest du, dass Elaine einen Freund hatte?«

Kurzes konsterniertes Schweigen. Dann fragte Geoffrey: »Wie – einen Freund? Du meinst...?«

»Einen Mann. Einen... Liebhaber. Eine Beziehung. Sie hat Reeve davon erzählt. An jenem Abend.«

»Die alte Geschichte«, sagte Geoffrey, »mit der kam er doch schon damals an.«

»Damals?«

»Er hat damals schon der Polizei in seiner Befragung von diesem ominösen Freund erzählt. Die Beamten haben mich darauf angesprochen. Und meine Antwort lautete schon damals: Nein.«

»Das Nein bezog sich auf die Frage, ob du davon wusstest, oder...«

»Das *Nein* bezog sich auf die Frage, ob es einen Mann in ihrem Leben gab. *Nein, es gab keinen.* Reeve hat sich die Geschichte ausgedacht, um von sich abzulenken. Keine dumme Idee, aber nicht umsonst ist der Mann ein gerissener Anwalt. Er erfindet ein Phantom, und schon bekommt der Fall ein anderes Gesicht. Denn nun glaubt jeder, Elaine sei mit ihrer großen Liebe durchgebrannt. Und schon ist Reeve aus dem Schneider.«

Rosanna zögerte. Sehr vorsichtig fragte sie dann: »Der

Gedanke, sie könnte die Existenz dieses ... Freundes für sich behalten haben, ist für dich ausgeschlossen?«

»Du meinst, sie hatte einen Freund, von dem sie mir nichts erzählt hat? Aber dann trifft sie einen wildfremden Typen auf dem Flughafen, und dem schüttet sie sogleich ihr Herz aus? Entschuldige, aber das ist doch absurd.«

Rosanna schwieg. Nicht weil er sie überzeugt hätte, sondern weil sie begriff, dass ein sachliches Gespräch mit ihm kaum möglich sein würde. Geoffrey war nicht im Mindesten geneigt, auch unangenehmen Tatsachen möglicherweise ins Gesicht zu sehen. Wahrscheinlich war es ihm völlig unmöglich, sich selbst einzugestehen, wie sehr er Elaine unter Druck gesetzt, mit welch unnachgiebiger Härte er sie an sich gefesselt hatte. Dass sich Elaine womöglich jenseits des tristen Alltags einer Pflegerin ein anderes Leben aufgebaut und sorgfältig vor ihm verborgen haben könnte, war für ihn undenkbar, und sich mit dieser Möglichkeit auch nur ansatzweise zu konfrontieren, hätte ihn den letzten Rest an seelischer Stabilität gekostet, um die er wahrscheinlich mühsamer rang, als es irgendjemandem in seiner Umgebung bewusst war.

Sie dachte an ihr Gespräch mit Marc Reeve am Abend zuvor.

»Haben Sie der Polizei nicht von der Möglichkeit erzählt, dass Elaine mit ihrem Freund durchgebrannt ist?«, hatte sie gefragt. »Haben Sie überhaupt diesen unbekannten Freund bei der Polizei erwähnt?«

Reeve hatte genickt. »Natürlich. Aber da lag eben das Problem: der unbekannte Freund. Niemand hatte je von ihm gehört. Es gab keinen Namen, keine Beschreibung. So sehr ins Detail ist sie mir gegenüber ja auch nicht gegangen. Man hat dann mit ihrem Bruder gesprochen, der vehement abstritt, dass es da jemanden gegeben haben könnte. Unglücklicherweise wussten auch ihre Kollegen in der Praxis, in der sie arbeitete, nicht Bescheid. Der *Freund* blieb ein Phantom – eine Spur, die ins Nichts führte.«

»Rosanna!«, sagte Geoffrey nun eindringlich und riss Rosanna aus ihren Gedanken. »Hör mal zu, lass dich von Reeve nicht einwickeln! Es gab keinen Mann in Elaines Leben. Ich hätte das gewusst. Irgendjemand hätte es gewusst. Du kannst in ganz Kingston St. Mary und Taunton herumfragen, du wirst niemanden treffen, der sie je mit einem Mann gesehen hat. Ich meine, das ist doch seltsam, oder? So eine Beziehung verläuft doch nicht derart unsichtbar!«

Es sei denn, Elaine hat alles getan, sie vor dir geheim zu halten, dachte Rosanna, und dafür zu sorgen, dass dir auch von dritter Seite nichts darüber zugetragen wird. So etwas funktioniert wahrscheinlich nicht über einen allzu langen Zeitraum, aber eine Weile kann es gutgehen.

»Rosanna, Reeve ist ein Verbrecher! Er ist ein gut aussehender, interessanter Mann, und wahrscheinlich bist du schon völlig…«

»Unsinn. Geoffrey, bitte glaube mir, ich kann das alles wirklich einigermaßen rational betrachten. Ich hatte nicht den Eindruck, dass Reeve mich belog, als er von dem Mann in Elaines Leben berichtete. Es kann aber natürlich sein, dass Elaine vielleicht ein wenig aufgeschnitten hat. Vielleicht fand sie irgendjemanden in ihrem Umfeld interessant, hatte sich in ihn verguckt und bezeichnete ihn als Freund, obwohl derjenige gar nichts ahnte von seinem Glück. Das wäre doch auch denkbar.«

»Aha. Ehe du es für möglich hältst, dass Marc Reeve lügt, muss Elaine diejenige sein, die…«

»Geoffrey, mach dich doch mal von diesem Schwarz-Weiß-Denken frei. Ich sage ja gar nicht, dass Elaine gelogen hat. Aber vielleicht hat es in ihrem Alltag ein paar Tagträume gegeben. Mehr oder weniger haben wir die doch alle. Sie war eine junge Frau von dreiundzwanzig Jahren.

Meinst du nicht, dass sie manchmal darüber nachgedacht hat, wie es sein müsste, einen Freund zu haben? Von einem Mann geliebt zu werden? Das ist doch normal.«

»Sie hatte mich.«

»Du bist ihr Bruder.«

»Ich war ihr engster Vertrauter. Es gab nichts, was sie nicht mit mir besprochen hätte.«

Und ich wette, dass du dich in diesem Punkt irrst, dachte Rosanna.

Das Gespräch mit Geoffrey führte zu nichts. Reeve hatte ihr das am Vorabend prophezeit, als sie ankündigte, Geoffrey wegen des ominösen Freundes anrufen zu wollen.

»Er wird das Gleiche sagen wie damals. Dass es ausgeschlossen ist. Dass Elaine keinerlei Geheimnisse vor ihm hatte.«

Sie bat Geoffrey, sich ihre Handynummer wie auch die Telefonnummer ihres Hotels zu notieren und sie anzurufen, falls ihm doch etwas zum möglichen Liebesleben seiner Schwester einfiel. Geoffrey schrieb sich die Zahlen zwar auf, versicherte ihr dabei jedoch erneut, dass sie sich in einer völlig falschen Richtung verrenne.

»Geoffrey, ich melde mich wieder«, sagte sie schließlich erschöpft, »ich halte dich auf dem Laufenden.«

»Pass nur auf, dass Reeve dich nicht...«

»Ich bin nicht blöd«, sagte sie kurz und legte dann sehr nachdrücklich den Hörer auf. Sie hatte Mitleid mit Geoff, aber er ging ihr auch auf die Nerven. Mit ihm zu sprechen hieß, gegen eine Felswand zu laufen.

Nichts an diesem Mann bewegt sich, dachte sie, als ob er mit der Beweglichkeit seines Körpers auch die seines Geistes eingebüßt hätte. Seine Sicht der Dinge ist wie zementiert. So war es und nicht anders. Andere Möglichkeiten dürfen nicht einmal angedacht werden.

Auf einmal fühlte sie sich müde und frustriert. Es tat weh,

den Jugendfreund, den sie als einen so ganz anderen Menschen gekannt hatte, heute so verändert erleben zu müssen. Aber nicht nur das Telefonat machte ihr zu schaffen. Auch das Gespräch mit Robert vom Vorabend geisterte ihr im Kopf herum. Und die Tatsache, dass Dennis noch immer nicht versucht hatte, mit ihr Kontakt aufzunehmen.

Sie fragte sich, ob die ganze Sache ein Fehler gewesen war. Elaines Geschichte wühlte sie mehr auf, als sie gedacht hatte. Mit den anderen Geschichten kam sie nicht voran, weil sie von ihrer persönlichen Betroffenheit im Fall Elaine regelrecht blockiert wurde. Ihre Ehe war in einer Krise, und ihr Stiefsohn litt unter ihrer Abwesenheit und schlug sich mit quälenden Ängsten herum. Sie selbst lebte in einem Hotelzimmer, und obwohl es ihr am ersten Tag noch als so komfortabel und luxuriös erschienen war, empfand sie es zunehmend als unpersönlich, kühl und beengend. Sie sehnte sich auf einmal nach den Gewohnheiten ihres Alltags, danach, sich in ihrer eigenen Küche einen Tee zu machen, die Waschmaschine zu füllen, das Wohnzimmer zu saugen oder im Garten herumzuwerkeln. Einkaufen zu gehen und sich zu überlegen, was sie für Dennis und Robert zum Abendessen kochen könnte.

Sie starrte sich in dem Spiegel an, der über dem Schreibtisch hing.

»Du bist ja nicht ganz gescheit«, sagte sie laut, »genau unter diesen Dingen und vor allem unter der Gleichförmigkeit, mit der sie abliefen, hast du doch so gelitten.«

Sie sah den sorgenvollen Ausdruck in ihren Augen.

Eine gute Journalistin muss eine innere Distanz halten zu den Themen, über die sie schreibt, dachte sie.

Sie beschloss, hinauszugehen und ein Stück zu laufen. Es herrschte graues Schmuddelwetter, aber der Regen vom Vortag hatte aufgehört. Vielleicht brauchte sie einfach ein bisschen Bewegung. Aus Erfahrung wusste sie, dass es ihr guttat zu joggen, wenn sie sich gedanklich festgefahren hatte.

Sie zog ihre Jogginghose, Laufschuhe und ein dickes Sweatshirt an, setzte ihre Baseballkappe auf den Kopf und verließ das Zimmer. Von Cedric hatte sie nichts mehr gehört oder gesehen; entweder war er spät in der Nacht zurückgekommen und schlief jetzt noch, oder er war noch gar nicht wieder da. Ein bisschen machte sie sich Sorgen um ihn. Das Hotel war teuer, und sie wusste, dass er nicht viel Geld hatte. Hoffentlich übernahm er sich nicht mit seinem langen Aufenthalt in London. Außerdem warteten doch sicher Verpflichtungen in New York auf ihn, irgendein Job, und dann hatte er ja davon gesprochen, sich als Fotograf selbstständig machen zu wollen. Es war typisch Cedric, anstatt endlich sein Leben anzugehen, in London herumzuhängen, halbe Tage zu verschlafen und alte Freunde abzuklappern. Vor der drängenden Notwendigkeit, Struktur und Sinn in seinen Alltag zu bringen, lief er wieder einmal davon. Er war ein erwachsener Mann, aber er war auch ihr Bruder, und vielleicht sollte sie bei nächster Gelegenheit einmal ernsthaft mit ihm sprechen.

Die feuchtkalte Luft tat ihr gut. Rosanna musste praktisch nur die Straße überqueren, dann hatte sie schon den Hyde Park erreicht. Es waren wenig Leute unterwegs, ein paar Spaziergänger, die eilig und mit hochgeschlagenen Mantelkrägen ihre Hunde ausführten, ein paar Jugendliche, die herumlungerten und mit klammen Fingern Zigaretten drehten, ein paar Leute, die offenbar etwas verspätet auf dem Weg zur Arbeit waren. Nur hier und da ein Jogger. Rosanna fing an zu laufen, merkte, dass sie viel zu schnell rannte und zudem nicht gut in Form war. Das Tempo würde sie nicht lange durchhalten. Sie wurde langsamer, fand schließlich ihren Rhythmus und ihre Atmung. Gleichmäßig trabte sie über die sandigen Wege. Es war eine

Nässe in der Luft, die sich wie ein feiner Film über ihr Gesicht und ihre Kleidung legte und ihr Kühlung spendete, als ihr heiß wurde und sie sich schließlich, abgekämpft und keuchend, auf einer Parkbank niederließ, um einen Moment auszuruhen.

Als sie eine Stunde später in ihr Hotel zurückkehrte, war sie nass und verschwitzt, aber sie fühlte sich besser. Und wieder ein wenig motivierter, den eingeschlagenen Weg weiterzugehen.

Ihr Handy, das sie auf ihrem Nachttisch liegen gelassen hatte, hörte sie schon auf dem Flur klingeln. Sie hastete los, stürzte ins Zimmer und meldete sich atemlos. »Ja? Hallo?«

»Wo steckst du denn?«, fragte Nick vorwurfsvoll. »Ich versuche dich seit mindestens einer halben Stunde zu erreichen!«

»Ich war Joggen. Ich brauchte einfach mal ein bisschen Bewegung.«

»Das Ding, auf dem ich dich gerade anrufe, wurde erfunden, um es bei derlei Gelegenheiten mit sich zu führen«, sagte Nick etwas verstimmt. Dann änderte sich sein Tonfall, und er fuhr aufgeregt fort: »Tolle Neuigkeit, Rosanna! Wir haben eine Einladung in eine Talkshow!«

»In eine Talkshow?«

»Ich weiß nicht, ob du sie kennst. *Private Talk*. Jeden Freitagabend um zehn Uhr. Es werden immer drei oder vier Gäste eingeladen, die allerdings überhaupt nichts miteinander zu tun haben, aber wegen irgendetwas in ihrem Leben brandaktuell und von öffentlichem Interesse sind – zumindest für den Moment. Schauspieler, die einen neuen Film vorstellen, Skandalreporter, die irgendetwas aufgedeckt haben, Schriftsteller mit einem brisanten Roman, die neue Miss Liverpool, die auf unredliche Weise zu ihrem Titel gekommen sein soll... in der Art. Du kannst es dir vorstellen.«

»Und jetzt haben sie dich eingeladen?«

Nick lachte. »Wer will denn einen alternden Chefredakteur sehen? Nein, die junge, attraktive Journalistin ist von Interesse. Du bist übermorgen der Stargast!«

Sie erschrak so, dass ihre Knie weich wurden und sie sich rasch auf ihr Bett setzen musste. »Ich? Ach Gott, Nick, so etwas habe ich ja noch nie gemacht!«

»Du wirst perfekt sein, Rosanna. Du bist intelligent, sehr eloquent und siehst auch noch gut aus. Und ich muss dir ja nicht extra sagen, dass es eine fantastische Werbung für unsere Serie ist.«

»Ich bin wegen der Serie eingeladen«, sagte Rosanna und fand gleichzeitig, dass diese Bemerkung nicht besonders geistreich war. Weswegen denn sonst?

»Ja, klar. Wegen der Serie im Allgemeinen und wegen Elaine und deiner speziellen Beziehung zu ihr im Besonderen. Dass die Journalistin, die über diesen Fall schreibt, ein ganz persönliches Interesse an einer Antwort auf die Frage nach Elaines Verschwinden hat, macht die Sache pikant. Allerdings hat die verantwortliche Redakteurin zudem gefragt, ob…« Er schwieg.

»Ja?«, fragte Rosanna.

»Also, die hätten auch noch gern Geoffrey Dawson in der Sendung. Der Bruder, der im Pflegeheim dahinvegetiert. Du verstehst schon. Allerdings habe ich schon gesagt, dass…«

»Nick, das ist ausgeschlossen!«, sagte Rosanna sofort. Sie konnte sich einen Auftritt Geoffreys, gespickt mit Anschuldigungen und Hasstiraden gegen Marc Reeve, nur allzu gut vorstellen. Sein Erscheinen in der Sendung käme einem einzigen Rachefeldzug gleich. Für Marc Reeve wäre es eine Wiederholung seines persönlichen Albtraums.

»Ich weiß. Das schafft der Mann überhaupt nicht«, sagte Nick, »das habe ich der Redakteurin bereits klargemacht.«

Rosanna wusste, dass Geoffrey dies sehr wohl schaffen, dass er geradezu nach dieser Bühne lechzen würde und notfalls von Taunton bis London im Rollstuhl angefahren käme, wenn er irgendwo die Möglichkeit witterte, dem verhassten Reeve eins auszuwischen. Aber es erschien ihr besser, dieses Wissen für sich zu behalten. Mochten Nick und die Leute vom Fernsehen ruhig glauben, Geoff sei mit dem Auftritt in einer Live-Sendung einfach überfordert.

»Na ja, auf jeden Fall bedeutet das einen schönen Zugewinn für die Auflage von *Cover*«, fuhr Nick fort, »und das ist die Hauptsache. Ich werde dich zum Sender begleiten, Rosanna. Wir müssen etwa zwei Stunden vor Beginn da sein. Vorbesprechung, Maske und so weiter. Du bist doch nicht nervös?«

»Nein«, sagte Rosanna. Sie war auch nicht wirklich nervös. Es war mehr eine Art seltsames Unbehagen, das sich in ihr ausbreitete. Als ob die ganze Geschichte mit dieser Fernsehsendung unübersehbare Ausmaße annahm. Am Ende nicht mehr kontrollierbar sein würde.

Sie kannte Nick gut genug, um zu wissen, dass es überhaupt keinen Sinn hatte, ihm das Zusammenspiel mit *Private Talk* ausreden zu wollen. Nick hatte immer und in erster Linie die Auflage seines Blattes vor Augen. Die gigantische, kostenlose Werbung, die einem Fernsehauftritt entsprang, würde er sich nicht entgehen lassen, weil eine Mitarbeiterin ein unbehagliches Gefühl dabei hatte. Im Grunde musste sie das Gute bei all dem sehen und dankbar sein, dass er sich nicht mit Geoffrey Dawson direkt in Verbindung gesetzt und ihn fürs Mitmachen gewonnen hatte. Ihren eigenen Auftritt konnte sie zumindest steuern.

»Also dann, Freitagabend«, sagte Nick und legte auf.

Sie starrte ihr Handy an und dachte: Wie bringe ich das jetzt Marc Reeve bei?

Auf der M11 hatte es einen Unfall gegeben, und offenbar hatte die Polizei die gesamte Fahrbahn gesperrt, denn seit über einer Stunde bewegte sich nicht ein einziges Auto. Mehrere Polizei- und Krankenwagen sowie zwei Feuerwehrautos waren über die Standspur gerast, so dass man sich ausrechnen konnte, dass es heftig gekracht haben musste. Schließlich tauchte auch noch ein Hubschrauber am Himmel auf.

Na, dann gute Nacht, dachte Cedric ergeben.

Etliche Leute waren aus ihren Autos gestiegen, standen frierend auf der Fahrbahn herum, unterhielten sich, gingen auf und ab, versuchten ihre Nervosität wegen der aufgezwungenen Wartezeit irgendwie in den Griff zu bekommen. Bei den meisten handelte es sich um Pendler, die auf dem Weg zur Arbeit nach London waren, bei denen nun wichtige Termine platzten und der ganze Tagesplan durcheinandergeriet. Etliche hielten ihre Handys am Ohr und redeten hektisch auf eine Person am anderen Ende der Verbindung ein. Cedric, der keine Lust hatte, in der klammen Kälte des Februarmorgens herumzustehen und sich lieber in seinem warmen Autositz zurücklehnte, dachte, dass er sich wirklich nicht beklagen musste. Der Stau war ärgerlich, aber es gab absolut nichts, was er deswegen verpasste. Auf ihn wartete ein Hotelzimmer, ein Mittagessen irgendwo um die Ecke, vielleicht mit Rosanna zusammen, wenn sie Zeit hatte. Der Nachmittag war noch nicht verplant. Letztlich war es egal, ob er ihn auf der M11 verbrachte oder anderswo.

Aber seltsamerweise fühlte er sich mit diesem Gedanken kein bisschen besser oder entspannter. Ganz im Gegenteil.

Er betrachtete die entnervten Menschen um sich herum

und stellte zu seiner Verwunderung plötzlich fest, dass er sie beneidete.

Um die Struktur in ihrem Leben, um die Wichtigkeit und den Sinn dessen, was sie taten, um die Ziele, die sie alle zu haben schienen.

Eigentlich hatte er sich schon die ganze Nacht mit ähnlichen Gedanken herumgeschlagen. Er hatte eine Kommilitonin von früher besucht, die in Royston bei Cambridge wohnte. Ein beschauliches kleines Dorf, gepflegte Häuschen, gewellte grüne Wiesen drumherum. Die Kommilitonin war verheiratet und hatte drei Töchter, entzückende kleine Mädchen mit langen Zöpfen und weißen Strumpfhosen. Auf der Fensterbank im Wohnzimmer lagen zwei Katzen. Abends kam ihr Mann nach Hause und wurde von den Mädchen stürmisch begrüßt. Noch vor etlichen Jahren hätte Cedric gedacht: Spießig! Aber die Zeiten waren vorbei. Er dachte an seine New Yorker Wohnung, der stets etwas Kaltes und Düsteres anhaftete, an seine Abende in den Kneipen von Manhattan, an seine rasch wechselnden Bettgefährtinnen und an manchen einsamen Sonntagmorgen, den er nur mit einer Zeitung und dem schmerzhaften Kater vom Vorabend verbrachte.

Sie hatten reichlich getrunken, und man hatte ihm angeboten, die Nacht im Gästezimmer zu verbringen. Als er am Morgen aufwachte, hatte eine der Katzen auf seinen Füßen gelegen, warm und schnurrend, und vor seinem Fenster hatte er die Mädchen plappern und lachen hören. Er war aufgestanden und hatte ihnen nachgeschaut, wie sie in ihren Schuluniformen den Weg hinunter zur Bushaltestelle gingen. Ein jähes Gefühl von Einsamkeit hatte ihn ergriffen. Er war in sein Bett zurückgekrochen, hatte die Katze zu sich heraufgezogen und auf seine Brust gelegt. Er hatte das verrückte Gefühl gehabt, dass ihr weiches Fell sein inneres Frieren linderte.

Im Grunde waren diese Gefühle und Gedanken – dass er etwas versäumt hatte im Leben, dass es ihm nicht gelingen wollte, eine bestimmte Kurve zu bekommen, für die es längst an der Zeit war – nicht neu. Wie ein kleiner, nagender Schmerz saßen sie seit drei oder vier Jahren irgendwo in seinem Kopf oder in seiner Seele. Unauffällig genug, so dass er sie immer wieder verdrängen konnte durch Ereignisse, Menschen, neue Frauen, rauschende Partys, Alkohol. New York bot zahlreiche Möglichkeiten, das, was nicht in Ordnung war, zu überspielen. Aber immer wieder kam es auch zu den Momenten, in denen der Schmerz spürbar wurde und ihm signalisierte: Ich bin immer noch da. Ich werde immer da sein. Wenn du innehältst, wirst du mich bemerken.

Manchmal war das ein Abend inmitten einer glücklichen, intakten Familie. Manchmal ein Stau auf der Autobahn.

In New York war Cedric ein paar Mal zu einem Psychotherapeuten gegangen. Die meisten seiner Bekannten gingen in eine Therapie oder machten eine Analyse, und in einer Phase, in der er sich besonders einsam und nichtsnutzig gefühlt hatte, war Cedric dieser Weg als eine Chance erschienen. Er wusste nicht, ob der grauhaarige Mann, dem er in einem hellen, großen Zimmer in einem bequemen Ledersessel gegenübersaß, als Arzt etwas taugte oder nicht, aber es war ihm zumindest gelungen, recht rasch ein paar Knackpunkten im Leben seines Patienten auf die Spur zu kommen. Regelrecht festgebissen hatte er sich dann bei Geoffrey. Genauer gesagt, bei der Nacht, als der Unfall passiert war. Cedric hatte den fatalen Ablauf der Ereignisse wieder und wieder schildern und seine Gefühle dabei analysieren müssen, bis es ihm zu bunt geworden war. Er hatte den Therapeuten nicht wieder aufgesucht. Es tat ihm nicht gut, über Geoffrey zu sprechen. Natürlich war er nicht

blöd, ihm war schon klar, dass es genau dieses Unbehagen, fast könnte man sagen: dieser Horror war, der ihn bei
jedem Gedanken an Geoff befiel, was die Geschichte für
den Therapeuten interessant machte. Aber dann hätte er
ihm eben schneller helfen müssen. Man konnte doch einen
Patienten nicht bloß einfach wieder und wieder aufwühlen und dann nach Hause schicken. Bis zum nächsten Mal.
Einmal hatte er auf dem Nachhauseweg zu weinen begonnen. Das wollte er nie wieder erleben. Heulend durch die
Straßen von Manhattan zu wanken... was bildete sich der
Typ ein?

Geoffrey. Geoffrey und Cedric. Geoffreyundcedric. Es
hatte eine Zeit gegeben, da hätte man die beiden Namen
in einem einzigen Wort sprechen und schreiben können. So
unzertrennlich waren sie gewesen. Es hatte nichts gegeben,
was sie nicht gemeinsam taten. Fast nichts. Aufs Klo gingen sie allein, und Dates mit Mädchen nahm jeder für sich
wahr. Aber ansonsten... unzertrennlich wie Brüder.

Bis zu jener Nacht.

Er versuchte den Gedanken wegzuschieben. Wenn er hier
in diesem verdammten Stau, der ihn zu völliger Bewegungs-
losigkeit verurteilte, anfing, über Geoffrey nachzudenken,
würde er durchdrehen und entweder schreien oder hupen
oder beides tun. Wahrscheinlich war es ein Fehler gewesen,
nach England zu kommen. Aber sein einsamer Vater hatte ihm leidgetan, und wenn er ehrlich war, so hatte auch in
ihm selbst ein Einsamkeitsgefühl genagt. Schließlich konnte er nicht Geoffreys wegen für alle Zeiten seiner Heimat
fernbleiben. Vielleicht hätte er ihn nicht in diesem furchtbaren Heim besuchen sollen. Aber dann wäre er sich wie
ein Schuft vorgekommen.

Und ausgerechnet jetzt arbeitete Rosanna auch noch an
dieser Geschichte über Elaine. Es ging wirklich mit dem
Teufel zu.

Ich sollte jetzt wenigstens schnell abreisen, dachte er, Zimmer an Zimmer mit Rosanna im Hotel, das muss mich ja aufwühlen. Dauernd spricht sie über Elaine.

Eigentlich hatte er Geoffs kleine Schwester nie allzu gut gekannt. Ein eher weinerliches Mädchen, das jedem auf die Nerven ging. Sie hatte sich zudem zu einem ziemlich unansehnlichen Teenager entwickelt, so dass Cedrics Interesse auch in dieser Hinsicht nie erwacht war. Eigentlich hatte er sie immer übersehen. Nicht einmal ihr Verschwinden fünf Jahre zuvor hatte ihn wirklich berührt.

Heute, zum ersten Mal, in diesem dicken Stau auf der M11, dachte er: die kleine Elaine. Was, verdammt, ist bloß mit ihr passiert?

Es gab Mädchen, von denen hätte er sofort geglaubt, dass sie mit einem Kerl durchgebrannt waren. Oder solche, von denen man sich vorstellen konnte, dass sie sich per Anhalter auf einen ziellosen Weg machten, am Ende in irgendeiner WG landeten oder in einer Selbsterfahrungsgruppe auf dem Land. Solche, die sich nach Paris aufmachten oder in die Provence, wo sie schließlich Oliven oder selbstgemalte Bilder verkauften. Mädchen, um die man sich eigentlich keine Sorgen machen musste, weil sie abenteuerlustig waren, neugierig, wild und lebenshungrig.

Aber nicht Elaine.

Wenn er sie hätte beschreiben sollen, wären ihm Begriffe eingefallen wie: verklemmt. Langweilig. Prüde. Spießig.

Er wusste, dass sie, aufgewachsen ohne den früh verstorbenen Vater, nach dem Tod der Mutter hingebungsvoll für Geoffrey gesorgt hatte. War es vorstellbar, dass sie ihn verließ? Wissend, dass dies für ihn ein Leben im Heim bedeutete?

Er schüttelte den Kopf. Das passte nicht zu ihr. Und doch war es vielleicht anmaßend, dass jeder, der sie gekannt hatte, meinte sagen zu können, was zu ihr gepasst hätte und was nicht. Denn zu Elaines seltsam zurückgenommenem Wesen hatte es gerade gehört, dass eigentlich niemand wirklich von *kennen* hatte sprechen können. Es gab keine Freundin, mit der sie sich ausgetauscht hätte. Niemanden, den sie in ihr Inneres hätte blicken lassen. Jedenfalls nicht, dass einer davon gewusst hätte.

Eben, dachte er, ärgerlich auf sich selbst, auch das weiß ich eigentlich nicht. Ich weiß nichts. Rosanna weiß nichts. Vielleicht weiß nicht einmal Geoffrey so viel, wie er glaubt.

Es war ein ganz neuer Gedanke, der sich plötzlich in Cedric ausbreitete, aber er fand ihn keinesfalls abwegig: Wenn nun Elaine eine ganz andere gewesen war, als sie alle geglaubt hatten? Wenn sich hinter ihrer unscheinbaren Fassade, hinter ihrer schüchternen Zurückhaltung in all den Jahren ein ganz anderer Mensch aufgebaut und entwickelt hatte, jenseits der treusorgenden Schwester, der pflichtbewussten Arzthelferin, dem farblosen Mauerblümchen? Möglich, dass Elaine ein Doppelleben geführt hatte. Und dass sie die Reise nach Gibraltar genutzt hatte, sich in dieses andere Leben zu verabschieden.

Cedric lehnte sich in seinem Autositz zurück. Ein zweiter Hubschrauber war am Horizont aufgetaucht. Es musste wirklich ein furchtbarer Unfall sein, der sich ereignet hatte.

Das konnte dauern.

Ergeben schloss er die Augen. Wie es aussah, konnte er in aller Ruhe noch ein kleines Schläfchen einschieben, ehe es weiterging.

5

Das Apartment war kleiner als ihre bisherige Wohnung, aber viel heller und freundlicher. Ein Wohnzimmer mit einer Kochnische und mit Kiefernholzmöbeln eingerichtet, ein winziges Schlafzimmer mit geblümten Vorhängen am Fenster und einem bunten Flickenteppich auf dem Boden, ein hellblau gefliestes Bad, das zwar keine Wanne, aber zumindest eine Dusche hatte. Wenn man aus den weiß lackierten Sprossenfenstern blickte, sah man über die flachen Wiesen, die sich hinter dem Haus in die Endlosigkeit erstreckten. Winterfahles, niedriges Gras auf sandigem Boden. Wenn man sich zum Badezimmerfenster weit hinauslehnte und nach rechts schaute, konnte man einen Zipfel vom Meer sehen.

Sie wusste, dass sie sich hier wohl fühlen würde. Viel wohler als in dem dunklen Loch über dem schrecklichen Mr. Cadwick.

Mrs. Smith-Hyde, die Besitzerin des Hauses, musste an die sechzig Jahre alt sein und war alles andere als freundlich, aber wenigstens würde sie ihr nicht nachstellen und sich vermutlich auch nicht allzu sehr in ihre Belange einmischen. Sie war seit zwei Jahren Witwe und hatte ihr relativ geräumiges Haus so umbauen lassen, dass das kleine Apartment dabei entstanden war.

»Das Haus war für mich einfach zu groß«, sagte sie, »ich habe mich sehr verloren gefühlt. Außerdem fand ich es unheimlich, immer so allein zu sein. Es ist beruhigend, wenn eine zweite Person im Hause ist.«

»Ich arbeite als Bedienung im *Elephant* in Langbury. Ich komme sehr spät nachts nach Hause…«

»Das macht nichts. Hauptsache, irgendjemand kriegt es irgendwann mit, wenn mir etwas passiert. Man liest ganz schön oft davon, finden Sie nicht? Von älteren Menschen, die in ihren Wohnungen stürzen, und keiner bemerkt es, und schließlich ist es dann für jede Hilfe zu spät. So etwas möchte ich vermeiden.«

»Das kann ich gut verstehen.«

Mrs. Smith-Hyde sah sie misstrauisch an. »Bedienung, sagten Sie? Sie bringen aber keine Männer mit hierher?«

Warum denken so viele Leute bei Bedienung gleich an leichte Mädchen?, fragte sie sich.

»Nein«, sagte sie, »bestimmt nicht. Ich bringe keine Männer mit.«

»Ich bin kein Stundenhotel«, stellte Mrs. Smith-Hyde die Dinge noch einmal ganz klar. »Ich vermiete an Sie, nicht an diverse Herren, die sich dann hier bei Ihnen einnisten.«

»Da müssen Sie sich keinerlei Gedanken machen, Mrs. Smith-Hyde.«

Die ältere Dame knurrte etwas, das wie *hoffentlich* klang, und meinte dann übergangslos: »Die Miete für den ersten Monat will ich aber gleich im Voraus. Also die für den restlichen Februar und für März. Und zwei Mieten als Kaution.«

Sie schluckte. Das würde teuer werden.

»Wann kann ich denn einziehen?«, fragte sie.

»Sofort, wenn Sie mögen.«

»Hm.« Sie überlegte. Sie hatte bei Mr. Cadwick den Februar bereits bezahlt, und wenn sie nun Hals über Kopf und ohne die geringste Frist zu wahren bei ihm auszog, stand nicht zu erwarten, dass sie auch nur einen Penny davon wiedersehen würde. Andererseits hielt sie es einfach keinen Tag länger bei ihm aus, also blieb ihr nichts übrig, als den Februar doppelt zu bezahlen, eine ungeheure Verschwendung, aber sie hatte keine Wahl. Immerhin musste Mr. Cadwick ihr ebenfalls eine Kaution zurückzahlen, so dass sie in dieser Hinsicht kein größeres Loch in ihrer Kasse zu erwarten hatte. Ein Fahrrad musste sie schließlich auch noch kaufen. Anders konnte sie in der Nacht nicht von Langbury bis zu ihrem neuen Domizil gelangen.

»Dann miete ich es sofort«, sagte sie entschlossen, »und innerhalb der nächsten Tage werde ich einziehen. Ich habe auch bisher möbliert gewohnt. Ich bringe eigentlich nur meine Kleider mit.«

»In Ordnung«, stimmte Mrs. Smith-Hyde zu. »Sie haben einen guten Griff getan, das kann ich Ihnen sagen. Wenn Sie hinten aus dem Garten hinausgehen und über die Wiesen laufen, kommen Sie zum Strand. Im Sommer kann man da baden. Und es sind kaum Leute da. Hierher verirrt sich nie jemand.«

Genau das, was ich suche, dachte sie, und doch wurde ihr gerade bei dieser Formulierung ein wenig schwer ums Herz. Ja, hierher verirrte sich vermutlich noch weniger jemand als nach Langbury. Ihr Leben geriet immer tiefer in die Einsamkeit, in die Abgeschiedenheit. Sie war keine dreißig Jahre alt und vergrub sich im Haus einer ältlichen Witwe irgendwo in der Mitte von Nirgendwo. Mit der Aussicht, dass sich daran nie etwas ändern würde.

»Also dann«, sagte sie, »ich muss mich beeilen, damit ich den Bus zurück nach Langbury noch bekomme. Auf Wiedersehen, Mrs. Smith-Hyde. Ich freue mich auf die Wohnung.«

»So schön kriegen Sie es nirgends«, sagte Mrs. Smith-Hyde mit einiger Selbstzufriedenheit. Sie schloss sehr sorgfältig die Tür zum Apartment ab. Die beiden Frauen standen auf einer kleinen, zugigen Terrasse seitlich des Hauses. Von dort gab es den direkten Zugang zu der kleinen Wohnung. Auch das war ein Vorteil: ein eigener Eingang.

Als sie zum Bus lief, recht eilig, damit ihr warm wurde und sie zudem nicht die Abfahrt verpasste, dachte sie: Es ist hell. Immerhin. Vielleicht ist es doch ein erster Schritt. Vielleicht wird sich mein Leben irgendwann öffnen.

Sie verharrte an einem kleinen Gemischtwarenladen, stieß dann entschlossen die Tür auf und trat ein. Sie kaufte einen *Daily Mirror*, denn sie hatte an diesem Tag noch keine Zeitung gelesen. Es war ihr wichtig, jeden Tag in ein Blatt zu schauen. Nicht wegen der Politik, die im Land betrieben wurde, auch nicht, weil sie irgendetwas interessierte, was im Ausland geschah. Seit fünf Jahren hegte sie eine einzige Hoffnung: einmal eine kleine Meldung in einer Zeitung zu finden, die ihr berichtete, dass Pit verhaftet worden war. Dass er für viele Jahre im Knast verschwinden würde. Oder, noch besser: Bei seiner Festnahme hätte er sich einen Schusswechsel mit der Polizei geliefert und wäre dabei ums Leben gekommen. Tot. Ausgelöscht. Ungefährlich. Knochen in der Erde, nicht mehr.

Sie wusste, wie unwahrscheinlich es war, dass überhaupt eine Zeitung davon berichten würde, selbst wenn das Ersehnte passieren sollte. Pit, wie auch sein Freund Ron, waren kleine Fische. Oder auch nicht. Fand erst jemand heraus, was alles auf ihr Konto ging – vielleicht waren sie dann doch eine Meldung wert. Sie musste jedenfalls am Ball bleiben.

Die Zeitung in der Hand, trabte sie weiter. Im Laufen warf sie einen Blick auf die Titelseite.

Grausamer Mord im Epping Forest lautete die Schlagzeile. Darunter abgebildet war das Foto eines noch sehr jungen, hübschen blonden Mädchens. *Wer ist Linda Biggs' Mörder?* wurde gefragt, und weiter, besonders fett gedruckt: *Wer tut so etwas?*

Dann folgten die Details. Sie las. Sie blieb stehen. Sie dachte nicht mehr an den Bus, den sie erreichen musste. Sie dachte nur noch: Wie Jane French.

Mein Gott, wie Jane French!

Es war, als habe sie gerade eine Nachricht von Pit bekommen.

Nur nicht die, auf die sie gehofft hatte.

6

Erst am späten Mittwochnachmittag war Angela allein in der Wohnung und wagte sich an den Computer ihres Bruders Patrick. Genau genommen war sie nicht ganz allein, denn Sally war da, lag aber im Wohnzimmer auf dem Sofa und hatte ein starkes Beruhigungsmittel genommen, das zusammen mit ihrem wie üblich reichlich konsumierten Alkohol eine geradezu umwerfende Wirkung entfaltete: Sie hatte es gerade noch bis zu ihrer Liegestatt geschafft, dann waren ihr buchstäblich die Beine weggeknickt, sie war umgekippt und lag nun im Tiefschlaf. Ihr Mund stand leicht offen, ihre gequälten Gesichtszüge entspannten sich. Angela gönnte es ihr. Auf die Katastrophe, die unvermittelt in ihr Leben hereingebrochen war, reagierte Sally so, wie sie schon immer auf alle Probleme reagiert hatte: Sie suchte die Betäubung im Schnaps. Diesmal jedoch gelang es ihr nicht, im Rausch Entspannung zu finden, selbst die Trunkenheit nahm ihr nicht die Gedanken und die Bilder, die sie folterten. Mit Hilfe des Medikaments fand sie nun etwas Ruhe.

Gordon, der seit dem Abschied von Inspector Fielder nur in der Küche gesessen und vor sich hin gestarrt hatte, war plötzlich aufgestanden und hatte erklärt, hier in der Wohnung verrückt zu werden, er müsse hinaus an die frische Luft, laufen, atmen, irgendetwas tun. Er war kreidebleich gewesen, als er seine Stiefel anzog, seinen Anorak griff und mit lautem Türenschlagen hinausging. Angela wusste, er versuchte vor den Bildern davonzulaufen, die ihn peinigten, die sie alle peinigten: die Bilder von Lindas letzten Lebensstunden, letzten Lebensminuten. Es ging nicht nur darum, dass sie eine Tochter, eine Schwester verloren hatten, sie mussten von nun an mit der Tatsache leben, dass einem Mitglied ihrer Familie auf schlimmste Art Gewalt angetan worden war, Gewalt, die einen tödlichen Ausgang genommen hatte. Linda war nicht friedlich gestorben. Sie war durch die Hölle gegangen, war missbraucht und gequält worden, hatte vermutlich um ihr Leben gekämpft und gebettelt, sich mit aller Kraft gewehrt und doch nie den Hauch einer Chance gehabt.

»Lindas Mörder war ein Psychopath«, hatte Fielder erklärt. »Linda wurde sadistisch gequält. Wer das getan hat, ist krank. Und hochgradig gefährlich.«

Es ist entsetzlich, dachte Angela, das werden wir alle für den Rest unseres Lebens mit uns herumtragen. Das wird uns nie mehr verlassen.

Nichts würde je wieder normal sein.

Die Jungs, von denen keiner heute in der Schule gewesen war, waren nacheinander verschwunden, wohin, wusste niemand. Wahrscheinlich hingen sie irgendwo mit ihren Cliquen herum, rauchten Zigaretten, kickten Bierdosen umher, taten sich vielleicht mit markigen Sprüchen hervor. Lindas Bild war am Morgen in mehreren Zeitungen gewesen. In Islington wusste man, welcher Schicksalsschlag die Biggs' getroffen hatte. Angela konnte sich vorstellen, dass sich ihre Brüder nun betont cool gaben. Ihre Art, mit der Verarbeitung zu beginnen. Eine Verarbeitung, die Angelas Ansicht nach keiner von ihnen je zufriedenstellend abschließen würde.

Sie hatte Patricks Computer schon manchmal benutzt. Eigentlich musste sie vorher fragen, aber sie hatte ungestört sein wollen. Zum Glück kannte sie sich aus. Sie gab das für Patrick typische Passwort – *Fuck* – ein, um ins Internet zu kommen, rief Google auf und trug den Namen ein, um den es ihr ging: Jane French.

Eine Sekunde später hatte sie seitenweise Einträge vorliegen.

Jane French war am 17. November 2002 im Epping Forest gefunden worden. Sie hatte mit dem Kopf in einem kleinen Tümpel gelegen, der sich direkt neben einem Unterstand befand, der zu einem sehr abgelegenen Grillplatz gehörte. Zwei Wanderer, ein älteres Ehepaar, hatten in der Hütte Schutz vor einem plötzlichen Regenguss gesucht, zufällig durch eines der hinteren Fenster geblickt und die tote Frau entdeckt. Bei der gerichtsmedizinischen Untersuchung stellte sich heraus, dass Jane French tagelang dort gelegen haben musste. Im November grillte niemand mehr, und offensichtlich hatte auch sonst niemand seit längerem den Unterstand aufgesucht.

Der Fundort war nicht identisch mit dem Tatort.

Jane French wies heftige Verletzungen im Vaginalbereich auf, sie musste mit einem scharfen Gegenstand, möglicherweise mit einer Glasflasche, vergewaltigt worden sein. Sie hatte Schnittwunden am ganzen Körper und Spuren von Faustschlägen im Gesicht. Mehrere Rippenbrüche und schwere Verletzungen im Unterbauch deuteten darauf hin, dass sie mit Fußtritten traktiert worden war. An all dem war sie jedoch nicht gestorben. Als Todesursache war *Tod durch Ertrinken* angegeben. Gefesselt und bewusstlos hatte man sie am Rande des Teichs abgelegt, und zwar so, dass sich ihr Gesicht unter Wasser befand.

Angela lehnte sich zurück. Sie merkte, dass sie Kopfschmerzen bekam und dass ihr übel war. Wer tat so etwas mit einer jungen Frau? Folterte und quälte sie auf jede nur denkbare schreckliche Weise und tötete sie schließlich besonders brutal und grausam. War sie von der Bewusstlosigkeit in den Tod geglitten? Oder war sie noch einmal aufgewacht, hatte versucht, sich zur Seite zu rollen, hatte es nicht geschafft und war schließlich zu entkräftet gewesen, den Kopf über der Wasseroberfläche zu halten?

Sie klickte sich weiter durch die Berichte. Jane French

war nicht als vermisst gemeldet gewesen, und die Polizei hatte fast zwei Wochen lang im Dunkeln getappt, um wen es sich bei der Toten handelte. Dann hatte sich endlich eine Freundin von ihr gemeldet, die sie auf dem Zeitungsfoto zu erkennen geglaubt hatte. Die Freundin, eine drogensüchtige Prostituierte, hatte lange mit sich gerungen, ob sie die Polizei anrufen sollte, da sie wohl selbst jede Menge Dreck am Stecken hatte und den Kontakt mit den Gesetzeshütern scheute wie der Teufel das Weihwasser. Zum Glück hatte sie sich schließlich doch überwunden und die Tote zweifelsfrei identifiziert. Sie hatte angegeben, dass Jane French zum Zeitpunkt ihres Todes zwanzig Jahre alt gewesen war. Sie stammte aus Manchester, war mit siebzehn Jahren nach London gekommen. Ihr Vater lebte schon lange nicht mehr, zu ihrer Mutter hatte sie jeden Kontakt abgebrochen, so dass dieser das Verschwinden der Tochter nicht hatte auffallen können. In London hatte sie sich zunächst mit den verschiedensten Gelegenheitsjobs über Wasser zu halten versucht, war aber letztlich auf dem Straßenstrich gelandet. Mit der Freundin hatte sie sich ein Zimmer geteilt. Jane nahm keine Drogen, trank nicht einmal Alkohol und wollte weg von der Prostitution. Sie hatte davon geträumt, jemanden zu finden, der sie heiratete und ihr ein besseres Leben ermöglichte.

»Aber die Kerle, die sie kennen gelernt hat«, wurde die Freundin zitiert, »die waren alle miteinander nichts wert.«

Im März des Jahres 2002 war sie plötzlich nicht mehr in dem gemeinsamen Zimmer aufgetaucht. Sie verschwand ohne jede Vorankündigung. Augenscheinlich hatte sie nur ihre Handtasche dabei – die allerdings später nicht mehr auftauchte – und die Kleider, die sie am Leib trug.

Die Freundin hatte sich darüber nicht allzu sehr gewundert, zumindest nicht aufgeregt.

»Jane erzählte nie viel. Ich dachte, sie hat endlich jemanden kennen gelernt und ist vielleicht bei dem eingezogen. Warum sie nichts mitgenommen hat? Keine Ahnung. Vielleicht wollte sie einfach mit ihrem ganzen alten Leben nichts mehr zu tun haben. Ich wusste ja, dass sie weg wollte von all dem.«

Laut der verschiedenen Berichte hatte die Polizei nach weiteren Spuren in Janes Umfeld gesucht, war aber kaum fündig geworden. Von den diversen Freiern war niemand mehr aufzutreiben gewesen, erwartungsgemäß hatte sich auch niemand gemeldet. Man hatte sich mit Janes Mutter in Verbindung gesetzt, aber die hatte ihre Tochter seit drei Jahren nicht mehr gesehen und nichts von ihr gehört und konnte nicht die geringste Auskunft geben. Letztlich verfestigte sich der Verdacht, dass Jane French in Ausübung ihres Jobs an einen Psychopathen geraten und arglos in dessen Wagen gestiegen war, das »klassische Berufsrisiko der Prostituierten«, wie eine Zeitung etwas zynisch schrieb. Die Polizei hatte sich auf weitere Morde gefasst gemacht, da man davon ausging, dass ein derart gestörter Täter seinen Durst erneut würde stillen müssen, aber tatsächlich war dann nichts mehr geschehen, das die Handschrift des Falles Jane French getragen hätte. Sie blieb der einzige derartige Fall.

Bis zum 12. Februar 2008. Dem Tag, an dem eine Spaziergängerin die furchtbar zugerichtete Leiche der jungen Linda Biggs im Epping Forest gefunden hatte.

Angela hob den Kopf. Ihre Augen brannten. So intensiv und angestrengt hatte sie auf den Bildschirm gestarrt, dass sie gar nicht gemerkt hatte, wie sich ihr ganzer Körper verspannt hatte. Nun stieß sie unwillkürlich einen leisen Schmerzenslaut aus: Ihre Schultern und ihr Nacken taten bei jeder Bewegung weh.

Sie wusste, dass sie keine Polizeiarbeit leisten konnte, aber sie hatte doch gehofft, etwas zu finden, das als entscheidender Hinweis gelten würde. Irgendeine Gemeinsamkeit zwischen jener unbekannten Jane French und ihrer kleinen Schwester Linda. Etwas, das der Polizei vielleicht nicht auffallen konnte, das sie, die Linda gekannt hatte wie niemand sonst, jedoch auf die richtige Spur führen würde. Bislang hatte sie keine Information gefunden, bei der es sie wie ein Blitz durchzuckt hätte.

Sie starrte wieder auf den Bildschirm.

Worin bestanden Übereinstimmungen?

Beide Frauen waren im Epping Forest gefunden worden, allerdings in völlig verschiedenen Ecken.

Beide Frauen waren auf die gleiche Art – mit einem scharfzackigen Gegenstand – vergewaltigt worden, man hatte sie geschlagen und getreten. Körperflüssigkeit des Täters war nicht zurückgeblieben, was eine Aufklärung erschwerte.

Beide waren am Ende ertrunken.

Ihre Todesumstände wiesen auffallend viele Übereinstimmungen auf.

Was war mit ihren Lebensumständen?

Jane French hatte als Prostituierte gearbeitet. Linda hatte sich – Angela musste es widerwillig vor sich selbst zugeben – wie eine Prostituierte gekleidet. Lag da ein Anhaltspunkt? Fuhr der durchgeknallte Typ auf eine bestimmte Art der Aufmachung ab?

Aber Hunderte liefen so herum. Er hätte nicht über fünf Jahre warten müssen, um sein nächstes Opfer zu finden. Es gab harmlose Schulmädchen, die an den Wochenenden auf eine Weise gekleidet in die Diskotheken strömten, als seien sie in Wahrheit auf den nächstbesten Freier aus.

Oder hatte Gordon, ohne das wirklich zu wissen, recht gehabt, wenn er Linda so oft als *Nutte* betitelte? War da ein Zusammenhang mit Lindas im letzten halben Jahr offensichtlich veränderten finanziellen Verhältnissen? Hatte

sie heimlich ihre Kasse auf diese ganz spezielle Weise auf-
gebessert? Und war zufällig an denselben abartigen Verbrecher geraten, der auch Jane auf dem Gewissen hatte?

Blieb die Frage nach der langen Zeit dazwischen. Warum
hatte sich der Typ nicht alle paar Monate ein Mädchen
vom Straßenstrich geschnappt?

Sie vertiefte sich wieder in die Berichte.

Und wenn es bis zum nächsten Morgen dauerte. Sie würde etwas finden.

Donnerstag, 14. Februar

I

Dennis meldete sich nicht einmal am Valentinstag. Rosanna hatte am Morgen auf einen Anruf gehofft, hatte auch zum Joggen ihr Handy mitgenommen, um gewappnet zu sein, aber aus Gibraltar kam weiterhin nichts als Schweigen.

Es war typisch Dennis. Wenn er beleidigt war, dann war er beleidigt. Das konnte ewig dauern.

Kurz hatte sie erwogen, die Klügere zu sein, nachzugeben und ihn von sich aus zu kontaktieren. Aber dann fürchtete sie die Debatte, die sich daraus ergeben konnte. Da er ihr offensichtlich noch immer grollte, würde er die Gelegenheit sicherlich nutzen, ihr erneut seinen Standpunkt darzulegen, und ihr überdies erklären, dass ihr eigener Standpunkt ihn dabei nicht im Mindesten interessierte. Sie würden in Streit geraten, und sie konnte jetzt nichts ertragen, was ihre Nerven zusätzlich belastete. Sie war angespannt genug wegen der Fernsehsendung am nächsten Tag. Zudem war sie für zehn Uhr mit Marc Reeve in einem Café verabredet. Sie wollte sich konzentrieren.

Sie hatte Reeve am Vorabend angerufen, um ihn über die geplante Sendung zu informieren, was sie angesichts seiner Bereitwilligkeit, ihr ein Gespräch zu gewähren, für fair hielt. Wie sich herausstellte, wusste er schon Bescheid und wirkte ziemlich deprimiert.

»Die haben bei mir auch angerufen«, hatte er erklärt, »und wollten mich einladen. Ich habe abgesagt, weil das nur bedeuten würde, dass mein Gesicht wieder allen ins Gedächtnis gerufen wird. Es reicht, dass der Fall gründlich aufgewirbelt wird. Und ich hatte schon gedacht, die Sache sei endlich ausgestanden.«

»Es tut mir sehr leid, Mr. Reeve. Die Geschichte bekommt mehr Publicity, als ich selbst geahnt habe. Ich kann leider meine Teilnahme an der Sendung nicht absagen. Mein Chefredakteur ...«

»Ich weiß. Sie müssen Ihren Job machen. Ich verstehe das wirklich.«

Ihr war ein Einfall gekommen. »Meinen Sie, wir könnten uns vorher noch einmal treffen? Wenn man derart an Ihnen interessiert ist, wird man mich auch auf Ihre Rolle in der ganzen Geschichte ansprechen. Vielleicht sollte ich noch ein bisschen besser vorbereitet sein.«

Er hatte gezögert. Deutlich gezögert. Sie hatte begriffen, dass er ihr noch immer nicht vertraute.

»Es bleibt dabei«, sagte sie, »dass ich nichts schreiben oder sagen werde, was Sie nicht wollen.«

»Schon okay«, sagte er.

Er hatte eingewilligt, sich mit ihr zu treffen, immerhin. Aber für sie war deutlich spürbar, dass er viel lieber gesagt hätte: *Lasst mich alle in Ruhe! Verschont mich endlich mit dieser Geschichte!* Er war ihr gegenüber schon am ersten Tag ganz offen gewesen: Auf die Gespräche mit ihr ließ er sich nur deshalb ein, weil ihm damit eine Möglichkeit zur Einflussnahme blieb. Er tat es weder gern noch vertrauensvoll.

Eigentlich kam sie sich vor wie ein lästiger kleiner Terrier, der sich kläffend im Hosenbein eines Vorübergehenden festgebissen hatte. Eine Rolle, die ihr nicht im Mindesten behagte, und an diesem Morgen dachte sie plötzlich, dass dieser England-Aufenthalt, der ihre Ehe zum ersten Mal auf eine echte Bewährungsprobe stellte, am Ende sein Gutes hatte: Ihrem Beruf als Journalistin würde sie danach vielleicht nicht mehr nachtrauern. Es gehörte zum Job, sich in die Angelegenheiten anderer einzumischen, und offenbar hatte sich bei ihr im Laufe der Jahre etwas verändert. Sie war sensibler geworden. Sie fühlte sich unwohl dabei. Es schien nicht mehr das zu sein, was zu ihr passte.

Darüber zumindest wird Dennis sich freuen, dachte sie.

Sie saß eine Viertelstunde zu früh in dem vereinbarten Café an der Oxford Street, und dieser Umstand verriet ihr etwas über den steigenden Grad ihrer Nervosität. Für gewöhnlich wurde sie nicht von einer derartig heftigen inneren Unruhe vorangetrieben. Um sich zu beschäftigen, machte sie sich ein paar Notizen zu einem der anderen Fälle, von denen sie sich immer wieder ins Gedächtnis rufen musste, dass sie genauso wichtig waren wie Elaines Geschichte. Über das Wochenende, dazu war sie fest entschlossen, würde sie zu einem von ihnen ihren ersten Artikel schreiben. Überhaupt würde sie morgen Abend, nach ihrem Fernsehauftritt, mit Elaine abschließen. Sie würde das Material verwenden, das sie hatte, die Geschichte schreiben und von da an alles ruhen lassen. Fertig. Sie musste zu einem Ende kommen.

Marc Reeve erschien pünktlich auf die Minute. Wieder sah er müde und angestrengt aus, obwohl es noch früh am Tag war. Er wirkte wie jemand, der nachts schlecht schlief. Rosanna hatte sofort ein schlechtes Gewissen, und plötzlich empfand sie auch einen gewissen Ärger auf Nick. Er hatte sie auf Reeve gehetzt. Hätte man den Mann nicht in Ruhe lassen können?

»Warten Sie schon lange?«, fragte Reeve und blickte auf seine Uhr.

Sie schüttelte den Kopf. »Ich war einfach zu früh. Das liegt an meiner Nervosität. Diese Sendung morgen…« Sie sprach den Satz nicht zu Ende, sondern sagte stattdessen: »Danke, dass Sie sich mitten am Tag die Zeit nehmen.«

»Es liegt in meinem Interesse«, erwiderte Reeve. Er setzte

sich. »Ich habe eine knappe Stunde für Sie. Meine Sekretärin hat die Grippe, ich bin allein im Büro, und es geht alles ziemlich drunter und drüber. Was möchten Sie wissen? Sie sagten, Sie wollten ein bisschen besser vorbereitet sein?«

»Äh... ja...« Sie räumte rasch ihre Unterlagen zu dem anderen Fall beiseite, kramte einen Notizblock hervor, auf dem sie sich einige Punkte notiert hatte. »Es gibt da das eine oder andere Problem...«

Die Kellnerin trat heran. Nachdem sie jeder einen Cappuccino bestellt hatten, sagte Rosanna: »Eine Frage hat sich für mich nicht geklärt. Sie waren an jenem Januarabend in Heathrow, um nach Berlin zu fliegen. Was, wie bei allen anderen, nicht klappte. Am nächsten Morgen begleiteten Sie Elaine in aller Frühe zur U-Bahn-Station Sloane Square. Warum fuhren Sie nicht auch zum Flughafen? Und versuchten erneut, einen Flug zu bekommen?«

»Weil sich für mich die Sache erledigt hatte. Es ging um ein Abendessen in Berlin. Mit einem polnischen Mandanten, an dem die Kanzlei, in der ich bald darauf assoziiert sein sollte, interessiert war. Nachdem alle Flüge abgesagt waren, rief ich unsere Kontaktperson an und fragte, ob sich die Begegnung auf den nächsten Tag verschieben ließe. Das war jedoch nicht möglich, unser potenzieller Mandant musste an jenem Samstagmorgen bereits nach Polen zurück. Wir vereinbarten einen erneuten Versuch ein paar Wochen später. Dazu kam es allerdings nicht mehr, jedenfalls nicht mit meiner Beteiligung. Denn da hatte mich die Presse bereits in der Luft zerrissen, und vonseiten der Kanzlei hatte man mir signalisiert, dass man an einer Zusammenarbeit nicht länger interessiert sei. Ich war draußen.« Er zuckte mit den Schultern. Sein Gesichtsausdruck verriet nichts darüber, was in ihm vorging.

Rosanna, die spürte, dass er Sachlichkeit wünschte und keinesfalls eine bedauernde Bemerkung, nickte und krit-

zelte zwei oder drei Stichworte aufs Papier. Ein Lebensschicksal, dachte sie, ein Lebensschicksal, innerhalb weniger Augenblicke völlig auf den Kopf gestellt.

»Sie sahen Elaine zuletzt am Eingang zur U-Bahn?«, fuhr
sie fort.

»Nein«, sagte Reeve, »ich sah sie hinter dem Fenster der
abfahrenden Bahn. Ich brachte sie bis hinunter, half ihr, das
Ticket zu lösen, und achtete darauf, dass sie in den richtigen Zug stieg. Sie war ja zum ersten Mal in London und
zudem noch immer ziemlich aufgelöst. Ich dachte, sie landet Gott-weiß-wo, wenn ich nicht aufpasse.«

»Noch immer aufgelöst?«

»Sie weinte nicht mehr. Aber sie war zweifellos sehr
durcheinander. Es ging gar nicht so sehr um diesen Flug,
um diese Reise nach Gibraltar. Es ging um ihr ganzes Leben. Ja, ich glaube, so hatte sie es selbst formuliert, nachts,
als wir noch miteinander sprachen. *Es geht um mein ganzes Leben*, sagte sie irgendwann, *ich habe das Gefühl, jetzt
geht es um alles*. So ungefähr lauteten ihre Worte.«

»Haben Sie eine Vorstellung, was genau sie damit
meinte?«

Die Kellnerin brachte die beiden Cappuccino und stellte
einen Teller mit bröselig wirkendem Gebäck dazu. Reeve
griff sich einen der Kekse, aß ihn aber nicht, sondern drehte
ihn zwischen seinen Fingern.

»Ich hatte durchaus eine Vorstellung. Und ich könnte
mich heute ohrfeigen, dass bei mir nicht rechtzeitig die
Alarmglocken ansprangen. Im Grunde hat sie mir ziemlich
deutlich signalisiert, dass sie ausbrechen möchte. Dass sie
mit dem Leben so, wie sie es führt, nicht mehr zurecht-
kommt. Dass sie weg will, in erster Linie von ihrem Bruder, aber auch von dem Dorf, von ihrem Job... von einfach
allem. Wenn ich ein bisschen intensiver nachgedacht hätte,
wäre mir vielleicht bewusst geworden, dass sie die Gele-

genheit nutzen und untertauchen würde – und dass ich, als der Letzte, der mit ihr zusammen war, in irgendeiner Form da mit hineingezogen werden könnte. Aber so genau dachte ich eben nicht nach. Ehrlicherweise muss ich zugeben, dass sie mich gar nicht genug interessierte, als dass ich mich noch viel mit ihr beschäftigt hätte. Ich hatte meine gute Tat vollbracht. Hatte ihr ein Zimmer für die Nacht gegeben, mir stundenlang ihre Klagen angehört und sie am Ende in die richtige U-Bahn gesetzt. Das war's für mich. Ich ging nach Hause, setzte mich an meinen Schreibtisch und fing an zu arbeiten.«

»Was hätten Sie auch tun sollen?«

»Ja. Was hätte ich tun sollen? Im Nachhinein habe ich mich das oft gefragt. Mit nach Heathrow fahren, mich vergewissern, dass sie ins Flugzeug steigt? Dann wäre nachweisbar gewesen, dass sie mein Haus lebend verlassen hat. Darauf bestehen, dass sie ihren Bruder anruft, ihm erklärt, dass es ihr gut geht? Sie eigenhändig nach Somerset zurückkutschieren, um sicherzugehen, dass sie keinen Blödsinn macht? Aber das sagt sich jetzt leicht. Im Übrigen – wie hätte ich mir das anmaßen können? Ich hatte keinen Teenager vor mir. Sie war jung, aber sie war erwachsen. Sie konnte tun und lassen, was sie wollte.«

»Ich denke«, sagte Rosanna sanft, »Sie müssen sich nichts vorwerfen.«

Reeve schüttelte den Kopf. »Doch. Ich muss mir etwas vorwerfen. Aber kein Versäumnis. Ich muss mir nicht vorwerfen, etwas *nicht* getan zu haben, ich muss mir vorwerfen, *etwas getan zu haben*. Es war eine grobe Fehlhandlung, diese weinende junge Frau mit zu mir nach Hause zu nehmen. Es war die dümmste Tat meines Lebens. Es war …«, mit einer fast wütenden Bewegung legte er den zerbröselten Keks auf den Tisch, »es war kompletter Schwachsinn!«

»Sie wollten helfen.«

»Ja, ich wollte helfen. Und ich dachte einfach nicht an irgendwelche sich möglicherweise ergebenden Verwicklungen. Und dennoch... es gab da einen kurzen Augenblick auf dem Flughafen...« Er schwieg.

»Ja?«, fragte Rosanna.

Er sah sie nicht an. »Es gab einen Augenblick, da funktionierte mein Sicherungssystem. Kurz bevor ich ihr anbot, mitzukommen. Es war... fast wie ein Reflex. Ich sah sie an und checkte in Gedanken ihr Alter.«

»Ihr Alter?«

»Ich klärte für mich ab, dass sie nicht minderjährig war. Nicht, weil ich irgendetwas mit ihr vorgehabt hätte. Aber ein minderjähriges Mädchen hätte ich nicht mitgenommen. Einfach, um mir jede Art von Ärger zu ersparen. Und das ist es, was ich mir heute so übel nehme. Dass ich ein Warnlicht gesehen, es aber zu schnell ausgeschaltet habe. Elaine Dawson war deutlich mindestens zwanzig Jahre alt. Damit war für mich das Problem abgehakt. Und das war der Fehler. Mir hätte sofort klar sein müssen, dass aus dem Umstand, eine wildfremde Frau mit nach Hause zu nehmen, Schwierigkeiten erwachsen können, ganz gleich, ob sie fünfzehn ist oder dreiundzwanzig.«

»Ein Reflex«, sagte Rosanna, »Sie sprachen von einem Reflex.«

Er lächelte schwach. »Den Reflex haben wahrscheinlich die meisten Männer.«

»Schnell zu checken, ob eine junge Frau minderjährig ist oder nicht?«

»Na ja...«, meinte er entschuldigend.

Sie überlegte. *Oder haben ihn nur die Aufreißer? Wie du? Laut der Aussage deines Nachbarn...* Sie schüttelte diesen Gedanken rasch wieder ab. Sie durfte den Behauptungen von Marc Reeves einstigem Nachbarn nicht zu viel

Gewicht beimessen. Seine persönliche Abneigung war allzu spürbar gewesen.

»Über diesen kurzen Moment, in dem Sie eine Warnung spürten, haben Sie nie gesprochen, oder?«, fragte sie. »Jedenfalls findet sich nichts in den Presseartikeln.«

»Nein, darüber habe ich nicht gesprochen. Man hätte das gegen mich ausgelegt. Man hätte geglaubt, ich habe Elaine vorsätzlich mitgenommen, weil ich ein Abenteuer suchte, und das wäre ein weiterer Schritt in Richtung Vergewaltigung und Mord gewesen, wohin ja die meisten gern wollten. Wohin sie dann allerdings trotzdem gingen, egal, was ich zu meiner Rechtfertigung vorbrachte.«

Sie waren an dem Punkt angelangt, der für Rosanna noch immer unklar war. Obwohl sie so viel darüber gelesen hatte. Obwohl es Aussagen von Marc Reeve dazu gab. Sie war bislang noch nicht sicher.

»Mr. Reeve«, sagte sie zögernd, »bitte verstehen Sie mich nicht falsch, aber … es gibt da noch etwas …«

»Ja?«

»Etwas, das ich nicht ganz verstehe. Obwohl Sie es oft genug erklärt haben. Ich möchte nicht, dass Sie glauben, ich misstraue Ihnen, oder …«

»Fragen Sie doch einfach.«

Sie gab sich einen Ruck. »Es klingt vielleicht blöd, aber es tut mir leid: Noch keine Ihrer Antworten auf diese Frage hat mich überzeugt. Deshalb stelle ich sie noch mal, obwohl sie Ihnen wahrscheinlich schon zum Hals heraushängt: Weshalb haben Sie Elaine Dawson an jenem 10. Januar mitgenommen? Warum haben Sie dieser wildfremden Frau ein Bett in Ihrem Haus angeboten? Was war an ihr, dass Sie einen solchen Schritt taten? Was hat sie in Ihnen berührt?«

Sie hätte gedacht, dass er ärgerlich reagieren würde. Zu oft schon war ihm diese Frage gestellt worden.

Zu ihrer Überraschung aber sah er sie nur sehr nachdenklich an.

»Das ist eine gute Frage«, sagte er schließlich, »so wurde sie noch nie formuliert. Dabei trifft es so den Punkt. Was hat Elaine Dawson in mir berührt? Darum geht es bei all dem, nicht wahr? In erster Linie darum. Ich will versuchen, Ihnen das zu erklären.«

2

Fast ihre gesamten Habseligkeiten passten in den einen Koffer, den sie besaß, und die paar Gegenstände, die nicht mehr hineingingen, Lebensmittel vor allem, die sie nicht wegwerfen mochte, packte sie kurz entschlossen in eine Plastiktüte. Sie hatte im *Elephant* angerufen und sich wegen eines Zahnarzttermins entschuldigt, was mit einigem Murren hingenommen wurde.

»Heute Abend komme ich«, sagte sie beruhigend.

»Das will ich hoffen«, knurrte Justin, »wir haben heute Abend eine Sportmannschaft hier zum Feiern. Wir brauchen dich!«

»Alles klar!« Sie hoffte, dass es ihr gelang, bis zum Abend ein Fahrrad zu organisieren. Vielleicht hatte Mrs. Smith-Hyde eines in ihrer Garage stehen.

Sie musste daheim bleiben, um den Moment abzupassen, wenn Mr. Cadwick das Haus verließ. Sie war entschlossen, einfach abzuhauen und sich nicht in lange Diskussionen einzulassen, aber sowie er sie mit einem Koffer gesehen hätte, wäre er unweigerlich mit Fragen über sie hergefallen. Er hatte ihr einmal erzählt, dass er an jedem Vormittag fortging, um sich sein Mittagessen zu kaufen.

»Vorratswirtschaft ist nichts für mich. Da käme ich ja gar nicht mehr raus!«

Hoffentlich musste er auch heute zum Gemischtwarenladen gehen. Die halbe Stunde räumte ihr genug Zeit ein, ungesehen aus der Wohnung zu verschwinden und zur Bushaltestelle zu gelangen. Wenn er seinen Aufbruch nicht zu lange verzögerte, könnte sie sogar noch den Bus um zwölf Uhr erreichen. Ein paar Tage später wollte sie dann zu ihm hingehen und um Herausgabe der Kaution bitten. Natürlich würde er sie heftig beschimpfen, aber sie konnte ihn darauf hinweisen, dass sie ihm ja die komplette Februarmiete überließ, obwohl sie sie nicht abwohnte. Sie hoffte, sich bis dahin in ihrem neuen Domizil ein wenig eingelebt zu haben und genügend Sicherheit zu empfinden, diesem Ekelpaket noch einmal gegenübertreten zu können.

Ihre Geduld wurde auf eine harte Probe gestellt. Bis zehn Uhr hörte sie überhaupt nichts von ihm. Möglicherweise schlich er im Treppenhaus umher und fragte sich, weshalb seine Untermieterin nicht zur Arbeit ging. Oder er überlegte, ob er sie verpasst hatte, ob sie am frühen Morgen schon fortgegangen war. Natürlich konnte er eine Stichprobe machen und in die Wohnung kommen, daher hatte sie vorsichtshalber die Kommode unter der Türklinke stehen lassen. Wenn er das ausprobierte, wusste er, dass sie da war, aber dann musste sie ihm irgendetwas von Zahnschmerzen zurufen und hoffen, dass er dennoch zum Einkaufen ging. Im Grunde war das Leben mit diesem Vermieter untragbar. Sie fragte sich, warum sie so lange gezögert hatte, es zu beenden.

Um elf Uhr gab er endlich ein Lebenszeichen von sich. Sie schrak zusammen, als sie plötzlich seine Stimme hörte. Sie kam direkt von dem kleinen Flur vor ihrer Tür.

»Hallo? Hallo, Miss? Sind Sie da?«

Sie antwortete nicht. Also hatte er bemerkt, dass sie nicht zur Arbeit gegangen war.

»Ich weiß, dass Sie da sind!«, rief er.

Offenbar hegte er bei all seiner krankhaften Distanzlosigkeit doch eine gewisse Furcht, ihr plötzlich in ihrer Wohnung gegenüberzustehen, denn er probierte nicht, die Tür zu öffnen.

»Hallo!«, rief er noch einmal vorsichtig.

Sie hätte am liebsten jeden Kontakt vermieden, aber plötzlich kam ihr der Gedanke, dass er dann vielleicht überhaupt nicht mehr weggehen und sie für den Rest des Tages zur Gefangenen machen würde, und so antwortete sie schließlich, innerlich zitternd vor Wut.

»Ich bin hier, Mr. Cadwick. Alles in Ordnung.«

»Warum sind Sie nicht bei der Arbeit?«

»Zahnschmerzen.«

»Dann müssen Sie zum Arzt, Kind! So etwas sollte man nicht aufschieben!«

»Ich habe einen Termin heute Mittag. Ich gehe dann schon.«

»Kann ich etwas für Sie tun?«

»Nein. Danke. Ich komme zurecht.« *Verpiss dich endlich!*

Nach einem Moment des Schweigens verkündete er: »Ich gehe jetzt fort und kaufe mein Mittagessen ein. Soll ich Ihnen etwas mitbringen?«

»Ich habe alles da, was ich brauche.«

»Sie müssen essen! Sie sind so dünn!«

Man hätte ihn für einen netten, fürsorglichen älteren Herrn halten können.

Aber ich kenne dich zu gut, dachte sie.

»Ich esse ja. Wirklich, Mr. Cadwick, machen Sie sich keine Sorgen, alles klar bei mir!« Sie hätte ihm gern eine wirklich patzige Antwort gegeben, fürchtete aber, ihn damit in eine Diskussion zu verwickeln. Und wenn er nicht bald verschwand, wurde es knapp mit dem Zwölf-Uhr-Bus.

»Na gut. Ich gehe dann jetzt!«, rief er.

*Ja! Beeil dich! Verschwinde und komm nicht so bald
wieder!*

Zwei Minuten später hörte sie unten die Haustür. Nach
einer Weile wagte sie es, aus dem Fenster zu spähen. Sie sah
ihn die Gasse hinunterschleichen, in jener unbeholfenen
Gangart, die Menschen zu eigen ist, die zu viel sitzen. *Leben Sie wohl, Mr. Cadwick. Vielleicht finden Sie ja irgendwann ein neues Opfer, das Sie tyrannisieren können!*

Schnell zog sie ihre Stiefel und ihren Mantel an, ergriff
Koffer und Plastiktüte und warf noch einen allerletzten
Blick zurück in die Räume, die fast zwei Jahre lang ihr
Zuhause gewesen waren. Sie hatte sich hier nie besonders
wohl gefühlt, dennoch waren ihr die abgewohnten, hässlichen Gegenstände inzwischen sehr vertraut, und irgendwie war es schon ein Stück Heimat gewesen. Sie schob den
Anflug von Wehmut rasch zur Seite. Bei ihrer Art zu leben
konnte sie es sich nicht leisten, an einem Ort echte Wurzeln zu schlagen. Sie musste jederzeit zu Abschied und Aufbruch bereit sein.

Der Weg zur Bushaltestelle war nicht allzu weit, aber der
Koffer war schwer. Immer wieder musste sie ihn absetzen
und eine Pause einlegen. Zudem musste sie einen Umweg
gehen, da sonst die Gefahr bestanden hätte, Mr. Cadwick
zu begegnen, der vom Einkaufen zurückkam. Unterwegs
dachte sie noch einmal über den Zeitungsartikel nach, der
sie am Vortag so erschüttert hatte. Linda Biggs hieß das bedauernswerte junge Mädchen, das in London auf so grausame Weise umgebracht worden war. Natürlich musste Pit
überhaupt nichts damit zu tun haben. Die Umstände, wie
sie in der Zeitung geschildert wurden, erinnerten an Jane
French, auch der Ort, an dem man ihre Leiche gefunden
hatte. Andererseits hatte sie schon oft von sogenannten
Nachahmungstätern gelesen. Die schnappten irgendeine
Geschichte auf und machten sich einen Spaß daraus, den

gesamten Ablauf in einem neuen Fall zu kopieren. Es konnte sich um einen durchgeknallten Typen handeln, der den Fall French im Internet aufgestöbert hatte und davon fasziniert gewesen war. Er hatte sich hineingesteigert, hatte an nichts anderes mehr gedacht, hatte all die grauenvollen Dinge, die mit ihr geschehen waren, in Gedanken wieder und wieder durchgespielt. Und nun, Jahre nach dem Verbrechen, waren seine Sicherungen durchgebrannt. Der Zufall hatte ihm das junge Mädchen in die Hände gespielt, die Umstände waren günstig gewesen, er hatte es getan.

So etwas gab es. Man hörte es immer wieder. Die Amokläufer, die inzwischen geradezu regelmäßig mit Vorliebe in Schulen oder Colleges eindrangen und alles abknallten, was ihren Weg kreuzte, hatten meist diesen Weg genommen. Waren ähnlich blutigen Szenarien wie denen, die sie später selbst anrichteten, in Filmen, Videospielen oder auch in Presseberichten begegnet und hatten nicht mehr davon lassen können. Warum sollte Linda Biggs nicht auch das Opfer eines solchen Verrückten geworden sein?

Auch deshalb, weil es mir lieber wäre, dachte sie, weil mir kalt wird bei dem Gedanken, dass Pit noch immer so drauf ist. Weil ich hoffe, dass sich irgendetwas bei ihm geändert hat.

Aber war das realistisch? Wenn sie ehrlich war, musste sie zugeben, dass sie einer Utopie anhing. Pit war in den Fall Biggs vielleicht nicht verwickelt, aber deswegen hatte er sich noch lange nicht geändert. Sie hatte ihn als Psychopathen erkannt, sie war bis heute überzeugt, dass diese Einschätzung stimmte. Psychopathen blieben Psychopathen, sie legten diese tiefe Störung nicht plötzlich eines schönen Tages ab und waren dann nicht wiederzuerkennen.

Sie erreichte die Haltestelle rechtzeitig und saß zehn Minuten später im Bus. Das Wetter wurde besser, wie sie beim Hinausschauen feststellte. Zum ersten Mal seit Tagen zeigten sich große Wolkenlücken und dahinter blauer Himmel, und immer wieder fielen Sonnenstrahlen zur Erde und tauchten die winterkahle Landschaft in ein freundliches Licht. Noch immer war es kalt, und sie wusste auch, dass sich der Frühling hier oben mehr Zeit ließ als im Süden Englands, aber es war doch, als schicke er heute einen Vorboten, der sein baldiges Kommen ankündigte, und dies erschien ihr als ein gutes Zeichen.

Mit dem Bus bewältigte sie die Strecke innerhalb einer Viertelstunde. Mit dem schweren Koffer war es noch ein recht anstrengender Weg bis zum Haus von Mrs. Smith-Hyde, und trotz der sehr frischen Luft und des frostigen Windes war sie ziemlich verschwitzt, als sie keuchend dort anlangte. Wie schon bei der ersten Begegnung kam ihr Mrs. Smith-Hyde irgendwie missbilligend vor, aber möglicherweise war das einfach ihre Natur und hatte nichts weiter zu bedeuten.

»Da bin ich«, erklärte sie überflüssigerweise.

»Das sehe ich«, erwiderte ihre neue Wirtin streng, »unvernünftig, derart schweres Gepäck so weit zu schleppen! Da kann man sich leicht verheben, und später hat man es dann mit den Bandscheiben!«

»Es gab keine andere Möglichkeit. Und ehe ich es vergesse: Haben Sie vielleicht ein altes Fahrrad, das Sie mir verkaufen könnten? Oder kennen Sie jemanden, der eines hat?«

»Ein Fahrrad?«

»Ich komme sonst nachts nicht vom *Elephant* in Langbury zurück. Nach acht Uhr fährt kein Bus mehr.«

»Wissen Sie«, sagte Mrs. Smith-Hyde, »ich habe mir das überlegt. Es gefällt mir nicht, dass Sie in dieser Kneipe arbeiten. Kein guter Ort für eine junge Frau. Und jede Nacht mit dem Fahrrad unterwegs zu sein … wie stellen Sie sich das denn im Winter vor? Ganz abgesehen von den Gefahren, die selbst hier in unserer friedlichen Abgeschiedenheit lauern können.«

Sie erstarrte vor Schreck. Wollte Mrs. Smith-Hyde ihr das Apartment nun doch nicht vermieten? Es erschien ihr unvorstellbar, zu Mr. Cadwick zurückzukehren.

»Ich ... nun, es ist meine Arbeit ...«, stotterte sie.

»Ich könnte eine Putzfrau brauchen«, erklärte Mrs. Smith-Hyde unumwunden, »und ich weiß von etlichen Familien, denen das ebenso geht. Die junge Frau, die bislang für das halbe Dorf geputzt hat, bekommt ein Baby und fällt für längere Zeit aus. Wie wäre es? Sie arbeiten für mich, und ich empfehle Sie auch den anderen. Sie können abends zu Hause bleiben und haben überhaupt ein ruhigeres Leben.«

Sie überlegte. Ruhig würde ihr Leben wahrscheinlich nicht sein. Es war sicher nicht leicht, für Mrs. Smith-Hyde zu arbeiten, und wer wusste, wie die anderen waren. Allerdings ersparte sie sich tatsächlich die nächtlichen Radtouren, und zudem konnte sie dann ihre Brücken in Langbury wirklich endgültig abbrechen. Sie hatte sich schon ein paar Mal gefragt, ob Mr. Cadwick sie in seinem Ärger immer wieder im *Elephant* aufsuchen und behelligen würde. Wenn sie Mrs. Smith-Hydes Angebot annahm, ginge sie allen Problemen aus dem Weg.

»Ich überlege es mir«, sagte sie.

»Aber bitte nicht zu lange«, schnaubte Mrs. Smith-Hyde.

Im Grunde hatte sie sich bereits entschieden.

Der Gedanke an einen sauberen Schnitt fühlte sich gut an.

3

Angela wurde am Donnerstagmittag fündig. Sie hatte am Mittwochabend nicht mehr lange im Computer suchen können, weil Gordon plötzlich zurückgekommen und völlig zusammengebrochen war. Er hatte im Wohnzimmer gekauert und geschluchzt und wieder und wieder beteuert, wie sehr er seine Linda geliebt hatte. Zwar war Angela versucht gewesen, ihn daran zu erinnern, wie abfällig er stets über sie gesprochen und wie lieblos er sie immer wieder behandelt hatte, aber dann hatte doch ihr Mitleid gesiegt, und sie hatte sich zu ihm gesetzt und ihn in den Arm genommen.

»Wer tut so etwas, wer tut so etwas?«, hatte er ein ums andere Mal gefragt, aber wie sollte sie ihm darauf eine Antwort geben? Schließlich erfüllten sie die Umstände von Lindas Tod ja selbst mit nichts als Fassungslosigkeit.

Ja, welcher Mensch tat einem anderen Menschen etwas Derartiges an?

Da sie sich für den Rest der Woche krankgemeldet hatte, blieb sie auch am Donnerstag daheim. Sally hatte mit einem für sie ungewöhnlichen Aufwand an Energie am Morgen ihre drei Söhne dazu überredet, in die Schule zu gehen, danach war sie mit Schlaftabletten und Schnaps angefüllt in der Küche in sich zusammengesunken. Gordon saß bei ihr und lamentierte vor sich hin, ohne dass ihm irgendjemand zugehört hätte.

Angela durchsuchte erneut die Masse an Eintragungen zum Mordfall Jane French, stieß aber zunächst nur auf die ewig gleichen Fakten: Janes Bruch mit der Familie, ihre Arbeit als Prostituierte in London, die Aussagen ihrer Freundin und Wohnungsgefährtin, was das gemeinsame Leben anging. Nichts von all dem ließ sich verwerten. Es schien keinen Berührungspunkt mit Linda Biggs zu geben.

Aber dann fand sie ein ausführlicheres Interview mit der Zimmergenossin, und zum ersten Mal wurde ein Fakt erwähnt, der sie aufhorchen ließ.

»Sie hatte offenbar irgendwo eine neue Geldquelle entdeckt«, hatte die Freundin auf die Frage nach Jane Frenchs Lebensumständen geantwortet, »jedenfalls in den letzten Wochen vor ihrem Verschwinden. Sie kaufte sich viel teurere Klamotten als ich. So viel Geld wie sie könnte ich nie für Kleider ausgeben!«

Angela kniff die Augen zusammen. Eine kribbelnde Unruhe erfüllte sie. Das ist es, dachte sie, da ist eine Gemeinsamkeit. Genau das ist uns auch bei Linda aufgefallen. Die Kleidung, die sich so schlagartig verbessert hatte.

Sie stand auf, verließ das Zimmer und lauschte zur Küche hin. Von ihrem Vater vernahm sie ein monotones Brabbeln. Von Sally war kein Laut zu hören. Was kein Wunder war. Angela hatte selbst gesehen, wie sie zwei Schlaftabletten schluckte, obwohl von dem Präparat eine einzige ausgereicht hätte, sie für Stunden in den Schlummer zu schicken.

Sie hatte keine Lust, ihren Eltern etwas zu erklären. Sie wollte direkt mit Inspector Fielder sprechen. Er hatte ihr seine Karte dagelassen.

»Wenn Ihnen irgendetwas einfällt«, hatte er gesagt, »egal, wie unwichtig es Ihnen erscheint – rufen Sie mich an. Bitte haben Sie keine Angst, sich lächerlich zu machen. Alles kann wichtig sein.«

Sie huschte ins Wohnzimmer, wo das Telefon stand. Ihre Eltern hatten an diesem Morgen vergessen, das Bett wieder zum Sofa zusammenzuschieben. Die Bettwäsche war völlig zerwühlt. Angela vermutete, dass sich Gordon die ganze Nacht hin- und hergeworfen hatte.

Sie hatte befürchtet, es sei gar nicht so einfach, sich mit Fielder verbinden zu lassen, aber das hing, wie sie später dachte, damit zusammen, dass sie im Innern angefüllt war mit der Überzeugung, ein Mensch, der wie sie aus dem sozialen Wohnungsbau von Islington stammte, werde grundsätzlich nie irgendwo auch nur eine Spur zuvorkommend behandelt. Tatsächlich stellte man sie aber sofort durch. Sie hatte Fielder in der Leitung, noch ehe sie sich von ihrer Überraschung erholt hatte.

»Miss Biggs!« Er wirkte fast erfreut. »Ihnen ist etwas eingefallen?«

Die tappen ganz schön im Dunkeln, dachte sie, wenn er so enthusiastisch auf diese Möglichkeit reagiert.

»Nun ja … ich weiß natürlich nicht, ob es Sie irgendwie voranbringt, aber …« Sie berichtete ihm, was sie im Internet gefunden hatte. Er hörte aufmerksam zu.

»Das ist in der Tat eine wichtige Übereinstimmung«, sagte er, als sie fertig war. Sie hatte den Eindruck, dass er dieses Detail bereits gekannt hatte, aber zu freundlich war, ihr das zu sagen. »Ein weiterer Baustein für unsere Überlegung, dass es sich bei dem Mörder von Jane French und dem Ihrer Schwester um ein und denselben Täter handelt.«

»Aber wer dieser Täter ist …?«

»… wissen wir dadurch natürlich noch nicht. Doch wenn wir es mit demselben Mann zu tun haben, können wir ihn enger einkreisen. Wir haben nun immerhin das Umfeld Ihrer Schwester, um zu ermitteln.«

»Haben Sie mit Lindas Exfreund gesprochen?«, fragte Angela.

Fielder nickte. »Ja. Leider hat uns das nicht weitergebracht. Höchstens in dem Punkt, dass wir ihn als Täter meiner Ansicht nach ausschließen können. Er wirkt geschockt und verzweifelt und hat immer noch nicht die Trennung vom letzten Jahr überwunden. Linda hat ihm nicht die geringste Erklärung für den Abbruch der Beziehung gegeben. Natürlich hat auch er vermutet, dass ein anderer Mann im Spiel ist, aber sie hat dazu nichts gesagt.«

»Dann sind Sie keinen Schritt weiter«, meinte Angela mutlos.

Fielder versuchte sich zuversichtlich zu geben. »Ich möchte den Mörder Ihrer Schwester finden, Miss Biggs. Bitte glauben Sie mir das. Mir liegt so viel daran wie Ihnen.«

»Aber es gibt kaum Anhaltspunkte.«

»Es spricht vieles dafür, dass es einen neuen Mann im Leben Ihrer Schwester gab. Mit ihm hat sie Zeit verbracht – wahrscheinlich auch gerade die letzten Tage ihres Lebens, nach dem… Streit mit ihrem Vater. Irgendjemand muss sie mit ihm zusammen gesehen haben. Menschen bewegen sich immer in einer Umgebung, ganz gleich, wie konspirativ sie sich auch verhalten mögen. Lindas Bild ist in allen Zeitungen. Es wird sich jemand melden, Sie werden es sehen.«

»Aber hätte sich derjenige nicht bereits jetzt melden müssen?«

»Oh, da habe ich andere Erfahrungen«, sagte Fielder, »die meisten Leute haben große Angst, etwas Falsches zu sagen, sich zu täuschen und sich hinterher blamiert zu haben. Sie sehen so ein Zeitungsfoto und meinen, die Person darauf zu erkennen, aber dann beginnen sie sich abzusichern. Sie fragen reihum bei Freunden und Nachbarn: *Ist das nicht die Frau, die letzte Woche bei Mr. Soundso im dritten Stock aus und ein gegangen ist?* Ein paar Leute geben ihnen recht, andere nicht. Sie sind unsicher, grübeln. Dann rät ihnen irgendjemand dazu, zur Polizei zu gehen und den Verdacht zu äußern. Sie überlegen wieder hin und her, aber schließlich fassen sie sich ein Herz und tun es. Bis dahin kann gut und gern eine volle Woche verstrichen sein.«

»Sie halten mich auf dem Laufenden?«, fragte Angela.

»Selbstverständlich«, sagte Fielder sofort. Nach einer kurzen Pause fügte er hinzu: »Ihre Entdeckung war wichtig, Miss Biggs. Gut, dass Sie mich angerufen haben. Bitte melden Sie sich, wenn Ihnen wieder etwas auffällt.«

Sie versprach, dies zu tun, dann verabschiedete sie sich und legte den Hörer auf. Sie hatte nicht den Eindruck, ihrer toten Schwester auch nur um einen einzigen Schritt näher gekommen zu sein. Wenn das überhaupt dadurch gelingen würde, dass man herausfand, wer ihr Mörder war. Die ganze Zeit über dachte sie, sie würde leichter atmen, wenn sie erst wusste, wer Lindas schweren Tod zu verantworten hatte.

Plötzlich war sie nicht mehr sicher. Vielleicht wurde gar nichts besser dadurch.

Vielleicht gab es für den Schmerz, den sie empfand, nie mehr eine Heilung.

4

Es war fünf Uhr am Nachmittag, als Dennis Hamilton vom Büro zurückkam, ungewöhnlich früh für ihn, und er hätte auch noch mehr als genug zu tun gehabt. Aber er fühlte sich nicht wohl, litt schon den ganzen Tag unter heftigen Kopfschmerzen und mutmaßte, dass er eine Grippe bekommen würde. Daheim nahm er als Erstes zwei Aspirin und hoffte, das mörderische Hämmern hinter seiner Stirn würde sich beruhigen.

Er war fast nie krank. Vielleicht kein Zufall, dass er es jetzt wurde.

Valentinstag. Und er hatte sich nicht bei Rosanna gemeldet. Er wusste, dass es an ihm gewesen wäre, das zu tun; nach dem letzten Gespräch, das sie miteinander geführt hatten, wäre ganz klar er an der Reihe gewesen. Er wusste, dass es nicht richtig gewesen war, sie wegen des beruflichen Auftrags in England derart zu attackieren. Er wusste eigentlich meistens, wann er sich falsch verhielt, auch gegenüber seinem Sohn. Trotzdem schien es, als könne er nichts daran ändern. Was ihn trieb, waren Ängste, die sich zu tief in ihm verankert hatten, als dass er ihrer hätte Herr werden können.

Er ging in die Küche, schenkte sich einen Weißwein ein und wanderte, das Glas in der Hand, durch die unteren Räume des Hauses. Der Alkohol mochte für seine Kopfschmerzen nicht gut sein, für seine Psyche war er es bestimmt. Das Haus symbolisierte für ihn so sehr Rosanna, dass ihn der Schmerz wegen ihrer Abwesenheit wieder einmal unerwartet heftig packte. Sie hatte die Bilder ausgesucht, die an den Wänden hingen, sie hatte die spanischen Teppiche gekauft, die auf den roten Terrakottafliesen lagen. Die gerahmten Familienbilder auf dem weiß gekalkten Kaminsims waren von ihr liebevoll dort angeordnet worden. Die gemütlichen Sofas mit den bunten Kissen, die schlichten weißen Vorhänge an den Fenstern, das alles war ihr Werk. Sie hatte dem Haus einen sehr ausgewogen gemischten Stil aus spanischen und englischen Elementen verliehen. Und die blühenden Beete draußen im steinernen Innenhof waren ebenfalls von ihr angelegt und gehegt und gepflegt worden. Sie hatte alles darangesetzt, für ihn, Robert und sich selbst ein gemütliches Nest zu schaffen. Und das, obwohl sie alles andere als glücklich war in Gibraltar. Er kannte ihr Heimweh nach England. Nur – was hätte er tun sollen?

Er blieb am Fenster stehen, starrte hinaus. Hier in Gibraltar war der Frühling Mitte Februar schon weit fortgeschritten. Die Bäume standen in schönster Blütenpracht. Er liebte das. Er mochte Spanien, die Wärme, die üppige Vegetation. Das englische Klima hatte er immer gehasst. Aber natürlich konnte er nicht erwarten, dass Rosanna ebenso empfand. Er konnte sich nur darauf berufen, dass sie gewusst hatte, wo er lebte, wo er seinen Beruf hatte. Dennoch hatte sie ihn geheiratet.

An jenem 11. Januar 2003. Jenem verrückten Tag vor fünf Jahren.

Der sie jetzt in gewisser Weise wieder einholte. Denn vielleicht wäre diese Elaine Dawson – die er selbst überhaupt nicht kannte – niemals verschwunden, hätte Rosanna sie nicht zu ihrer Hochzeit eingeladen. Oder wenn am Vortag nicht solch ein Nebel in London geherrscht hätte. Oder, oder... Auf jeden Fall hätte Nick Simon dann keinen Grund gehabt, ausgerechnet Rosanna mit dem Schreiben dieser blöden Serie über Verschwundene zu beauftragen, und sie wäre zwar zum Geburtstag ihres Vaters nach England geflogen, wäre aber schon einen Tag später zurückgekommen. Sie hätten den Valentinstag miteinander verbracht und wären jetzt am Abend irgendwohin zum Essen gegangen. Es hätte keinen Streit gegeben. Stattdessen...

Er nahm einen tiefen Schluck aus seinem Glas.

Der 11. Januar 2003. Etliche Gäste waren nicht erschienen, denn die meisten ihrer Freunde kamen aus England, und wer nicht etwas verfrüht geflogen war, saß in Heathrow oder auf einem der anderen Londoner Flughäfen fest. Rosannas Mutter, die schon drei Tage zuvor eingetroffen war, hatte lamentiert, es sei eben auch einfach keine gute Idee, im Januar zu heiraten. Auch Rosanna hatte wieder damit angefangen. Sie war immer gegen diesen Termin gewesen. Sie hatte im Sommer heiraten wollen. Doch Dennis hatte sich durchgesetzt. Er hatte auf die Sommerhitze in Gibraltar hingewiesen (»Na und? Wir könnten doch in England heiraten!«, hatte Rosanna darauf erwidert, und er hatte gestöhnt: »Ja – am Ende noch in Kingston St. Mary, oder wie?«), und außerdem war er ein Romantiker und hatte den Tag ihres Kennenlernens zum Hochzeitstag machen wollen. Und kennen gelernt hatten sie sich nun einmal an einem 11. Januar – Rosannas Geburtstag.

Mit dem Romantik-Argument hatte er Rosanna letztlich umgestimmt. Und damit alles ein wenig versiebt. Die Feier fand in viel kleinerem Kreis statt als geplant; Rosanna weinte, weil ihr geliebter Bruder, von New York kommend, bei der Zwischenlandung in London ebenfalls ein Opfer des Nebels geworden war; immer wieder riefen Leute an, entschuldigten sich oder gaben ihre neuen Anreisetermine bekannt. Es war ein einziges Chaos und weit entfernt vom *schönsten Tag des Lebens*.

»Wenigstens sind wir verheiratet«, hatte er gesagt, als er und Rosanna irgendwann tief in der Nacht völlig ausgelaugt ins Bett getaumelt waren.

Sie hatte sich zur Seite gedreht und nicht geantwortet. Er hatte ihr die Hochzeitsfeier verdorben, was sicher nicht der beste Start war, den eine Ehe haben konnte. Er hatte sich damit getröstet, dass schon Ehen gescheitert waren, die glanzvoll und glücklich begonnen hatten. Man durfte einfach nicht abergläubisch sein.

Er hatte sich bei der Wahl seiner Partnerin ganz sicher sein wollen. Vor allem wegen Robert. Der Junge sehnte sich so sehr nach einer Mutter. Als Rob fünf Jahre alt gewesen war, hatte Dennis eine Frau kennen gelernt, mit der er zwei Jahre lang zusammengelebt hatte. Rob hatte sie vergöttert und vollkommen als Mutter angenommen. Sie hatte sich davon überfordert gefühlt, zugleich nicht gewusst, wie sie sich den Liebesbeweisen des Jungen entziehen sollte. Schließlich hatte sie einen anderen Mann kennen gelernt und erleichtert das Weite gesucht. Für Rob war eine Welt zusammengebrochen. Es hatte lange gedauert, bis er den Verlust verwunden hatte, aber es war deutlich spürbar eine dicke Narbe auf seiner Seele zurückgeblieben. Dennis hatte sich geschworen, dass so etwas nicht noch einmal passieren durfte. Entweder blieb er mit seinem Sohn allein, bis dieser erwachsen war. Oder er fand die Frau, die ihm hundertprozentige Sicherheit versprach. Wenn es diese überhaupt gab. Er hatte Rosanna ganz zufällig kennen gelernt, als er sich beruflich für vierzehn Tage in London aufhielt. Er wohnte in dieser Zeit bei einem alten Freund aus Studientagen, der inzwischen Redakteur bei dem Magazin *Cover* war. Gleich am Abend von Dennis' Ankunft war er zu der Geburtstagsparty einer Kollegin eingeladen, und, getrieben vom schlechten Gewissen, den Freund allein in der Wohnung herumsitzen zu lassen, hatte er ihn aufgefordert, doch einfach mitzukommen. Dennis hatte das peinlich gefunden und war sich aufdringlich vorgekommen, war aber schließlich widerwillig mitgegangen. Zum Glück hatte in Rosanna Jones' kleiner Wohnung ein solches Gedränge und ununterbrochenes Kommen und Gehen geherrscht, dass er gar nicht aufgefallen war. Irgendwann war er mit der Gastgeberin ins Gespräch gekommen. Sie hatte vor dem großen Fenster ihres Wohnzimmers gestanden, und hinter ihr, jenseits der Scheibe, waren dicke Schneeflocken langsam durch die Januarnacht auf die Straßen und Plätze Londons hinuntergeschwebt und hatten die Stadt in jene seltsame Stille eingehüllt, die nur frisch gefallener Schnee hervorzurufen vermag. Im Zimmer hatten ein paar Kerzen gebrannt, und die meisten Gäste waren schon gegangen. Es war weit nach Mitternacht gewesen.

Er konnte sich bis heute genau erinnern, wie sie ausgesehen hatte. Sie hatte ein kurzes schwarzes Strickkleid getragen und keinen Schmuck bis auf zwei kleine Perlen in den Ohren. Ihr braunes Haar war sehr kurz geschnitten und stand frech vom Kopf ab, in lauter kleinen Wirbeln, die sich offenbar nicht bändigen ließen. Dennis liebte lange Haare an Frauen, aber Rosanna standen die kurzen Haare so gut, dass man sich nichts anderes an ihr vorstellen konnte. Ihre Augen waren sehr dunkel, das dunkelste Braun, das er je gesehen hatte. Sie war absolut nicht sein Typ, aber er fand sie bildschön. Er hatte ein altmodisches Mädchen mit konservativen Wertvorstellungen gesucht. Rosanna sah jung, flippig, lebenshungrig und wild aus. Das einzig Altmodische an ihr war ihr Name, den sie, wie er später erfuhr, aus tiefster Seele hasste. Und Kingston St. Mary, das Dorf, aus dem sie stammte. Dort war die Welt noch in Ordnung. Das machte ihm Mut.

Er hatte sich Hals über Kopf in Rosanna verliebt. Er musste sie gewinnen. Für sich und für Rob. Es schien ihm in jener Nacht undenkbar, nach Gibraltar zurückzufliegen ohne die Hoffnung, dass sie ihm folgen würde.

Während seiner Wochen in London hatten sie einander noch ein paar Mal gesehen, was auf seine hartnäckigen Anrufe bei ihr und seine ununterbrochenen Einladungen ins Kino, zum Essen, ins Theater, auf einen Drink zurückzuführen war. Er hatte sich an sie geheftet und sie mit seinen Aufmerksamkeiten völlig überrollt. Von irgendeinem Moment an hatte er gespürt, dass ihr Interesse geweckt war, und schließlich begann sie seine Gefühle zu erwidern. Zwei Tage vor seiner Rückkehr nach Gibraltar hatte sie ihn über das Wochenende nach Kingston St. Mary eingeladen, das Dorf, von dem sie ihm so viel erzählt hatte. Er war fasziniert gewesen, denn stellenweise hatte man dort tatsächlich den Eindruck, die Zeit sei stehen geblieben. Die kleinen Häuschen, die Gärten, die selbst im Januar verrieten, wie gepflegt und blühend sie im Sommer aussehen mussten, die schmalen Dorfstraßen, die kleine Schule, an deren Fenstern überall Wichtelmänner und Blumen aus Papier klebten. Die steinerne Kirche mit dem romantischen Friedhof und den schönen, alten Bäumen. Die zu jener Jahreszeit zwar kahl waren, sich aber im Sommer wie ein wunderbar grünes, kühles Dach über den Toten wölben mussten, und er hatte Rosanna verstanden, als sie sagte: »Wo auch immer ich mein Leben verbringen werde – hier möchte ich auf jeden Fall beerdigt werden.«

Er lernte Victor und Hazel Jones kennen, ihre Eltern, und dankte Gott dafür, dass sie ihn auf Anhieb zu mögen schienen. Insgeheim sah er in ihnen schon seine künftigen Schwiegereltern. Er begriff, dass Rosanna in einer Familie aufgewachsen war, in der konservative Wertvorstellungen vermittelt worden waren, und darüber hinaus in einem Dorf, in dem die Kinder und Jugendlichen weitgehend behütet gewesen waren vor schädlichen Einflüssen. Natürlich hatte sie sich mit ihrem Londoner Journalistenleben ein ganzes Stück weit davon entfernt, und ihr Bruder, den Dennis zu diesem Zeitpunkt nur aus Erzählungen kannte, musste in New York wohl auf einer reichlich abschüssigen Bahn herumschlittern. Trotzdem gefiel ihm Rosannas Prägung. Er hatte das Alleinsein so satt. Er wollte endlich in einer richtigen Familie leben. Er meinte, auch im Hinblick auf Rob, den Schritt wagen zu können.

Als sie ihm Glastonbury zeigte, jenen magischen Ort in den Somerset-Ebenen, in dem der Sage nach Josef von Arimathäa dreißig Jahre nach Christus' Tod die erste britische Kirche gebaut hatte, fragte er sie in der Kathedrale, ob sie ihn heiraten wolle. Sie war sehr perplex gewesen, und als sie sich gefasst hatte, hatte sie gesagt: »Das geht ein bisschen schnell, findest du nicht?«

Damit war sie zwar ausgewichen, hatte aber nicht *nein* gesagt. Er wertete dies als vielversprechendes Signal. Und tatsächlich hatte er es schließlich geschafft. Sie war seinen Einladungen nach Gibraltar gefolgt, sie hatte die Ferien mit ihm und Rob verbracht, er und sein Sohn waren an Weihnachten bei ihrer Familie in Kingston St. Mary gewesen. Genau ein Jahr nach ihrem Kennenlernen hatten sie geheiratet. Er hatte sich als der glücklichste Mann der

Welt gefühlt und war seither auch immer glücklich gewesen. Bis jetzt. Als plötzlich die Angst in ihm emporkroch, eine Angst, die ihm umso mehr zusetzte, als er sie nicht recht zu benennen wusste. Er fand keinen Mechanismus, sich gegen sie zu wehren, solange er nicht genau definieren konnte, woher sie rührte. Wie sollte man einen Gegner angreifen, den man nur als unklaren Schatten vor sich sah?

Er hörte die Haustür aufgehen und wandte sich um.

»Rob?«, rief er. »Bist du das?«

Rob kam ins Wohnzimmer. Wie immer machte er ein mürrisches, verschlossenes Gesicht. Dennis fragte sich manchmal, wie sein Sohn wohl aussah, wenn er lächelte. Wusste er eigentlich noch, wie das ging? Oder brachten es diese Mundwinkel überhaupt nicht mehr fertig, sich nach oben zu verziehen statt nach unten?

Rob ging auf seine launige Art nicht ein. »Du bist schon da?«, fragte er und klang dabei alles andere als erfreut.

»Ich habe Kopfschmerzen. Deshalb habe ich früher Schluss gemacht.« Er überlegte einen Moment. »He, wie ist es? Wollen wir zwei Strohwitwer heute Abend zusammen irgendetwas essen gehen? Du darfst dir auch den Ort aussuchen. Wenn es nicht gerade McDonald's ist…«

»Ich denke, du hast Kopfschmerzen«, sagte Rob.

»Ich habe zwei Aspirin genommen. Sie sind besser geworden.«

Rob zuckte mit den Schultern. »Weiß nicht…«

Dennis blieb geduldig. »Es war nur ein Vorschlag. Wollen wir uns Pizza hierher bestellen?«

»Ich hab eigentlich keinen Hunger.« Robs Gesichtsausdruck war deutlich zu entnehmen, was er damit eigentlich sagen wollte: Er hatte keine Lust, mit seinem Vater zusammen zu essen. Keine Lust, auch nur einen Moment des Abends mit ihm zu verbringen.

Es nützt einfach nichts, dachte Dennis, ich komme nicht an ihn heran.

»Überleg es dir«, sagte er, »ich bin offen für alles.«

»Alles klar«, sagte Rob. Er machte Anstalten, das Zimmer zu verlassen, aber dann blieb er doch stehen und wandte sich noch einmal zu seinem Vater um. Seine Miene war jetzt eine einzige Kriegserklärung.

»Ich wollte nur sagen ... dass du es weißt ... ich geh morgen zu der Party. Definitiv.«

Dennis begriff nicht sofort. »Welche Party?«

»Die von den Abschlussklassen. Die ist morgen Abend.«

»Darüber hatten wir gesprochen. Und darüber war auch alles gesagt.«

»*Du* hast alles darüber gesagt!«, zischte Rob. »Was ich denke, hast du dir überhaupt nicht angehört!«

»Ich habe mir alles angehört. Aber ich habe dir auch meine Bedenken genannt und dir ganz genau erklärt, weshalb ich nicht möchte, dass du dorthin gehst.«

»Ich gehe trotzdem. Alle gehen. Ich werde nicht als Einziger daheim sitzen, nur weil mein Vater ein...« Er stockte.

»Ja?«, fragte Dennis. »Sprich dich aus! Was ist dein Vater? Ein Spießer? Ein Blödmann? Ein Spaßverderber? Ein...?«

»Ein Nazi!«, sagte Rob mit einem Hass in der Stimme, vor dem Dennis fast körperlich zurückzuckte. »Ein richtiger Nazi!«

Dennis war eher verblüfft als wütend. »Ein Nazi?«

»Du machst alles nieder, was dir nicht passt! Du lässt keine Meinung gelten, nur deine. Du würdest am liebsten jeden einsperren, der nicht tut, was du sagst. Auch Rosanna hast du damit aus dem Haus gejagt!«

»Moment! Lass Rosanna bitte aus dem Spiel. Sie ist in England, weil sie einen interessanten beruflichen Auftrag hat. Sie ist nicht vor mir geflüchtet!«

»Sie kommt nicht wieder!«, schrie Rob. »Kapier es doch endlich, sie kommt nicht wieder! Sie hat die Schnauze voll von dir! Genau wie ich!«

Er stürmte davon, lief in sein Zimmer, knallte die Tür so heftig hinter sich zu, dass in der Küche ein Glas von der Spüle fiel und klirrend zerbrach. Dennis konnte hören, wie der Schlüssel umgedreht wurde. Gleich darauf tobte Musik durchs Haus, dröhnten die Bässe.

Dennis stand wie vor den Kopf geschlagen. Robs Zorn hatte ihn erschüttert. Aber noch etwas anderes erschütterte ihn: Normalerweise wäre jetzt Wut in ihm hochgekocht. Er hätte an Robs Tür gerüttelt, hätte ihn zusammengebrüllt, hätte heftigste Sanktionen angekündigt.

Aber er konnte es nicht. Er war wie gelähmt. In einem einzigen Satz hatte Rob seine, Dennis', latente Angst formuliert und sie ihm rücksichtslos vor die Füße geknallt: *Sie kommt nicht wieder! Kapier es doch endlich, sie kommt nicht wieder!*

Er merkte, dass er zitterte. Er stellte sein Weinglas auf einen Tisch, sank auf das Sofa und stützte den Kopf in die Hände.

Und wenn Rob recht hatte?

Freitag, 15. Februar

Elaines Gesicht beherrschte die gesamte Rückwand im Studio. Es war das Gesicht der dreiundzwanzigjährigen Elaine, das Foto, das damals nach ihrem Verschwinden auch durch die Zeitungen gegangen war. Eine junge Frau, eigentlich ein junges Mädchen noch, mit großen ängstlichen Augen und einem verbitterten Zug um den ernsten Mund. Dunkle, dünne Haare hingen in die hohe Stirn. Es war kein hässliches Gesicht und auch kein schönes. Es war unscheinbar, etwas zu rund, etwas konturenlos. Wer sich länger darin vertiefte, entdeckte die Traurigkeit in den unfertigen Zügen.

Vor der Wand saßen Rosanna und die Moderatorin Lee Pearce einander in großen schwarzen Sesseln gegenüber. Rosanna hatte lange überlegt, was sie bei ihrem Fernsehauftritt anziehen sollte, und sich schließlich für schwarze Hosen und ein leuchtend rotes Jackett entschieden. Unglücklicherweise hatte Lee dieselbe Wahl getroffen. Ihre Jacke war nur eine kleine Nuance dunkler und sah besonders schön zu ihren taillenlangen, goldblonden Haaren aus. Rosanna kam sich mit ihren kurzen dunklen Wirbeln am Kopf plötzlich völlig unattraktiv vor. Zudem empfand sie sich als zu stark geschminkt. Die Maskenbildnerin hatte zwar versichert, die Farbe werde größtenteils vom Studiolicht geschluckt, aber trotzdem fühlte sich Rosanna unsicher.

Ich hätte nicht kommen sollen, dachte sie unbehaglich.

Und das nicht nur deshalb, weil sie sich der unerträglich selbstsicheren, Barbie-ähnlichen Moderatorin unterlegen fühlte. Sondern auch, weil ihr hätte klar sein müssen, dass die Sendung auf Effekte abzielte, nicht auf eine sachliche Darstellung der Situation. *Private Talk* war billigster

Boulevard. Andernfalls hätte sich auch Nick Simon kaum derart dafür begeistert.

Er saß in der ersten Reihe der Studiogäste. Etwa fünfzig Menschen hatten hier Platz, jeder Stuhl war besetzt. Es war jüngeres Publikum, das sich eingefunden hatte. Aber auch ein paar ältere Menschen saßen dazwischen. In jedem Fall waren sie alle, wie Rosanna rasch überblickt hatte, eher schlichten Gemüts.

»Es wäre uns sehr daran gelegen gewesen, auch Mr. Marc Reeve hier im Studio begrüßen zu dürfen«, sagte Lee Pearce gerade mit strahlendem Lächeln in eine der Kameras, »aber leider hat er sich nicht dazu überreden lassen.« Sie wandte sich an Rosanna. »Was ist los mit Mr. Reeve, Rosanna? Sie schreiben über ihn, Sie haben das Material gesichtet. Warum versteckt er sich?«

Rosanna konnte sich vorstellen, dass Marc in seinem Wohnzimmer saß und seufzend das Gesicht in den Händen barg. Journalisten vom Schlag einer Lee Pearce waren es gewesen, die ihn damals die Karriere gekostet hatten. Sensationsgierige Fragen, die dem Zuhörer bereits eine vorgefasste Meinung aufnötigten und den Antwortenden unweigerlich in eine Rechtfertigungsposition trieben. Was ihn von Anfang an in eine ungünstige Lage brachte.

»Mr. Reeve versteckt sich nicht und hat es auch gar nicht nötig, sich zu verstecken«, sagte sie mit einiger Schärfe in der Stimme. »Beispielsweise war er sofort zu einem Gespräch mit mir bereit. Genauer gesagt, wir haben bereits zwei Gespräche miteinander geführt. Sehr offene Gespräche.«

Sie sah nicht zu Nick hin, aber sie konnte förmlich spüren, wie er zusammenzuckte. Sie hatte bei ihm die Version vertreten, Reeve habe ihr gegenüber jede Stellungnahme abgelehnt. Wahrscheinlich blickte auch Reeve daheim ungläubig in den Fernseher, denn sie verstieß gerade gegen eine ihrer ersten Abmachungen. Bei beiden Männern verspielte sie eine Menge Vertrauen, und mit Nick würde sie nach der Sendung richtigen Ärger bekommen. Aber sie hatte den Entschluss, von ihrem ursprünglichen Konzept abzuweichen, ganz spontan gefasst. Sie begriff, worauf die Sendung hinauslief: Marc Reeve zum Täter zu stempeln. Der Mann, der wildfremde Frauen in seine Wohnung lockte und sie dann für immer verschwinden ließ. Sie konnte sich besser für ihn einsetzen, wenn sie zugab, ihn persönlich zu kennen.

»Sehr offene Gespräche?«, hakte Lee ein. »Er hat Ihnen erzählt, was damals wirklich geschah?«

»Er hat mir genau das erzählt, was er schon immer über jenen Abend vor fünf Jahren gesagt hat. Nichts anderes. Seine Schilderung kam mir an keiner Stelle unglaubwürdig vor. Übrigens«, fügte sie hinzu, »ging es der Polizei damals ja genauso.«

»Verzeihen Sie, wenn ich ein bisschen naiv wirke«, sagte Lee, und ihr Strahlen verriet, dass sie sich selbst nicht im Geringsten als naiv empfand, »aber ich hatte und habe ein Problem mit der Geschichte, die Marc Reeve wieder und wieder in Umlauf brachte. Ich meine, ist es nicht merkwürdig, dass ein Mann eine ihm vollkommen fremde, sehr junge Frau am Flughafen anspricht und ihr anbietet, die Nacht mit ihm alleine in seinem Haus zu verbringen? Ohne irgendwelche anrüchigen Absichten zu hegen?« Sie lächelte wieder. »Oder wirke ich jetzt altmodisch auf Sie?«

Im Publikum entstand das Raunen, auf das Lee offensichtlich abgezielt hatte. Es war deutlich, dass sich die Zuschauer mit ihr solidarisierten und sie weder als naiv noch als altmodisch empfanden. Nein, man stimmte ihr völlig zu: Reeves Verhalten war im höchsten Maß verdächtig.

»Er hat sie nicht angesprochen«, sagte Rosanna. »Die beiden sind zusammengestoßen, als …«

»Oh«, unterbrach Lee, »das ist schon eine seltsame Geschichte, finden Sie nicht? Im Gedränge eines Flughafens
oder auch nur in der Kantine hier im Sender stoße ich auch
sehr häufig mit anderen Menschen zusammen. Auch mit
Männern. Also, wenn ich jeden gleich mit nach Hause näh-
me ...« Sie beendete den Satz nicht, lächelte aber vieldeutig.
Das Publikum lachte.

Rosanna begann sehr nachdrücklich etwas von der Aus-
sichtslosigkeit zu begreifen, in der sich Marc Reeve damals
den Medien gegenüber befunden hatte.

Aber es war auch ein kritischer Punkt für mich, dachte
sie, die Frage nach dem *Warum*. Warum hat er sie mitgenommen?

Was hat sie in Ihnen berührt?, hatte sie ihn gefragt, gestern Vormittag erst, in dem kleinen Café, und zum ersten
Mal schien er den Eindruck gehabt zu haben, dass ihm jemand die entscheidende Frage stellte.

Sie entsann sich seiner Antwort.

Ich hatte nicht das Gefühl, einfach nur einer weinenden
Frau gegenüberzustehen. Eher kam sie mir vor wie ein ...
ja, wie ein Kind. Ein verlassenes, verzweifelt weinendes
Kind. Ihre Verzweiflung riss mich mit, diese vollkommene
Trostlosigkeit, diese Hoffnungslosigkeit. Sie schien nicht
einfach wegen eines ausgefallenen Fluges oder einer ihr
bevorstehenden Nacht in einer überfüllten Wartehalle zu
weinen. Sie weinte um ihr ganzes Leben. Später, als sie mir
von sich erzählte, begriff ich, dass ich richtig empfunden
hatte. Sie befand sich in einer Sackgasse. In ihrem Leben
war immer alles schiefgelaufen. Sie war der geborene Pech-
vogel, das geborene Mauerblümchen, der geborene Verlie-
rer. Und dann tut sie einmal einen Schritt nach vorn. Einen
für sie großen und gewagten Schritt. Sie nimmt eine Ein-
ladung nach Gibraltar an. Ignoriert die flehenden Bitten
und all die mehr oder weniger subtilen Unterdrückungsins-

trumente ihres Bruders. Reist zitternd und zagend tatsäch-
lich bis London. Entschlossen, eine Wende in ihrem Dasein
herbeizuführen. Mutig zu sein. Nicht länger im Schatten zu
verharren, wo niemand sie sieht. Und was passiert? Nebel.
Der Flug platzt. Sie verliert schon wieder. Ihr Leben läuft
schon wieder schief. An 364 Abenden im Jahr starten die
Flugzeuge von Heathrow, aber nicht dann, wenn Elaine
Dawson davonfliegen will.

Sie bricht zusammen. Der Eindruck, von jedem freund-
lichen Schicksal aussortiert zu sein, nimmt plötzlich fast
obsessiven Charakter an. Sie fällt in einen unfassbaren
Schmerz. Und rennt gegen einen zufällig daherkommenden
Mann. Gegen mich unglücklicherweise.

Sie haben gefragt, was sie in mir berührt hat? Ich glaube,
den Beschützer. Den Vater. Ja, der Begriff Vater trifft es am
besten. Bestimmt nicht den Mann. Ich hatte nicht die ge-
ringsten sexuell ausgerichteten Beweggründe, als ich sie
mitnahm. Die hat man nicht gegenüber einem so herzzer-
reißend weinenden Kind. Ich jedenfalls nicht.

Das war's. Mehr kann ich dazu nicht sagen. Mehr werde
ich nie dazu sagen können.

»Rosanna?«, fragte Lee. »Sind Sie noch bei uns? Ich
sagte gerade, dass ich...«

Rosanna riss sich zusammen. Es hatte keinen Sinn, Marcs
Worte hier wiedergeben zu wollen. Sie würden an der ge-
stylten Puppe neben ihr sicherlich abprallen. An dem wenig intelligenten Publikum ohnehin. Und zudem hätte sie
zu viel von Elaine preisgegeben. Elaine verdiente es nicht,
dass ihre persönliche Tragödie derart öffentlich ausgebreitet wurde.

»Ich bin noch da«, sagte Rosanna, »und ich höre genau zu. Sie sagten gerade, dass Sie nicht *jeden* Mann, mit
dem Sie zufällig zusammenstoßen, mit nach Hause nehmen.« Sie lächelte ebenso freundlich wie ihr Gegenüber

und freute sich, dass ihre boshafte Betonung ein wütendes Blitzen in Lees Augen hervorrief. Sie selbst kam nun langsam in Fahrt. Sie hatte keine Lust mehr, sich von einer Lee Pearce vorführen zu lassen.

»Wir sollten einfach ohne Vorurteile einen bestimmten Sachverhalt zur Kenntnis nehmen«, fuhr sie fort, ehe Lee einhaken konnte. »Eine tränenblinde Frau stolpert in eine Herrentoilette auf dem Flughafen. Ein herauskommender Mann prallt gegen sie, macht sie auf ihren Irrtum aufmerksam. Sie bricht in diesem Moment buchstäblich zusammen vor Weinen. Natürlich hätte er weitergehen können. Er kannte die Frau nicht, ihr Kummer ging ihn nichts an. Aber hätten Sie das getan?« Sie schaute ins Publikum. »Oder Sie? Oder Sie? Manche von uns nicht, manche sehr wohl. Wir beklagen die Kälte in unserer Gesellschaft. Keiner schert sich um den anderen. Aber heute Abend, und nicht erst heute, muss ein Mann, der sich genau diesem bedenklichen Trend widersetzte, erleben, wie er für seine Hilfsbereitschaft und für die freiwillige Übernahme von Verantwortung an den Pranger gestellt wird. Er hat die junge Frau mitgenommen. Zum Essen eingeladen. Sich die halbe Nacht lang ihre Probleme angehört. Sie in seinem Gästezimmer schlafen lassen und sie am nächsten Morgen sogar noch bis zur U-Bahn gebracht. Sich vergewissert, dass sie im richtigen Wagen sitzt. Und was macht die Presse dafür aus ihm? Mindestens einen Triebtäter. Einen Vergewaltiger. Und mehr noch, einen Mörder. Denn genau diese beiden Tatvorwürfe – *Vergewaltigung und Mord* – waren es, die mehr oder weniger subtil in der Presse immer wieder gegen ihn erhoben wurden. Und heute Abend zielen sämtliche Fragen ebenfalls in diese Richtung. Ich muss sagen, eine bessere Politik der Abschreckung für jeden, der gelegentlich erwägt, sich hilfsbereit zu zeigen, ist kaum denkbar.«

Sie hielt inne. Sie konnte spüren, dass das Publikum mitging. Sie hatte die Leute erreicht.

»Sie vergessen einen nicht ganz unwesentlichen Fakt«, sagte Lee spitz. Sie lächelte jetzt nicht mehr. »Elaine Dawson ist seit jener Nacht verschwunden. Spurlos. Sie folgte Marc Reeve in dessen Haus und ward nie mehr gesehen. Legt dies nicht gewisse Schlüsse nahe? Auch dann, wenn man, wie Sie offensichtlich, dem Charme und der Redekunst eines attraktiven Anwalts restlos verfallen ist?«

Rosanna nahm die letzte Provokation nicht an. »Sie sprechen von Schlüssen. Es hat aber in den Medien immer nur einen Schluss gegeben. Tatsächlich sind verschiedene Möglichkeiten denkbar.«

»Und die wären?«

»Ich weiß beispielsweise, dass es einen Mann in Elaines Leben gab. Aufgrund der besonderen Umstände, die sich vor allem aus ihrem Verpflichtungsgefühl gegenüber ihrem Bruder ergaben, hielt sie diese Beziehung völlig unter Verschluss. Ich weiß auch, dass Elaine aus ihrem Leben ausbrechen wollte. Aus Gründen, die niemanden etwas angehen, die mir, als einem Menschen, der sie seit frühester Kindheit gekannt hat, aber sehr einleuchten. Ich könnte mir gut vorstellen, dass sie die Chance, die ihr diese Reise und ihr unerwarteter Verlauf boten, ergriffen hat.«

»Das heißt?«

Rosanna blickte direkt in die Kamera. »Ich bin überzeugt, dass Elaine lebt«, sagte sie, »und dass sie untergetaucht ist. Vielleicht hält sie sich noch in England auf, vielleicht auch nicht. Aber sie lebt. Niemand sollte sie für tot erklären, nur weil sie sich die Freiheit genommen hat, über ihr weiteres Leben selbst zu bestimmen.«

Sie schaute ins Publikum, ignorierte Nick Simons wütenden Blick.

»Vielleicht will sie einfach in Ruhe gelassen werden«,

fügte sie hinzu, »und eigentlich könnte sie erwarten, dass wir alle diesen Wunsch respektieren. Auch und gerade die Presse.«

Das Publikum klatschte heftig Beifall.

Und mir entzieht Nick nachher den Auftrag, dachte sie.

Samstag, 16. Februar

I

»Du warst unmöglich gestern Abend«, sagte Nick wütend, »absolut unmöglich. Du hast dich aufgeführt wie eine Anwältin vor Gericht. Wie Marc Reeves Anwältin!«

Rosanna saß noch etwas benommen in ihrem Hotelbett. Das Telefon hatte um halb sieben morgens geklingelt und sie aus tiefem Schlaf gerissen. Sie hatte geahnt, dass es Nick war, der sie anrief. Am Vorabend hatte sie nach Ablauf der Sendung vergeblich nach ihm Ausschau gehalten. In seinem Ärger war er einfach nach Hause gegangen, ohne noch ein einziges Wort mit ihr zu wechseln.

Dafür redete er jetzt umso mehr.

»Wie du Mrs. Pearce angegriffen hast! Und in gewisser Weise die ganze Sendung. Auch unser eigenes Blatt im Übrigen. Du bist über die Art von Journalismus hergefallen, für den *Private Talk* und *Cover* nun einmal stehen. Ich frage mich, was du dir dabei gedacht hast!«

»Nick, ich …«

»Wir sollen Elaine Dawson in Ruhe lassen! Ich meine, merkst du nicht selbst, wie absurd das wirken muss? Du hast den Auftrag, eine Geschichte über sie zu schreiben, und verbreitest dann derartige Reden im Fernsehen!«

Rosanna konnte ihn fast ein wenig verstehen.

»Nick, ich hätte nicht in diese Sendung gehen sollen«, erwiderte sie, als er endlich einmal Luft holte und ihr damit die Gelegenheit gab, auch etwas zu sagen. »Hätte ich gewusst, wie sich diese Lee Pearce verhält, dann wäre mir von vornherein klar gewesen, dass es keinen Sinn hat. Du wirfst mir vor, dass ich mich wie Reeves Anwältin aufgeführt habe? Nun, das lag daran, dass Mrs. Pearce sich wie seine Anklägerin benahm. Sie hat alles getan, ihn wie einen Schuldigen dastehen zu lassen.«

»Dagegen hätte er sich ja wehren können. Er hätte nur die Einladung in die Sendung annehmen müssen.«

»Vielleicht hat er einfach keine Lust mehr, sich zu wehren. Wegen einer Geschichte, mit der er nichts zu tun hat!«

»Aha. Und dass er nichts damit zu tun, das weißt du, oder wie?«

»Ich bin nicht allwissend. Aber er wirkt sehr ehrlich auf mich. Ich kann mir auch einfach kein Motiv vorstellen. Zudem hat ihm die Polizei ebenfalls nichts nachweisen können. Nick, man kann doch einen Mann nicht sein Leben lang verfolgen wegen einer Geschichte, an der ihn vielleicht wirklich nicht die geringste Schuld trifft.«

»Darum geht es überhaupt nicht«, sagte Nick. »Es geht nicht um die Frage, ob Reeve unschuldig ist oder nicht. Offen gestanden, interessiert mich das auch gar nicht. Ich verkaufe Geschichten, und in diesem Zusammenhang ist für mich nur die Auflagenhöhe meiner Zeitung wichtig, sonst nichts. Um es einmal ganz brutal zu sagen, Rosanna: Ein Marc Reeve, über dem nach wie vor der Schatten eines Verdachts schwebt, lässt sich besser verkaufen als eine Elaine Dawson, die sich einfach nur abgeseilt hat und irgendwo ein vergnügtes Leben führt. So ist das nun mal. Du warst lange genug in dem Job. Du wusstest das vorher.«

Sie schwieg. Er hatte recht. Sie konnte nicht gut behaupten, völlig überrascht worden zu sein.

»Darüber hinaus«, fuhr Nick fort, »hat es mich schon sehr erstaunt, von deinem guten persönlichen Draht zu Reeve zu hören. Zwei lange und vertrauensvolle Gespräche? Sehr interessant, auf diese Weise davon zu erfahren. Mir gegenüber hattest du schließlich behauptet, Reeve verweigere jedes Gespräch.«

»Ich weiß. Es tut mir leid. Ich musste ihm versprechen, von unseren Gesprächen nichts zu erwähnen.«

»Dann dürfte er über deine Äußerung von gestern Abend auch nicht allzu glücklich sein.«

»Vermutlich nicht. Ich sah aber keine andere Möglichkeit, mich *zu seiner Anwältin zu machen,* wie du es nennst. Ich hoffe, dass er das verstehen wird.«

»Es sollte dir wichtiger sein, ob ich dich verstehe«, schnauzte Nick, »denn immerhin bezahle ich dich und deinen gesamten Londoner Aufenthalt. Und damit fährst du nicht schlecht!«

»Ich weiß. Und ich würde es auch verstehen, wenn du nun sagst, du möchtest meine Mitarbeit nicht länger...«

»Oh, so einfach kommst du nicht davon«, unterbrach Nick sofort, »du machst weiter. Wir haben eine Abmachung. Aber von jetzt an benimmst du dich konform. Was beinhaltet, dass du dich bei möglichen zukünftigen Presse- oder Fernsehterminen absolut im Sinne von *Cover* und der dir gestellten Aufgabe verhältst. Und, Rosanna, alles, wirklich alles, jeder Schritt wird mit mir abgesprochen. Verstanden? Ich will informiert sein. Vergiss nicht, dass ich dein Boss bin!« Mit diesen Worten legte er den Hörer auf.

Rosanna fluchte leise, legte dann ebenfalls auf und zuckte zusammen, als das Telefon sofort erneut klingelte. Sie überlegte kurz, ob sie abnehmen sollte, weil sie eigentlich keine Lust auf die nächste Auseinandersetzung hatte. Vermutlich handelte es sich bei dem Anrufer um Marc Reeve. Vor dem Gespräch mit ihm hätte sie gern wenigstens einen starken Kaffee gehabt.

Dennoch meldete sie sich schließlich. »Ja?«

»Bist du nicht ganz bei Trost?«, schrie Geoffrey in den Apparat. »Was war denn das für eine unsägliche Show, die du gestern abgezogen hast? Ich dachte, ich trau meinen Ohren nicht! Marc Reeve, das Unschuldslamm! Und

Elaine, die einfach mit irgendeinem Typen durchgebrannt ist! Sag mal, weißt du eigentlich, was für eine unsägliche Scheiße du da in die Welt gesetzt hast?«

»Geoffrey, ich weiß, dass du deine eigenen Theorien hegst, was Elaine betrifft, aber du musst einfach akzeptieren, dass...«

»Ich muss überhaupt nichts akzeptieren! Schon gar nicht, dass du den guten Ruf meiner ermordeten Schwester beschmutzt. Als was stellst du sie denn hin? Als ein leichtsinniges Flittchen, das sich mit einem Kerl absetzt und den eigenen hilflosen Bruder im Elend zurücklässt? Die nicht einmal den Anstand hat, sich von dem armen Krüppel wenigstens zu verabschieden? Weißt du, was ich so obermies an dir finde? Du hast diesen Auftrag bekommen, weil du damit herumgeprahlt hast, Elaine seit frühester Kindheit so gut gekannt zu haben. Aber wer sie wirklich kennt, verstehst du, wer sie wirklich kennt, weiß, dass sie so etwas nie getan hätte. Dafür hatte sie viel zu viel Stil. Und Anstand. Charaktereigenschaften, die dir leider vollkommen fehlen, und deshalb...«

Rosanna mochte die beleidigenden Vorwürfe nicht länger hören. Sie tat, was Nick Simon wenige Momente zuvor getan hatte: Sie knallte den Hörer auf die Gabel.

»Mir reicht es«, sagte sie laut. »Nicht in diesem Ton und nicht um diese Uhrzeit.«

Das Telefon begann sofort wieder zu läuten, aber sie ignorierte es, stieg aus dem Bett und ging ins Bad hinüber. Sollte Geoffrey sich doch die Finger blutig wählen. Auch ein Mann mit seinem Schicksal konnte sich nicht alles herausnehmen. Sie hätte diesem Hysteriker nie ihr Hotel nennen, nie eine Telefonnummer geben sollen.

Geduscht, geföhnt und angezogen, fühlte sie sich besser. Sie konnte Nicks Unmut verstehen und sich sogar irgendwie in Geoffreys Kränkung hineinversetzen, aber in ihr blieb die Überzeugung, richtig gehandelt zu haben. Alles andere hätte ihr weniger Ärger eingebracht, aber sie hätte es nicht vor sich selbst verantworten können. Und letztlich war es wichtiger, zu der eigenen Überzeugung zu stehen, als es den Menschen ringsum um jeden Preis recht zu machen.

Als das Telefon erneut klingelte, fühlte sie sich gekräftigt und gewappnet für den nächsten Angriff. Sie meldete sich mit kräftiger Stimme.

»Ja? Hier spricht Rosanna Hamilton.«

»Hier ist Marc Reeve. Ich hoffe, ich rufe nicht zu früh an?«

»Oh – keineswegs. Um halb sieben hat mich bereits mein Chefredakteur angebrüllt, und kaum war er damit fertig, meldete sich Geoffrey Dawson und fuhr um noch ein paar Töne schärfer damit fort. Ich bin also hellwach. Wenn Sie mich jetzt auch anschreien wollen – bitte! Mich erschüttert heute nichts mehr!«

Reeve lachte leise. »Das war zu erwarten, oder? Ich meine, die Reaktion Ihres Chefs und die von Mr. Dawson!«

»Vermutlich. Aber aus dem Tiefschlaf kommend, trifft es einen doch recht unvermittelt.«

»Das tut mir leid. Aber ich werde Sie nicht anschreien, im Gegenteil. Ich wollte mich bedanken.«

»Wirklich?«, fragte Rosanna überrascht.

»Wirklich. Ich gebe zu, auch ich war gestern Abend zuerst entsetzt, als Sie unsere Gespräche erwähnten. Für einen Moment dachte ich … egal. Ich begriff sehr schnell, warum Sie es getan haben. Sie haben ein wunderbares Plädoyer für mich gehalten, und Sie haben Lee Pearce wirklich auflaufen lassen. Ich habe es genossen.«

Rosanna fühlte sich ganz unerwartet erleichtert. »Das freut mich. Wirklich, Mr. Reeve. Ich habe manchmal das

Gefühl, die ganze Geschichte könnte mir entgleiten, aber solange Sie sich noch nicht schlecht behandelt von mir fühlen, scheine ich die Dinge im Griff zu haben.«

»Sie haben sich jedenfalls von Mrs. Pearce nicht einschüchtern lassen, und das hat mir gefallen. Sagen Sie«, fuhr er übergangslos fort, »hätten Sie Lust, irgendwo mit mir zusammen zu Mittag zu essen? Nachdem Sie gestern öffentlich versichert haben, mich nicht für einen Vergewaltiger und Mörder zu halten, kann ich es ja riskieren, Sie das zu fragen. Wir könnten aufs Land fahren und ein gemütliches Pub suchen. Es ist herrliches Wetter.«

»Ach ja?« Rosanna hatte noch nicht hinausgeschaut, die schweren Vorhänge waren noch immer vor die Fenster gezogen. »Das wäre schön. Doch, ich hätte größte Lust!«

Sie wusste, dass sie eigentlich hätte arbeiten müssen. Aber nach dem gestrigen Abend, nach all den herzlichen Begrüßungen am Morgen, nach dem tagelangen Regen hatte sie das Gefühl, dass ein Ausflug aufs Land an einem sonnigen Frühlingstag genau das war, was sie brauchte.

»Dann hole ich Sie um zehn Uhr in Ihrem Hotel ab«, sagte Marc Reeve.

2

Brent Cadwick war ratlos, was er tun sollte. Er hatte die ganze Nacht vor Aufregung nicht geschlafen und war schließlich um fünf Uhr aufgestanden, weil er es im Bett einfach nicht mehr aushielt. Es war noch ganz dunkel draußen gewesen. Er hatte sich einen Kaffee gekocht und ein Brot gestrichen, aber er hatte kaum einen Bissen heruntergebracht. Zu vieles war ihm im Kopf herumgegangen.

Irgendwann dämmerte draußen der Tag. Er spähte durch sein kleines Wohnzimmerfenster, verrenkte ein wenig den

Kopf und konnte ein Stück Himmel zwischen den Häusern hoch über der Gasse erkennen. Blauer Himmel. Es schien endlich einmal schönes Wetter zu herrschen.

Am Vorabend hatte es ihn wie ein Blitz getroffen. Eigentlich sah er sich die Sendung *Private Talk* nur selten an. Sie wurde viel zu spät am Abend ausgestrahlt, meist schlief er um diese Zeit schon, und die Themen, die dort behandelt wurden, interessierten ihn nicht besonders. Gestern jedoch war er beim Herumschalten zufällig bei Lee Pearce gelandet und zunächst einmal nur deshalb bei der Sendung hängengeblieben, weil er es komisch fand, dass die Moderatorin und ihr weiblicher Studiogast fast identisch angezogen waren. Beide Frauen waren darüber sicher alles andere als glücklich, und über derartige Missgeschicke konnte er sich, glucksend vor Vergnügen, amüsieren. Und dann war plötzlich der Name gefallen, der ihn elektrisierte, er hatte sich in seinem Sessel aufgerichtet und laut gesagt: »Also, das ist ja ein Ding!«

Elaine Dawson.

Sie sprachen in der Sendung über Elaine Dawson.

Vor knapp zwei Jahren war sie in sein Apartment – er nannte die Wohnung im ersten Stock gerne *Apartment*, weil das, wie er fand, sehr vornehm klang – eingezogen, an einem warmen, windigen Apriltag, und hatte sich ihm mit ihrer leisen Stimme vorgestellt. »Elaine. Elaine Dawson. Ich habe Ihr Inserat gelesen und wäre an der Wohnung interessiert.«

Da sie die Einzige war, die sich gemeldet hatte, waren sie schnell einig geworden. Er hatte sich ihren Ausweis zeigen lassen und eine Kaution von zwei Monatsmieten gefordert, die sie anstandslos bezahlt hatte. Sie hatte in einem Schuhgeschäft in einem Vorort von Morpeth gearbeitet, aber dann hatte sie diesen Job verloren und für einige Monate keinen Ersatz gefunden. Sie war in Zahlungsschwierigkeiten geraten und hatte ihn mit der Miete warten lassen. Trotzdem hatte er sie nicht hinausgeworfen. Gut, er hatte natürlich etwas Druck gemacht, verständlich, es ging ja um Geld, das ihm rechtmäßig zustand. Aber immerhin, sie hatte im Apartment bleiben dürfen, und endlich war da der Job im *Elephant* gewesen, und von da an hatte es keine Probleme mehr gegeben. Jetzt platzte er natürlich fast vor Wut. Großzügig war er gewesen, verständnisvoll. Immer wieder hatte er ihr seine Unterstützung bei all ihren Schwierigkeiten angeboten. Und was war der Dank? Abgehauen war sie. Verschwunden seit Donnerstag. Sang- und klanglos und ohne ein einziges Wort zu verlieren.

Das hatte ihn getroffen. Wirklich getroffen.

Normalerweise hätte er natürlich vermutet, dass sie einfach – endlich – einen Mann kennen gelernt hatte und sich ein paar vergnügte Nächte mit ihm machte. Sie war jung, es wurde Zeit, dass sie anfing, das Leben zu genießen. Aber er hatte es sich nicht verkneifen können, ein wenig im Apartment herumzustöbern, während sie fort war, und da war ihm das Fehlen all ihrer persönlichen Gegenstände sofort ins Auge gesprungen. Ihr Koffer war fort, der Kleiderschrank leer geräumt.

Minutenlang hatte er sprachlos in ihrem Schlafzimmer gestanden und zu begreifen versucht, was sich ihm als Erkenntnis aufzwang: dass sie ausgeflogen war und ganz offenbar nicht vorhatte, zurückzukommen. Und es nicht einmal für nötig befunden hatte, ihn darüber zu informieren.

Das große Foto an der Studiowand wurde leider zum Teil von den beiden davor sitzenden Frauen verdeckt, dennoch war er ganz dicht an den Fernsehapparat herangekrochen, um festzustellen, ob es sich um seine Elaine Dawson handelte. Denn natürlich konnte es den Namen öfter geben. Er wusste beispielsweise von einem Brent Cadwick, der nur ein paar Dörfer entfernt wohnte. Das Leben war voll seltsamer Zufälle.

Aber es könnte sein... Die dunklen, glatten Haare stimmten auf jeden Fall. Das Gesicht seiner Elaine war wesentlich schmaler als das des offenbar recht pummeligen Mädchens im Studio, aber wie er dem Gespräch der beiden Frauen entnahm, handelte es sich um eine Aufnahme, die mindestens fünf Jahre alt war. In fünf Jahren konnte eine Frau eine Menge Babyspeck verlieren und sich in einen anderen Typ verwandeln.

Atemlos hatte er die Sendung weiterverfolgt und dabei erfahren, dass Elaine Dawson offenbar vor nunmehr fünf Jahren spurlos verschwunden war und dass es einen Mann gab, einen Londoner Anwalt, der im Verdacht gestanden hatte, sie ermordet zu haben. Die Journalistin jedoch, die man in die Sendung eingeladen hatte, schien sicher zu sein, dass Dawson noch lebte.

Und wenn es stimmte, was er, Brent Cadwick, dachte, dann hatte sie damit verdammt recht.

Brent Cadwick hatte sich immer gewünscht, dass in seinem Leben einmal etwas wirklich Aufregendes passieren möge, aber achtundsechzig Jahre lang war dieser Wunsch ins Leere gelaufen. Nun schien sich etwas anzubahnen. Wenn seine Elaine identisch war mit der seinerzeit in London verschwundenen Frau, dann war er, Brent, der Mann, der den Fall aufklären würde. Der ihrer Familie Gewissheit bringen, der den Londoner Anwalt von jedem Verdacht reinwaschen würde. Wie dankbar man ihm wäre! Sicher käme er in die Presse. Man würde ihn vor seinem Haus fotografieren, man würde auch das Apartment sehen wollen, in dem Dawson gelebt hatte. Man würde Interviews mit ihm führen. Wahrscheinlich würde er auch zu *Private Talk* eingeladen werden. Er sah sich schon in dem Studio sitzen und von dieser höchst attraktiven Blondine

Lee Pearce befragt werden. Schlagartig wäre er im ganzen Land bekannt. Dawsons Familie würde ihm in den nächsten Jahren zu jedem Weihnachtsfest eine Karte schreiben und vielleicht auch zu seinen Geburtstagen. Da er zu beiden Gelegenheiten nie von irgendjemandem Post bekam, war allein diese Vorstellung schon dazu angetan, ihn in freudige Aufregung zu versetzen.

Was ihn in der Nacht wach gehalten hatte und ihn auch jetzt, an diesem sonnigen Morgen, beschäftigte, waren drei Fragen:

Konnte er sicher sein, dass es sich wirklich um die richtige Elaine handelte?

An wen sollte er sich nun am besten wenden?

Und wo, verdammt noch mal, war sie abgeblieben?

Die letzte Frage beunruhigte ihn am meisten. Denn wenn er sich bei der Polizei oder bei wem auch immer meldete und als Erstes bekennen musste, dass er keine Ahnung hatte, wo sich die Gesuchte eigentlich aufhielt, kam das einer ganz schönen Blamage gleich. Also... erwähnte er es am besten vorerst gar nicht.

Und was die Identität Elaines anging... Ganz sicher konnte er nicht sein. Aber *fast* sicher. Denn schließlich musste er auch das seltsame Verhalten, die eigenartige Lebensweise seiner Untermieterin in die Waagschale werfen. Und das hatte in seiner Vorstellung schon immer auf irgendein Geheimnis in ihrer Vergangenheit hingedeutet.

Im hellen Licht des Tages fand er nun die Antworten und konnte sich endlich einen Schlachtplan zurechtlegen.

Er nickte zufrieden. Er würde das alles ganz schlau anfangen.

An diesem Samstag verließ Angela endlich einmal die elterliche Wohnung. Sie hatte ihre dicke Winterjacke und einen Schal angezogen, merkte draußen jedoch schnell, dass es ihr darin zu warm wurde. Die Sonne schien vom wolkenlosen Himmel und bewies bereits eine erstaunlich starke Strahlkraft. Islington mit seinen einfallslosen Sozialbauten, den noch kahlen Bäumen und flachen, braunen Wiesenstücken dazwischen, sah zwar noch immer recht trostlos aus, aber trotzdem verschönte der blaue Himmel auch diese Gegend, und im leichten Wind schwang der Geruch nach Frühling.

Ein Frühling, den Linda nicht mehr erlebte.

Angela merkte, wie ihr schon wieder die Tränen in die Augen stiegen. Sie schluckte energisch, versuchte jeden Gedanken an ihre Schwester beiseitezuschieben. Seit der Nachricht von Lindas Tod hatte sie an nichts anderes denken können als an die Grausamkeiten, die ihr zugefügt worden waren, und sie wusste, dass sie den Verstand verlieren oder krank werden würde, wenn sie nicht damit aufhörte. Oder sich nicht zumindest eine Pause verschaffte. Einfach spazieren ging, sich den Wind um die Nase wehen ließ und andere Gedanken und Bilder in ihrem Kopf zuließ. Nur dass das so schwer war. So schrecklich schwer.

Sie lief eine Weile ziellos herum, einfach so durch die Straßen, und sie merkte, dass ihr das zumindest besser bekam, als daheim in der Wohnung zu sitzen. Als sie schließlich atemlos stehen blieb – sie hatte gar nicht bemerkt, dass sie so schnell gelaufen war –, stellte sie fest, dass sie vor der Autowerkstatt gelandet war, in der Linda ein halbes Jahr lang gearbeitet hatte. Gordon kannte einen der Mitarbeiter dort, und es war ihm gelungen, Linda im Büro unterzubringen, wo sie Rechnungen tippte und die Ablage machte. Linda hatte den Job gehasst und vor etwa einem Dreiviertel-jahr alles hingeworfen und erklärt, eher springe sie nackt von der Tower Bridge, als noch ein einziges Mal das dunkle Gebäude zu betreten, in dem sie ihrer langweiligen Tätig-keit nachgegangen war. Angela erinnerte sich an den Rie-senkrach, den es deswegen daheim gegeben hatte; Gordon hatte gebrüllt und getobt, aber Linda war standhaft geblie-ben.

Auch Angela hatte ihrer Schwester damals Vorhaltungen gemacht. In diesem Punkt waren sie grundverschieden ge-wesen. Angela vertrat die Auffassung, dass jede Arbeit bes-ser war als keine Arbeit und dass man im Leben Durststre-cken durchzustehen hatte. Linda argumentierte, man habe nur dieses eine Leben und sie sei nicht gewillt, es sich ver-miesen zu lassen.

Ein berührender Ausspruch im Nachhinein. Man hatte ihr nun ihr Leben nicht einfach nur vermiest. Man hatte es ihr genommen.

Angela dachte, dass sie sicher nicht zufällig ausgerechnet hier gelandet war. Sosehr sie sich bemühte, an etwas ande-res zu denken, Linda war einfach in ihrem Kopf. Sie hatte ihre Schwester damals häufig an der Werkstatt abgeholt, auf dem Heimweg von der Gärtnerei. Manchmal waren sie zu der Chips-Bude schräg gegenüber gegangen und hatten sich einen Hot Dog gekauft. Linda hatte über die Arbeit geschimpft. An Sommerabenden war es schön gewesen, ne-beneinander die Straße entlangzugehen.

Sie hob die Hand, wischte eine Träne aus den Augenwin-keln. Die Chips-Bude gab es noch, wie sie feststellte.

»Scheiße«, sagte sie laut, »einfach Scheiße!«

Ein Schatten tauchte plötzlich neben ihr auf, und eine Stimme sagte: »Bist du nicht Lindas Schwester?«

Sie drehte sich um. Vor ihr stand ein großes, dünnes

Mädchen im blauen Arbeitsanzug, eine Baseballmütze auf den rotblonden Haaren. Sie roch leicht nach Motoröl.

»Doch«, fuhr sie fort, »du bist doch Angela Biggs?«

Angela zog ein Taschentuch aus ihrer Manteltasche und schnäuzte sich kräftig, ehe sie antwortete.

»Ja«, sagte sie dann, »ich bin Lindas Schwester.«

»Dawn Sparks«, sagte das Mädchen, »ich mache hier eine Ausbildung zum Mechaniker.« Sie wies auf die Werkstatt. »Ich hab dich hier stehen sehen, und da dachte ich… na ja, ich wollte dir sagen, mir tut es verdammt leid, was mit Linda passiert ist. Ehrlich, ich konnte es zuerst gar nicht glauben. Als ich das in der Zeitung gelesen habe… o Gott, mir ist es kalt den Rücken hinuntergelaufen. Wer macht denn so etwas?«

Sie sah Angela fragend an.

»Ich weiß es nicht«, sagte Angela.

»Ich habe mich gut mit Linda verstanden. Sie war ja total unglücklich hier und hat dauernd gejammert, aber ich fand sie nett. Ich fand's schade, als sie aufhörte.«

»Ich auch«, sagte Angela, »die ganze Familie. Wir waren so froh, dass sie einen Job hatte. Aber…« Sie hob hilflos die Arme zum Zeichen, dass es in mancher Hinsicht keinerlei Einflussmöglichkeit auf Linda gegeben hatte.

»Das hier war wohl nicht das Richtige für sie«, meinte Dawn, »sie hatte andere Vorstellungen von ihrem Leben.«

»Ich glaube eher«, sagte Angela, »dass sie ihre eigenen Vorstellungen noch gar nicht richtig kannte. Das war ihr Problem. Aber sie war ja auch noch so jung. Sie wollte einfach leben. Einfach nur leben…«

Die beiden jungen Frauen schwiegen. Sie sahen Linda vor sich, die lebendige Linda, mit ihrem hübschen Gesicht, ihrer freizügigen Kleidung, dem lauten Lachen, der wilden Fröhlichkeit. Es schien kaum vorstellbar, dass sie, auf grässliche Art verstümmelt, im Keller der Gerichtsmedizin lag und auf Spuren untersucht wurde, die Aufschluss über den Menschen geben sollten, der ihr das Leben genommen hatte.

»Wie gesagt, ich mochte Linda«, fuhr Dawn schließlich fort, »aber jetzt zuletzt machte ich mir auch ein bisschen Sorgen um sie. Ich meine, sie ist... war ein Mensch, der nicht so gut auf sich selber aufpasste. Bestimmte Warnsignale schien sie einfach nicht wahrzunehmen. Spätestens seit ich sie mit ihrem neuen Freund gesehen hatte, hatte ich ein ausgesprochen ungutes Gefühl, aber...«

Angela, die ein wenig geistesabwesend zugehört hatte, zuckte zusammen. Sie starrte Dawn an. »Was meinst du? Welcher neue Freund?«

»Sie hatte doch einen neuen Freund. Jedenfalls war sie mit einem Typen unterwegs.«

»Du meinst nicht Ben Brooks?«

»Nein. Den kannte ich ja. Der hat sie hier manchmal abgeholt. Bei dem hätte sie übrigens bleiben sollen. Der war richtig nett.«

»Aber wer war es dann? Wir wussten nichts von einem neuen Freund.«

Dawn schien überrascht. »Nicht? Vielleicht war sie sich nicht so ganz sicher. Hoffentlich jedenfalls. Denn der Kerl war das Allerletzte. Brutal und gewöhnlich.«

Angela hätte sie am liebsten geschüttelt. »Wo hast du die beiden getroffen?«

»Das war ganz in der Nähe. Gleich bei Woolworth hier um die Ecke. Ich hätte Linda zuerst fast gar nicht erkannt. Hierher zu uns kam sie ja nicht so aufgedonnert. Aber vor dem Kaufhaus... meine Güte, dachte ich, sie sieht aus als ob...« Sie sprach nicht weiter, biss sich auf die Lippen.

Angela erriet, was sie hatte sagen wollen, aus Pietät jedoch zurückgehalten hatte. »Sie sah aus, als ob sie auf den Strich ginge«, sagte sie.

Dawn wirkte verlegen. »Na ja. Also, ein bisschen schon. Aber den Eindruck bekam man vielleicht auch durch den Typ neben ihr. Der sah jedenfalls voll und ganz wie ein Zuhälter aus. Ich bin richtig erschrocken.«

»Wann genau war das?«

»Das ist noch gar nicht so lange her. Kurz vor Weihnachten, würde ich sagen. Ich war ja unterwegs, um Weihnachtsgeschenke zu kaufen. Mitte Dezember etwa.«

»Und du hast Linda angesprochen?«

»Nein, sie hat mich angesprochen. *Hi, Dawn*, sagte plötzlich jemand neben mir, und, wie gesagt, ich musste zweimal hinschauen, ehe ich Linda erkannte. Ich hatte den Eindruck, dass sie stehen bleiben und ein bisschen mit mir plaudern wollte, aber der Typ neben ihr war in Eile. Er zog sie einfach weiter.«

»Aber sie stellte ihn dir noch als ihren Freund vor?«

»Eigentlich nicht. Sie sagte etwas in der Art wie *Na, wir haben es aber mal wieder eilig*, ein bisschen ironisch, weißt du. Ich hab einfach angenommen, er ist ihr neuer Freund. Aber natürlich – genau weiß ich nicht, wie sie zueinander standen.«

»Seinen Namen hat sie nicht zufällig…?«

Dawn hob bedauernd die Schultern. »Nein, den sagte sie nicht. Es ging alles sehr schnell. Ich war ja auch total in Hetze. Es war meine Mittagspause, und ich wollte wenigstens noch ein paar Geschenke finden. Ich versuchte gar nicht, sie festzuhalten. Aber ich weiß, dass ich im Weitergehen dachte: O Gott, wo hat sie denn den her? Hoffentlich legt sie den schnell wieder ab. Der sieht ja richtig kriminell aus!«

Angelas Herz klopfte wie rasend. Da war sie. Die allererste kleine Spur. Ein Hinweis auf die neue Bekanntschaft, die es in Lindas Leben gegeben haben musste. Die Polizei war sicher gewesen, dass da jemand gewesen war. Der nichts mit ihrem Tod zu tun haben brauchte. Aber zu tun haben konnte.

»Dawn, das ist jetzt sehr wichtig«, sagte sie und merkte selbst, dass ihre Stimme vor Erregung schrill klang, »es ist sehr wichtig, dass du dich so gut wie möglich an Lindas Begleiter erinnerst. An jedes mögliche Detail, verstehst du? Die Polizei sucht nach diesem Mann, bisher aber ohne den kleinsten Hinweis auf seine Person. Meinst du, du kannst eine Beschreibung abgeben?«

Dawn wirkte alles andere als glücklich. »Ich weiß nicht… du meinst, bei der Polizei?«

»Ja. Bitte, Dawn. Ich gehe mit dir dorthin. Aber das ist der erste Anhaltspunkt, den es gibt.«

Sie kramte ihr Handy aus der Manteltasche, dazu die Karte von Inspector Fielder, die sie immer bei sich trug. »Ich rufe jetzt den ermittelnden Beamten an«, sagte sie, »vielleicht will er, dass wir gleich zu ihm kommen. Oder er kommt hierher.«

»Aber es ist mitten in meiner Arbeitszeit«, protestierte Dawn. »Samstags arbeite ich bis zwölf. Danach…«

»Das dauert zu lange«, sagte Angela. »Inspector Fielder wird mit deinem Chef sprechen. Du bekommst garantiert keinen Ärger, versprochen!«

Dawn sah nicht so aus, als schenke sie Angelas Worten großes Vertrauen. Sie schien es bereits schwer zu bereuen, nach draußen gelaufen zu sein und Lindas Schwester angesprochen zu haben.

Während Angela insgeheim dem Schicksal dankte, dass es sie an diesem Morgen genau hierher, zu Lindas ehemaliger Arbeitsstelle, geführt hatte.

Wenn es das Schicksal gewesen war. Angela war zwar recht gläubig, häufig jedoch im Zweifel, was die Frage eines Weiterlebens nach dem Tod betraf, aber plötzlich hatte sie das Gefühl, dass es Linda selbst gewesen sein konnte.

Vielleicht hatte der Geist ihrer toten Schwester ihre Schritte gelenkt.

4

Sie waren bis in die Gegend von Cambridge hinaufgefahren, über Landstraßen, die an diesem Samstagmorgen sehr leer und sehr sonnig waren. Marc Reeve fuhr schnell und sicher. Er wirkte gelöster als bei den anderen beiden Verabredungen, die sie gehabt hatten. Rosanna überlegte, dass es daran liegen mochte, dass er sich diesmal nicht befragt und damit irgendwie zur Rechtfertigung gezwungen fühlte. Er hatte diese Verabredung von sich aus erbeten. Seit der Fernsehsendung vom Vorabend schien er sich nicht mehr wie ein gehetztes Tier zu fühlen.

Dabei, dachte Rosanna, bin es bislang immer noch ausschließlich ich, die für ihn in die Bresche springt. Ob das irgendeine Wirkung zeigt, wird sich erst später herausstellen.

Er hatte ein bisschen von sich erzählt während der Fahrt. Davon, dass er ein begeisterter Wassersportler gewesen war, ein eigenes Motorboot besessen hatte.

»Im Yachthafen von Wiltonfield. Sehr ländlich und idyllisch. Ich bin oft auf der Themse gefahren.«

»Jetzt nicht mehr?«

Er hatte den Kopf geschüttelt. »Nach der Trennung von meiner Frau habe ich ihr das Schiff überlassen. Wir beide im selben Yachtclub – das ging ganz einfach nicht. Es machte so mehr Sinn: Sie lebt jetzt in Binfield Heath, das ist dort ganz in der Nähe, und mir fehlt die Zeit, mich regelmäßig um ein Boot zu kümmern.«

»In Ihrem Leben hat sich vieles verändert, nicht? Nick erzählte, dass Sie auch in Ihrem Haus von damals heute nicht mehr wohnen.«

»Das wurde verkauft, ja. Es war viel zu groß für mich allein. Ich habe jetzt eine Wohnung in Marylebone.«

»Und dort besucht Sie Ihr Sohn an den Wochenenden?«

Das war der einzige Moment gewesen, an dem ein unsichtbarer Vorhang vor Reeves Gesicht glitt und seine Züge sich verschlossen. »Nein«, hatte er knapp erwidert, »mein Sohn hat keinen Kontakt mehr zu mir.«

Die Art, wie er dies sagte, verbot es Rosanna, weiter nachzufragen. Sie hätte gern gewusst, ob Marc Reeves Sohn den Kontakt abgebrochen hatte wegen Elaine Dawson oder wegen der Scheidung seiner Eltern. Vielleicht leitete sich sein Verhalten von einem übermäßigen Solidaritätsgefühl mit seiner Mutter ab. Möglicherweise hetzte die Mutter auch gegen den Vater. Rosanna hatte jedenfalls den Eindruck, den wundesten Punkt in Marc Reeves Leben berührt zu haben.

Das Pub hieß *The Duke of Wellington* und war fast völlig leer. Nur ein älteres Paar saß in einer Ecke, schwieg verbissen und betrachtete die Neuankömmlinge mit unverhohlener Neugier.

»Die haben sehr gutes Essen hier«, sagte Marc. »Meine Schwiegermutter war hier in der Gegend in einem Pflegeheim untergebracht, und hin und wieder habe ich Jacqueline – meine Frau – dorthin begleitet. Daher kenne ich mich in der Ecke ein wenig aus.«

Nachdem sie ihre Bestellung aufgegeben hatten, wagte Rosanna noch einen Vorstoß in das heikle Thema. »Wie alt ist Ihr Sohn?«, fragte sie vorsichtig.

»Er wird jetzt am ersten März fünfzehn«, sagte Marc.

»Und selbst an seinem Geburtstag sehen Sie ihn nicht?«

»Nein.«

»Nun, das ist …«

»Rosanna«, sagte Marc, »ich darf Sie doch Rosanna nennen? Bitte verstehen Sie mich nicht falsch, aber ich möchte nicht über Josh sprechen. Es war an seinem neunten Geburtstag, am ersten März 2002. Als ich abends aus der Kanzlei kam, waren er und meine Frau ausgezogen, ohne mir eine Anschrift zu hinterlassen. Als Nächstes bekam ich den Scheidungsantrag von der Anwältin meiner Frau zugestellt, dazu ein Schreiben, dass man mir juristisch natürlich ein Umgangsrecht mit Josh nicht verwehren könne, dass der Junge sich aber vehement weigere, mich zu sehen oder zu sprechen. Bis auf eine einzige sehr unerfreuliche Begegnung kam es dann tatsächlich zu keinem Kontakt mehr. In dieser Konstellation muss ich seit sechs Jahren leben, und es geht mir besser, wenn ich das alles nicht thematisiere.«

»Ich verstehe das. Aber, verzeihen Sie – warum haben Sie das sechs Jahre lang hingenommen? Ich meine...«

»Es gab jede Menge Bemühungen von meiner Seite, natürlich. Aber daraufhin bekam ich ärztliche Bescheinigungen zugeschickt, denen zufolge Josh mit Neurodermitis auf jeden Gedanken an eine Begegnung mit mir reagiere. Was soll man da noch tun? Beharrlichkeit zeigen? Sich über all das hinwegsetzen? Das wollte ich nicht.« Er schob den Salzstreuer hin und her, blickte aus dem Fenster in den strahlenden Vorfrühlingstag hinaus. »Ein unerfreuliches Thema«, sagte er.

Sie nickte. Sie spürte, dass sie keine weitere Frage stellen durfte, sie war ohnehin recht weit gegangen, und sie mochte das fragile erste Vertrauen, das sich zwischen ihnen aufgebaut hatte, nicht in Gefahr bringen. Immerhin wusste sie nun, dass das Problem, das Marc Reeve mit seinem Sohn hatte, nicht von der Geschichte um Elaine Dawson herrührte. Die Tatsache, dass sein Vater als potenzieller Mörder durch die Presse gezerrt worden war, mochte die ungute Situation noch verschlechtert haben, ausschlaggebend war sie jedoch offensichtlich nicht gewesen. Irgendetwas anderes war zuvor geschehen und hatte Josh dazu gebracht, sich in gnadenloser Konsequenz von seinem Vater abzuwenden. Vielleicht wurde er aber auch nur von der Mutter instrumentalisiert. Es mochte ein Leichtes gewesen sein, den knapp neunjährigen Jungen, der er damals gewesen war, in jede noch so absurde Richtung zu beeinflussen. In diesem Fall allerdings arbeitete die Zeit für Marc Reeve. Irgendwann würde Josh alt genug sein, die Zusammenhänge zu durchschauen und sich sein eigenes Bild zu machen.

»Mein Stiefsohn ist sechzehn«, sagte sie, »ein schwieriges Alter.«

»Aus der ersten Ehe Ihres Mannes?«

»Es war eine Studentenbeziehung. Das Kind war ungeplant und kam in einem ziemlich ungünstigen Moment. Die Mutter wollte es unter keinen Umständen haben. Sie hat meinen Mann geradezu bekniet, den Jungen zu nehmen. Der war zunächst auch nicht sehr glücklich darüber.«

»Aber heute schon, vermute ich.«

Sie nickte. »Ja. Aber die beiden reiben sich furchtbar aneinander. Und mir tut Robert immer etwas leid. Ich bilde mir ein, dass man es ihm anmerkt. Dieses Nicht-gewollt-Werden seiner ersten Monate und Jahre. Es liegt so ein Schatten über ihm. Eine Traurigkeit. Daraus resultiert viel Trotz. Viele Aggressionen. Und das wiederum lässt ihn unsagbar heftig mit seinem Vater zusammenstoßen. Immer wieder und immer häufiger.«

»Trotzdem«, sagte Marc, »ist eine Beziehung besser als keine Beziehung. Selbst wenn sie im Wesentlichen aus Streitigkeiten besteht.«

»Das ist sicher richtig«, stimmte Rosanna zu.

Das Essen wurde gebracht. Es war köstlich, wie Reeve versprochen hatte. Nachdem sie ein paar Minuten schweigend gegessen und genossen hatten, sagte Marc: »Sie wissen inzwischen eine Menge über mich. Und ich praktisch gar nichts über Sie.«

Sie lachte. »Sie wissen doch einiges.«

Er überlegte. »Warten Sie – ich weiß, dass Sie in Gibraltar leben. Dass Sie verheiratet sind und einen sechzehnjährigen Stiefsohn haben. Sie haben vor Ihrer Heirat als Journalistin gearbeitet. Sie stammen aus einem Dorf am Ende der Welt. Sie sind …«

»Ich bin sechsunddreißig.«

Jetzt lachte er. »Das wollte ich so genau gar nicht wissen. Ich habe mir gerade Gedanken über Ihren Namen gemacht. Rosanna. Sehr …«

Wieder vollendete sie seinen Satz. »Sehr altmodisch.«

»Sehr melodisch wollte ich sagen. Nach Ihrem Gesichtsausdruck zu schließen, mögen Sie den Namen nicht besonders?«

Sie hatte gar nicht gemerkt, dass sie eine Grimasse geschnitten hatte. »Ich hasse den Namen«, sagte sie, »und eigentlich ist es noch viel schlimmer: Ich bin auf Rose Anne getauft. Stellen Sie sich das vor. Ich liebe meine Eltern wirklich sehr, aber ich frage mich bis heute, was sie sich dabei gedacht haben. Rose Anne Jones. Mein Vater machte daraus Rosanna, und das ist mir bis heute geblieben. Ich finde es ein bisschen besser als Rose Anne. Aber wirklich nur ein bisschen.«

»Rose Anne«, wiederholte er langsam und nachdenklich, lauschte dem Klang. »Mir gefällt das. Wie hätten Sie denn gern geheißen?«

»Ich weiß nicht. Als Teenager vielleicht Nancy. Oder Patty. In der Art.«

»Das klingt nach einem amerikanischen Cheerleader.«

»Na ja, in einem bestimmten Alter wäre man ganz gern ein typisch amerikanischer Cheerleader. Mit langen blonden Haaren, blauen Augen und Stupsnase. Und ebendem richtigen Namen.«

»Jetzt sagen Sie nicht, dass Sie Ihre Haar- und Augenfarbe auch nicht mögen?«

Sie fuhr sich mit der Hand durch ihre kurzen dunklen Haarwirbel. »Ich habe mich daran gewöhnt. Ich glaube, ich bin noch ein ganzes Stück davon entfernt, mich selbst ganz zu akzeptieren, aber ich merke, dass es mit den Jahren besser wird. Das ist wahrscheinlich der einzige echte Vorteil am Älterwerden. Dass man langsam lernt, sich anzunehmen.«

Reeve nickte. Er schien plötzlich sehr ernst. »Ja«, bestätigte er, »so ist es. Es ist wirklich gut, mit sich selbst ins Reine zu kommen. Es verändert alles, finden Sie nicht auch? Es gibt einem so viel Gelassenheit.«

Sie wollte etwas erwidern, aber in diesem Moment schrillte ihr Handy. Mit einem genervten Gesichtsausdruck kramte sie in ihrer Tasche. »Ich weiß, das ist unhöflich beim Essen. Aber ich muss für Nick Simon erreichbar sein. Ich kann mir nicht noch mehr Ärger mit ihm leisten.«

»Ich habe kein Problem damit«, versicherte Marc.

Sie meldete sich. »Rosanna Hamilton. Nick? Ja, ich verstehe dich. Die Verbindung ist nicht allzu gut, aber ...« Sie lauschte seinen Worten. Ihre Augen wurden immer größer und runder. Schließlich stieß sie atemlos hervor: »Natürlich. Natürlich gibst du ihm meine Nummer. Ja. Klar. Ich bin erreichbar. Ich halte dich auf dem Laufenden. Selbstverständlich.«

Sie schaltete das Handy aus. »Das ist unglaublich«, sagte sie.

Marc legte seine Gabel zur Seite.

»Was ist passiert?«

»Das war Nick Simon. Er hat einen Anruf bekommen. Anonym. Ein Mann aus Northumberland. Seine genaue

Adresse hat er noch nicht genannt. Er behauptet, dass Elaine bei ihm als Untermieterin lebt. Er hat sie in der Sendung gestern erkannt. Er will jedoch nur mit mir darüber sprechen.«

»Das wäre eine Sensation!«, sagte Marc.

5

Der Anruf kam eine knappe Dreiviertelstunde, nachdem Nick sich gemeldet hatte. Beide, Rosanna und Marc, waren vor Aufregung nicht mehr in der Lage gewesen, auch nur einen einzigen Bissen zu essen, hatten rasch bezahlt und dann eiligst den *Duke of Wellington* verlassen, da Rosannas Handy dort so schlechten Empfang hatte. Sie waren eine Weile durch die Straßen des kleinen Dorfes gelaufen, bis Rosanna in ihrem Display die höchstmögliche Anzahl an Balken erkennen konnte.

»Hier«, sagte sie, »hier ist der Netzempfang am besten.«

Sie standen vor dem Pfarrgarten, über dessen steinerne Mauern Forsythienbüsche ragten, deren Blüten an diesem Tag förmlich explodierten und die ganze Gegend mit leuchtendem Gelb durchsetzten. Die Luft roch nach feuchter Erde und Frühling. Es wehte ein weicher, warmer Wind.

»Was für ein wunderschöner Tag«, sagte Rosanna.

Marc nickte. Sie konnte die Anspannung in seinem Gesicht erkennen. Und die widerstreitenden Gefühle. Die Hoffnung, die in ihm erwacht war, kämpfte mit seiner Skepsis und dem Bemühen, sich nicht zu früh an den Gedanken zu klammern, sein persönlicher Alptraum könne womöglich kurz vor seinem Ende stehen.

»Marc«, sagte sie sanft, »vielleicht...«

»Wir sollten uns nicht zu früh freuen«, unterbrach Marc.

»Das kann ein Scherzbold gewesen sein, der sich nie wieder meldet. Und selbst wenn er sich meldet, kann er weiterhin seinen Spaß mit uns treiben. Und auch wenn er ehrlich ist, kann er sich trotzdem irren.«

»Ich weiß.«

»Nachdem Elaine Dawson verschwunden war, gab es etliche Meldungen. Man hatte sie an den seltsamsten Orten gesehen. Einige der Anrufer waren wahrscheinlich wirklich überzeugt von dem, was sie sagten. Trotzdem führte jede dieser Spuren ins Leere.«

Sie konnte verstehen, dass er auf sich und seine Gefühle achten musste. Die Enttäuschung wäre zu groß.

»Er will nur mit mir sprechen. Er wird sich bei Nick melden und sich meine Nummer geben lassen, und dann werde ich weitersehen. Ich verfüge über ein bisschen Menschenkenntnis, Marc. Ich denke, ich merke es, wenn er sich bloß wichtigmachen möchte.«

Marc entdeckte ein paar große, graue Feldsteine, die unweit vom Tor zum Pfarrgrundstück lagen. »Kommen Sie, wir setzen uns dorthin. Wir stehen ja hier wie bestellt und nicht abgeholt.« Er blickte die leere, stille Straße hinauf und hinunter. »Eine verrückte Situation«, meinte er.

Die Steine waren warm von der Sonne. Rosanna hielt ihr Gesicht den Strahlen entgegen. »Ich könnte jetzt meilenweit über Felder und Wiesen laufen«, sagte sie, »über steinerne Mauern und über hölzerne Gatterzäune klettern. An Bachufern entlang und dort die ersten Primeln im Wintergras entdecken. Diese klare Luft atmen. Wissen eigentlich die Menschen in England den Frühling noch zu schätzen?«

Er sah sie an. In seinem Blick mischten sich ein wenig Erstaunen und ein intuitives Verstehen. »Ich weiß jetzt noch etwas über Sie«, sagte er, »ich weiß, dass Sie Heimweh haben. Heimweh nach England. Sie sind nicht glücklich in Gibraltar.«

Sie verspürte plötzlich keine Lust, ihm zu widersprechen, irgendetwas Lapidares über das schöne Wetter und die Nähe zu Spanien zu sagen; Sätze, wie sie oft gefallen waren, wenn Dennis die Vorzüge seiner Wahlheimat pries: *Wir leben dort, wo andere Urlaub machen.*

Stattdessen nickte sie und sagte plötzlich, selbst überrascht von der Heftigkeit ihrer Gefühle: »Ja. Ja, Marc, ich sterbe fast vor Heimweh nach England. Seit Jahren schon. Ich glaube, das ist der Hauptgrund, weshalb ich Nicks Auftrag angenommen habe. Ich wollte nach England. Nicht bloß zum Geburtstag meines Vaters. Sondern für ein paar Wochen. Ich hatte eine so überwältigende Sehnsucht, dass ich...« Sie beendete den Satz nicht, schaute zur Seite. Sie kannte Marc Reeve kaum. Warum erzählte sie ihm das alles?

»Und, ist es so?«, fragte er. »Ist es so, wie es in Ihrer Erinnerung war? Erfüllen sich Ihre Sehnsüchte?«

Sie atmete tief durch. »Ja. Ich hätte selber gewünscht...«

»Was?«

»Ich hätte selber gewünscht, dass es nicht so wäre. Ich dachte, vielleicht habe ich alles idealisiert. Mich in Bilder und Erinnerungen hineingesteigert, die so überhaupt nicht stimmen. Ich dachte, vielleicht merke ich in den Wochen hier, dass es gar nicht so viel besser ist als Gibraltar, und dann fliege ich zurück und habe meinen Frieden. Das wäre schön gewesen.«

»Und jetzt finden Sie es doch besser als Gibraltar?«

Sie schaute sich um. Das alte Pfarrhaus. Der noch kahle Garten, dessen Bäume im Sommer schwer sein mochten unter der Last ihrer Früchte. Die kleinen Häuser entlang der Straße. Die milde Luft. Es war ein bisschen wie Kingston St. Mary. Aber das allein war nicht entscheidend. In den letzten Tagen war das Wetter kalt und grau und nass gewesen, typischer, trostloser Februar, und sie war mitten in London gewesen, nichts hatte geblüht, und kein Sonnenstrahl hatte sich zwischen den tief hängenden Wolken gezeigt. Und trotzdem war dieses Gefühl da gewesen. Das Gefühl, nach Hause gekommen zu sein. Dort zu sein, wohin sie gehörte.

»Es geht gar nicht so um besser oder schlechter«, sagte sie, »ich glaube, es geht einfach darum, ob man an einen Ort passt oder nicht. Ich passe nicht nach Gibraltar. Das heißt nicht, dass ich nur nach England passe. Vielleicht könnte man mich nach Südafrika setzen. Oder nach Kanada oder nach Indien. Ich weiß nicht. Aber Gibraltar... das passt einfach nicht.«

»Eine schwierige Situation. Ihr Mann und Ihr Stiefsohn sind dort.«

»Ich weiß. Und ich gehöre zu ihnen. Aber am liebsten würde ich einfach hierbleiben. Hier, an diesem Ort, auf diesen Steinen in der Sonne sitzend. Mich überhaupt nicht mehr fortbewegen.«

»Darauf haben Sie eine echte Chance«, meinte Marc, »denn vermutlich sitzen wir hier noch Stunden herum und warten auf irgendeinen Wichtigtuer, der nicht im Traum daran denkt, sich je wieder zu melden. Bis heute Abend haben Sie es satt, das verspreche ich Ihnen. Auf die Dauer sind diese Steine ganz schön hart.«

Sie sahen einander an und mussten beide lachen, und mitten in dieses befreiende Lachen hinein klingelte das Telefon.

Marc verstummte, seine Lippen wurden schmal. »Vielleicht ist er das.«

Rosannas Stimme klang vor Aufregung etwas rau, als sie sich meldete. »Ja? Hier Rosanna Hamilton.«

Vom anderen Ende der Leitung kam ein längeres Schweigen. Dann ein nervöses Atmen. Und dann sagte die heisere Stimme eines alten Mannes: »Hier ist Brent Cadwick. Brent Cadwick aus Langbury, Northumberland.«

»Mr. Cadwick!«, sagte Rosanna.

Er schwieg erneut. Es war *der* Moment seines Lebens. Er zitterte vor Nervosität.

»Ich ... habe Informationen«, brachte er schließlich heraus, »Informationen, Elaine Dawson betreffend.«

»Elaine Dawson ist am Leben?«, fragte Rosanna.

Wieder kurzes Schweigen. Mr. Cadwick war aufgeregt, und er war es zudem nicht gewöhnt, sich zu unterhalten. Schon gar nicht am Telefon mit einem wildfremden Menschen.

Dann ein Lachen. Ein kehliges, irgendwie unechtes Lachen, dessen Auslöser Rosanna nicht begriff. Was gab es zu lachen?

»Sie ist am Leben«, sagte Brent Cadwick, »und wie die am Leben ist!«

Und er lachte erneut.

6

Bis zum Mittag war Dennis Hamilton völlig verzweifelt. So verzweifelt, dass er sogar bereit gewesen wäre, all die Sanktionen, die er sich bereits ausgedacht, zurechtgelegt und ausgeschmückt hatte, über Bord zu werfen und seinen Sohn einfach nur voller Erleichterung und Liebe in die Arme zu schließen.

Wenn sein Sohn da gewesen wäre.

Dennis hatte natürlich damit gerechnet, dass Rob versuchen würde, sich über das Verbot, am Freitagabend an der Abschlussparty teilzunehmen, hinwegzusetzen, und er hatte dem vorbauen wollen. Er war am Freitag erneut bereits am Nachmittag aus dem Büro gegangen, obwohl sich die Arbeit auf seinem Schreibtisch fast bis zur Decke stapelte, um Rob auf jeden Fall daheim abzufangen. Er hatte sich überlegt, noch einmal in aller Ruhe mit ihm zu reden, ihm seinen Standpunkt darzulegen und um sein Verständnis dafür zu werben. Er war allerdings auch entschlossen gewesen, Rob notfalls in seinem Zimmer einzuschließen, wenn er darauf beharren sollte, an dem Saufgelage – denn so titulierte Dennis insgeheim die Veranstaltung – teilzunehmen.

Doch dann hatte er vergeblich gewartet. Rob war ihm einen Schritt voraus: Er kam am Freitag einfach überhaupt nicht nach Hause.

Hielt sich vermutlich in der Schule oder bei einem Klassenkameraden auf und dachte nicht daran, das Risiko einzugehen, am Ende bei seinem Vater hängenzubleiben und den Abend daheim verbringen zu müssen.

Dennis hatte gewartet, obwohl ihm klar gewesen war, dass Rob nicht auftauchen würde, und mit jeder Minute war seine Wut gewachsen. So ging das nicht. So konnte sich ein Sechzehnjähriger nicht benehmen. Selbst Rosanna, die ja immer für ihn in die Bresche sprang, musste das einsehen. Diesmal würde es ernste Konsequenzen geben. Ausgangssperre für mindestens acht Wochen. Taschengeldentzug für die nächsten drei Monate. Ebenso wie Computerverbot, was noch zusätzlich den Vorteil hätte, dass er eine Pause von seinem ewigen *World of Warcraft* machen müsste. Und wann hatte er eigentlich zuletzt in Haus und Hof mitgeholfen? Den Frühling würde er jedenfalls mit Unkrautzupfen und Blumengießen verbringen. Das Verandageländer musste neu gestrichen werden. Und ja, hatte er sich nicht gewünscht, im Sommer einmal mit Rosanna nach England zu reisen? Diesen Plan konnte er selbstverständlich abhaken.

Dennis war durch alle Zimmer gelaufen. Zweimal hatte er versucht, seinen Sohn auf dessen Handy zu erreichen, aber erwartungsgemäß war es abgeschaltet. Er hatte zwei

Whisky auf Eis getrunken, um sich zu beruhigen, aber er hatte nichts essen können. Wenn nur nichts passierte! Zwei Jahre zuvor war eine ähnliche Abschlussparty mit viel Wirbel durch die Presse gegangen, weil zwei Schüler nach Spanien hinübergefahren waren, sich übel betrunken hatten und nach einer wilden Fahrt an einem Brückenpfeiler gelandet waren. Der eine war sofort tot gewesen. Der andere würde für den Rest seines Lebens im Rollstuhl sitzen. Dennis hatte damals alle Zeitungsberichte ausgeschnitten und auf Robs Schreibtisch gelegt. Er hatte versucht, mit ihm darüber zu sprechen, aber Rob hatte desinteressiert gewirkt. Er bezog die Geschichte nicht auf sich. *Shit happens.* Warum sollte er sich deshalb in seiner Lebensfreude bremsen lassen?

Irgendwann ging Dennis ins Bett, und da er kaum Alkohol gewohnt war, tat der Whisky rasch seine Wirkung: Er schlief sehr schnell ein, verbrachte die Nacht in tiefem, traumlosem Schlaf und wachte am Samstagmorgen um kurz nach sieben Uhr auf. Überzeugt, Rob in seinem Zimmer vorzufinden, stand er auf und ging hinüber, spähte durch die Tür. Das Bett war leer, und es war offensichtlich unberührt.

Okay. Das musste nicht heißen, dass etwas passiert war. Wahrscheinlich hatte sich Rob so mit Alkohol zugeschüttet, dass er nicht mehr nach Hause gekommen war. Die ganze Gesellschaft hing vermutlich in der Aula herum, eine Horde von Bierleichen, verkatert, von Kopfschmerzen und Übelkeit geplagt, zu sehr mit ihrem Brechreiz beschäftigt, um wenigstens daheim anrufen und Bescheid sagen zu können.

Mit sechzehn! Mit sechzehn hätte er, Dennis, sich das einmal trauen sollen!

Er hatte Angst. Angst um seinen Sohn. Er bemühte sich, die Angst unter Kontrolle zu halten, sich nicht wie eine hysterische Mutter aufzuführen. Nur Mütter drehten bei solchen Geschichten durch und malten den Teufel an die Wand. Väter fanden, dass ein richtiges Besäufnis dazugehörte, wenn ein Junge auf dem Weg war, ein Mann zu werden. So, wie es dazugehörte, eine Nacht lang wegzubleiben und vielleicht auch mit dem Auto ein wenig zu schnell herumzurasen. Wollte man denn ein Weichei daheimsitzen haben?

Warum kann ich nicht so empfinden?, fragte sich Dennis, während er in der Küche stand, einen Kaffee trank und hinaus in den leuchtenden Morgen blickte, warum kann ich nicht ein ganz normaler Vater sein, der sich nicht allzu viele Sorgen macht und die Dinge nicht so eng sieht?

Vielleicht war man kein normaler Vater, wenn man zu lange Vater und Mutter in einer Person hatte sein müssen. Wenn über Jahre alle Verantwortung nur bei einem selbst gelegen hatte. Kein zweites Paar Schultern, auf die man etwas hätte abladen können. Keine zweite Meinung, die man hätte einholen können, jedenfalls nicht die eines ebenfalls in allen Konsequenzen verantwortlichen Menschen. Und zugleich stets das hilflose Gefühl, bei allem Bemühen den Bedürfnissen des kleinen Menschen, den man in die Welt gesetzt hatte, doch nicht völlig gerecht zu werden. Er hatte gespürt, wie sehr Rob eine Mutter vermisste. Er hatte sie ihm nicht ersetzen können.

Und Rosanna war spät zu ihnen gestoßen. Engagiert und mit großer Wärme hatte sie sich auf Rob eingelassen. Und doch… Dennis meinte besonders während der letzten zwei oder drei Jahre zunehmend Signale von ihr aufgefangen zu haben, die darauf hindeuteten, dass sie begann, wieder auf Abstand zu der kleinen Patchworkfamilie, deren Teil sie war, zu gehen. Sich irgendwie innerlich zurückzuziehen. Ihre Gedanken schweiften in Richtungen, deren Ziele er nicht kannte. Sie schien Bilder zu sehen, die außer ihr niemand sah. Tagträumen nachzuhängen, die sie mit niemandem teilen mochte. Und hatte nicht auch Rob diese Veränderung gespürt? Hätte er sonst neulich seine Angst in so deutlichen Worten herausgeschrien? *Sie kommt nicht wieder! Kapier es doch endlich!*

Und er hatte noch etwas gesagt. *Sie ist vor dir geflüchtet. Du hast sie davongejagt!*

Er mochte nicht darüber nachdenken. Nicht jetzt. Diese Gedanken waren zu beängstigend und führten am Ende in eine Selbstbespiegelung und Eigenanalyse, zu der er sich im Augenblick nicht fähig fühlte.

Er beschloss zu duschen, sich anzuziehen, zum Einkaufen zu fahren und dann auf dem Rückweg an der Schule zu halten und Rob aufzusammeln. Und zu versuchen, mit ihm zu reden. Ihn auf gar keinen Fall anzuschreien.

Als er am späteren Mittag wieder daheim ankam, hatte er Kopfschmerzen und fühlte sich völlig erschöpft. Er stellte den Einkaufskorb in die Küche, war aber zu ausgelaugt, die Lebensmittel auszupacken und in den Kühlschrank zu räumen. Er hatte alles abgesucht. Er wusste nicht, wo er noch nachsehen sollte.

In der Schule war überhaupt niemand mehr gewesen. Jedenfalls keine Schüler. Ein Putzkommando war dabei, die ziemlich verwüstet wirkende Aula aufzuräumen.

»Hier war schon heute früh um sieben niemand mehr«, erklärte eine junge Spanierin, die einen großen blauen Müllsack hinter sich herschleifte, auf Dennis' irritierte Frage, »in den frühen Morgenstunden ziehen die doch immer noch irgendwo anders hin. Kneipen, Bars, Diskotheken drüben in Spanien ... was weiß ich!«

Was weiß ich!

Er hatte sich sehr konzentrieren müssen, um sich wenigstens an die Adressen der beiden besten Freunde seines Sohnes zu erinnern, und war dann dort vorbeigefahren.

Der eine von ihnen lag noch im Bett und schlief, wurde aber von seinen Eltern geweckt. Er war überhaupt nicht bei der Party gewesen und konnte demzufolge auch keine Auskunft geben.

»Ich durfte ja nicht hin«, sagte er mit wütendem Blick auf seine Mutter.

»Rob auch nicht«, sagte Dennis müde. Offenbar gab es junge Leute, die sich nach den Wünschen ihrer Eltern richteten. Sein Sohn gehörte leider nicht dazu.

Der andere Junge, Harry, war zwar bei der Party gewesen, hatte sie aber noch vor Mitternacht verlassen und Rob dort nicht angetroffen.

»Er war gar nicht da?«, fragte Dennis fassungslos und wusste nicht, ob er das erfreulich oder besonders beängstigend finden sollte.

»Das weiß ich nicht«, erklärte Harry, »ich habe ihn nicht gesehen, aber das besagt gar nichts. Es war rappelvoll, und es waren tausend Leute da, die, glaube ich, gar nicht zur Schule gehörten. In dem Gewühl konnte man sich kaum bewegen und niemanden entdecken, der nicht zufällig direkt neben einem stand. Deshalb bin ich ja auch ziemlich früh wieder gegangen. Es war echt blöd da!«

»Und wohin Rob direkt nach Schulschluss ging, weißt du das? Er war nämlich scheinbar überhaupt nicht daheim.«

Harry zuckte mit den Schultern. »Keine Ahnung, ehrlich. Er ging in dieselbe Richtung fort wie immer. Ich dachte, er will nach Hause.«

»Und habt ihr über die Party gesprochen? Hat er gesagt, dass er hingehen möchte?«

Harry überlegte. »Ich glaube, er hat gesagt, dass er es noch nicht weiß.«

»Und du hast wirklich keine Ahnung, wo er jetzt stecken könnte?«

»Nein. Ehrlich nicht.«

Dennis hatte sich niedergeschlagen und besorgt auf den Heimweg gemacht, hoffend, dass er Rob zu Hause antreffen würde. Aber Rob war nicht da. Keine Musik aus seinem Zimmer. Kein flimmernder Computerbildschirm. Keine Schultasche, die als Stolperfalle mitten im Flur lag, achtlos dort hingeschleudert trotz tausendfach geäußerter Bitte, sie wegzuräumen. Dennis hätte sich über ihren Anblick jetzt gefreut, nur gefreut. Er merkte, wie sein Ärger mehr und mehr schwand, sich in seinen wachsenden Sorgen auflöste, von ihnen geschluckt wurde.

Wo war Rob?

Hatte es Sinn, die Polizei zu verständigen? Wahrheitsgemäß würde er von dem Streit berichten müssen. Davon, dass Rob zu der Party gewollt hatte. Er konnte sich vorstellen, was ein Beamter daraufhin sagen würde: »Und da regen Sie sich auf? Der Junge hat die halbe Nacht gefeiert und sich restlos die Birne zugeknallt, und jetzt schläft er bei irgendeinem Kumpel seinen Rausch aus. Der taucht erst wieder bei Ihnen auf, wenn er sich ausgekotzt hat, jede Wette. Der gibt sich doch nicht die Blöße, jetzt auf dem Zahnfleisch angekrochen zu kommen.«

Und vielleicht war es auch so.

Vielleicht war es albern von ihm, sich derart sorgenvolle Gedanken zu machen.

Trotzdem, er wurde seine Unruhe nicht los. Im Gegenteil, sie schien mit jeder Minute stärker zu werden.

Und schließlich wusste er, dass ihm nur ein Ausweg blieb, wenn er nicht völlig den Verstand verlieren wollte. Gekränkt und wütend, hatte er es vor sich hergeschoben, war zu stolz – oder, wie er sich selbst jetzt eingestand: zu verbohrt – gewesen, den ersten Schritt zu tun, aber nun sprang er über seinen Schatten, weil er mit dem Rücken zur Wand stand.

Er ging zum Telefon und wählte Rosannas Handynummer.

7

»Eigentlich ist es verrückt«, sagte Rosanna, »wir haben nicht mal eine Zahnbürste dabei!«

»Gar nicht zu reden von einem Schlafanzug oder Wäsche zum Wechseln«, ergänzte Marc, »aber…« Er sprach nicht weiter, doch Rosanna nickte. »Nach London zurückzufahren hätte zu viel Zeit gekostet. Und ich platze sowieso fast vor Spannung.«

»Was glauben Sie, wie es mir geht«, sagte Marc. Seit dem Anruf von Brent Cadwick verriet sein Gesichtsausdruck heftigste Anspannung. Eine Spur. Nach fünf Jahren eine Spur. Die ins Nichts führen mochte, die ihm aber auch volle Rehabilitierung bringen konnte.

»Wenn die Frau in Northumberland wirklich Elaine ist«, hatte Rosanna gesagt, nachdem Cadwick aufgelegt hatte, »dann, das verspreche ich Ihnen, Marc, werde ich Nick zwingen, das alles als gigantisch aufgemachte Geschichte zu bringen. *Cover* wird Ihre Unschuld so lautstark propagieren, dass auch die anderen Zeitungen im Land nicht anders können, als nachzuziehen. Es wird dann in England niemanden mehr geben, der nicht weiß, dass Elaine Dawson lebt und dass Sie mit ihrem Verschwinden nichts zu tun gehabt haben.«

Und dann war sie, mitten auf dem Weg zurück von der Kirche, wo sie auf Cadwicks Anruf gewartet hatten, zum Auto stehen geblieben und hatte hinzugefügt: »Marc – und wenn wir gleich losfahren? Jetzt, von hier aus. Nach… Langbury, oder wie der Ort heißt? Und nachsehen, ob Cadwick die Wahrheit sagt?«

Auch Marc war stehen geblieben, hatte sie überrascht angesehen. »Jetzt sofort?«

»Möchten Sie nicht wissen, ob diese geheimnisvolle Frau

unsere Elaine ist? Also, ehrlich gesagt, ich weiß gar nicht, wie ich das aushalten soll: nach London zurück, dort übernachten, die nächsten Schritte besprechen...«

»Und Sie meinen...«

»Wir steigen jetzt in Ihr Auto und fahren los. Es sei denn... Mögen Sie überhaupt mitkommen? Vielleicht haben Sie ja irgendetwas anderes vor?«

Er hatte den Kopf geschüttelt. »Nein. Ich habe nichts vor. Ich würde gern mitkommen. Ich hätte nicht gedacht, dass Sie mich fragen würden!«

»Sie sind der am stärksten Betroffene in der Geschichte. Kommen Sie. Haben Sie einen Straßenatlas im Wagen?«

»Hab ich. Wir finden Langbury. Wir finden Elaine, wenn sie es ist. Aber müssten Sie nicht Nick Simon Bescheid sagen?«

»Der meldet sich schon«, prophezeite Rosanna.

Er meldete sich tatsächlich, kaum dass sie das Dorf verlassen und den Weg in Richtung Autobahn eingeschlagen hatten.

Er war so aufgeregt, dass er schrie. »Und? Ich habe Cadwick deine Nummer gegeben. Hat er dich angerufen?«

Rosanna hielt ihr Handy ein Stück vom Ohr weg. »Schrei nicht so. Ja. Er hat angerufen. Er hat mir seine Adresse genannt. Elaine Dawson ist offenbar seine Untermieterin. Nick – ich bin schon auf dem Weg dorthin.«

Nick schnappte hörbar nach Luft. »Was?«

»Ich war sowieso schon auf der Höhe von Cambridge. Da dachte ich...«

»Entschuldige, du bist auf der Höhe von Cambridge? Und da bist du praktisch schon in Northumberland? Und denkst dir, du fährst einfach mal los und schaust dir diese Dawson an?«

»Nun, ich...«

»Darf ich dich erinnern, worin dein Auftrag besteht? Mir

scheint, das vergisst du immer wieder. Du schreibst eine Serie für mich. Es geht dabei um Elaine Dawson, aber auch um etliche andere verschwundene Personen. Und du hast dich ausschließlich mit dem zu beschäftigen, was damals passiert ist. Verstehst du? Du führst, verdammt noch mal, keinerlei Ermittlungen in der Frage, was aus Elaine Dawson geworden ist. *Das ist nicht dein Job!*« Er war erneut sehr laut geworden.

»Nick, Mr. Cadwick hat sich nun einmal an mich gewandt und…«

»Na und? Deshalb musst du gleich losziehen und Detektiv spielen? Wann willst du eigentlich, zum Beispiel, die Arbeit machen, für die ich dich bezahle, und dich endlich auf deinen Hintern setzen und die Artikel schreiben?«

»Du bekommst deine Artikel, Nick. Pünktlich. Aber jetzt ist Wochenende, und ich unternehme einen Ausflug nach Northumberland, und du kannst mir das nicht verbieten.«

»Das kann ja wohl alles nicht wahr sein!«

»Ja, willst du denn nicht wissen, ob die Frau, von der Cadwick spricht, wirklich unsere Elaine Dawson ist?«

»Klar will ich das wissen. Und wenn sie es ist, will ich die Story. Aber ich hätte einen meiner Reporter dorthin geschickt. Jemanden, der genau von dieser Art Recherche etwas versteht. Und nicht eine ehemalige Journalistin, die seit fünf Jahren nicht mehr im Geschäft ist!«

Jetzt wurde auch Rosanna wütend. »Wenn du meinst, dass ich nicht schreiben kann, hättest du mich nicht engagieren sollen«, blaffte sie.

»Du kannst schreiben, aber du bist nicht der Typ für diese Art von Journalismus!«

»Ich werde Cadwick aufsuchen, Nick, ob du es willst oder nicht!«

»Sag mir seine Adresse!«

»Nein.«

Nick fluchte lange und laut. Dann – weil er ein Mann war, der nicht gern verlor, der aber erkannte, wenn er verloren hatte – fügte er hinzu: »Du hältst mich über jeden deiner Schritte auf dem Laufenden, verstanden? Es passiert nichts, wovon ich nichts weiß. Ich drehe dir sonst den Hals um, wenn ich dich erwische, verlass dich drauf!«

Er knallte den Hörer auf die Gabel.

»Er ist ganz schön wütend«, sagte Rosanna.

Marc warf ihr einen kurzen Blick zu. »Möchten Sie lieber umkehren?«

Sie schüttelte den Kopf. »Nein. Auf keinen Fall.«

»Sie haben nicht erwähnt, dass ich bei Ihnen bin«, sagte Marc.

»Es hätte ihn noch aggressiver gemacht. Er hätte es als Verschwörung gesehen. Er ist ohnehin wütend genug, weil ich ihm zu Anfang über unsere Treffen nichts gesagt habe.«

»Ihm entgleitet die Kontrolle. Wer hat das schon gern?«

»Damit hätte er bei mir rechnen müssen«, sagte Rosanna, »ich lasse mich nicht kontrollieren, und er kennt mich schließlich schon länger.«

Ihr Handy läutete erneut. Sie blickte auf das Display, und ihr entfuhr ein Stöhnen.

»Wie aufs Stichwort«, sagte sie, »Kontrolle. Es ist mein Mann.«

Sie hatte seit dem Streit neulich von Dennis nichts mehr gehört, und sie war voller Unruhe deswegen gewesen, aber sie wünschte doch, er würde sich nicht gerade jetzt melden. Es war nicht der Moment, eine lange und emotionsgeladene Diskussion mit ihm zu führen.

Dennoch nahm sie den Anruf an.

Aber es war Dennis nicht, wie sie gefürchtet hatte, an einem Grundsatzgespräch gelegen.

Er war aufgeregt, fast aufgelöst, schien es ihr. Er teilte ihr mit, dass Robert verschwunden war.

Und fragte, wann sie unter diesen Umständen nach Hause zu kommen gedenke.

8

Im Pflegeheim roch es nach einem scharfen Putzmittel, dem in aufdringlicher Menge Zitronenaroma beigemischt war. Die Sonne fiel durch die blank geputzten Fenster und ließ die bunten, von Patienten gemalten und recht unbeholfen erscheinenden Bilder an den Wänden hell aufleuchten. Cedric hatte noch nie so saubere Fenster gesehen. Ohne einen einzigen Fleck, einen einzigen Streifen. Er dachte an seine staubigen Scheiben in New York, die praktisch blind wurden, wenn die Sonne tief stand. Seltsamerweise empfand er seine vergammelte Wohnung, vor deren Dreck und Unordnung er manchmal geflüchtet war, weil er keine Lust zum Putzen gehabt hatte, plötzlich nicht mehr als bedrückend. Weit weniger bedrückend jedenfalls als diese fast gewalttätig anmutende Sauberkeit hier.

Wie kann Geoff hier atmen?, fragte er sich, um sich im nächsten Moment die ebenso einfache wie grausame Antwort zu geben: Weil ihm nichts anderes übrig bleibt. Weil er keine Wahl hat.

Er hatte eigentlich nicht hierher nach Taunton kommen wollen, um keinen Preis. Am frühen Morgen hatte er sich in Rosannas Leihauto gesetzt, nachdem seine Schwester erklärt hatte, den Wagen nicht zu brauchen, und war nach Kingston St. Mary gefahren. Die Straßen waren leer an diesem Samstagvormittag, und er war rasch vorangekommen.

»Ich besuche Dad«, hatte er zu Rosanna gesagt und an ihrem Lächeln bemerkt, wie sehr sie sich darüber freute. Die Einsamkeit des verwitweten Vaters machte ihr zu schaffen. Sie rechnete es ihrem Bruder hoch an, dass er sich kümmerte.

Cedric hatte deswegen ein schlechtes Gewissen. Natürlich ging es auch ihm um den Vater, aber er wusste genau, weshalb er in Wahrheit bis in das Kaff am Ende der Welt fuhr: Er brauchte Geld. Und er hatte niemanden sonst, an den er sich wenden konnte.

Er hatte kein Geld mehr für das teure Hotel. Er hatte kein Geld für den Rückflug nach New York. Er hatte kein Geld, das er der Freundin zurückgeben konnte, die ihm den Hinflug ausgelegt hatte. Er hatte kein Geld, um seinen beruflichen Start als Fotograf zu finanzieren.

Er war pleite.

Er war achtunddreißig Jahre alt, hatte keinen Beruf, kein Geld, keine Frau, keine Kinder.

Im Grunde, dachte er, habe ich aus meinem Leben nicht mehr gemacht als der behinderte Geoffrey. Nur dass ich keinen Grund für mein Scheitern benennen kann. Ich habe gesunde Beine, gesunde Arme. Ich bin kräftig, und ich bin nicht blöd. Aber an irgendeiner Stelle habe ich irgendeine Abzweigung verpasst.

Victor hatte gestrahlt. Unverhoffter Besuch war selten für ihn geworden, und er hatte seinen Sohn sofort in den *Swan at Kingston* zum Mittagessen eingeladen. Sie hatten über Rosannas Auftritt am Vorabend im Fernsehen gesprochen und natürlich über den Fall Elaine Dawson, und Victor hatte von all den Pflanzungen erzählt, die er nun im Frühjahr im Garten vornehmen wollte.

»Aber du hast doch nie etwas im Garten getan«, meinte Cedric erstaunt. Sein Vater verkörperte geradezu das Klischee des intellektuellen Büchermenschen: belesen, intelligent, völlig unpraktisch im Alltag. Sich ihn mit einer Rosenschere in der Hand vorzustellen, erheiterte und beunruhigte Cedric.

»Deine Mutter hat den Garten so sehr geliebt«, sagte Victor, »ich … fühle mich ihr sehr nah, wenn ich mich darum kümmere.«

Dann hatten sie eine Weile über Hazel gesprochen, und endlich, beim Kaffee, war Cedric mit seinem Anliegen herausgerückt. Ob Victor ihm wohl ein wenig …?

»Aber selbstverständlich!«, hatte Victor sofort ausgerufen. »Wie viel brauchst du denn?«

Als Cedric die Summe nannte, schluckte sein Vater zwar, aber er stellte noch im Pub einen Scheck aus und schob ihn über den Tisch. »Hier. Damit kommst du erst einmal ein Stück weiter.«

Es war mehr Geld, als er erbeten hatte. Cedric dankte unbeholfen und wappnete sich für den Vortrag, der nun unweigerlich folgen würde und den er sich natürlich ohne Widerworte anhören musste: dass es so nicht weitergehen könne, was er denn nun mit seinem Leben anfangen wolle, ob er nicht denke, dass es an der Zeit sei, erwachsen zu werden und blablabla … Aber Victor sagte nichts in dieser Art, und als sie das Pub verließen, meinte er nur: »Ich würde mir wünschen, dass du Geoff kurz besuchst, Cedric, ehe du nach London zurückfährst. Es geht ihm gar nicht gut. Meiner Ansicht nach leidet er unter schweren Depressionen. Ich war letzte Woche bei ihm, und sein Anblick hat mich doch sehr bedrückt. Also, wenn du die Zeit hättest …?«

Er hatte die Zeit, aber natürlich keine Lust, doch er hätte sich als Schuft gefühlt, wäre er dem Wunsch seines Vaters nicht nachgekommen. Deshalb stand er nun hier in diesem bis zum Wahnsinn geputzten Gemeinschaftsraum zwischen lauter Menschen in Rollstühlen und wartete auf Geoffrey, in der Tasche zumindest einen großzügigen Scheck, der ihm Luft verschaffte und ein angenehm warmes Gefühl. Auf dem Weg nach Taunton hatte ihn Rosanna auf dem Handy erreicht, die Verbindung war sehr schlecht gewesen, aber er hatte irgendwie verstanden, dass sie auf dem Weg nach Northumberland hinauf war, in ein Dorf namens Langbury, weil dort ein Mensch aufgetaucht war, der behauptete, die verschwundene Elaine zu kennen und zu wissen, wo sie sich aufhielt. Cedric hätte gern mehr erfahren, aber ehe er fragen konnte, riss das Gespräch ganz ab, und er musste sich mit den Fragmenten begnügen, die er hatte auffangen können.

Sie steigert sich zu sehr hinein in diese Geschichte, dachte er, und im nächsten Moment fragte er sich, wie sie wohl unterwegs war. Das Auto hatte er. Saß sie im Zug? Hatte sie einen anderen Wagen gemietet? Fuhr sie vielleicht mit Nick Simon zusammen, ihrem mehr als halbseidenen Brötchengeber?

Als Geoff in den Gemeinschaftsraum gerollt kam, wirkte er überrascht, Cedric zu sehen. Ob er auch erfreut war, ließ sich nicht feststellen. Aber er sah wirklich schlecht aus, da hatte Victor recht. Umschattete Augen. Farblose Lippen.

»Ach, Cedric. Ich dachte, du bist schon wieder in New York?«

»Hi, Geoff. Nein, wie du siehst... Ich wollte noch ein bisschen in England bleiben und habe gerade meinen Vater besucht.«

»Dann hat er dich wahrscheinlich zu dem Auftritt hier vergattert, wie?«, bemerkte Geoff scharfsichtig. »Dein Vater ist echt nett, Cedric. Der Einzige, der hin und wieder nach mir sieht. Aber helfen kann er mir auch nicht.«

Cedric erwiderte nichts. Er hasste die Verunsicherung, die Geoffrey innerhalb weniger Sekunden in ihm auszulösen vermochte. Diese Mischung aus Schuldgefühlen, Mitleid, Hilflosigkeit. Schon wünschte er, er hätte sich über Victors Bitte hinweggesetzt und befände sich bereits auf dem Rückweg nach London – pfeifend, mit offenem Wagenfenster, eine Coladose in der Hand. Stattdessen...

»Möchtest du wieder in das Café, in dem wir mit Rosanna waren?«, fragte Geoff, »oder reicht dir die prickeln-
de Atmosphäre dieser blank geputzten Scheußlichkeit«,
er machte eine Kopfbewegung, die den Raum umschrieb,
»voller hilfloser Krüppel?«

»Ich finde es okay hier«, sagte Cedric, »aber ich kann
dich auch spazieren schieben, wenn du magst. Das Wetter
ist sehr schön.«

Geoff schüttelte den Kopf. »Danke. Lieb gemeint, aber
nach so einem Ausflug geht's mir immer schlechter. Die gesunden Menschen, das Leben und Treiben, Gottes schöne
Natur... die Rückkehr ist dann immer wie ein Schlag in
den Magen.«

Mittels einer an seinem Stuhl angebrachten Tastatur bewegte er sich an einen Tisch. Cedric folgte ihm, setzte sich
ihm gegenüber. Geoffrey starrte auf die blassgraue Tischplatte. Er sah aus wie jemand, der sterben möchte, diese
Erkenntnis durchzuckte Cedric plötzlich. Er hätte nicht beschreiben können, woran genau man es sah. Vielleicht war
es eher die Ausstrahlung. Aber hätte er in diesem Moment
den Begriff *lebensmüde* zu definieren gehabt, er hätte ohne
zu zögern Geoffreys Namen genannt.

Er neigte sich vor.

»Geoffrey«, sagte er, »es war so viel besser mit dir. Du
hattest den Unfall vor zwanzig Jahren. Du hattest gelernt,
mit deiner Behinderung zu leben. Ich weiß, dass du ständig in Kingston St. Mary herumgekurvt bist. Du hattest sogar diesen Job als Ausfahrer von Reklamesendungen. Ich
meine... du warst so viel weiter als heute. Jetzt... scheinst
du nur noch zu vegetieren.«

Geoffrey hob den Kopf. Cedric erschrak vor dem Ausdruck von Wut und Verbitterung in seinen Augen.

»Wundert dich das?«, stieß er hervor. »Wundert es dich,
dass ich nur noch *vegetiere*, wie du es nennst? Schau dich

doch um, und dann vergleiche mal mein Leben mit deinem! Wie fängt dein Tag an, zum Beispiel? Gehst du joggen? Gehst du ins Fitnessstudio? Irgendetwas in der Art machst du wohl, sonst hättest du kaum diesen schönen, muskulösen Körper!«

»Ich gehe joggen«, sagte Cedric und kam sich vor wie jemand, der ein peinliches Geständnis ablegt.

»Joggen!«, höhnte Geoffrey. »Dachte ich es mir doch. Weißt du, wie mein Tag anfängt? Ich werde gewaschen, ich werde gefüttert, und dann beginnt mein heiß geliebtes *Darmprogramm*! Weißt du, was das ist?«

»Nun, ich…«

»Alles, was ich oben in meinen Mund hineingeschoben bekomme, muss ja irgendwie aus meinem schrottreifen Körper wieder raus. Genau wie bei dir. Wie bei uns allen. Nur dass mein Darm das nicht von alleine kann. Der ist so komplett lahmgelegt wie fast alles andere bei mir. Also kommt ein Pfleger und zieht sich Gummihandschuhe an und…«

»Geoff, bitte!«, unterbrach Cedric. Er hatte das Gefühl, dass sich Schweißperlen auf seiner Stirn zu sammeln begannen, aber er wagte nicht, sie fortzuwischen.

Geoff lachte. »Siehst du? Du erträgst nicht mal, es zu hören! Aber ich – ich muss es aushalten. Jeden Tag. Seit zwanzig Jahren. Jeden verdammten Tag, bis der liebe Gott endlich befindet, dass ich genug gelitten habe, und mir das Licht auspustet. So lange wird diese Scheiße andauern!«

»Geoffrey, ich kann verstehen, dass du…«

»Nichts. Überhaupt nichts kannst du verstehen. Und noch viel weniger versteht deine Schwester. Du sagst, ich war schon weiter? Ja, verdammt, das war ich. Als Elaine bei mir war. Als wir zusammen in unserem Elternhaus lebten. Als ich nicht Tag für Tag diese Krüppel hier sehen und diese penetranten Schwestern ertragen musste. Als ich eine Heimat hatte und einen Menschen, der zu mir gehörte. Als ich geschützt war vor einer Einrichtung wie dieser hier. Und weißt du, warum ich will, dass dieser Scheißkerl Marc Reeve endlich ein Geständnis ablegt? Weil ich dann weiß, wirklich weiß, dass Elaine ermordet wurde. Es bringt sie mir nicht zurück. Aber ich habe dann die Gewissheit, dass sie mich nicht freiwillig verlassen hat. Kannst du das begreifen? Mich bringt der Gedanke um, sie könnte weggelaufen sein. Mich im Stich gelassen haben. Mir das hier alles angetan haben.«

In seinen Augen standen Tränen. Und Cedric begriff. Begriff zum ersten Mal in vollem Ausmaß, weshalb Geoffrey so dringend einen Schuldigen brauchte. Warum er Marc Reeve unter Anklage sehen wollte. Sein Seelenfrieden hing davon ab, und damit auch sein ganzes weiteres Leben.

»Aber Rosanna arbeitet munter in die andere Richtung«, fuhr Geoffrey fort. »Hast du sie bei diesem unseligen Fernsehauftritt gestern gesehen? Heiliger Himmel, inbrünstiger ist ein Verbrecher nie verteidigt worden. Ich dachte, ich kann meinen Ohren nicht trauen. Den Mund hat sie sich fusselig geredet bei dem Versuch, Reeve als einen Heiligen darzustellen, dem bitteres Unrecht zugefügt worden ist. Warum, verflucht, tut sie das? Was hat sie mit diesem Reeve? Weißt du da etwas? Lässt sie sich vögeln von ihm?«

»Ich … nein, ich glaube nicht«, sagte Cedric perplex.

Geoff lachte. »Würde mich nicht wundern. Ich bin ganz gut darin, Schwingungen aufzunehmen, weißt du? Wenn man so lahm ist wie ich, entwickeln sich andere Sinne dafür recht ordentlich.«

»Und wenn Reeve tatsächlich unschuldig ist?«, fragte Cedric.

Geoff setzte zu einer heftigen Entgegnung an, aber Cedric unterbrach ihn sofort. »Moment. Ich sage das nicht nur so dahin. Stell dir vor... stell dir nur einmal vor, Elaine würde plötzlich wieder auftauchen!«

»Nach fünf Jahren. Das ist ja wohl mehr als unwahrscheinlich.«

»In den fünf Jahren hat niemand nach ihr gesucht. Es konnte sich also auch nichts bewegen. Aber gestern war ja nun diese Fernsehsendung...« Er hielt inne. Er war nicht sicher, ob es Rosanna recht wäre, wenn er Northumberland und den ominösen Anrufer erwähnte. Ihr Telefongespräch vorhin im Auto war zu kurz und zu bruchstückhaft gewesen, als dass sie sich in dieser Frage hätten austauschen können. Cedric vermutete, dass Rosanna den noch ungeklärten Hinweis vorläufig eher unter Verschluss halten wollte. Andererseits, was konnte schon geschehen, wenn Geoffrey davon erfuhr? Unternehmen konnte er nichts. Und selbst wenn er die Information im Pflegeheim herumerzählte – wen würde es schon interessieren?

Geoff war nun aufmerksam geworden. »Ja? Was war mit der Fernsehsendung? Hat sich etwas ergeben?«

»Es ist noch völlig unklar«, sagte Cedric. Er kam sich vor wie ein altes Tratschweib. Warum erzählte er Geoff von dieser Sache? Rosanna würde nicht begeistert sein, und in Geoff entfachte er womöglich eine Hoffnung, die sich am Ende wieder zerschlug. Aber er tat es, um sich selbst einen kleinen Freiraum zu verschaffen. Um Geoffrey irgendetwas hinzuwerfen – wie einem Hund einen Knochen –, damit man ihn leichteren Herzens wieder allein lassen konnte. Das Heim, Geoffrey, dessen Zustand, dessen Depressionen schnürten Cedric die Luft ab. Er wusste nicht, wie er sich verabschieden und gehen sollte. Den einst besten und engsten Freund aus Jugendtagen dabei in dieser Hölle zurücklassend. Ihn verlangte es verzweifelt danach, ihm etwas zu schenken, das ihn beschäftigen, das ihn aus seiner Verzweiflung wenigstens ein kleines Stück weit herausholen würde.

Was bin ich nur für ein Feigling, dachte er resigniert.

»Ich weiß nicht viel darüber«, baute er vor, »aber offenbar hat Rosanna einen Anruf von einem Fernsehzuschauer bekommen. Aus irgendeinem Kaff in Northumberland – Langbury, glaube ich. Er behauptet, Elaine zu kennen. Sie lebt dort als seine Nachbarin oder so ähnlich.«

Geoff starrte ihn an.

»Was? Elaine? In Northumberland?«

»Kann natürlich ein Irrtum sein. Eine zufällige Namensgleichheit. Eine optische Ähnlichkeit. Oder der Anrufer ist ein Wichtigtuer. Dann wäre gar nichts dahinter. Trotzdem…«

»Es gab viele solcher Anrufe, nachdem Elaine verschwunden war«, sagte Geoffrey, »und nie haben sie zu einem Ergebnis geführt.«

Cedric nickte. »Daher sollte man auch jetzt natürlich sehr vorsichtig sein. Aber man darf einen solchen Hinweis nicht unbeachtet lassen.«

Geoffreys Blässe hatte sich, was zuvor fast unmöglich erschienen wäre, noch vertieft. »Ich glaube das nicht. Ich glaube nicht, dass Elaine in Northumberland lebt.«

»Rosanna ist auf dem Weg dorthin«, sagte Cedric, »und bald wissen wir mehr.«

»Sie legt sich wirklich ganz schön ins Zeug für diesen Typen!«

»Für Reeve? Geoffrey, ich glaube, es geht ihr wirklich um Elaine. Die Sache lässt sie nicht mehr los. Sie möchte wissen, was damals geschehen ist.«

»Sie möchte Reeve reinwaschen.«

»Hör doch endlich mal mit dieser fixen Idee auf!«, sagte Cedric ärgerlich.

Geoff verdrehte die Augen. »Klar, so einfach ist das. Geoff, der Krüppel, ist besessen von einer fixen Idee! Du machst es dir leicht, Cedric. Erzählst mir etwas von einer angeblich heißen Spur, der deine Schwester nachgeht, stehst auf und entschwindest wieder in dein Leben jenseits dieser verdammten Mauern. Und lässt mich mit einer Flut aufgewühlter Gefühle zurück. Wie soll ich denn jetzt mit dieser Information umgehen? Hoffnung schöpfen? Dass Elaine lebt und sich vielleicht erweichen lässt, zurückzukehren und mich hier aus dem Elend zu holen? Oder im Gegenteil hoffen, dass sich dieser Hinweis zerschlägt? Weil ich sonst unweigerlich mit der Tatsache konfrontiert wäre, dass sie sich damals tatsächlich abgeseilt hat? Und vielleicht nicht im Traum daran denkt, sich einen lebenslangen Pflegefall erneut ans Bein zu binden?«

Er war laut geworden. Einige andere Patienten blickten interessiert herüber.

Cedric versuchte ihn zu beruhigen. »Ich denke, du solltest einfach nach vorn schauen. Warten, was kommt, und dann irgendwie damit umgehen. Die Augen verschließen, dir eine eigene Wirklichkeit zurechtzimmern und die Realität ignorieren bringt nichts. Damit machst du dich nur kaputt am Ende. Es hilft doch nichts, Geoff. Wir müssen alle lernen, mit dem umzugehen, was uns das Leben vor die Füße kippt.«

»Ja, du besonders. Dir hat das Leben schließlich jede Menge Schwierigkeiten vor die Füße gekippt!«

»Vielleicht machst du dir auch etwas vor, was mich betrifft. Du siehst nur die Fassade. Und die ist, zugegeben, wesentlich intakter und gesünder als deine. Aber ob ich mein Leben im Griff habe, ob ich zufrieden bin oder gar glücklich – das herauszufinden interessiert dich gar nicht!«

»Wozu sollte ich …?«

»Ja, wozu solltest du dich auch ausnahmsweise einmal für andere interessieren! Das ist etwas, Geoffrey, was du in den vergangenen Jahren komplett verlernt hast. Selbst wenn du ein höfliches *Wie geht's dir?* über die Lippen bringst, merkt man genau, dass du es in Wahrheit gar nicht wissen willst. Weil du sowieso überzeugt bist, dass es jeder Kreatur auf dieser Welt besser geht als dir und dass es deshalb müßig ist, sich mit den Problemen und Sorgen der anderen auch nur für Sekunden zu beschäftigen!«

»Ich glaube, es ist besser, du gehst jetzt«, sagte Geoffrey. Sein Mund war schmal geworden.

Cedric erhob sich. »Denk mal darüber nach«, sagte er ruhiger. »Ich war mal dein bester Freund. Vielleicht hätte ich es verdient, dass ich dir auch mal meine Kümmernisse klagen dürfte. Ob du es glaubst oder nicht, ich habe nämlich welche!«

Er wandte sich zum Gehen. Ein Kichern hielt ihn zurück – ein böses, fast gehässiges Kichern. Es kam von Geoffrey, der aus seinem Rollstuhl heraus zu ihm hochblickte.

»Ich brauche dich nicht nach deinen Sorgen zu fragen, Cedric«, sagte er mit einem höhnischen Glimmen in den Augen, »weil ich sie kenne. Ich kenne dein Problem ganz genau.«

»So?«, fragte Cedric. Er wusste, es wäre besser, jetzt einfach zu gehen.

»Es verfolgt dich seit zwanzig Jahren. Der Gedanke, dass es genauso gut andersherum hätte laufen können. Du könntest hier sitzen, und ich könnte zur Tür hinausgehen. Es war eine Scheißidee damals. Für einen von uns ist sie übel ausgegangen. Du sagst, man muss nehmen, was einem das Leben vor die Füße kippt? Leider ist das Leben so verdammt ungerecht, und das macht es so schwer. Wäre es gerecht, würdest du hier sitzen. Das weißt du. Und ganz gleich, wie sehr du dieses Wissen zu verdrängen suchst, es arbeitet in dir. Und siehst du«, seine Stimme wurde leiser, noch eindringlicher, »da beginnt sie eben doch. Die Gerechtigkeit, die es trotz allem gibt und die nur immer ganz anders aussieht, als wir sie uns denken, so ganz anders, dass wir manchmal sehr lange brauchen, sie überhaupt zu erkennen. Dein Wissen, Cedric, dein Wissen lähmt dich. Bei all deiner Schönheit und Gesundheit bist du genauso gelähmt und verkrüppelt wie ich. Ein Krüppel, Cedric, ein Seelenkrüppel. Und soll ich dir etwas sagen? Diese Tatsache macht mich sehr, sehr glücklich!«

Er lachte wieder.

Cedric wandte sich um und verließ mit großen Schritten den Raum.

Er konnte Geoffs Lachen noch im Flur hören.

9

Sie hatten den Ort Langbury zwar in Marcs Straßenatlas gefunden, aber es handelte sich um eine zwanzig Jahre alte Kartensammlung, und so war die neue Umgehungsstraße, auf der man das Dorf inzwischen erreichen konnte, noch nicht verzeichnet. Die alte Landstraße, der sie zunächst folgten, endete jäh an einer rot-weißen Sperre, hinter der sie nur noch ein kleines Stück weiter verlief und schließlich, von immer mehr Gras überwuchert, in Weideland überging. Es war inzwischen spät am Abend und dunkel. Der Nachthimmel war übersät von Sternen, die Temperaturen näherten sich dem Frostbereich. Marc hielt an, sie stiegen beide aus und betrachteten die Absperrung.

»Ich fürchte, hier kommen wir nicht weiter«, meinte Marc, »wir müssen zurück und sehen, wo wir eine Abzweigung finden. Es muss ja einen Weg zu diesem verflixten Dorf geben.«

Rosanna schlang fröstelnd die Arme um sich. Sie war für die Kälte dieser Nacht viel zu leicht angezogen. »Hoffentlich ist Mr. Cadwick überhaupt noch wach, bis wir ankommen. Ich platze fast vor Spannung, Marc. Ich würde so gern heute Abend noch herausfinden, ob wir es mit unserer Elaine zu tun haben.«

Marc blickte auf seine Uhr. »Halb zehn. Wenn Mr. Cadwick nicht ausgesprochen früh ins Bett geht, müssten wir ihn noch antreffen. Kommen Sie, wir wenden. Ich bin, ehrlich gesagt, todmüde und würde gern nun irgendwann ankommen.«

Sie fuhren eine halbe Ewigkeit lang die Landstraße zurück. Schließlich erreichten sie eine Tankstelle, in der sie sich den Weg nach Langbury erklären ließen. Mit frischem Mut machten sie sich an die letzte Etappe. Um zehn Uhr kamen sie in dem kleinen Dorf an, das bereits in schönstem Schlummer zu liegen schien. Nur hier und da brannte ein Licht hinter einem der Fenster.

»Hier gehen die Leute aber früh schlafen«, meinte Rosanna verwundert.

»Es ist das Ende der Welt«, sagte Marc, »hier ist überhaupt nichts los. Selbst das nächste Kino dürfte eine größere Reise weit entfernt sein. Ich frage mich…« Er brach den Satz ab.

»Was?«, fragte Rosanna.

»Wenn es wirklich Elaine Dawson ist, unsere Elaine Dawson, die wir antreffen werden, dann frage ich mich, weshalb sie sich ausgerechnet hierher zurückgezogen hat. Ich meine, es ist irgendwie unlogisch. Damals kam sie mir vor wie eine Frau, die die Enge und Weltentrücktheit ihres Heimatdorfs unbedingt hinter sich lassen wollte. Aber dieses Langbury hier dürfte ein noch weitaus verschlafeneres Nest sein als Kingston St. Mary, oder irre ich mich?«

»Gegen Langbury«, sagte Rosanna, »ist Kingston St. Mary fast eine Weltstadt. Ich kann es auch nicht verstehen. Aber die ganze Sache ist ohnehin mehr als rätselhaft, und ich kann nur hoffen, dass wir vielleicht noch heute Nacht die Lösung für alles präsentiert bekommen.«

Angestrengt starrte sie auf einen Zettel, den sie aus ihrer Handtasche geholt hatte. In Stichpunkten hatte sie darauf die höchst verworrene Beschreibung notiert, mit der Cadwick ihr den Weg zu seinem Haus erklärt hatte. »Halt, Marc! Ich glaube, hier in diese Gasse müssen wir jetzt einbiegen!«

Sie verfuhren sich völlig, irrten durch Gässchen, die so schmal waren, dass Marc mehr als einmal Angst um seine Seitenspiegel bekam. Rosanna war froh, dass die Sucherei sie vom Grübeln abhielt. Seit Dennis' Anruf am Mittag fühlte sie sich nicht mehr wohl in ihrer Haut.

Robert.

Es hatte sie nicht besonders verwundert zu hören, dass er verschwunden war, sie hatte, seitdem er ihr von der Party und der Einstellung seines Vaters dazu erzählt hatte, fast mit etwas Derartigem gerechnet. Es war ihr klar gewesen, dass Rob trotz des Verbots an der Feier teilnehmen würde, und auch, dass es anschließend zu irgendeinem Eklat kommen würde. Sie blieb relativ gelassen, da sie überzeugt war, dass Rob nichts zugestoßen war.

»Von einem Unfall hättest du längst gehört«, hatte sie gesagt. »Rob ist nichts passiert, Dennis. Er war bei der Party, er weiß, dass er deswegen Stress mit dir bekommen wird, und nun zieht er es vor, das Wochenende bei einem Freund zu verbringen.«

»Ich war bei seinen Freunden. Dort ist er nicht.«

»Du warst mit Sicherheit nicht bei allen seinen Freunden. Du kennst ja nur zwei oder drei von ihnen!«

Nach ein paar Sekunden des Schweigens, in denen Dennis nur schwer geatmet hatte, hatte sie hinzugefügt: »Das ist kein Vorwurf, Dennis. Ich kenne auch nicht alle seine Freunde. Rob ist ja auch nicht besonders mitteilsam.«

»Du hast also nicht vor, jetzt zurückzukommen?«, hatte Dennis gefragt.

Sie hatte einen Blick auf Marc geworfen, der starr geradeaus blickte und ihr das Gefühl vermittelte, dem Gespräch nicht zu lauschen – auch wenn ihm natürlich gar nichts übrig blieb, als genau das zu tun.

»Dennis, ich kann jetzt nicht zurückkommen. Ich habe hier einen Auftrag angenommen. Du weißt, dass das ein paar Wochen dauert.«

»Mein Sohn ist verschwunden und...«

»Ihr hattet einen Riesenkrach, und er hat keine Lust, nach Hause zu kommen. Ich glaube wirklich nicht, dass mehr passiert ist.«

»Du müsstest doch inzwischen genug Recherche betrieben haben. Diese verdammte Serie kannst du doch auch hier schreiben!«

»Nein, das kann ich nicht. Es haben sich gerade ganz neue Hinweise ergeben, und... ach, Dennis, bitte mach es mir doch nicht so schwer. Ich kann jetzt nicht zurückkommen. Ich kann nicht eine Sache, auf die ich mich nun einmal eingelassen habe, einfach abbrechen. Das würdest du auch nicht tun.«

»Es geht um meinen Sohn!«

»Mit dem du den Streit selbst herbeigeführt hast! Warum musstest du ihm verbieten, zu diesem Fest zu gehen?«

»Weil es gefährlich ist.«

»Du kannst ihn nicht festbinden. Er ist sechzehn. Die Jungs in dem Alter drängen nach draußen. Das ist normal. Klar hat man Angst um sie. Aber Rob ist nicht leichtsinnig. Ich glaube, du machst dir immer viel zu viele Gedanken um ihn.«

»Du kommst also nicht«, stellte Dennis fest. Seine Stimme klang ausdruckslos, aber Rosanna wusste, dass sie das immer tat, wenn er besonders wütend war.

»Ich komme *jetzt* nicht. Halte mich auf dem Laufenden, okay? Sollte es wirklich Probleme geben, werde ich natürlich...«

Sie kam nicht weiter. Dennis hatte den Hörer aufgelegt.

Sie hatte mit Marc nicht über das Gespräch mit Dennis reden wollen und war dankbar gewesen, dass er dies offenbar spürte und keine Fragen stellte.

Jetzt, in Langbury, dachte sie: Ich kann im Moment nicht aus der ganzen Sache aussteigen! Wenn es bis Montag keine Spur von Rob gibt, muss ich mir etwas überlegen, aber nun will ich wissen, was mit Elaine ist. Und ich kann nur hoffen, dass…

»Das hier muss es sein«, sagte Marc in ihre Überlegungen hinein.

… ich kann nur hoffen, dass meine Ehe diese Krise übersteht, brachte sie ihren Gedanken zu Ende, und dann schob sie Dennis und Rob zur Seite, denn sie hatte weiche Knie vor Aufregung, und sie wollte sich ganz und gar auf die bevorstehende Begegnung mit Mr. Cadwick konzentrieren.

»Das ist die Nummer sieben«, bestätigte sie, »und die Straße stimmt auch. Ist das eng hier! Und die Häuser sehen aus, als fielen sie gleich um!«

»Bei Mr. Cadwick brennt jedenfalls noch Licht«, stellte Marc fest. »Was meinen Sie, lassen wir den Wagen erst mal hier stehen? Es kommt zwar keiner mehr an uns vorbei, aber wenn ich einen anderen Parkplatz suche, finde ich dieses Haus am Ende nie wieder.«

»Ich wette, jetzt will auch niemand mehr vorbei«, sagte Rosanna und öffnete vorsichtig die Beifahrertür, um nicht an der Hauswand anzustoßen. »Himmel, wie kann Elaine hier leben?«

Brent Cadwick musste förmlich auf der Lauer gelegen haben, denn seine Haustür wurde aufgerissen, noch ehe Rosanna oder Marc hatten anklopfen können. Im Schein des herausflutenden Lichts stand er vor ihnen, ein alter Mann in Strickweste und verbeulter Hose. Er trug dicke graue Socken, aber keine Hausschuhe. Er roch unangenehm – wie jemand, der sich zu selten wäscht, der immer dieselben Kleidungsstücke zu lange trägt.

Rosanna konnte ihn auf den ersten Blick nicht leiden, ohne dass sie sofort hätte definieren können, worauf sich ihre Abneigung gründete. Sie spürte förmlich, wie sich Marc neben ihr innerlich von der ganzen Situation zurückzog, und sie begriff auch, warum: Er wappnete sich gegen eine bevorstehende Enttäuschung. Dieser Brent Cadwick sah durch und durch aus wie jemand, der eine Geschichte erfindet, um ein wenig Abwechslung in sein eintöniges Dasein zu bringen. Und wie der klassische Wichtigtuer.

»Mr. Cadwick?«, sagte Marc und streckte ihm die Hand hin. »Ich bin Marc Reeve. Das hier ist Rosanna Hamilton. Sie haben mit ihr telefoniert.«

Mr. Cadwick schüttelte erst Marcs, dann Rosannas Hand und kicherte. »Mr. Reeve! Um Sie ging es ja gestern auch im Fernsehen! Sie sind gleich mitgekommen zu mir? Den weiten Weg? Na ja, ich kann es verstehen. Sie stehen seit fünf Jahren unter Mordverdacht, nicht wahr?«

Rosanna holte tief Luft, um den alten Mann mit einer scharfen Erwiderung in die Schranken zu weisen, aber Marc war schneller. »Es gab ein paar sehr schnelle Vorverurteilungen durch die Presse, das ist richtig«, sagte er höflich. »Aber mit Ihrer Hilfe wird die Geschichte ja nun hoffentlich aufzuklären sein.«

»Wissen Sie, ob Miss Dawson noch wach ist?«, fragte Rosanna. »Wir würden gern gleich zu ihr gehen, wenn es recht ist.«

»Nun kommen Sie erst einmal herein«, sagte Cadwick und trat zurück. »Es ist kalt, meine Güte! Sie sind ja viel zu leicht angezogen, junge Frau! Aber so sind die Damen, nicht wahr? Immer zu wenig Stoff, aber hinterher gibt's eine Blasenentzündung!« Er kicherte wieder, dann eilte er vor seinen Besuchern her in seine Wohnung. Hinter seinem

Rücken verdrehte Rosanna die Augen. Marc lächelte ihr aufmunternd zu.

Erwartungsgemäß war die mit wuchtigen Möbeln völlig zugestellte Wohnung extrem überheizt und schien seit Monaten nicht mehr gelüftet worden zu sein. Wahrscheinlich öffnete Cadwick den Winter über grundsätzlich kein Fenster, um bloß nicht den Hauch von Kälte zwischen die Wände gelangen zu lassen. Der Fernseher lief mit überlautem Ton. Cadwick schaltete ihn ab, wies dann auf zwei Gläser, die auf dem Couchtisch bereit standen. »Was darf ich Ihnen zu trinken anbieten? Ich brauche noch ein Glas, nicht wahr? Ich dachte, ich wäre mit der jungen Frau allein! Wusste nicht, dass Mr. Reeve dabei ist…« Er nahm ein weiteres Glas aus einer scheußlichen Anrichte.

»Ein Sherry vielleicht?«

»Das ist sehr nett, Mr. Cadwick, aber wir möchten jetzt nichts trinken«, sagte Rosanna, »Sie verstehen sicher, dass wir sehr gespannt sind, Miss Dawson zu sprechen. Sie sagten, Sie sei Ihre Untermieterin? Ist sie zu Hause?«

»Sie arbeitet bis tief in die Nacht im *Elephant*«, erklärte Cadwick. Trotz Rosannas Ablehnung schenkte er den Sherry in die Gläser. »Das ist das Pub hier im Dorf. Ja, man denkt gar nicht, dass wir hier so etwas haben, nicht? Aber ich sage Ihnen, im Sommer verirren sich eine Menge Touristen hierher. Ist nicht weit bis zum Meer, wissen Sie. Man kann da schön baden. Und Ruhe findet man hier mehr als genug.«

»Miss Dawson ist also noch nicht daheim?«, fragte Marc.

»Sie kommt meist erst gegen zwölf Uhr«, erklärte Cadwick. Er hob sein Glas. »Auf Ihr Wohl! Meine Güte, ich bin ganz aufgeregt! Ist lange her, dass ich mal Gäste hatte. Viele Jahre!«

»Vielleicht sollten wir einfach gleich zu dem Pub gehen«,

meinte Rosanna. Sie ignorierte ihren Sherry. Die Gläser sahen zu schmutzig aus.

»Wenn sie dort arbeitet, ist es vielleicht nicht der richtige Ort, sie mit uns zu konfrontieren«, gab Marc zu bedenken. »Wir müssen davon ausgehen, dass sie ziemlich erschrickt, wenn sie uns sieht. Wenn es sich um unsere Elaine handelt, hat sie ja offenbar versucht, alle ihre Spuren zu verwischen und ganz im Verborgenen zu leben. Sie wird alles andere als glücklich sein, uns zu sehen.«

Rosanna wusste, dass er recht hatte. »Taktvoller ist es sicher, hier auf sie zu warten«, stimmte sie zu.

»Also, ihre Spuren hat diese Frau jedenfalls gründlich verwischt«, sagte Mr. Cadwick aufgeregt, »das kam mir ja vom ersten Tag an so merkwürdig an ihr vor. *Mit der stimmt was nicht, Brent,* habe ich mir gleich gesagt. Aber sie war sehr höflich und hatte gute Manieren. Ich achte sehr darauf, dass es angenehme Menschen sind, die bei mir im Apartment wohnen.«

Zudem dürftest du keinen allzu großen Andrang an Bewerbern verzeichnen, dachte Rosanna, wer will denn hier schon freiwillig wohnen?

»Inwiefern kam Ihnen Miss Dawson merkwürdig vor?«, fragte Marc.

»Nun«, sagte Cadwick, »sie wirkte so … so ängstlich. Ja, wie ein Mensch, der ständig in großer Angst lebt. Ich hatte den Eindruck, dass sie sich regelrecht versteckt!«

»Vor wem?«, wollte Rosanna wissen.

»Das weiß ich leider nicht«, musste Cadwick bekennen, »sie war nicht sehr gesprächig. Ich habe oft versucht, mit ihr zu reden, verstehen Sie, ein bisschen für sie da zu sein! So ein junges, verängstigtes Ding! Und so einsam. Die hatte ja niemanden! Keine Freunde, keine Bekannten, niemanden! Als ob sie ganz allein auf der Welt wäre. In den zwei Jahren gab es nicht einen Mann, mit dem sie auch nur ausgegangen wäre. Das ist doch nicht gesund! Ich meine, eine Frau in diesem Alter möchte doch heiraten, eine Familie gründen, ein Nest bauen! Und sich nicht in einem kleinen Dorf verstecken und mit niemandem in Kontakt treten!«

»Eine Frau in diesem Alter«, sagte Rosanna. »Wie alt ist Miss Dawson denn?«

»Ich schätze, so Ende zwanzig.«

Marc und Rosanna sahen einander an. Das konnte hinkommen.

»In Ordnung«, sagte Rosanna ergeben, »dann warten wir also, bis sie nach Hause kommt. Vielleicht setzen wir uns draußen ins Auto, Marc? Wir sollten Mr. Cadwick nicht so lange zur Last fallen.« Sie empfand einen solchen Widerwillen gegen den alten Mann und dessen verstaubte Wohnung, dass sie meinte, es kaum noch in dem überhitzten Wohnzimmer auszuhalten.

»Sie fallen mir durchaus nicht zur Last«, versicherte Mr. Cadwick eilig, »wirklich nicht, bleiben Sie doch hier! Ich habe gern einmal Besuch. Sehen Sie, ich fühle mich oft recht einsam. Das war auch der Grund, weshalb ich das Apartment vermietet habe. Das Geld brauche ich eigentlich nicht, ich komme gut zurecht mit meiner Rente, aber das Alleinsein … das schmerzt doch oft sehr. Ist nicht leicht auszuhalten. Da dachte ich, ein Untermieter wäre eine gute Idee. Man könnte mal zusammen Tee trinken oder plaudern oder einen Spaziergang machen. Leider war Miss Dawson so menschenscheu, dass ich mich regelrecht auf die Lauer legen musste, um sie überhaupt mal zu Gesicht zu bekommen. Eine sehr, sehr seltsame Person. Muss irgendein Geheimnis in ihrer Vergangenheit geben …« Er kaute auf seiner Unterlippe herum. Er schien sich unbehaglich zu fühlen. Rosanna hatte den Eindruck, dass er noch irgendetwas loswerden wollte und nicht recht wusste, wie er es anstellen sollte.

»Mr. Cadwick ...«, begann sie.

Er unterbrach sie. »Wie ich sagte, eine sehr, sehr seltsame Person. Fast denke ich, sie ist nicht mehr ganz normal im Kopf. Anders kann ich mir nicht erklären, weshalb sie ...«

»Weshalb sie was?«, fragte Marc.

Mr. Cadwick gab sich spürbar einen Ruck. »Sie ist offenbar bei mir ausgezogen. Vor zwei Tagen. Am Donnerstag.«

»Was heißt *offenbar*?«, fragte Marc mit scharfer Stimme.

Cadwick wirkte nun recht kläglich. »Ich will damit sagen, dass sie nicht gekündigt hat oder so. Oder sich verabschiedet hat. Sie ist einfach verschwunden.«

»Aber so einfach verschwindet doch niemand«, sagte Rosanna, »ich meine, wenn jemand auszieht, dann kommt ein Möbelwagen, dann schleppt er eine Menge Gegenstände davon ... Sie hätten das doch mitbekommen müssen!«

»Sie besitzt ja nichts«, sagte Cadwick, »nur einen Koffer mit ihren Kleidungsstücken. Damit, mit sonst nichts, ist sie ja auch hier eingezogen. Ich vermiete das Apartment möbliert. Bis hin zu den Eierbechern ist alles da. Ich vermute, sie hat am Donnerstag die halbe Stunde, in der ich einkaufen war, genutzt, um zu verschwinden. Denn danach habe ich sie nicht mehr gesehen.«

Marcs Gesicht war starr, als er sagte: »Dann sollten wir rasch das Pub aufsuchen, in dem sie arbeitet. Vielleicht ...«

»Dort hat sie sich auch nicht mehr blicken lassen«, sagte Cadwick, ohne seine beiden Gäste anzusehen, »da habe ich am Donnerstagabend und noch mal gestern Abend, zwei Stunden vor dieser Fernsehsendung, nach ihr gefragt. Justin McDrummond, der Besitzer vom *Elephant*, war ganz schön sauer. Erst hat er gedacht, sie ist krank, als sie nicht erschienen ist, und sie hätte vergessen, anzurufen und sich zu entschuldigen, aber als ich dann mit der Nachricht kam, dass sie sich irgendwie in Luft aufgelöst hat... na ja, da musste er annehmen, sie hat es mit ihm genauso gemacht. Ist abgehauen und hat nichts gesagt.«

»Sie meinen also, sie ist überhaupt nicht mehr in Langbury?«, fragte Rosanna. »Und diesen Umstand erwähnen Sie mit keinem Wort in unserem Telefonat? Wir fahren diese ganze verdammte Strecke hier herauf wegen... wegen nichts?« Sie hätte nicht sagen können, wie enttäuscht sie war. Und wie wütend.

»Immerhin, bis vorgestern war sie noch hier«, meinte Marc beschwichtigend, »und vielleicht ist sie gar nicht weit weg. Sind Sie sicher, Mr. Cadwick, dass sie wirklich ausgezogen ist? Und nicht einfach nur ein langes Wochenende irgendwo verbringt?«

»Ich war im Apartment. Ihre Schränke sind leer. Ihr Koffer ist weg. Nichts von ihren Sachen ist noch da.«

»Können wir das Apartment auch ansehen?«, fragte Marc.

»Selbstverständlich«, versicherte Cadwick und eilte in seine Küche, um den Schlüssel zu holen. Er war wieder ganz in seinem Element. Er war endlich die unangenehme Wahrheit losgeworden und hatte trotzdem seine Gäste glücklicherweise nicht sofort verscheucht.

Vor ihnen stieg er die steile Treppe hinauf, schloss die Tür zum Apartment auf, knipste das Licht an.

»Hier«, sagte er, »hier hat sie gewohnt.«

Rosanna hatte selten einen Ort gesehen, der mehr dazu angetan gewesen wäre, einen Menschen in schwere Depressionen zu treiben. Die niedrige Decke. Die kleinen Fenster, durch deren Ritzen eisige Zugluft ins Innere drang. Die scheußlich gemusterten Tapeten. Der billige, dickflauschige Teppichboden, in dem es vermutlich von Ungeziefer wimmelte. Ein winziges Schlafzimmer mit einem alten Bett. Ein kaum größeres Wohnzimmer mit einer alten Couchgarnitur. Mr. Cadwick hatte all seine Möbelstücke, die kurz vor dem völligen Verfall standen, genutzt, um sein sogenanntes Apartment einzurichten. Jeder andere Mensch hätte das Zeug auf die Müllkippe gebracht.

Cadwick öffnete den Kleiderschrank im Schlafzimmer. Er war leer.

»Sehen Sie. Nichts. Ebenso in den Kommodenschubladen. Oben auf dem Schrank lag ihr Koffer. Der ist auch weg.«

»War er rot?«, fragte Rosanna, sich an das Gespräch mit Marcs einstigem Nachbarn erinnernd. »Ein roter, ziemlich billig wirkender Plastikkoffer?«

Cadwick schüttelte den Kopf. »Nein. Braun war er. Dunkelbraun. Aber auch ziemlich billig wirkend.«

Das sagte natürlich nichts. Warum sollte sich Elaine in den vergangenen fünf Jahren nicht einen anderen Koffer zugelegt haben?

Rosanna sah sich um. Hier hatte sie also gewohnt. Bis vor zwei Tagen. Sie stöhnte leise. Als hätte Elaine es geahnt! Kurz bevor sie hätte aufgestöbert werden können, war sie auf und davon gegangen.

In das Schweigen aller hinein sagte Marc: »Ich muss sagen, ich teile Mr. Cadwicks Ansicht. Diese Wohnung wirkt völlig unbewohnt. Es spricht alles dafür, dass Elaine Dawson tatsächlich ausgezogen ist.«

»Und was machen wir jetzt?«, fragte Rosanna. Sie war plötzlich sehr müde. Sehr ausgelaugt. Die Auseinandersetzung mit Dennis kam ihr wieder in den Sinn. Sie hatte ihren Mann ziemlich kurz abgefertigt, gepackt von ihrem Jagdfieber. Vielleicht hatte sie sich falsch verhalten. Nun stand sie hier, war gegen eine Wand gelaufen, wusste nicht weiter und hatte Dennis enttäuscht und wahrscheinlich auch verletzt.

Alles umsonst, dachte sie.

»Heute machen wir gar nichts mehr«, sagte Marc. »Wir suchen uns irgendwo eine Übernachtungsmöglichkeit, und morgen früh fahren wir entweder zurück nach London oder überlegen uns weitere Schritte hier. Das werden wir sehen. Aber im Augenblick bin ich zu kaputt, um noch einen wirklich hilfreichen Gedanken zu fassen.«

»Sie können gern hier schlafen«, bot Cadwick an. »Das Apartment steht ja leider leer!«

»Vielen Dank, aber wir wollen Ihre Hilfsbereitschaft nicht ausnutzen«, sagte Rosanna hastig, »wir werden...«

»Sie werden hier nichts finden«, fiel ihr Cadwick ins Wort, »nicht in Langbury. Auch der *Elephant* vermietet keine Zimmer. Wollen Sie wirklich jetzt noch über die Dörfer irren und nach einem Zimmer suchen und sich dabei völlig verfahren?«

Marc und Rosanna sahen einander an. Die Vorstellung war tatsächlich nicht verlockend.

»Also, wenn es Ihnen ganz sicher nichts ausmacht...«, stimmte Rosanna resigniert zu. Ihr graute vor der Wohnung, aber zugleich war sie entsetzlich müde. Ihr kam zu Bewusstsein, dass sie seit dem Mittag nichts gegessen hatte, dass sie weder eine Zahnbürste noch ein Handtuch, noch Kleidung zum Wechseln dabeihatte – Umstände, die sie nicht gestört hatten, als sie noch von ihrem wilden Eifer vorangetrieben wurde. Jetzt sehnte sie sich nach nichts so sehr wie nach ihrem schönen Londoner Hotelzimmer, einer langen, heißen Dusche, einem flauschigen Bademantel, einem Glas Weißwein und einem riesigen Clubsandwich mit viel Salat und Mayonnaise.

Aber von all dem war sie Lichtjahre entfernt.

Cadwick kicherte anzüglich. »Wenn es Ihnen hier oben gemeinsam zu intim ist, kann natürlich auch einer von Ihnen unten bei mir schlafen. Mr. Reeve zum Beispiel. Obwohl mir Mrs. Hamilton lieber wäre!«

Der Mann ist einfach widerlich, dachte Rosanna.

Marc sah sie an. »Wäre es Ihnen lieber, wenn ich…«

Sie konnte es sich nicht vorstellen, in dieser Trostlosigkeit auch noch allein zu sein. »Nein. Bleiben Sie hier oben. Das ist schon okay.«

Marc wirkte erleichtert. Cadwick frustriert.

»Na dann«, meinte er zögernd, »wenn ich nichts mehr für Sie tun kann… Möchten Sie nicht doch Ihren Sherry unten noch mit mir trinken?«

»Wir sind sehr müde, Mr. Cadwick«, sagte Marc freundlich, aber bestimmt, »wir würden jetzt gern schlafen gehen.«

Cadwick schob sich im Zeitlupentempo zur Tür seines Apartments hinaus. Er kämpfte um jede Sekunde. Als er endlich draußen war, schloss Marc sehr nachdrücklich die Tür und lehnte sich von innen dagegen. Rosanna fiel auf, wie erschöpft er aussah.

»Schöne…«, begann er, verschluckte aber den Rest.

Rosanna waren ihre Manieren für den Moment egal.

»Scheiße«, vollendete sie seinen Satz.

Sie hatte das Wort noch nie inbrünstiger ausgesprochen.

Teil 2

Sonntag, 17. Februar

I

Marina Dowling hatte sich angewöhnt, jeden Morgen eine halbe Stunde zu joggen, gnadenlos, auch bei eisiger Kälte, Regenschauern oder dichtem Nebel, denn sie war eindeutig dabei, sich in eine vollschlanke Matrone zu verwandeln. Nicht, dass sie bereits richtig fett gewesen wäre. Aber überall an ihrem Körper saß genau so viel Speck, dass sie eben nicht mehr als wirklich schlanke Gestalt gelten konnte. Die Hüften etwas zu breit, der Bauch zu sehr gewölbt, und von ihrem Hintern und ihren Oberschenkeln wollte sie lieber gar nicht reden. Die meisten Frauen in dieser etwas biederen, sehr gepflegten Wohnsiedlung im Süden Londons sahen so aus, waren Ende dreißig oder Anfang vierzig und schlugen sich mehr oder weniger erfolgreich mit ihren Pfunden herum. Sie hatten Mann und Kinder und meist keinen Beruf, und sie trafen sich nachmittags zu oft mit ihren Freundinnen auf einen Drink mit irgendwelchem Knabberzeug dazu. Marina gehörte nicht wirklich dazu, schon deshalb nicht, weil sie ganztags als Steuerberaterin arbeitete, geschieden war und keine Kinder hatte. An einsamen Abenden trank sie oft zu viel Rotwein und betäubte das Gefühl des Alleinseins allzu häufig mit wahren Spaghettibergen. Es gab ihrer Meinung nach nichts, was so schön tröstete wie ein warmes, nach Tomaten und Basilikum duftendes Nudelgericht. Leider nahm man damit auch eine Menge Kalorien zu sich.

An ihrem achtunddreißigsten Geburtstag im November des vergangenen Jahres hatte Marina beschlossen, dass sich ihr Leben ändern musste. Sie wollte nicht länger allein sein. Sie wollte wieder einen Mann kennen lernen, wollte mit jemandem leben. Ihrem Aussehen mehr Aufmerksamkeit zukommen zu lassen, schien ihr eine gute Voraussetzung für einen möglichen Erfolg zu sein. Sie ließ sich die von reichlich grauen Strähnen durchzogenen Haare blond tönen, kaufte sich schicke Sportklamotten und arbeitete eine Jogging-Runde aus, die täglich dreißig Minuten in Anspruch nahm und sie richtig ins Schwitzen brachte. Jetzt, drei Monate später, hatte sie bereits vier Kilo verloren, und sie mutmaßte, dass es hätten mehr sein können, würde sie nicht in den langen Abendstunden noch immer allzu sehr dem Rotwein zusprechen. Ein möglicher Lebensgefährte nämlich – und erst dann, wenn dieser aufgetaucht wäre, könnte sie dem Alkohol endgültig abschwören – war noch nicht in Sicht. Vielleicht wenn der Sommer kam. Marina sagte sich, dass der Sommer geeigneter war, jemanden kennen zu lernen, auch wenn sie nicht wirklich hätte begründen können, weshalb das so sein sollte.

An diesem noch sehr frühen Sonntagmorgen versprach das Wetter strahlend schön zu werden, der Himmel schälte sich blau aus der Dunkelheit, und der Frühling, der bereits am Vortag angebrochen war, begann sich nun zu etablieren. Die Luft roch nach feuchter, frischer Erde. Die Vögel sangen. In den Vorgärten entfalteten sich die Narzissen. Bei einer etwas günstigen Wetterlage hatten sie manchmal hier in England diesen sehr zeitigen Frühling. Einen Wärmeeinbruch Mitte Februar und fast gleichzeitig damit das schlagartige Erwachen der Natur. Frost war auf der Insel nicht allzu häufig, ab März sowieso nicht mehr. Februartage wie dieser, fand Marina, entschädigten für manch verregneten Sommer.

Es hatte Spaß gemacht zu laufen. Keuchend und verschwitzt, bog sie in die Einfahrt ihres Hauses, kramte ihren Schlüssel aus der Tasche ihrer Jogginghose. Die große

Frage war nun, was sie mit dem Rest des Tages anfing. Erst einmal duschen, dann einen schönen, heißen Kaffee trinken. Vielleicht gönnte sie sich ein weiches Ei zum Frühstück und ein paar Scheiben Toastbrot. Nein, höchstens eine Scheibe. Es musste endlich mit dem Abnehmen vorangehen.

Und dann? Dann war der Tag immer noch sehr lang. Sie las gerade in einem spannenden Buch, aber wollte sie diesen herrlichen Vorfrühlingstag lesend daheim verbringen? Das war das Teuflische an der helleren Jahreszeit, sie führte einem die eigene Einsamkeit noch viel deutlicher vor Augen. Im Winter konnte man es sich in einem kuscheligen Sessel vor dem Kamin gemütlich machen und sich dabei durchaus wohl fühlen. Im Frühjahr musste man hinaus, irgendwie durch lange, helle Tage kommen und überall Familien und Liebespaaren begegnen.

Sie hatte ein paar grundlegende Fehler in ihrem Leben begangen, wie sie fand, aber woher hätte sie in jungen Jahren wissen sollen, wie sich die Dinge entwickelten? Rückblickend konnte man leicht erkennen, an welcher Kreuzung man die andere Abzweigung hätte nehmen sollen. Stand man direkt davor, war es bei weitem nicht so einfach.

Sie änderte ihren Plan, gleich ins Haus zu gehen, und wandte sich stattdessen in Richtung Garage. Ihr war der Gedanke gekommen, dass sie nach dem Frühstück zu einer Radtour aufbrechen würde. Das bedeutete, dass sie nicht einsam im Haus sitzen musste, und ihrer Zielsetzung, demnächst eine Traumfigur zu haben, würde das ebenfalls entgegenkommen. Sie hatte ihr Rad den ganzen Winter über nicht benutzt und hoffte, dass es in einem fahrtauglichen Zustand war. Sie würde das gleich überprüfen.

Die Garage war ungewöhnlich geräumig, eigentlich für die Unterbringung von zwei Autos vorgesehen, aber da Marina nur ein Auto hatte, war der übrige Platz mit jeder

Menge nützlicher und unnützer Gerätschaften zugestellt. Die Gartenmöbel stapelten sich hier, ebenso waren Rasenmäher, Terrakottatöpfe, Hacke und Spaten untergebracht. Aber auch ein altes Sofa, eine kaputte Waschmaschine, zusammengerollte Teppiche, mehrere prall gefüllte Altkleidersäcke, Umzugskartons und bergeweise Zeitschriften hatten ihren Weg hierher gefunden.

Die Glühbirne an der Decke war schon lange kaputt, aber es drang ein wenig Tageslicht durch das kleine Fenster an der Gartenseite herein. Die Tür zur Garage war nie verschlossen. Marina kämpfte sich durch das Gerümpel bis zu ihrem Fahrrad, das zumindest auf den ersten Blick recht ordentlich aussah. Daneben stand sogar noch Kens altes Rad. Wieso hatte er es eigentlich nicht mitgenommen? Wahrscheinlich fuhr er Tandem mit seiner hübschen neuen Frau. Sicher bevorzugten beide auch beim Sport größtmögliche Nähe.

Sie kniete nieder, begutachtete die Reifen. Sie schienen genug Luft zu enthalten und in gutem Zustand zu sein. Sie konnte kilometerweit fahren. Heute Abend würde ihr dann alles weh tun, aber sie würde sich dafür sehr heldenhaft fühlen.

Sie richtete sich auf, und ganz plötzlich wurde ihr bewusst, dass sie nicht allein in der Garage war. Sie hätte nicht erklären können, weshalb diese Empfindung so jäh in ihr erwachte, denn weder hatte sie ein Geräusch gehört noch einen Schatten wahrgenommen. Da war kein Atmen, nichts.

Und doch fühlte sie Augen auf sich gerichtet, und alle Härchen an ihren Armen sträubten sich.

Sie fuhr herum, wünschte, sie könnte in dem Dämmerlicht besser sehen.

»Ist da jemand?«, rief sie.

Es kam keine Antwort.

»Hallo?«, wiederholte sie.

Jeder konnte hier herein. Aber was sollte ein Mensch in diesem Chaos aus größtenteils wertlosen Gegenständen suchen? Das Auto war abgeschlossen. Klaute heutzutage noch ernsthaft irgendjemand ein Fahrrad, es sei denn, er fand es praktisch auf dem Präsentierteller vor?

Alles blieb still, nichts bewegte sich.

Vielleicht geht es nicht darum, etwas zu stehlen, vielleicht hat es jemand auf mich abgesehen?

»Quatsch!«, sagte sie laut. Wer vergewaltigte eine fast vierzigjährige, vollschlanke Steuerberaterin? Es wäre wirklich ein schlechter Witz, wenn sie, nachdem ihr seit Jahren kein männliches Wesen trotz aller Bemühungen ihrerseits auch nur einen zweiten Blick geschenkt hatte, plötzlich Opfer eines Triebtäters würde. In ihrer eigenen Garage.

Ihr Herz, das, wie sie plötzlich merkte, rasend zu pochen angefangen hatte, beruhigte sich wieder. Die Gänsehaut am ganzen Körper legte sich.

Vielleicht hatte sie sich alles nur eingebildet.

Und was war da überhaupt gewesen, das Grund für diese Angst hätte sein können? Nichts. Gar nichts, bis auf ein plötzliches Gefühl.

Da ist jemand. Ich werde beobachtet. Zwei Augen saugen sich an meinem Rücken fest.

Noch einmal sagte sie laut: »Quatsch!«

Es war wieder alles ganz normal. Niemand starrte sie an, niemand war da. Sie wurde wahrscheinlich langsam wunderlich. Vielleicht wurde man das, wenn man zu lang allein lebte.

Trotzdem ließ sie, als sie wieder in der Tür nach draußen stand, noch einen letzten, langen Blick durch den düsteren Raum streichen. Verstecke gab es hier genug, keine Frage. Aber da war nichts, kein Rascheln, kein Scharren, kein Kratzen. Dunkles, kaltes Schweigen.

Sie hatte sich einfach in etwas hineingesteigert.

Aber als sie in ihrem Haus verschwand, verschloss sie, ganz entgegen ihrer sonstigen Gewohnheit, die Haustür hinter sich. Sie drehte sogar den Schlüssel gleich zweimal herum.

2

Schlechter als in der vergangenen Nacht hatte Rosanna noch nie geschlafen. Jedenfalls konnte sie sich nicht erinnern. Sie hatte in Elaines Bett gelegen, dessen Matratze so durchhing, dass man in eine Art Kuhle in der Mitte rutschte und wie ein Taschenmesser zusammenklappte. Schon nach einer Stunde taten Rosanna alle Knochen weh. Zudem quälten sie verschiedene Bilder; Rob, der nicht nach Hause gekommen war. Dennis, der wahrscheinlich, von Sorgen gepeinigt, daheim auf und ab ging, allein, während seine Frau in Northumberland nach einer verschwundenen Freundin suchte und dabei, wie es aussah, einem Phantom hinterherlief.

War es nicht so, dass ihr die ganze Sache aus dem Ruder lief? Oder wie hatte sie sonst in diesem abgeschiedenen Dorf, in dieser schrecklichen Behausung, bei diesem widerlichen Mr. Cadwick landen können?

Als endlich von draußen graues Morgenlicht durch die Fensterläden kroch, stand sie auf. Zum Glück hatte die Bettwäsche sauber gewirkt. Rosanna vermutete, dass sie seit Elaines Auszug nicht gewechselt worden war – Mr. Cadwick würde sie wahrscheinlich noch seinem nächsten Untermieter ungewaschen andrehen, wenn er denn überhaupt einen fand –, aber Elaine war offenbar recht reinlich gewesen. Das Bett schien vor nicht allzu langer Zeit neu bezogen worden zu sein und roch angenehm nach einem blütenduftenden Waschmittel.

Im Bad gab es kein Handtuch, zumindest nicht auf den ersten Blick. Im Wäschekorb fand Rosanna schließlich einen zusammengeknüllten Waschlappen, der modrig roch. Vor dem Spiegel lag ein kleines Stück Seife. Sie wusch sich mehr schlecht als recht und kämmte sich mit den Fingern die Haare. Sie fand, dass sie schrecklich aussah. Ihre Haarwirbel vermochte sie nur mit Hilfe eines Föhns und einer Menge Spray zu bändigen, und beides stand ihr hier nicht zur Verfügung. Ihr Kopf erinnerte an das Fell einer kranken Katze.

»Oder an das einer räudigen Ratte, wenn man ganz gemein sein will«, murmelte sie. Warum hatte sie nicht wenigstens etwas Wimperntusche oder einen Eyeliner dabei? In ihrer Handtasche fand sie nur einen Lippenstift, aber die Tatsache, dass sie nun mit einem leuchtend roten Mund herumlief, machte den Gesamteindruck nicht besser.

In der winzigen Küche traf sie Marc, barfuß, in Boxershorts und T-Shirt. Er schien überrascht, dass sie schon wach war.

»Ich dachte, um diese Uhrzeit schlafen Sie noch tief und fest«, sagte er.

»Ich glaube, ich habe keine Sekunde geschlafen«, erwiderte Rosanna, »dieses Bett ist eine Art Foltergerät. Wie war Ihr Sofa?«

»Auch nicht viel besser, fürchte ich. Ich bin sofort bis auf den Boden durchgesunken. Ich halte mich eigentlich für ganz fit und sportlich, aber meine ersten Schritte heute Morgen waren die eines steinalten Mannes. Ich wusste bislang nicht, dass ein Rücken so weh tun kann.«

»Meiner fühlt sich an, wie frisch aus einem Schraubstock entlassen oder so ähnlich.« Sie fuhr sich mit einer unsicheren Bewegung durch die Haare. »Im Bad ist leider nicht viel zu finden, womit man sich einigermaßen in Form bringen kann. Sie müssen heute mit einer Frau vorliebnehmen, deren Haare in alle Himmelsrichtungen abstehen. Ich kann es nicht ändern.«

»Dafür kann ich mich nicht rasieren«, sagte Marc, »alles halb so wild. Hören Sie, ich habe mich umgeschaut, hier gibt es nicht einmal einen Kaffee, den wir uns machen könnten. Ich würde vorschlagen, wir stehlen uns so leise wie möglich davon und suchen nach diesem Pub – *Elephant* heißt es, glaube ich. Vielleicht haben wir Glück, und die bieten sonntagmorgens ein Frühstück an. Andernfalls blüht uns wahrscheinlich ein Kaffeetisch in Mr. Cadwicks sauberer Wohnung, und ich denke, darauf haben Sie so wenig Lust wie ich.«

Rosanna schauderte. »Ich bin nicht pingelig, aber wenn ich sein dreckiges Geschirr sehe, habe ich Angst, mir irgendeine Krankheit zu holen. Außerdem ist der Typ einfach widerlich. Schleimig und total indiskret. Allein hier mit ihm in diesem Haus würde ich Alpträume bekommen. Was meinen Sie, stimmt die ganze Geschichte? Dass hier eine Elaine Dawson gewohnt hat? Dass hier überhaupt eine Frau gewohnt hat?«

»Sie meinen, weil sie gar so passend gerade jetzt verschwunden ist?« Marc nickte. »Ich habe mir das heute Nacht auch überlegt. Natürlich besteht die Möglichkeit, dass er sich das alles nur ausgedacht hat. Ich vermute, er würde vor wenig zurückschrecken, wenn er sich damit ein bisschen Gesellschaft in sein trostloses Leben holen könnte. Im Grunde ist er ein armer Kerl.«

»Ich kann trotzdem kein Mitleid mit ihm aufbringen.«

»Auf jeden Fall ist das ein Grund mehr, den *Elephant* aufzusuchen. Denn dort soll sie gearbeitet haben, und wenn sich nicht alles verschworen hat, müssten wir dort eine glaubwürdige Bestätigung von Mr. Cadwicks Geschichte bekommen. Oder das Gegenteil hören.«

Während Marc im Bad war, ging Rosanna ins Schlafzimmer, machte ihr Bett und wählte dann Dennis' Nummer in Gibraltar. Sie wollte hören, ob Rob zurückgekommen war, aber ihr Herz schlug bis zum Hals. Sie hatte Angst, von Dennis erneut attackiert zu werden oder seinem Drängen auf Rückkehr nicht mehr länger ausweichen zu können.

Und vielleicht sollte ich das auch einfach tun, dachte sie, Elaine finden wir sowieso nicht, genug Material habe ich auch. Ich könnte morgen früh nach Gibraltar fliegen...

In ihrem Haus meldete sich niemand. Sonntagmorgens ging Dennis manchmal in seinen Fitnessclub. Vielleicht streifte er aber auch umher und suchte nach Robert. Dass dieser nicht an den Apparat ging, besagte nichts: An den Wochenenden schlief er bis zum Mittag, und nicht einmal eine Atombombe hätte ihn aus dem Bett geholt – geschweige denn das Läuten des Telefons.

Marc war fertig angezogen. Sie schlüpften in ihre Jacken und verließen auf Zehenspitzen die Wohnung. Mr. Cadwick schien noch zu schlafen, denn obwohl etliche Treppenstufen deutlich knarrten, rührte sich nichts im Haus. Sie atmeten beide auf, als sie unten in Marcs Auto saßen und endlich losfahren konnten.

Bei Tageslicht war alles viel einfacher. Sie begriffen rasch die Anordnung der schmalen Straßen und Gassen von Langbury, und nachdem sie begonnen hatten, sie systematisch abzufahren, standen sie recht bald vor dem *Elephant*, einem wuchtigen Bau aus roten Backsteinen, behäbig und gepflegt wirkend. Es gehörte sogar ein kleines Gärtchen dazu, in dem man im Sommer recht schön unter hohen, ausladenden Bäumen sitzen konnte. Jetzt waren ihre Zweige noch kahl, und Stühle und Tische standen an die Hauswand gerückt, mit großen Plastikplanen gegen die Witterung abgedeckt.

Zu ihrer Erleichterung ließ sich die Tür zur Gaststube öffnen, und der einladende Duft von frischem Kaffee wehte ihnen entgegen. Ein ziemlich übernächtigt wirkender Mann stand hinter der Theke und starrte sie erstaunt an.

»So früh kommt hier sonst niemand«, sagte er.

Rosanna setzte ein gewinnendes Lächeln auf. »Könnten wir trotzdem einen Kaffee bekommen?«

Der Mann nickte. »Klar. Kaffee ist fertig. Mit dem übrigen Frühstück dauert es ein bisschen. Wir halten sonntags hier immer ab zehn Uhr einen kleinen Brunch bereit. Ich kann Ihnen jetzt nur Toast und Marmelade anbieten.«

»Das reicht völlig«, versicherte Marc, »wir brauchen nur irgendetwas, um ein bisschen auf die Beine zu kommen.«

Sie ließen sich an einem Ecktisch nieder, registrierten dankbar die saubere weiße Tischdecke und das geblümte Porzellan, in dem der Kaffee serviert wurde. Der müde Mann selber brachte ihnen ein Körbchen mit Toastbrot und einen großen Teller mit mehreren Marmeladengläsern und portionsweise abgepackten Butterpäckchen. Rosanna vermutete, dass es sich um den Besitzer des *Elephant* handelte.

Offenbar hatte Marc den gleichen Gedanken, denn er fragte: »Sie sind Mr. Justin McDrummond?«

»Ja. Warum?«

»Marc Reeve. Dies ist Rosanna Hamilton. Wir sind aus London hierhergekommen.«

»Nicht gerade die schönste Jahreszeit, um Urlaub in dieser Gegend zu machen.«

»Wir sind nicht im Urlaub«, sagte Marc. »Wir sind auf der Suche nach einer alten Bekannten, und man sagte uns, dass sie hier gearbeitet hat. Elaine Dawson.«

Justin zog die Augenbrauen hoch. »Elli?«

»Stimmt es? Hat sie hier gearbeitet?«

Justin stellte den Brotkorb mit einem etwas zu heftigen Schwung auf den Tisch. Sein erschöpftes Gesicht wirkte mit einem Mal sehr zornig. »Und ob«, sagte er, »und ob sie hier gearbeitet hat! Und eines kann ich Ihnen sagen: Ihre Bekannte war mit Sicherheit die durchgeknallteste Person, die ich je beschäftigt habe. Sie ist ziemlich oft ausgefallen, aber ich hatte immer irgendwie Verständnis, weil sie mir einfach leidtat. Deshalb habe ich es auch nicht verdient...« Er brach ab.

»Ja?«, fragte Rosanna. »Was haben Sie nicht verdient?«

»Dass sie sich einfach aus dem Staub macht«, sagte Justin wütend, »von heute auf morgen, ohne ein Wort zu sagen. Wissen Sie, um diese Jahreszeit ist hier nicht allzu viel los, aber an den Samstagabenden kommen die Einheimischen hierher – viele auch aus den umliegenden Dörfern. Und gestern Abend hatten wir hier eine Hochzeitsgesellschaft. Einhundertzwölf Personen, die bis nachts um ein Uhr gefeiert haben. Elli wusste das. Ich hatte noch zwei Aushilfskräfte angeheuert, aber Elli war fest eingeplant. Und erscheint einfach nicht. Donnerstagabend, Freitagabend, gestern Abend. Weg. Verschwunden. Ihr musste klar sein, dass ich so schnell keinen vollwertigen Ersatz finden konnte. Immerhin kannte sie sich aus, war eingearbeitet. Sie glauben nicht, wie wir gestern Abend alle gekämpft haben. Ich sage Ihnen, wenn die sich hier noch einmal blicken lässt...«

»Könnte es sein, dass ihr irgendetwas zugestoßen ist?«, fragte Rosanna.

Justin schnaubte. »Das hätte ich vielleicht sogar zu ihren Gunsten angenommen. Aber dann war der alte Schleimer hier – Cadwick. Ihr Vermieter. In seiner Bruchbude hatte sie eine Wohnung gemietet. Und der erzählte, dass sie mit Sack und Pack ausgezogen ist. Auch ohne irgendetwas zu sagen. Ich meine, wenn jemand überfahren wird oder entführt oder ermordet, dann räumt er ja nicht vorher seine Wohnung leer, oder? Nein, die hat irgendwo einen besseren Job und eine bessere Bleibe gefunden und ist auf und davon!«

Rosanna hatte in ihrer Handtasche gekramt und zog das Foto von Elaine hervor, das sie stets mit sich führte. »Ist sie das?«

Justin betrachtete das Bild eingehend. »Ich weiß nicht...«, meinte er zögernd, »Elli ist viel schlanker. Fast mager.«

»Das Foto ist mehr als fünf Jahre alt«, erklärte Rosanna, »ein neueres haben wir leider nicht. In den fünf Jahren kann sie natürlich erheblich an Gewicht verloren haben.«

»Vom Typ her könnte sie es sein«, sagte Justin, »die Haarfarbe stimmt, die Frisur auch. Es ist einfach schwer zu sagen. Diese kugelrunde Person hier – und dann die ausgezehrte Elli. Aber, ja, es könnte hinkommen. Mit Sicherheit kann ich es nicht sagen.«

»Elaine müsste jetzt achtundzwanzig Jahre alt sein«, sagte Rosanna, »am ersten August diesen Jahres wird sie neunundzwanzig.«

»Vom Alter her könnte das auf jeden Fall stimmen«, bestätigte Justin. »Ehrlich gesagt, ich wusste weder, wann sie Geburtstag hat, noch wie alt sie ist, aber ich habe sie auf etwa Ende zwanzig geschätzt.«

»Seit wann hat sie hier gearbeitet?«, fragte Marc.

»Seit Juni letzten Jahres. Sie tauchte eines Tages auf und fragte, ob ich einen Job für sie hätte. Zu ihrem Glück hatte mich gerade meine Serviererin verlassen. Ich gab ihr die Stelle.«

»Sie wollten doch sicher Papiere sehen? Ausweis, Zeugnisse oder Ähnliches«, sagte Marc.

Justin schien sich ein wenig zu winden. »Ihren Pass hat sie mir gezeigt. Zeugnisse hatte sie keine. Sie hatte schwarz in einem Schuhladen gearbeitet, wie sie berichtete. Im Lager.«

»Und sie wollte für Sie auch gerne schwarz arbeiten«, folgerte Marc.

»Nun ja, sie...«

»Wir sind weder von der Polizei noch von der Finanzbehörde«, stellte Rosanna klar, »also machen Sie sich keine Sorgen.«

Justin ließ sich neben seinen Gästen auf einen Stuhl fallen, stützte seinen Kopf auf die Hände. »Wissen Sie, mir war das auch etwas suspekt. Sie schien buchstäblich aus dem Nichts zu kommen. Ich hatte mal Ärger wegen eines Kochs, Pakistani, der hatte dann gar keine Aufenthaltsgenehmigung, wie sich herausstellte, und die Polizei hat bei mir alles durchsucht. Aber Elli hatte zumindest einen britischen Pass, der mir in Ordnung schien. Ich komme natürlich ganz günstig weg, wenn jemand schwarz für mich arbeitet. Aber… vielleicht hätte ich sie weggeschickt. Es war nur eine ähnliche Situation wie letzten Abend. Ein Wochenende stand bevor, eine große Gesellschaft hatte sich angesagt. Ich konnte jeden brauchen, der zu kriegen war. Sie kam praktisch wie gerufen, und dann ist sie geblieben, und… na ja, irgendwann war mir dann ihre Vorgeschichte egal.«

Rosanna packte das Foto wieder weg. Sie war jetzt hellwach. Was auch an dem Kaffee liegen mochte, den sie in kleinen Schlucken nebenher trank und der köstlich schmeckte.

»Sie bezeichneten Elaine als *durchgeknallt*. Was genau meinten Sie damit?«

Justin überlegte. »Da war so etwas an ihr«, sagte er dann, »etwas… wie soll ich es ausdrücken? Etwas Krankes. Verstörtes. Hysterisches. Depressives. Alles, was Sie wollen. Ich würde sagen, sie wirkte auf mich wie ein ganz schön kaputter Mensch. Welche junge Frau setzt sich nach Langbury in die Wohnung von Mr. Cadwick und sieht ihren Lebensinhalt darin, bei mir im Pub zu arbeiten? Sie hatte überhaupt keine Freunde. Keine Kontakte. Sie erzählte nichts von sich, nie. Es war wirklich so, als sei sie aus dem Nichts gekommen. Nie erwähnte sie Eltern. Oder Geschwister. Freunde, Verwandte, Bekannte. Lehrer, Nachbarn... irgendetwas. Ich meine, selbst der kontaktärmste Mensch kommt nicht umhin, ein paar Bekanntschaften in seinem Leben zu schließen, oder? Aber sie nicht. Als wandle sie allein über diesen Planeten, so kam sie mir vor.«

»Und sie fiel öfter aus?«, hakte Rosanna nach.

»Ja. In gewissen Abständen, und dann stets zwei, drei Tage hintereinander. Sie meldete sich aber immer ab. Wegen Zahnweh, Halsentzündung. Was weiß ich. Komischerweise... hatte ich immer das Gefühl, dass das nicht stimmte. Dass sie nicht körperlich krank war, sondern das nur vorschob. Ich hätte ihr das aber nicht nachweisen können.«

»Was war Ihrer Meinung nach tatsächlich los?«, fragte Marc.

Wieder zögerte Justin. »Ich glaube, dass sie Panikanfälle hatte. Dass sie von Zeit zu Zeit von ihren Ängsten überwältigt wurde. Und dass sie dann das Rattenloch, in dem sie hauste, nicht verlassen konnte.«

»Ihre Ängste?«, fragte Rosanna. »Sie hatte Angst?«

Justin blickte sie erstaunt an. »Ich denke, Sie kennen sie? Ich glaube nicht, dass das irgendjemandem verborgen bleiben konnte. Elli hatte Angst. Vor irgendetwas oder irgendjemandem hatte sie entsetzliche Angst. Sie schrak jedes Mal zusammen, wenn hier die Tür aufging. Manchmal, wenn jemand laut lachte oder grölte, wurde sie plötzlich kreidebleich.«

Er überlegte noch einmal kurz und fügte dann hinzu: »Ich würde so weit gehen zu sagen, dass sie Todesangst hatte. Das war spürbar. Elli hatte Todesangst, aber in der ganzen Zeit ist es mir nicht gelungen, dahinterzukommen, warum das so war.«

Geoffrey begriff, dass Selbstmitleid zum Automatismus mit höchst unangenehmen Begleiterscheinungen werden konnte: Eine Zeit lang mochte es die Menschen ringsum in Atem halten, in Schuldgefühle stürzen und damit manipulierbar machen, aber irgendwann richtete es sich gegen einen selbst.

Wer sich zu lange und zu behaglich in der Opferrolle einrichtet, wird wirklich zum Opfer.

Irgendjemand hatte dies einmal zu ihm gesagt, er wusste nur nicht mehr, wer es gewesen war. Eine Schwester, ein Arzt, ein Pfleger? Einer von den Leuten, die sich um ihn kümmerten und ihm beharrlich einzureden versuchten, sein Leben sei trotz allem noch lebenswert. Was es definitiv nicht war, und es stürzte ihn jedes Mal in Wut, wenn sich ein Gesunder anmaßte, einem Kranken zu erklären, dass seine Lage nicht so schlimm sei, wie er glaubte.

Allerdings war an dem Gerede um die Opferrolle und ihre Auswirkungen etwas dran. Denn wenn er, Geoff, sich nicht so tief in seine Mir-ist-alles-egal-Haltung vergraben hätte, verfügte er jetzt über ein Handy, könnte einen versteckten Platz im Heim oder draußen aufsuchen und telefonieren. Stattdessen musste er den verdammten Münzfernsprecher im Flur benutzen und ständig fürchten, dass jemand vorbeikam und neugierig lauschte.

Aus den Jahren mit Elaine besaß er zwar ein Handy, aber dessen Karte war seit Ewigkeiten nicht mehr aufgeladen worden. Mehrfach hatten ihm Schwestern angeboten, dies für ihn zu übernehmen.

»Kommen Sie, Mr. Dawson. Wir laden die Karte für Sie auf! Ist doch viel schöner, wenn Sie problemlos erreichbar sind!«

Er hatte stets abgelehnt. Hatte die hilfsbereiten Geister oft genug sogar angeschnauzt. Für wen, bitte schön, er denn erreichbar sein solle? Wer rief ihn denn an? Wer interessierte sich denn noch für ihn? Er existierte doch praktisch schon nicht mehr.

Dumm gelaufen, dachte er nun.

Zum Glück war es Sonntag. Sämtliche Aktivitäten im Pflegeheim liefen sonntags in reduzierter Form ab, was bedeutete, dass auf dem Gang nicht das übliche Gewusel von Patienten und Pflegekräften herrschte. Es bestand daher die Chance, ungestört zu telefonieren. Wobei sich dies natürlich jeden Moment ändern konnte. Geoff wusste, dass ihm nur ein kleines, noch dazu nicht berechenbares Zeitfenster blieb.

Es war einfach gewesen, über die Auskunft die Nummer des Fernsehsenders herauszubekommen, der die Sendung *Private Talk* ausstrahlte; schwieriger gestaltete es sich, mit der betreffenden Redaktion sprechen zu können. Eine missmutige Frauenstimme in der Zentrale hatte ihm mitgeteilt, sie versuche, ihn zu verbinden, aber seitdem hing Geoff in einer Warteschleife und lauschte, zunehmend genervt, den Klängen irgendeines ihm unbekannten Klavierstücks. Das war der Nachteil an einem Sonntag: Auch in einem Sender herrschte nicht umtriebige Geschäftigkeit wie sonst. Immerhin mussten die Beschäftigten dort auch an den Wochenenden ihren Dienst tun. Ob Lee Pearce da war? Mit ihr hätte Geoff am liebsten gesprochen.

Die ganze Nacht über hatte er wach gelegen und überlegt, was er tun sollte. Cedrics Nachricht vom Auftauchen einer möglichen neuen Spur hatte ihn von Stunde zu Stunde in größere Unruhe, Aufregung und Angst versetzt. Tausend Gefühle stritten in ihm: die Hoffnung, Elaine könnte tatsächlich am Leben sein, zu ihm zurückkehren und ihn damit erlösen. Die Sorge, sie könnte zwar am Leben sein, sich jedoch weigern, zurückzukommen, und zudem erklären, ihr Bruder sei es, vor dem sie sich all die Jahre versteckt gehalten habe. Gleich darauf war ein neuer Gedanke in ihm erwacht: Was, wenn sie es nicht war, Rosanna Hamilton, die falsche Schlange, jedoch behaupten würde, sie habe sie dort oben in Northumberland angetroffen? Seitdem Geoff die einstige Jugendfreundin in der Talkshow gesehen hatte, wusste er zwei Dinge: Rosanna war scharf auf Marc Reeve, hatte womöglich bereits ein Verhältnis mit ihm. Und aus diesem Umstand wiederum ergab sich ihr Verhalten: Rosanna wollte Reeve von jeglichem Verdacht im Hinblick auf Elaine reinwaschen. Um jeden Preis. Geoff traute es ihr absolut zu, dass sie eine lebende Elaine erfand, dies in ihrem schäbigen Boulevardblatt großartig verkündete und damit Marc Reeve ein Leben in Ansehen und Rehabilitierung ermöglichte. Wer würde ihre Angaben schon überprüfen? Die Polizei hatte den Fall längst zu den Akten gelegt, längst abgehakt.

»Was glauben Sie, wie viele Frauen und Männer sich tagtäglich einfach aus ihrem Leben verabschieden, untertauchen und fröhlich eine neue Existenz gründen?«, hatte ihm einer der Beamten damals, unmittelbar nach Elaines Verschwinden, gesagt. »Sogar Leute, die Familien haben, Kinder. Leute, in deren Leben es scheinbar überhaupt keine Schwierigkeiten gibt, von denen man es nie erwartet hätte. Tief in ihrem Innern aber hatten sie alles satt, die Verantwortung, die Bindung, was auch immer. Und weg sind sie. Und in ihrem ganzen Umfeld ist man fassungslos.«

In seinem, Geoffs, Umfeld war man nicht einmal wirklich fassungslos gewesen, das war das Schlimme. Man hatte ihm das nicht so deutlich gesagt, aber er war nicht blöd, er hatte es überall zwischen den Zeilen herausgehört: Jeder konnte sich durchaus vorstellen, dass Elaine aus dem Dasein an der Seite eines Krüppels, der ihr Leben blockierte, ausgebrochen war. Und jeder hatte es verstanden. Wäre nicht die Geschichte mit Marc Reeve ans Tageslicht gekommen und damit zumindest kurzfristig ein Verbrechen in Betracht gezogen worden – niemand hätte auch nur einen Finger krumm gemacht, um die vom Erdboden verschluckte Frau wieder aufzustöbern.

Ja, und auch er selbst konnte schwerlich in den Norden reisen und nachsehen, ob es sich wirklich um Elaine handelte, die sich dort vor ihm versteckt hielt. Selten hatte er seine Hilflosigkeit mehr verwünscht, die Unbeweglichkeit seines Körpers mehr verflucht. Zunehmend war der Hass auf seinen Körper während der endlos langen, durchwachten Nachtstunden übergegangen in einen überwältigenden Hass auf Rosanna Hamilton, die ihn dieser Situation ausgesetzt hatte, die sich erdreistete, in seinem Leben herumzupfuschen, die sich anmaßte, Schicksal für andere zu spielen und sich dabei einen Dreck um die Folgen für die Betroffenen zu scheren. Das war so typisch für sie, ebenso wie für ihren Bruder, für diese beiden arroganten, gleichgültigen Jones-Geschwister. Gleichgültig jedenfalls, wenn es um echte Not, wirkliche Sorgen anderer Menschen ging. Wenn sie für ihre eigenen Belange fochten – wie Rosanna jetzt offenbar im Zusammenhang mit dem Schönling Reeve –, konnten sie sehr aktiv und einfallsreich werden.

Am allermeisten erboste ihn die Tatsache, dass man ihm von all dem gar nichts hatte mitteilen wollen. Es bestätigte ihn zudem in der Überzeugung, dass ein krummes Ding geplant wurde. Rosanna hatte ihm kein Sterbenswörtchen von der neuen Spur verraten, und Cedric hatte es auch nicht vorgehabt, so viel war ihm gestern durchaus klar geworden. Er hatte sich in die Enge getrieben gefühlt und ihm rasch einen Brotkrumen hinwerfen wollen, um ihn abzulenken, aber vermutlich bereute er seine Geschwätzigkeit jetzt schon tief. Rosanna, die die ausgefuchstere von beiden war, würde ihn ganz schön zur Schnecke machen, wenn sie davon erfuhr. Geschah ihm ganz recht.

In den frühen Morgenstunden hatte Geoffs Plan festgestanden. Er würde sich nicht ausbooten, in die Ecke stellen und zur Passivität verurteilen lassen, nicht von Typen wie Rosanna und Cedric. Auch wenn er seinen verdammten Körper nicht bewegen konnte, sein Kopf arbeitete noch, und er war durchaus in der Lage, auf seine Art aktiv zu werden. Er würde einfach andere Menschen instrumentalisieren, die in Northumberland forschen und Rosannas Pläne, wie immer sie aussehen mochten, vereiteln würden. Wer war dafür geeigneter als die Fernsehjournalistin Lee Pearce, die den Fall gerade als Thema ihrer Sendung behandelt hatte? Und sicher nicht abgeneigt war, Rosanna Hamilton eins auszuwischen.

Die Stimme der Dame aus der Zentrale klang unvermittelt wieder an sein Ohr. »Ich stelle durch«, sagte sie gelangweilt.

Es klickte in der Leitung.

»Hallo?«, sagte eine andere weibliche Stimme, immerhin deutlich freundlicher und fröhlicher.

»Äh… hallo«, sagte Geoff, »hier ist Geoffrey Dawson.« Er machte eine Pause, in der Hoffnung, dass der Name der Person am anderen Ende der Leitung schon etwas sagte. Immerhin war der *Fall Dawson* Thema der letzten Sendung gewesen. Aber es schien nicht so, als zucke seine Gesprächspartnerin wie elektrisiert zusammen.

»Was kann ich für Sie tun, Mr. Dawson?«, fragte sie unverändert freundlich.

Es ist einfach eine zu schnelllebige Zeit, dachte Geoff, die bereiten jetzt schon die nächste Sendung vor und wissen kaum noch, womit sie sich zwei Tage zuvor beschäftigt haben.

Er hatte sich kein wirkliches Konzept zurechtgelegt, vor

allem auch deshalb, weil er in erster Linie um die Frage gekreist war, ob er es bewerkstelligen könnte, überhaupt ein halbwegs ungestörtes Gespräch zu führen.

Jetzt sprang er einfach mitten hinein.

»Ich hätte gerne Mrs. Lee Pearce gesprochen«, bat er kühn.

»Worum geht es denn bitte?«

»Mein Name ist Dawson«, wiederholte er mit Nachdruck, »ich bin der Bruder von Elaine Dawson. Erinnern Sie sich? Elaine Dawson war Thema in *Private Talk* am vergangenen Freitag. Eines der Themen«, setzte er hinzu.

»Richtig, jetzt kann ich den Namen einordnen«, sagte die andere immer noch fröhlich, wobei er sich fragte, was an der ganzen Geschichte Anlass zu solch penetranter Fröhlichkeit gab. »Was genau möchten Sie mit Mrs. Pearce besprechen?«

Immerhin hatte sie ihn nicht gleich mit der Auskunft abgewimmelt, dass Mrs. Pearce nicht da sei. Was darauf schließen ließ, dass sich die Moderatorin im Sender aufhielt und er eine echte Chance hatte, mit ihr ins Gespräch zu kommen, wenn es ihm gelang, diese Frohnatur an seinem Ohr von der eben dahingehenden Notwendigkeit zu überzeugen.

»Es hat sich aufgrund der Sendung eine sehr interessante neue Spur ergeben«, erklärte er. »Es gibt einen Hinweis, dass meine Schwester noch lebt.«

»Dann sollten Sie sich damit vielleicht an die Polizei wenden.«

»Die Polizei ist an dem Fall schon lange nicht mehr interessiert. Ich glaube nicht, dass sie die Grafschaft Northumberland wegen eines einzigen Hinweises umgraben werden.«

Vom anderen Ende der Leitung kam ein kaum hörbares Seufzen. »Mr. Dawson, ich sehe nicht, wie Mrs. Pearce Ihnen helfen könnte.«

»Es geht um noch mehr«, sagte Geoff hastig. Er hörte Schritte den Gang entlangkommen und sah sich verstohlen um. Ganz hinten war eine Schwester aufgetaucht, verharrte jedoch an einer der geöffneten Zimmertüren und sprach augenscheinlich mit einem der Bewohner. Bald würde sie jedoch weitergehen und hoffentlich nicht auf seiner Höhe erneut stehen bleiben.

Scheiße! Konnte ihn diese Kuh nicht endlich verbinden?

»Hören Sie«, sagte er mit gedämpfter Stimme, »ich habe Grund zu der Annahme, dass Mrs. Hamilton, die am Freitag bei Ihnen zu Gast war, in dieser Angelegenheit etwas zu vertuschen sucht. Wegen sehr pikanter persönlicher Verstrickungen...« Er hielt inne. *Private Talk* war eine höchst primitive Boulevard-Talkshow. Er hoffte, dass er seine Gesprächspartnerin ein wenig heißgemacht hatte.

Sie seufzte erneut, diesmal aber gab sie sich keine Mühe, es zu verbergen. »Ich werde Mrs. Pearce fragen, falls sie überhaupt gerade zu sprechen ist«, sagte sie, »möglicherweise ist sie auch in einer Konferenz. Warten Sie!«

Er wurde aus der Leitung geklickt und sah sich wieder der penetranten Klaviermusik ausgesetzt.

Die Schwester kam jetzt näher, mit jenem forschen, eiligen, so überaus viel Wichtigkeit signalisierenden Gang, den er hasste, mit dem er hier jedoch ständig konfrontiert wurde.

Haben die mal darüber nachgedacht, wie ihre Gangart auf uns Krüppel wirkt?, fragte er sich nicht zum ersten Mal. Wollen sie uns ihre Überlegenheit demonstrieren, uns ständig deutlich machen, dass sie die Stärkeren sind? Oder setzt diese Vorstellung eine Auseinandersetzung mit uns voraus, die es gar nicht gibt? Sind wir ihnen in Wahrheit scheißegal, und sie machen einfach ihren Job und denken über gar nichts nach?

Die Schwester war auf seiner Höhe angekommen und schenkte ihm ein strahlendes Lächeln, was er abartig fand.

»Na, Mr. Dawson?« Sie war munter wie ein Fisch im Wasser. Hatten heute alle Leute eine so scheißgute Laune? Vor allem die, die am Sonntag arbeiten mussten? »Wie geht's Ihnen denn?«

Er nickte ihr abweisend zu. Sah sie eigentlich nicht, dass er telefonierte? Hätte sie sich einem Nicht-Patienten gegenüber auch so verhalten? Ohne Respekt davor, dass er gerade mit etwas anderem beschäftigt war?

Sie setzte zu ihrer nächsten Frage an, aber in diesem Moment ertönte das bereits bekannte Klicken an Geoffs Ohr. »Mr. Dawson? Ich verbinde Sie mit Mrs. Pearce.«

Gleich darauf erklang ein kühles: »Pearce. Was gibt es?«

Er hielt seine Hand auf die Sprechmuschel, wandte sich, soweit sein gelähmter Körper es zuließ, zu der ihn unverwandt angrinsenden Schwester um und zischte leise, aber deutlich: »Scheren Sie sich zum Teufel, verdammt noch mal!«

4

Sie waren ziellos ein wenig in der Gegend herumgefahren, hatten den Wagen dann in einer kleinen Parkbucht unweit vom Meer abgestellt und waren zum Strand gelaufen. Außer dem Heranrollen der Wellen und den Schreien der Möwen war nichts zu hören. Trotz des strahlenden Frühlingstages wehte hier am Wasser ein scharfer Wind, der eiskalt durch die Kleidung drang. Sie liefen mit schnellen Schritten über den Sand, um sich aufzuwärmen. Weit und breit war kein Mensch zu sehen.

»Ich verstehe das nicht«, sagte Rosanna, »ich meine, der Begriff *Todesangst* – der erscheint mir so … überzogen. Wir sind davon ausgegangen, dass sich Elaine vor dem Leben als Pflegerin ihres Bruders in Sicherheit bringen wollte, und ganz bestimmt wäre sie alles andere als begeistert gewesen, wenn er plötzlich in der Tür dieses Pubs aufgetaucht wäre, aber es hätte sie doch kaum mit Todesangst erfüllt. Was hätte er ihr schon anhaben können?«

Marc bückte sich, hob einen flachen, kleinen Stein auf und warf ihn dann achtlos wieder zu Boden. »Vielleicht liegen wir mit der Vermutung, dass ihr Verschwinden – sofern wir nach wie vor von einem freiwilligen Verschwinden ausgehen – etwas mit ihrem Bruder zu tun hat, völlig falsch. Immerhin hat sie bei mir einen Mann erwähnt, der eine wesentliche Rolle in ihrem Leben spielte. Könnte es sein, dass mit dem etwas schiefgelaufen ist? Dass sie sich vor ihm versteckt?«

»Ich kann mir nicht vorstellen, dass sich Elaine auf einen windigen Typen einlässt, der später zur Gefahr wird«, meinte Rosanna und sah wieder den pickligen Teenager vor sich, der vor allem und jedem Angst hatte und sich nie an Unternehmungen beteiligte, die auch nur einen Anflug von Risiko bargen. »Sie war übertrieben vorsichtig. Extrem schüchtern. Nicht die Art Mensch, die plötzlich in eine gefährliche Situation gerät.«

»Aber gerade diesen Menschen kann genau das passieren«, sagte Marc, »dass sie Opfer von irgendwelchem Gesindel werden. Elaine erschien mir äußerst unerfahren. Keine Ahnung von der Welt, vom Leben. Natürlich voller Angst, aber zugleich zu unwissend, echte Gefahren auch wirklich zu erkennen. Elaine ist – oder war – durchaus jemand, den sich einer aussuchen könnte, der Böses im Schilde führt.«

»Aber weshalb? Ich meine, was kann man denn gegenüber Elaine Böses im Schilde führen?«

Er zuckte die Schultern. »Keine Ahnung. Das müsste gar nichts mit ihr zu tun gehabt haben. Es gibt Menschen, die brauchen einfach nur ein Opfer. Egal, welches. Es geht nicht um das Opfer als Person, es geht nur um seinen Status als Opfer. Elaine könnte zu so etwas eingeladen haben. Aber auch das ist natürlich eine reine Vermutung.«

»Gut, unterstellen wir, sie hat sich auf den falschen Mann eingelassen«, sagte Rosanna, »sie ist mit ihm durchgebrannt damals. Und irgendwann in den vergangenen fünf Jahren ist etwas passiert. Etwas, das zur Bedrohung wurde. Weshalb ist sie dann nicht zur Polizei gegangen?«

»Weil sie vielleicht wusste, dass das in manchen Fällen nichts nützt«, sagte Marc. »Ich bin Anwalt, ich kenne mich nur zu gut aus. Sie mag an einen Psychopathen geraten sein, der aber noch nichts angestellt hat, was rechtfertigen würde, ihn festzusetzen. Sie spürt, dass er eine Gefahr für sie darstellt, aber es ist nun einmal so, dass die Polizei erst dann aktiv werden kann, wenn sich jemand etwas hat zuschulden kommen lassen. Manchmal bleibt dem Opfer dann wirklich nichts übrig, als sich zu verstecken.«

»Das würde aber bedeuten, dass Elaine, ausgerechnet Elaine, ein paar Mechanismen, nach denen das Leben läuft, ganz gut begriffen hat.«

»Fünf Jahre sind eine lange Zeit. Den Schutz von Kingston St. Mary hatte sie verlassen. Sie hat vielleicht eine Art Crashkurs durchlaufen, was die Einschätzung der Realität betrifft. Die Elaine von heute hat möglicherweise kaum noch etwas gemein mit der Elaine von damals. Nicht nur, was ihr Körpergewicht angeht.«

Rosanna nickte nachdenklich. »Und warum ändert sie dann nicht ihren Namen? Das hätte doch weit mehr Schutz bedeutet!«

»Das ist nicht so einfach. In den meisten Fällen muss man sich ausweisen, um eine Wohnung oder einen Job zu bekommen. Das bedeutet, sie hätte sich falsche Papiere beschaffen müssen. Wie soll ein Mädchen wie Elaine das bewerkstelligen?«

»Schwer vorstellbar«, stimmte Rosanna zu, »aber schließlich ist das alles mehr als verwirrend. Kaum mit meiner Elaine von damals in Einklang zu bringen.«

»Vielleicht sollten wir aufhören, Spekulationen anzustellen«, meinte Marc, »es führt zu nichts und verwirrt uns nur. Wahrscheinlich müssen wir uns einfach damit abfinden, zu spät gekommen zu sein. Die in Langbury untergetauchte Elaine Dawson haben wir haarscharf verpasst und finden sie wohl auch nicht mehr. Pech gehabt. Vielleicht war sie es, vielleicht auch nicht. Wir werden den Fall auf sich beruhen lassen müssen.«

Rosanna blieb stehen. »Ich wundere mich, dass Sie das so gelassen sehen können. Für Sie geht es um viel mehr als für mich. Elaine zu finden, hätte volle Rehabilitierung für Sie bedeutet. Aber ich habe den Eindruck, mich macht es verrückter, sie so knapp verfehlt zu haben, als Sie!«

Auch Marc blieb stehen. »Rosanna, ich will gar nicht abstreiten, dass ich große Hoffnungen gehegt hatte. Aber ich versuche auch, die ganze Angelegenheit realistisch zu sehen. Die Wogen im Fall Dawson haben sich wirklich geglättet. Es ist nicht mehr so, dass mir auf Schritt und Tritt Misstrauen entgegenschlägt. In meinem Umfeld interessiert sich kein Mensch mehr für diese Angelegenheit. Sie jetzt zu finden, würde gar nicht so viel ändern für mich.«

Sie sah an ihm vorbei, weil sie wusste, dass sie einen wunden Punkt berührte. »Aber Ihrem Sohn… Ihrem Sohn könnten Sie den Beweis erbringen. Wäre Ihnen das nicht wichtig?«

Er schwieg so lange, dass sie schon fürchtete, zu weit gegangen zu sein.

»Entschuldigen Sie«, sagte sie hastig, »ich hätte vielleicht…«

»Schon in Ordnung«, unterbrach er, »Sie haben ja recht. Mein Sohn wäre es wert gewesen. Obwohl auch das möglicherweise nichts mehr geändert hätte.«

Sie gingen weiter, fröstelnd im scharfen, kalten Nordostwind, und auf einmal kam Rosanna der Strand unwirtlich und abweisend vor und das ganze Unternehmen verrückt und von Anfang an zum Scheitern verurteilt.

Sie blieb erneut stehen. Sie mochte sich nicht noch weiter vom Auto entfernen.

»Marc«, sagte sie, »wir sollten...«

Sie unterbrach sich, weil er sich zu ihr umwandte und sie voller Staunen zusah, wie sich sein Gesichtsausdruck veränderte, bevor er sie küsste. Es war ein beinahe flüchtiger Kuss, eigentlich nur ein kurzes, sanftes Berühren ihrer Lippen.

Er trat einen Schritt zurück. »Entschuldige«, sagte er, »das war... unmöglich.«

Sie starrte ihn noch immer an.

»Am besten...«, setzte er an, sprach aber nicht weiter und hob in einer hilflosen, entschuldigenden Geste beide Hände. »Ich hätte das nicht tun sollen.«

Sie fand endlich ihre Sprache wieder. »Es ist nur...«

»Ich weiß. Es ist unmöglich.«

»Nein, es ist...« Sie suchte nach Worten. »Also, ich bin nicht ärgerlich oder so. Wirklich nicht.«

Er stand vor ihr, grub seine beiden Hände nun tief in die Taschen seiner Jacke. Der kalte Wind hatte seine Wangen gerötet. »Ich weiß, dass du verheiratet bist. Einen Stiefsohn hast, der sich auf dich verlässt. Dass dein Lebensmittelpunkt nicht hier in England liegt. Ich weiß das alles. Trotzdem, schon den ganzen Morgen... immer, wenn ich dich ansehe...« Er ließ auch diesen Satz unvollendet, als sei es klar, was er zum Ausdruck bringen wollte.

Sie strich sich mit der Hand durch ihre zerzausten Haarwirbel, die durch den Wind noch mehr gelitten hatten. Sie dachte an ihre ungeschminkten Augen, an ihr Gesicht, das sicherlich den Ausdruck von Müdigkeit nach einer halb durchwachten Nacht zeigte.

»Ausgerechnet heute«, sagte sie, »ausgerechnet heute sehe ich so … schrecklich aus!«

»Ausgerechnet heute«, sagte Marc, »siehst du so jung aus.«

Er nahm sie in die Arme und küsste sie erneut, länger und weit weniger unschuldig als zuvor, und diesmal erwiderte sie seinen Kuss und seine Umarmung und verlor sich für einige Augenblicke daran, verlor sich so weit, dass sie sekundenlang nicht an Dennis dachte, nicht an Rob, nicht an Gibraltar, nicht an ihr eigentliches Leben.

Als sie sich Minuten später voneinander lösten, war alles um sie herum wie vorher, der noch winterlich scheinende Strand, die grelle Frühlingssonne, der eisige Wind.

Die Frage war, ob sich in ihnen und ihrer beider Leben etwas verändert hatte.

Nur, wenn wir es zulassen, dachte Rosanna.

»Meine Entschuldigung war ganz offensichtlich so wenig wert«, sagte Marc, »dass ich diesmal gar nicht erst behaupte, es tue mir leid. Es wäre ohnehin gelogen.«

»Wofür solltest du dich auch entschuldigen?«, fragte Rosanna. »Ich wollte das genauso wie du. Aber natürlich … kann es Probleme geben, wenn wir … wenn wir weiter gehen.«

»Tja«, sagte er unbestimmt.

Sie standen einander gegenüber. Auf bedrückende Weise wurde Rosanna klar, dass der schwarze Peter bei ihr lag. Marc war frei. Sie nicht.

»Mir ist kalt«, sagte sie schließlich. Es war eine einigermaßen unverfängliche Bemerkung, und sie stimmte. »Können wir zum Auto zurückgehen? Und irgendwohin fahren, wo wir einen heißen Kaffee bekommen?«

»Natürlich«, sagte Marc sofort. »Nichts weckt die Lebensgeister besser als ein heißer Kaffee.«

Rosanna musste plötzlich lachen, wenn sie auch den

Eindruck hatte, dass in diesem Lachen jede Menge Ratlosigkeit schwang. »Ich hatte gar nicht den Eindruck, dass unsere Lebensgeister so schwach dahindümpelten«, meinte sie.

Er nahm ihre Hand, als sie zurückgingen, und sie hatte keine Lust, sie ihm zu entziehen. Wozu auch? Sie hatten mehr getan, als einander nur an der Hand zu halten. Ihre Küsse machte sie nicht ungeschehen, indem sie jetzt auf Abstand zu ihm ging.

Sie waren viel weiter gelaufen, als sie gemerkt hatte, und es dauerte lange, bis sie die kleine Parkbucht am Rand der einsamen Landstraße erreichten, in der ihr Auto stand. Rosanna sank erleichtert in ihren Sitz. Marc ließ den Motor an und drehte sofort die Heizung hoch.

»Dauert ein bisschen. Aber gleich wird es warm.« Er machte keine Anstalten, loszufahren.

»Was ist?«, fragte Rosanna.

Er zögerte. »Ich glaube, du bist es«, sagte er schließlich, »du bist der Grund, weshalb ich Elaine gern finden und ihr Auge in Auge gegenüberstehen würde. Ich weiß, dass ich sie nicht auf dem Gewissen habe, aber ich würde viel darum geben, wenn auch in dir nicht mehr der Schatten eines Zweifels daran bestünde.«

»Aber ich zweifle nicht«, sagte Rosanna, »ich habe schon aufgehört zu zweifeln, als ich begann, mich ernsthaft mit dem Fall zu beschäftigen.«

Er nickte, wendete den Wagen und fuhr auf die Straße hinaus. Sie hätte ihn gerne überzeugt, wie ernst es ihr war mit dem, was sie gesagt hatte, aber sie fürchtete, dass er ihre Beteuerungen als das nehmen würde, was sie waren: Beteuerungen, in deren echten Wahrheitsgehalt er niemals hineinblicken konnte. Selbst wenn in ihr nicht der kleinste Rest von Unsicherheit wäre, so bliebe doch in ihm einer, was ihre Überzeugung anging. Dieser Umstand mochte keine Bedeutung für ihre Zukunft haben, denn sie würden sich nicht in einer *gemeinsamen* Zukunft wiederfinden – sie durften es nicht. Würde es ihn stören, welches Bild von ihm sie in sich trug, wenn sie wieder bei ihrer Familie in Gibraltar war? Würde es sie stören, dass er an ihr zweifelte, wenn er wieder in London seinem Job nachging und sie nie wiedersah?

Es war unerheblich. Für sie beide war es unerheblich, ob sie Elaine fanden oder nicht.

»Wir müssen sie unbedingt finden«, sagte sie, in völligem Widerspruch zu ihren Gedanken, als sie über die sonnenbeschienene Landstraße dahinglitten.

Marc sah sie an. »Es wäre ein Problem weniger«, sagte er.

Sie wussten beide, dass genügend andere blieben.

5

»Telefon für dich«, sagte Sally und streckte den Kopf in Angelas Zimmer – das Zimmer, das bis vor kurzem *Angelas und Lindas Zimmer* genannt worden war. Sie sprach mit schwerer Zunge.

Angela, die auf ihrem Bett lag und in ihrem Innern den Stimmen nachlauschte, die das Zimmer noch immer zu erfüllen schienen – ihre Stimme und die ihrer Schwester –, hob den Kopf.

»Wer ist es denn?«

»Habe den Namen nicht so genau verstanden«, murmelte Sally, »war ein komischer Name. Will dich aber sprechen.«

Angela erhob sich mit müden Bewegungen. Sie fühlte sich krank und zerschlagen. Stundenlang hatte sie gestern mit Dawn bei der Polizei gesessen, zugesehen, wie die andere

Verbrecherkarteien durchging, gewartet, dass ein Phantombild erstellt wurde. Dawn hatte sich alle Mühe gegeben, jedoch immer wieder beteuert, sich nur schwer erinnern zu können.

»Ich habe den Typen ja nur kurz gesehen. Und auch nicht so besonders auf ihn geachtet. Ich war ja viel mehr mit Linda beschäftigt. Und es ist auch schon eine Weile her…«

»Lassen Sie sich Zeit«, hatte Fielder immer wieder gesagt, »manchmal kommt das Gedächtnis einfach so nach und nach auf die Sprünge. Setzen Sie sich nicht selbst unter Druck!«

Dawn hatte niemanden in der Kartei gefunden, war sich aber bei fünf oder sechs Gesichtern unsicher gewesen.

»Der könnte es gewesen sein«, meinte sie, aber drei Bilder weiter schien ihr ein anderer noch wahrscheinlicher zu sein. »Nein, der hier. Obwohl… an so abstehende Ohren müsste ich mich doch erinnern? Oder hat er eine Mütze getragen?«

Schließlich wurde eine Zeichnung angefertigt, aber Dawn war so zögerlich bei der Angabe von Details, dass Angela nicht an den Wert des Bildes glaubte. Ihr selbst sagte das Gesicht nichts, überhaupt nichts.

»Nein. So jemanden kenne ich nicht. Mit so jemandem habe ich Linda auch bestimmt nie zusammen gesehen. Allerdings habe ich sie sowieso mit niemandem gesehen. Dieser neue Freund war ja offenbar ihr bestgehütetes Geheimnis.«

Als die beiden jungen Frauen schließlich gingen, war Inspector Fielder dennoch recht zufrieden gewesen. »Wir haben einen kleinen Ansatzpunkt«, sagte er, »und das ist auf jeden Fall besser als nichts.«

»Aber es ist so wenig, woran ich mich erinnern konnte«, hatte Dawn frustriert gesagt.

»Das ist normal«, meinte Fielder, »Sie haben ihn nur kurz gesehen, und es gab natürlich keine Notwendigkeit, sich ihn besonders einzuprägen. Aber jetzt ist Ihr Unterbewusstsein angestoßen, und möglicherweise findet noch die eine oder andere tief gespeicherte Erinnerung den Weg in Ihr Gedächtnis. Ich habe so etwas schon manchmal erlebt.«

Angela war nicht überzeugt gewesen, hatte sich dennoch mit viel Enthusiasmus bei Dawn bedankt. »Das war riesig nett von dir, Dawn, dass du so viel Zeit geopfert hast. Und du weißt, wenn dir noch irgendetwas einfällt, egal, wie klein und unbedeutend, dann rufst du mich an. Oder am besten gleich den Inspector.«

Dieser Gedanke kam ihr nun, während sie zum Telefon ging. Ob es Dawn war? Am Ende hatte sie noch irgendeinen Geistesblitz gehabt.

Der Wodkagestank im Wohnzimmer verschlug ihr fast den Atem. Sie nahm den Hörer auf. »Ja? Hallo?«

Es war tatsächlich Dawn. Ihre aufgeregte Stimme klang unnatürlich hell.

»Angela? Bist du es?«

»Ja. Was ist denn los?«

»Ich hab ihn gesehen!« Dawn quiekte fast. »Ich hab ihn gesehen! Lindas Freund. Ich bin mir ganz sicher. Und diesmal habe ich ihn mir ganz genau angeschaut!«

»Es war an fast derselben Stelle wie beim letzten Mal«, sprudelte Dawn los, als sie und Angela Inspector Fielder gegenübersaßen. Fielder hatte seinen Sonntag unterbrochen und war in sein Büro bei Scotland Yard gekommen. Er hatte noch ein wenig Tomatensoße in den Mundwinkeln, und Angela vermutete, dass es bei den Fielders Nudeln zum Mittagessen gegeben hatte. »Ganz nah bei dem Woolworth. Er saß auf dem Platz davor, auf dem Brunnenrand. Wenn dort richtig viel los gewesen wäre, hätte ich ihn wahrscheinlich gar nicht entdeckt. Aber heute ist ja das Kaufhaus geschlossen, und es liefen nur wenige Leute herum. Nur solche wie ich, die sich sonntags tödlich langweilen und einfach ziellos ein bisschen in der Stadt herumwandern.«

»Er saß auf dem Brunnenrand?«, fragte Fielder. »Könnte es sein, dass er immer noch…?«

Dawn schüttelte bedauernd den Kopf. »Er stand gerade auf, als ich kam. Ich habe ihn in einer der Straßen verschwinden sehen.«

»Hat er Sie erkannt? Ist er deswegen…?«

»Ich glaube nicht. So wirkte er nicht. Er hat auch nicht zu mir herübergeschaut. Er hatte sich einfach ein paar Minuten lang die Sonne aufs Gesicht scheinen lassen und ist dann weitergeschlendert. So hatte es jedenfalls den Anschein.«

Fielder zündete sich eine Zigarette an, nachdem er den beiden Frauen das Päckchen hingehalten hatte und abschlägig beschieden worden war.

»Miss Sparks, Sie waren gestern bei einigen Kandidaten in unserer Kartei etwas unsicher. Würden Sie vielleicht noch einmal hineinschauen? Die Chance, jemanden zu erkennen, hat sich bestimmt vergrößert.«

Dawn nickte eifrig. »Wenn er da drin ist, finde ich ihn. Ich habe ihn mir jetzt ganz genau eingeprägt. Meine Güte, bestimmt wohnt er in der Ecke! Wer weiß, wie oft ich ihm in den letzten Monaten begegnet bin, ohne ihn zu beachten!«

Eine Viertelstunde später hatte sie ihn entdeckt.

»Das ist er«, sagte sie mit Bestimmtheit und deutete auf die brutale Visage eines dunkelhaarigen Mannes, dem keiner der Anwesenden allein im Dunkeln hätte begegnen mögen. »Hundert Prozent! Das ist er!«

»Ronald Malikowski«, sagte Fielder langsam, »sieh an!«

Angela betrachtete schaudernd das Gesicht des einstigen Freundes ihrer toten Schwester. Wie, um Himmels willen, hatte sich Linda mit einem solchen Typen einlassen können? Das Kriminelle in seinem Wesen sprang jeden Betrachter so deutlich an, dass kaum jemand hätte glauben können, ungeschoren davonzukommen, wenn er sich in den Dunstkreis eines solchen Menschen begab. Geschweige denn, zu seiner Geliebten wurde.

»Mein Gott!«, sagte sie unwillkürlich.

»Ja, ein feiner Bursche«, bestätigte Fielder. »Mehrfach vorbestraft. Rauschgift, Zuhälterei, Erpressung… Er war in eine Menge unsauberer Geschäfte verwickelt. Er geriet immer wieder an ziemlich liberale Richter – leider! Meiner Ansicht nach gehört ein Kerl wie er hinter Gitter, und zwar für eine lange Zeit!«

»Hatten Sie mit ihm zu tun?«, fragte Angela.

»Mehr als einmal«, knurrte Fielder, »und ich wäre nur zu glücklich, ihn endlich richtig zu fassen zu kriegen.«

»Zuhälterei!«, wiederholte Angela. »Das würde doch zu dem Fall Jane French passen! Schließlich arbeitete sie als Prostituierte!«

Fielder kratzte sich am Kopf. »Das stimmt. Allerdings…«, er hielt inne. Die beiden Frauen blickten ihn erwartungsvoll an.

»Malikowski ist ein Stück Scheiße«, sagte Fielder mit größter Direktheit, »ein absolut widerlicher Mistkerl mit einiger Gewaltbereitschaft. Das stimmt. Aber soweit ich das beurteilen kann, und ich habe einige Erfahrung, ist er kein Psychopath. Dieses stundenlange gezielte Foltern, dem Jane French und auch Linda Biggs zum Opfer gefallen sind, ohne dass offenbar mit diesen Folterungen ein Ziel verbunden wurde – das vermag ich mit meinen Erkenntnissen über Malikowski nicht recht in Einklang zu bringen.

Ich hätte auch geschworen, dass er sich immer vor einem Mord hüten würde.«

»Ja, meinen Sie denn nicht…?«, fragte Dawn enttäuscht.

Fielder lächelte ihr ermutigend zu. »Wir finden das heraus«, versprach er. »Sie haben uns wirklich sehr geholfen, Miss Sparks. Wir haben jetzt eine echte Spur. Wenn es nicht Malikowski selbst war, dann vielleicht jemand aus seinem Umfeld. Und wir haben jetzt ziemlich gute Karten, um den Typen zu erwischen!«

6

Marina kehrte gegen halb fünf von ihrer Fahrradtour zurück und fand, dass sie sich tapfer geschlagen hatte. Gegen elf am Vormittag war sie schließlich aufgebrochen, nachdem sie gefrühstückt, ausgiebig geduscht und im Haus dieses und jenes aufgeräumt und geordnet hatte. Schließlich hatte sie sich aufgerafft und war noch einmal in die Garage gegangen, neugierig, ob das seltsame Gefühl vom frühen Morgen sie noch einmal befallen würde. Diesmal jedoch hatte sie nicht den Eindruck, von irgendjemandem beobachtet zu werden, und so hatte sie jenes eigenartige Erlebnis – das, wie sie sich sagte, eigentlich gar kein Erlebnis gewesen war – schließlich endgültig abgehakt.

Von der Siedlung aus, in der sie lebte, gelangte man sehr rasch hinaus in eine ländliche Umgebung. Wie in vielen Großstädten waren auch in London die Übergänge zwischen Hochhäusern, Menschenmassen, brodelndem Verkehr einerseits und weiten Feldern, Wäldern und kleinen Dörfern andererseits manchmal jäh und seltsam abrupt. Marina hatte sich bald auf einer schmalen Landstraße befunden, die an einem Kanal, dessen Ufer links und rechts zu grasbewachsenen Dämmen aufgeschüttet waren, entlangführte. Es war ein gemütliches Dahingleiten, unterbrochen nur von ein paar unwesentlichen Steigungen und selten gestört von einem Auto. Dafür waren jede Menge anderer Radfahrer unterwegs, und natürlich, wie Marina schon befürchtet hatte, hauptsächlich Familien. Oder Paare. Sie traf nicht eine einzige einsame Frau, die so wie sie mutterseelenallein in der Gegend herumradelte. Die Welt war seltsam, fand sie. Die Medien berichteten von der Singlegesellschaft, in der man lebte und die, glaubte man Zeitungen und Fernsehen, zunehmend aus karrierebewussten, erfolgreichen, aber alleinstehenden Frauen und Männern zwischen dreißig und fünfzig bestand. Verließ man dann jedoch an einem sonnigen Vorfrühlingstag die eigenen vier Wände, so stieß man überall auf glückliche Familien, in denen sich mindestens drei Kinder tummelten.

Oder bin nur ich so blöd, hier entlangzuradeln?, fragte sie sich. Tun sich all die anderen Singles so etwas Dummes einfach gar nicht erst an? Bleiben sie entweder daheim oder gehen irgendwohin, wo man sicher ist vor all den glücklichen Familien und verliebten Paaren?

In einem Dorfgasthof hatte sie ein spätes Mittagessen zu sich genommen, obwohl sie es hasste, allein in einem Restaurant zu sitzen. Aber sie hatte Hunger und musste außerdem die Toilette benutzen. Als sie sich auf den Heimweg machte, stand die Sonne schon tief, und es war deutlich kälter geworden. Sie trat kräftig in die Pedale. Der Wind spielte in ihren Haaren, und die klare, frische Luft tat ihren Lungen gut. Es war schön, den ganzen Tag in Bewegung zu sein. Noch schöner wäre es, sich daheim nun zu zweit vor den Kamin zu setzen, ein Glas Wein zu trinken und sich auf den gemeinsamen Abend zu freuen.

Sie stellte ihr Fahrrad in der Garage ab und bemerkte das Ziehen in den Oberschenkeln, als sie zum Haus hinüberging. Morgen würde sie einen schmerzhaften Muskelkater haben. Gut so. Er würde sie wenigstens die ganze Woche über an ihre heroische sportliche Leistung vom Sonntag erinnern.

Sie schloss die Haustür auf und trat in den schmalen Flur, von dem rechts unmittelbar die gewundene Treppe nach oben führte.

»Ich bin wieder da!«, rief sie, obwohl niemand sie hören konnte. Sie würde sich jetzt eben allein ein Feuer im Kamin anzünden und eine Flasche entkorken. Sie wusste, dass der Alkohol schon zu sehr die Funktion eines Seelentrösters in ihrem Leben übernommen hatte, aber für den Moment sah sie keinen Weg aus diesem Problem.

Sie ging in die Küche, die nach hinten zum Garten hinaus lag. Eine altmodische Küche mit weiß lackierten Schränken und Möbeln, einem kleinen Sprossenfenster, vor dem blaue Gardinen hingen, und einer Tür, die in den Garten führte. Die Stufen dahinter waren so wackelig, dass es inzwischen fast lebensgefährlich war, sie hinunterzusteigen, weshalb Marina seit einiger Zeit den Garten nur noch durch das nebenan gelegene Esszimmer betrat. Gewohnheitsmäßig prüfte sie die Küchentür jedoch kurz und erschrak: Sie war nicht verschlossen.

»Verdammt«, fluchte sie leise. »Schon wieder!« Sie drehte den Schlüssel um und schob den Riegel vor. Es passierte ihr immer wieder, dass sie hier abzuschließen vergaß. Nach dem Frühstück warf sie stets ihre Brotkrumen hinaus auf die wackelige Treppe, für ein Taubenpärchen, das seit Jahren in ihrem Garten wohnte und schon immer sehnsüchtig auf diese Mahlzeit wartete. Allzu häufig ließ sie hinterher die Tür aus Versehen unverschlossen. Schon manchmal war sie von einem Arbeitstag zurückgekehrt und hatte festgestellt, dass wieder einmal jeder Einbrecher bequem hätte in ihr Haus spazieren können. Wobei noch nie etwas passiert war. Die Gegend war nicht ausgesprochen reich, und ihr Haus zählte sowieso nicht zu denen, die den Konto-stand ihrer Besitzer offenbarten. Es hätte dringend einen neuen Anstrich gebraucht, und dass der Vorgarten noch nie die ordnende Hand eines ausgebildeten Gärtners gespürt hatte, stach ebenfalls ins Auge. Marina fand, man vermute in ihrem Haus eine Familie, die gerade so über die Run-den kam, und das vermittelte ihr ein gewisses Sicherheits-gefühl.

Sie nahm eine Flasche Weißwein aus dem Kühlschrank und schenkte sich ein Glas großzügig voll.

Dann ging sie ins Wohnzimmer hinüber, schaltete den Fernseher ein, um wenigstens irgendwelche Stimmen um sich zu haben. Es lief eine Reportage über Waisenkinder in Indien. Für Sekunden starrte sie auf den Bildschirm. Ein Kind...

Sie schaltete in ein anderes Programm um, in dem ein alter Spielfilm gezeigt wurde, und wandte sich dann dem Kamin zu. Ein schöner, steinerner Kamin, den ihr Exmann selbst gemauert hatte. Die Dunkelheit würde jetzt bald hereinbrechen, und ein Feuer würde Gemütlichkeit und Wärme verbreiten.

Gerade als sie niederkniete und einige der sorgfältig ge-stapelten Holzscheite aus dem Korb an der Wand nahm, hörte sie das Geräusch.

Es war das Knacken einer Fußbodendiele, und es kam von irgendwo oben im Haus. Wenn sie sich hätte festlegen sollen, hätte sie gesagt: aus ihrem Arbeitszimmer.

Sie richtete sich auf, lauschte nach oben. Alles war still.

Wahrscheinlich hatte sie sich getäuscht. Sie wollte mit ih-rer Arbeit fortfahren, da vernahm sie das Geräusch schon wieder. Sie lebte lange genug in diesem Haus, um sicher zu sein, dass es sich um die Bodendielen handelte, und nun war sie auch überzeugt, dass es die in ihrem Arbeitszimmer sein mussten.

Sie sprang auf die Füße.

Nur ruhig, ermahnte sie sich, alte Häuser knacken manchmal, das bedeutet vielleicht überhaupt nichts.

Sie hatte sich ihre Hausschuhe noch nicht angezogen und tappte lautlos in Socken in den Flur hinaus. Direkt gegenüber der Wohnzimmertür schraubte sich die Treppe nach oben.

»Hallo?«, rief sie leise. Ihre Hand lag auf der Klinke der Haustür. Sie konnte jederzeit nach draußen stürzen und um Hilfe schreien. Sie hatte genügend Nachbarn. Irgendeiner würde sie hören.

Alles blieb still. Marina sagte sich, dass sie wohl hysterisch war. Es gab tausend Gründe, weshalb Dielenbretter knarren konnten.

Welche Gründe eigentlich?, fragte sie sich gleich darauf, und ihr wollte nicht einer einfallen, der sie überzeugt hätte.

Geh hinauf und sieh nach, ehe du den ganzen Abend nervös und ängstlich herumzappelst!

Kurz überlegte sie, ob sie rasch nach nebenan laufen und ihre Nachbarin bitten sollte, mit ihr zu kommen, aber dann kam ihr das doch zu lächerlich vor. Wahrscheinlich fanden sie nichts, aber in der ganzen Gegend würde man darüber sprechen, wie überspannt und altjüngferlich sie doch war.

Sie lebt schon zu lange allein. Das bekommt ihr nicht. Sie wird immer seltsamer. Na ja, so findet sie natürlich keinen Mann mehr!

Sie biss die Zähne zusammen, schaltete das Licht im Treppenhaus an und stieg mit einiger Entschlossenheit die Stufen hinauf. Ihr fiel wieder das seltsame Gefühl am frühen Morgen in der Garage ein, und die Tatsache, dass sie den ganzen Tag fort und die Küchentür unverschlossen gewesen war. Jeder hätte leicht in ihr Haus gelangen können. Aber wozu? Einbrecher kamen, um zu stehlen, nicht um sich versteckt zu halten und der Bewohnerin aufzulauern.

Oder doch? Vielleicht hockte dort oben ein Typ, der nicht auf Computer, Schmuck oder Bargeld scharf war. Sondern auf eine Frau.

Blödsinn, Marina, dich hat so lange keiner mehr angefasst, dass du schon Vergewaltigungsfantasien hegst, sagte sie grob zu sich, aber ihr Herz schlug weiterhin bis zum Hals. Hier oben saß sie in der Falle. Hier oben konnte sie nur hoffen, ein Fenster zu erreichen, es aufzureißen und in den Abend hinauszubrüllen.

Sie ging weiter.

Still und leer lag der obere Flur vor ihr. Vier Türen zweigten ab: zum Bad, zum Schlafzimmer, zu Kens einstigem Büro, das Marina in ein Gästezimmer umgestaltet hatte, und zu ihrem eigenen Arbeitszimmer. Dessen Tür befand sich direkt gegenüber der Treppe und war, im Unterschied zu den anderen Türen, nur angelehnt.

Hatte sie selbst die Tür am Morgen offen gelassen? War sie überhaupt im Arbeitszimmer gewesen? Sie wusste es nicht, und es schien auch sinnlos, sich darüber den Kopf zu zerbrechen. Die Tür war halb offen, und das konnte an ihr liegen oder an irgendeinem anderen Umstand, und sie würde das jetzt herausfinden und nicht noch länger voller Angst hier am oberen Ende der Treppe verharren.

Sie holte tief Luft, richtete sich zu ihrer vollen Größe auf und marschierte entschlossen den Gang entlang, stieß die Tür zu ihrem Arbeitszimmer auf und griff gleichzeitig zum Lichtschalter an der Wand. Sofort warf die Deckenlampe ihr strahlend helles Licht über den ganzen Raum.

Marina war trotz ihrer Angst überzeugt gewesen, niemanden anzutreffen. Letztlich war die Vorstellung, jemand könne in ihrem Haus herumlungern, einfach zu absurd.

Zu ihrem Entsetzen stand jedoch ein Mann mitten im Zimmer. Direkt unter der Lampe. Er blinzelte geblendet und starrte sie ebenso fassungslos an wie sie ihn.

Ein oder zwei Sekunden standen sie einander gegenüber. Marina realisierte, dass der Mann sehr groß und sehr jung war und ihr wahrscheinlich an körperlicher Kraft überlegen. Sie öffnete den Mund, um zu schreien, aber gerade da machte der junge Mann einen Schritt auf sie zu und sagte: »Nicht! Bitte nicht schreien!« In seinen Augen flackerte Angst. Seine Stimme bebte.

»Was, zum Teufel…«, begann Marina, heiser vor Furcht und noch immer völlig perplex über der Erkenntnis, dass sich tatsächlich jemand während ihrer Abwesenheit in ihre Räume geschlichen hatte. So etwas passierte in Büchern. In Filmen. Nicht im wirklichen Leben.

Quatsch. Wieso nicht im wirklichen Leben? Neulich erst hatte sie gelesen, dass allein in Großbritannien alle zwei Minuten in ein Haus eingebrochen wurde. Es war wie mit Krankheiten, Unfällen und anderen Schicksalsschlägen: Man dachte stets, es träfe nur die anderen.

»Ich… die Tür war offen…«, sagte der Junge hastig. Sehr viel älter als ein *Junge* war ihr Gegenüber nämlich nicht, das begriff Marina nach und nach, jetzt, da sich die erste Panik legte.

»Die Tür war offen? Und da spazierst du einfach in ein wildfremdes Haus hinein? Das kann doch wohl nicht wahr sein!«

»Mir war so kalt.«

»Warst du heute früh in der Garage?«, fragte Marina.

Er nickte. »Ja. Aber irgendwann habe ich dort so gefroren, da bin ich um das Haus herum und habe geschaut, ob ich irgendwo hineinkomme. Na ja, und die Küchentür…«

»Du bist von zu Hause ausgerissen«, stellte Marina fest, »und ausgerechnet bei mir versteckst du dich. Hör zu, ich möchte jetzt wissen, wer…«

Er unterbrach sie. »Sind Sie Marina Dowling?«

»Ja. Aber…«

Er unterbrach sie erneut. Seine Augen saugten sich förmlich an ihr fest, und er sagte: »Ich bin Robert Hamilton. Ich bin Ihr Sohn.«

7

Der Anruf erreichte Rosanna, als sie und Marc sich bereits wieder auf den Rückweg nach London gemacht hatten. Es war später Nachmittag, und die Dämmerung legte sich über das Land. Sie waren in der Gegend von Langbury herumgefahren, hatten immer wieder Halt gemacht, waren durch Dörfer geschlendert, hatten sich umgesehen, als ob es eine Chance gäbe, der Gesuchten durch Zufall zu begegnen, und hatten versucht, mit zwei Dingen fertigzuwerden: mit der Tatsache, dass sie Elaine verpasst hatten, dass ihre eifrige, hektische Suche ins Nichts gelaufen war und dass es so aussah, als müssten sie endgültig aufgeben und sich mit einem auf ewig ungeklärten Fall abfinden. Zudem mussten sie auf irgendeine Weise mit den Gefühlen umgehen, die sie im anderen geweckt hatten und die am Strand offenbar geworden waren. Sie hatten kein einziges Mal mehr über das Geschehene gesprochen. Rosanna hatte Angst vor dem Moment, da dies passieren würde. Sie presste ihr Gesicht an die Fensterscheibe und sah hinaus in die vorüberrauschende, winterkahle Landschaft. Eines stand für sie fest: Sie durfte Marc Reeve nicht wiedersehen. Und sie musste so rasch wie möglich zurück nach Gibraltar. Dort war ihr Platz, und dort wurde sie gerade jetzt gebraucht. Elaine und ihr Schicksal waren Vergangenheit, ein Geheimnis, das sich nicht lösen ließ und das sie, Rosanna, auch nicht lösen musste. Dennis und Robert hingegen waren die Gegenwart, ihre Gegenwart.

Und was ist deine Zukunft?, fragte sie sich. Die Antwort darauf mochte sie sich nicht geben. Sie war zu gefährlich.

Sie hatten die Grafschaft bereits verlassen und fuhren Richtung York, als Rosannas Handy klingelte. Sie riss es förmlich aus ihrer Tasche. Hoffentlich war es Dennis, der ihr mitteilte, dass Robert wieder daheim war, sicher und gesund.

»Ja?«, rief sie.

»Mrs. Hamilton, mein Gott, wo sind Sie? Wo sind Sie?«

Sie erkannte die Stimme nicht gleich, wusste aber, dass es nicht Dennis war. »Wer spricht denn da?«

»Ich bin's, Brent! Brent Cadwick!«

»Oh, Mr. Cadwick. Was gibt es denn?« Aus den Augenwinkeln sah sie, dass Marc ruckartig den Kopf zu ihr wandte.

Mr. Cadwicks Stimme überschlug sich fast. »Ich habe sie! Elaine Dawson! Ich habe sie! Kommen Sie, so schnell Sie können! Beeilen Sie sich!«

Mr. Cadwicks Gesicht hatte eine ungesunde dunkelrote Farbe angenommen. Sein Blutdruck musste sich in gefährlichen Höhen bewegen. Er stand in der Eingangstür seines Hauses und trat von einem Fuß auf den anderen, als Marc und Rosanna mehr als eine Stunde nach dem Anruf bei ihm anlangten. Marc war schneller gefahren, als erlaubt, aber sie hatten zahlreiche Dörfer durchqueren müssen, in denen er das Tempo wenigstens ein bisschen hatte drosseln müssen, und einmal mussten sie tanken, weil sie sonst bestenfalls mit dem allerletzten Tropfen Benzin in Langbury eingerollt wären.

»Endlich!«, rief Mr. Cadwick aufgeregt. »Endlich! Mein Gott, wo waren Sie denn?«

»Schon fast daheim«, sagte Rosanna unwirsch. Sie traute Cadwick nicht. Der Typ brachte es fertig und zitierte sie in diese Weltabgeschiedenheit zurück, nur um ihnen dann zu erklären, Elaine sei leider schon wieder untergetaucht. »Also, Mr. Cadwick, wo ist sie? Wo ist Elaine Dawson?«

Er drohte ihr mit dem Finger. »Ich war ja eigentlich ganz schön böse auf Sie, Mrs. Hamilton! Das war gar nicht nett, heute früh einfach so davonzuschleichen, ohne sich zu verabschieden. Ich meine, gehört sich das denn?«

»Es ist Sonntag, und wir wollten Sie nicht so früh wecken«, sagte Marc. »Also, Mr. Cadwick, Miss Dawson ist wieder aufgetaucht?«

Cadwick senkte die Stimme und deutete mit dem Finger auf die Fenster seines Hauses im ersten Stock. »Da oben. Sie ist im Apartment. Ich habe sie eingeschlossen!«

Rosanna zuckte zusammen. »Eingeschlossen? Sie können sie doch nicht einfach einsperren!«

»Ja, glauben Sie, die hätte freiwillig hier gewartet, bis Sie beide endlich auftauchen?«, rief Cadwick. »Die wollte nur ihr Geld und dann gleich wieder verschwinden!«

»Welches Geld?«, fragte Marc.

»Die Kaution. Sie hatte ja noch zwei Monatsmieten Kaution bei mir hinterlegt. Die wollte sie haben. Braucht sie wohl für ihre neue Unterkunft. Na ja, und da habe ich es ganz schlau angefangen. Ich hab gesagt, oben sind noch Sachen von ihr, die hätte ich gefunden, und sie soll sie bitte abholen, und kaum war sie drinnen, habe ich schnell von außen abgeschlossen. Und dann hab ich Sie angerufen!«

»Das kann Ihnen eine Anzeige wegen Freiheitsberaubung und Nötigung einbringen«, sagte Marc.

Cadwick grinste. Er war immer noch dunkelrot im Gesicht. Dies war der Tag seines Lebens. »Die geht nicht zur Polizei. Jede Wette. Die nicht. Die hat selber zu viel Angst.«

»Können wir jetzt nach oben gehen?«, fragte Rosanna. »Wir möchten diese Frau ja nur kurz kennen lernen, dann soll sie um Gottes willen wieder ihrer Wege gehen.«

Cadwick zögerte. »Der andere Herr war auch schon oben«, nuschelte er.

Rosanna und Marc sahen einander an. »Welcher andere Herr?«

»Na, der von der Presse.«

»Von der Presse? Sie haben die Presse informiert?«, rief Rosanna.

Cadwick schien ein wenig ärgerlich. »Nein. Natürlich nicht. Die einzige Presse, mit der ich gesprochen habe, war Mr. Simon von *Cover*, und da wollte ich nur Ihre Telefonnummer haben. Nein, keine Ahnung, woher die Presse Wind von der Sache bekommen hat. Jedenfalls war da plötzlich einer.«

»Tony Harper«, sagte eine Stimme hinter ihm. Ein Mann tauchte aus dem schlecht beleuchteten Flur auf. Rosanna hätte nicht zu sagen vermocht, ob er da schon die ganze Zeit über gestanden hatte. Er trat neben Mr. Cadwick. »*Daily Mirror*. Wir haben heute Morgen einen Hinweis bekommen, dass hier eine Frau aufgetaucht ist, die seit Jahren als vermisst gilt.«

»Das gibt es doch nicht!«, sagte Rosanna fassungslos.

»Woher kam dieser Hinweis?«, fragte Marc scharf.

Harper zuckte mit den Schultern. »Lee Pearce. *Private Talk*. Die hat das irgendwie meinem Chef gesteckt. Keine Ahnung, woher sie das hatte. Jedenfalls soll ich herausfinden, ob es sich bei der Frau da oben«, er machte eine Kopfbewegung zum Stockwerk über sich, »ob es sich bei ihr um die gesuchte Elaine Dawson handelt. Deshalb schlage ich vor, wir gehen jetzt zusammen nach oben und Sie identifizieren sie. Dann verschwinde ich sofort. Ich muss mir sowieso noch ein Quartier suchen.«

»Sie glauben doch nicht ernsthaft, dass wir jetzt mit Ihnen zusammen da hinaufgehen und die Frau, die dort oben wartet, als Erstes an Sie und Ihre Zeitung verkaufen«, sagte

Marc. »Wer immer sie ist, und wie immer ihre Geschichte aussieht – es geht Sie nichts an!«

Tony grinste und tippte auf die große Umhängetasche, die an seiner linken Seite baumelte. »Ein Foto von ihr habe ich. Das heißt, wir kriegen raus, wer sie ist, so oder so. Sie könnten mir nur das Vorgehen etwas erleichtern, indem Sie mir jetzt sofort die gewünschte Auskunft geben.«

»Den Teufel werde ich tun!«, sagte Marc wütend. »Verschwinden Sie bitte! Andernfalls stehen wir die ganze Nacht hier, denn ich gehe bestimmt nicht mit Ihnen hinauf!«

Harper zuckte mit den Schultern. Er wirkte nicht einmal beleidigt. »Der Chef sagte schon, dass hier irgendetwas vertuscht werden soll. Mich stört das nicht, Mr. Reeve. Je dubioser Ihre Angelegenheiten, desto brisanter unsere Story. Wie gesagt, ich habe ein paar gute Bilder im Kasten, und was wir erfahren wollen, erfahren wir auch.« Er nickte Cadwick zu. »Wiedersehen, Mr. Cadwick. Ich suche mir jetzt hier irgendwo einen Platz zum Übernachten. Später komme ich vielleicht noch einmal zu Ihnen!«

Cadwick nickte eifrig. »Klar. Kommen Sie, wann immer Sie mögen!«

Kaum war Tony Harper in der Dunkelheit verschwunden, fuhr Rosanna zu Cadwick herum. »Sie haben Lee Pearce angerufen!«, rief sie. »Geben Sie es doch zu!«

Cadwick schüttelte den Kopf. Er wirkte tatsächlich betroffen. »Ich schwöre es, nein. Ich habe niemanden angerufen, nur Sie! Er stand heute am späten Nachmittag plötzlich vor der Tür und stellte mir eine Menge Fragen. Ich habe ihn hereingebeten, und noch während wir im Wohnzimmer saßen, kreuzte die Dawson auf. Ich setzte sie oben fest, und …« Er verstummte, peinlich berührt, wie es schien.

»… und da wollte Mr. Harper unbedingt hinaufgehen und ein Foto von ihr machen«, vollendete Marc, »und Sie

hatten nichts Eiligeres zu tun, als ihm diesen Wunsch großzügig zu erfüllen.«

»Wie ist sie denn mit mir umgegangen?«, verteidigte sich
Cadwick sofort. »Einfach abzuhauen und mich hier sitzen
zu lassen! Nach allem, was ich für sie getan habe! Das war
nicht nett! Ich bin menschlich sehr enttäuscht und …«

»Mr. Cadwick, könnten wir jetzt bitte hinaufgehen und
Miss Dawson sehen?«, unterbrach Rosanna kühl.

Während sie hinter dem Alten die Treppe hinaufstiegen,
flüsterte sie: »Was kann da passiert sein?«

Marc zuckte die Schultern. »Keine Ahnung. Nick Simon
kommt wohl nicht in Frage?«

»Nick würde nicht die Konkurrenz auf den Fall anset-
zen. Der würde selber hier auftauchen, aber nicht jemanden
vom *Daily Mirror* schicken!«

»Stimmt. Aber außer uns beiden ist er der Einzige, der
Bescheid weiß. Nein – deinem Bruder hast du es auch gesagt. Zumindest angedeutet.«

»Cedric? Der würde sich mit der Information nicht an
die Presse wenden. Niemals.«

»Wir klären das später«, sagte Marc. »Jetzt haben wir
anderes zu tun.«

Sie waren oben vor der Wohnungstür angekommen. Mr.
Cadwick schloss auf. »Bitte sehr«, sagte er leise, »treten Sie
ein. Sie kennen sich ja aus!«

Rosanna und Marc betraten die enge, dunkle Wohnung,
aus der sie sich fast zwölf Stunden zuvor heimlich und leise
auf Zehenspitzen davongestohlen hatten. Halb und halb
hatte Rosanna erwartet, eine wutschnaubende junge Frau,
Elaine oder wen auch immer, direkt hinter der Tür anzutreffen und von ihr aufgebracht zur Rede gestellt zu werden, aber niemand hielt sich im Flur auf, und es herrschte
auch völlige Stille in den Räumen.

Hoffentlich ist sie nicht inzwischen aus einem der Fenster geklettert, schoss es Rosanna durch den Kopf, aber das wäre ein halsbrecherisches Unterfangen gewesen, und sie vermochte es sich nicht recht vorzustellen.

Gefolgt von Marc, trat sie in das Wohnzimmer. Nur die Stehlampe in der Ecke brannte dort und verbreitete ein schwaches, diffuses Licht.

Auf dem Sofa saß eine Frau. Sie trug einen dicken Parka, Schal und Handschuhe, so als sitze sie nicht seit bald zwei Stunden in dem Zimmer, sondern wolle jeden Augenblick wieder gehen – was ja auch den Tatsachen entsprach. Sie wandte den Kopf, als Marc und Rosanna ins Zimmer kamen, aber sie sagte nichts, sprang auch nicht auf. Sie sah die beiden nur an. Rosanna erkannte keine Wut in ihren Augen. Keinen Zorn, nicht einmal einen Funken von Ärger oder wenigstens Verwirrung. Da war nur Resignation. Ergebenheit. Vor ihnen saß ein Mensch, zusammengekauert und still, dem nur eines noch wirklich wichtig schien: kein Aufsehen zu erregen, so unauffällig und unbemerkt wie nur möglich durch das Leben zu gehen. Die Frau hatte Angst, aber auch ihre Angst hatte ein Stadium erreicht, in dem kein Kampfeswillen mehr vorhanden war. Die Angst war längst ein Bestandteil von ihr geworden, so wenig abzulegen wie Arme oder Beine, Mund oder Nase. Die Angst flackerte nicht mehr. Sie hatte sich eingegraben und verwoben.

Und noch etwas erkannte Rosanna sofort: Bei dieser Frau handelte es sich nicht um Elaine Dawson.

8

»Ich muss deinen Vater anrufen«, sagte Marina, »er wird außer sich sein vor Sorge. Du verstehst das sicher?«

Er zuckte mit den Schultern. »Weiß nicht. Muss das sein?«, fragte er mit unglücklicher Stimme.

Sie hatte immer noch weiche Knie und zittrige Hände. Hätte ein echter Einbrecher dort oben in ihrem Zimmer gestanden, sie hätte kaum fassungsloser und entgeisterter reagieren können.

Ihr Sohn. Robert. Der Junge, den sie zuletzt gesehen hatte, als er vier Wochen alt gewesen war – ein rosiges, weiches Baby mit einem feinen Flaum von Haaren auf dem Kopf. Ein unschuldiges Wesen, das sie nicht ärgern wollte, das aber ständig schrie, wenig schlief und immerzu Hunger hatte. Das eine ganze Skala von Panikgefühlen in ihr ausgelöst und sie in tagelange, hysterische Tränenausbrüche gestürzt hatte.

Sie saßen im Wohnzimmer. Robert hatte das Feuer im Kamin entzündet, während Marina drei große Butterbrote für ihn schmierte und Kakao kochte.

Ist Kakao für einen Sechzehnjährigen überhaupt richtig?, fragte sie sich, als sie in der Küche stand, zwischendurch ihren Weißwein hinunterkippte, um ihre Nerven unter Kontrolle zu bekommen, und merkte, dass ihre bebenden Finger kaum das Brotmesser halten konnten. Vielleicht sollte ich ihm auch einen Wein anbieten? Nein, keinen Alkohol. Was trinken die jungen Leute? Cola. Aber Cola habe ich nicht im Haus.

Letztlich hatte sich der Kakao als durchaus richtig erwiesen. Robert stürzte ihn hinunter und machte sich dann halb verhungert über die Brote her.

»Meine Güte«, sagte sie, während sie ihn dabei beobachtete, »warum hast du dir im Lauf des Tages nichts aus dem Kühlschrank geholt? Du hast wohl längere Zeit nichts gegessen?«

Er schüttelte den Kopf. »Seit gestern Mittag nicht. Aber ich wollte dich nicht beklauen.«

Ich bin aber doch deine Mutter, hätte sie beinahe gesagt, aber der Satz kam ihr schrecklich falsch vor. Wie sollte Robert sie denn als Mutter empfinden? Sie empfand sich ja selbst nicht so. Im Grunde waren sie zwei Fremde, die zusammen in einem Wohnzimmer saßen und nicht wussten, was als Nächstes geschehen würde.

Sie betrachtete ihn verstohlen. Er sah Dennis recht ähnlich, zeigte sogar bestimmte Bewegungen, die sie an ihre Jugendliebe aus lang vergangenen Tagen erinnerten. Von sich selbst konnte sie nichts an ihm entdecken. Er war hübsch. Hoch aufgeschossen. Wirkte sportlich. Aber auch sehr sensibel. Scheu.

»Wie hast du mich gefunden?«, fragte sie. Es gab keinerlei Kontakt mehr zwischen ihr und Dennis, seit Jahren schon nicht mehr.

Er sah auf. »Vor ein paar Jahren habe ich mal deine Adresse auf Daddys Schreibtisch gesehen«, erklärte er, »und ich habe sie mir abgeschrieben. Einfach nur so. Und jetzt habe ich gedacht, ich schaue dort mal nach. Ich dachte, vielleicht habe ich Glück und du wohnst noch hier.«

Sie entsann sich dunkel, dass sie Dennis ihre Anschrift mitgeteilt hatte, nachdem sie Ken geheiratet hatte und in dieses Haus gezogen war. Es musste acht Jahre her sein. Kurz und bündig hatte sie ihm geschrieben, sie habe geheiratet und wohne nun unter der angegebenen Adresse. Später hatte sie sich gefragt, weshalb sie ihm das überhaupt mitteilte. Sie wollte nichts von ihm. Als Robert drei Jahre alt war, hatte er ihr zu seinem Geburtstag ein paar Fotos des Kleinen geschickt, und sie hatte ihm geantwortet, er solle das nicht mehr tun, sie wolle dieses Kapitel ihres Lebens endgültig abschließen. Daraufhin hatte Dennis sich nie mehr gemeldet. Ihr war klar gewesen, dass er sie für die gefühlloseste Mutter aller Zeiten hielt, aber sie hatte auch gewusst, dass sie mit der Tatsache, einen Sohn zu haben und ihn nicht in ihr Leben integrieren zu können, nicht anders umgehen konnte.

Acht Jahre. Robert musste die Adresse lange mit sich herumgetragen haben.

»Und du bist einfach zum Flughafen gegangen, hast ein Ticket gekauft und bist nach London geflogen?«, fragte sie. Sie fand, dies war eine erstaunlich selbstständige Handlungsweise für einen Sechzehnjährigen.

Er nickte, betont cool, aber sichtlich auch ein wenig stolz.

»So ähnlich. Ich habe ein elektronisches Ticket übers Internet gebucht. Musste ich mir am Flughafen nur noch ausdrucken lassen.«

»Wie hast du es bezahlt?«

Er sah gleich nicht mehr so selbstbewusst aus. »Mit Dads Kreditkarte. Ich gebe ihm aber alles zurück. Ich habe Geld auf meinem Sparbuch.«

»Die Karte brauchtest du dann aber am Flughafen. Das heißt, du bist mitsamt der Kreditkarte deines Vaters durchgebrannt.«

»Ich habe mir aber kein Geld mehr abgehoben. Ehrlich nicht. Ich hatte nur Angst, dass die mir kein Ticket verkaufen, wenn die sehen, dass ich erst sechzehn bin, und deshalb...« Er ließ die angefangene Erklärung unbeendet.

»Ganz schön clever«, sagte Marina, weil ihr nichts anderes dazu einfiel.

Robert schaute an ihr vorbei in die Flammen des Kaminfeuers. »Ich möchte nicht mehr zu Dad zurück. Es funktioniert nicht zwischen uns.«

»Was genau ist denn vorgefallen?«

»Eigentlich fällt dauernd etwas vor«, sagte Robert. »Er motzt nur an mir herum. Nichts findet er an mir in Ordnung. Nichts darf ich machen. Am liebsten würde er mich einsperren. Jetzt war es eine Party. Schulfeier der Abschlussklasse. Da gehen alle hin. Nur ich durfte mal wieder nicht. Weil es da Alkohol gibt, und Dad meint, ich steige hinterher mit irgendwem ins Auto und lasse mich an einen

Baum fahren. Mann, als ob ich blöd wäre!« Er blickte Marina herausfordernd an.

»Statt zur Party bist du dann zum Flughafen gefahren«, folgerte sie.

»Weil ich mir das nicht mehr gefallen lasse. Im nächsten Herbst werde ich siebzehn! Wie lange will er mich denn noch als Baby behandeln? Und außerdem ist jetzt auch noch...« Er stockte.

»Was?«, fragte Marina.

»Rosanna ist weg. Jetzt ist es gar nicht mehr auszuhalten.«

»Rosanna?«

Robert schien überrascht. »Wusstest du nicht, dass Dad geheiratet hat?«

»Nein. Nein, davon hat er mir nichts geschrieben. Aber wir hatten ohnehin keinen Kontakt.«

»Also, vor fünf Jahren war das. Und Rosanna ist wirklich klasse. Viel offener als Dad, viel großzügiger. Meistens steht sie auf meiner Seite. Sie ist wirklich cool.«

»Und warum ist sie jetzt weg?«

»Sie war früher Journalistin. Sie hat jetzt einen Auftrag in England angenommen.«

»Aber dann kommt sie doch wieder!«

Er sah sie an. »Nein. Ich glaube nicht.«

»Weshalb glaubst du das?«

»Zwischen ihr und Dad stimmt es einfach nicht mehr. Sie streiten ständig. Und Rosanna ist unglücklich in Gibraltar. Sie ist unglücklich mit Dad.«

»Vielleicht wirkt das auf dich so. Vielleicht sehen aber dein Dad und Rosanna das ganz anders. Außerdem gibt es manchmal Phasen, in denen sich ein Paar nicht so gut versteht, und später funktioniert es dann doch wieder.«

Er schüttelte den Kopf. »Nein. So ist das bei denen nicht.« Übergangslos fragte er: »Bist du verheiratet?«

»Ich bin geschieden.«

»Siehst du. Manchmal kommt es eben nicht wieder in Ordnung«, sagte Robert.

»Das war eine ganz andere Geschichte. Hör zu, Robert, wie ich schon sagte: Ich muss deinen Vater anrufen. Er muss wissen, wo du bist.«

»Aber…«

»Ich mache mich sonst strafbar.«

»Aber du bist meine Mutter.«

»Er hat aber das Sorgerecht. Abgesehen davon: Ich denke nicht, dass er es verdient hat, in solch eine Angst und Ungewissheit gestürzt zu werden. Das ist nicht in Ordnung. Ganz gleich, welche Probleme du mit ihm hast.«

Robert machte ein unzufriedenes Gesicht. »Ich möchte aber nicht zu ihm zurück.«

»Robert, du gehst doch dort zur Schule. Du hast deine Freunde da, dein ganzes Leben… du kannst nicht einfach so aussteigen. Nur weil dein Dad der Ansicht ist, du bist zu jung für Partys, auf denen Alkohol ausgeschenkt wird! Was ich, beiläufig gesagt, übrigens auch nicht so toll finde. Ich meine, Alkohol in deinem Alter. Ich bin nicht sicher, ob du bei mir größere Chancen hättest, mit so etwas durchzukommen.«

»Es ist auch… seine Art«, meinte Robert vage.

Marina konnte sich denken, was er meinte. Ihre Beziehung zu Dennis Hamilton hatte etliche Jahre gewährt. Sie kannte ihn. Er war, wie sie wusste, im Grunde ein guter Kerl, aber Diplomatie hatte nie zu seinen Stärken gehört. Er konnte sehr barsch und ruppig werden, wenn er Dinge durchsetzen wollte. Sie selbst war oft deswegen mit ihm aneinandergeraten. Für einen pubertierenden Jugendlichen war es mit Sicherheit noch viel schwerer.

»Bitte sag mir eure Telefonnummer«, beharrte sie dennoch, »ich muss ihn anrufen. Ich finde das auch über die

Auskunft heraus, aber du könntest es mir leichter machen.«

»Okay«, sagte Robert widerwillig. Dann schaute er ihr plötzlich direkt in die Augen, und sie dachte auf einmal: die Augen. Die Augen hat er von mir.

Es war, als blicke sie in einen Spiegel. Es war faszinierend.

»Kann ich hierbleiben?«, fragte er.

Sie erschrak. »Für heute Nacht?«

»Für immer.«

»Robert, ich …«

»Ich will nicht zu Dad zurück. Und ich habe sonst niemanden. Du bist meine Mutter. Ich dachte …«

»Was?«

»Ich dachte, du freust dich vielleicht, mich kennen zu lernen«, sagte Robert.

9

»Es tut uns leid«, sagte Rosanna zu Brent Cadwick. »Aber diese Frau ist nicht die Elaine Dawson, die wir suchen.«

Sie standen im Treppenhaus. Durch die Haustür, die zu schließen niemandem eingefallen war, drang beißende Kälte herein. Cadwick blickte enttäuscht drein. Die Sensation, auf die er gehofft hatte, hatte sich innerhalb weniger Sekunden in nichts aufgelöst.

Aber enttäuschter als ich kann er gar nicht sein, dachte Rosanna.

Sie fühlte sich plötzlich überwältigt von Müdigkeit – und von dem Gefühl tiefer Frustration. Sie merkte erst jetzt, wie sehr sie auf einen Erfolg gehofft hatte. Als es den Anschein hatte, dass sie die Suche abbrechen mussten, weil sie Elaine haarscharf verpasst hatten, war sie auch traurig gewesen, aber da hatte es immer noch den Gedanken gegeben: Vielleicht ist sie es. Und vielleicht gibt es doch noch eine Chance, sie zu finden.

Nun stand fest: Sie waren einer falschen Fährte gefolgt. Ein konkreter Hinweis, wundersam genug nach fünf Jahren, hatte sich als Irrtum erwiesen. Eine Frau, die zufällig denselben Namen trug und eine vage Ähnlichkeit mit der Gesuchten aufwies, mehr war es nicht. Sie standen mit ebenso leeren Händen da wie zuvor.

Das Rätsel würde sich wohl nie mehr lösen lassen.

»Aber«, sagte Cadwick trotzig, als könne er durch Hartnäckigkeit irgendetwas an den Tatsachen ändern, »diese Frau ist doch wirklich merkwürdig!«

»Das ist sie«, gab Rosanna zu. Der seltsame Blick, die Angst… mit der Frau stimmte zweifellos etwas nicht.

»Aber das macht sie noch nicht zu der von uns gesuchten Person«, sagte Marc.

»Ich hatte es gut gemeint«, sagte Cadwick.

»Wir sind Ihnen auch wirklich dankbar«, räumte Rosanna widerwillig ein.

Unschlüssig standen sie herum.

Nach London kommen wir heute nicht mehr, dachte Rosanna müde und im nächsten Moment: Ich muss es unbedingt noch einmal telefonisch bei Dennis versuchen.

Sie vernahmen schleppende Schritte und wandten sich um. Die Frau, die Elaine Dawson hieß, kam langsam aus der Wohnung.

»Ich kann dann gehen?«, fragte sie.

Rosanna wunderte sich, wie sie so demütig und fast unterwürfig sein konnte. Cadwick hatte sie eingesperrt. Er hatte zuerst einen Journalisten auf sie losgelassen und dann zwei wildfremde Menschen auf sie gehetzt, die – verwirrend und seltsam für sie – offensichtlich jemand ganz anderen vorzufinden erwartet hatten. Rosanna hätte sich kein bisschen gewundert, wenn die Fremde getobt und geschimpft, Aufklärung und sodann jede Menge Entschuldigungen verlangt hätte. Sie hätte sogar mit einer Anzeige drohen können. Stattdessen schien sie immer kleiner und unscheinbarer zu werden und keinen anderen Gedanken zu hegen als den, möglichst ohne weiteren Schaden zu nehmen aus dieser Situation herauszukommen. Sie wirkte wie ein Mensch, der sich am liebsten aufgelöst hätte. Jeder ihrer Blicke schien zu sagen: Ich bin nicht da! Vergesst mich ganz schnell. Ihr habt mich nie gesehen. Es gibt mich überhaupt nicht!

»Natürlich können Sie gehen«, sagte Rosanna anstelle von Brent Cadwick, der diese Antwort eigentlich hätte geben müssen. Er schwieg jedoch und starrte mürrisch zu Boden. »Es tut uns sehr leid, was vorgefallen ist. Sie sind das Opfer einer Namensgleichheit geworden, aber das alles hätte natürlich nie so weit gehen dürfen. Es tut mir wirklich leid.«

Die Frau sah sie an. Ihre Augen waren dunkel von Angst. »Ein Mann hat mich fotografiert«, sagte sie mit leiser Stimme. »Gehört er auch zu Ihnen?«

Rosanna schüttelte den Kopf. »Ein Journalist«, sagte sie, »wir wissen, woher er den Tipp bekommen hat, aber ich habe keine Ahnung, wo bei uns die undichte Stelle war. Ich werde versuchen, es herauszufinden, aber bislang tappe ich völlig im Dunkeln.«

Die Augen der Frau weiteten sich ein wenig. »Ein Journalist?«, fragte sie, plötzlich Atemlosigkeit in der Stimme.

»Vom *Daily Mirror*, ja. Aber...«

»Was will er? Was will er mit dem Foto?«

Rosanna spürte die aufkommende Panik bei ihrem Gegenüber. Sie legte der Fremden die Hand auf den Arm. »Vermutlich gar nichts«, sagte sie beruhigend, »denn Sie sind ja nicht die Person, um die es uns allen ging. Ihr Foto dürfte damit gar keinen Wert für die Presse haben. Selbst wenn es jemand veröffentlicht, wird sich schnell herausstellen, dass...«

»Was heißt: *wenn es jemand veröffentlicht*? Was heißt das? Heißt das, dass...«

»Wahrscheinlich wird niemand...«, setzte Marc beruhigend an, aber die junge Frau, die auf einmal nichts mehr mit der erstarrten Person zu tun hatte, die sie gerade noch gewesen war, unterbrach ihn sofort: »Wahrscheinlich? *Wahrscheinlich*? Ich kann mich nicht auf ein *Wahrscheinlich* einlassen! Ich muss sicher sein, absolut sicher, dass mein Foto nicht in einer Zeitung erscheint! Verstehen Sie? Absolut sicher!«

Sie war kalkweiß im Gesicht. »Es ist wichtig!«, rief sie. »Es ist sehr wichtig! Sie haben ja keine Ahnung...«

Und zu Rosannas Schrecken brach sie in Tränen aus, in ein lautes, verzweifeltes Schluchzen, und dann rutschte sie langsam mit dem Rücken an der Wand entlang zu Boden, krümmte sich zusammen und blieb weinend und zitternd auf den schmutzigen Dielen liegen.

Irgendwie hatten sie sie die Treppe hinunter- und ins Auto geschafft. Es war klar, dass sie sie nicht einfach liegen lassen und verschwinden konnten. Zudem hatte Rosanna den Eindruck, was immer diese junge Frau, die Elaine Dawson hieß, ihnen zu erzählen hatte, es sollte nicht in Gegenwart Brent Cadwicks geschehen. Diesem stand die Sensationsgier allzu deutlich ins Gesicht geschrieben, und man konnte nicht wissen, was er mit den Informationen anfangen würde, die er bekam. Noch immer hatte Rosanna ihn im Verdacht, Lee Pearce verständigt zu haben. Sie hatte keine Ahnung, wovor die Fremde solche Angst hatte, aber bei Brent Cadwick war ihr Geheimnis jedenfalls am schlechtesten aufgehoben.

Cadwick hatte natürlich sein Wohnzimmer angeboten und war dann, als er begriff, dass er seine Besucher nicht würde aufhalten können, in wüste Beschimpfungen ausgebrochen. Er lamentierte über mangelnde Dankbarkeit, fehlenden Respekt und die allgemeine Gefühlskälte in der Gesellschaft, aber niemand kümmerte sich darum. Marc schaffte es, die Fremde, deren Ausbruch völlige Apathie folgte, vorsichtig auf dem Rücksitz seines Wagens zu platzieren, und Rosanna setzte sich neben sie.

Cadwicks Fluchen ignorierend, starteten sie in die Nacht. Rosanna blickte angestrengt durch das Rückfenster, um sicher zu sein, dass nicht Tony Harper noch irgendwo herumlungerte und ihnen zu folgen versuchte, aber offenbar hatte sich dieser vorläufig getrollt. Es blieb jedenfalls alles still und dunkel, und so durften sie hoffen, dass außer dem tobenden Cadwick niemand ihren Aufbruch mitbekam.

Sie fuhren etwa zwanzig Minuten lang durch die Nacht, ohne dass einer im Wagen ein Wort sagte, dann bog Marc unvermittelt in einen schmalen Feldweg, der von der Landstraße abzweigte und den er im Licht der Scheinwerfer plötzlich erspäht hatte. Das Auto rumpelte ein Stück weit über Steine und andere Unebenheiten hinweg, dann hielt es an. Marc schaltete die Scheinwerfer und den Motor aus und die Innenbeleuchtung ein.

Er drehte sich zu den beiden Frauen um.

»Kein sehr idyllischer Platz, ich weiß«, meinte er entschuldigend, »aber immerhin außerhalb der Reichweite des unangenehmen Mr. Cadwick. Ich denke, ehe wir weiterfahren, sollten wir uns unterhalten. Darüber, ob Miss Dawson überhaupt mit uns fahren möchte. Oder wo wir sie absetzen sollen. Oder vielleicht...« Er zögerte kurz, fuhr dann fort: »Oder Sie sagen uns, wovor Sie solche Angst haben, Miss Dawson. Ich meine... in gewisser Weise sind wir schuld an der Sache mit dem Journalisten, auch wenn wir ihn wirklich nicht auf unserer Fährte haben wollten. Aber vielleicht können wir Ihnen helfen, falls das alles größere Unannehmlichkeiten für Sie nach sich zieht.«

Die Frau reagierte nicht. Sie starrte an ihm vorbei, abwesend, so als sei sie gar nicht da.

Rosanna griff nach ihrer Hand, stellte fest, dass diese eiskalt und schlaff war. »Miss Dawson – Elaine, vielleicht müssen wir Ihnen zuvor ein paar Dinge erklären. Wie Sie sicher schon begriffen haben, sind Sie Opfer einer Verwechslung geworden. Wir suchen händeringend eine Frau, die vor fünf Jahren verschwunden ist und die ebenfalls Elaine Dawson heißt. Mr. Cadwick hat sich aufgrund einer Fernsehsendung bei mir gemeldet und behauptet, die gesuchte Person lebe bei ihm zur Untermiete. Deshalb sind Mr. Reeve und ich von London hierhergekommen. Aber wie sich herausgestellt hat, heißen Sie zwar Elaine Dawson, aber ...«

Die Fremde reagierte nun doch. Zum ersten Mal, seit sie in Brent Cadwicks Treppenhaus weinend zusammengebrochen war, bewegte sie sich aus eigenem Willen. Sie wandte den Kopf und sah Rosanna an. Ihre Augen hatten noch immer den erschreckenden Ausdruck von Leere, aber etwas in ihr schien sich zu verändern. Ein Anflug von Leben war spürbar, der Wunsch, sich nicht länger zu verstecken.

»Ich heiße nicht Elaine Dawson«, sagte sie, und dann stieß sie plötzlich blitzschnell die Wagentür auf.

»Nicht! Hier kommen Sie nicht weit!«, rief Rosanna, die glaubte, die andere wolle davonlaufen, erschrocken.

Aber die Frau wollte nicht entkommen. Sie lehnte sich hinaus und erbrach sich auf den steinigen Feldweg, würgend und zitternd, und wieder und wieder.

Als sie fertig war, blieb sie schwer atmend sitzen, griff aber nach dem Taschentuch, das Rosanna ihr reichte, und tupfte sich damit den Mund ab.

»Entschuldigen Sie bitte«, sagte sie schließlich.

Wieder sah sie Rosanna an. »Ich heiße Pamela«, sagte sie, »Pamela Luke. Der Name *Elaine Dawson* war meine Tarnung in den letzten Jahren.« Sie griff in ihre Handtasche, kramte darin herum. Sie fand, was sie suchte, und warf es Rosanna in den Schoß: einen britischen Pass.

Rosanna schlug ihn auf und meinte, ihren Augen nicht trauen zu können.

»Das gibt es nicht!«, keuchte sie.

»Was denn?«, fragte Marc.

Fassungslos starrte sie auf das Dokument. Es war kein Zweifel möglich: das Foto, die Daten…

Sie hielt die Ausweispapiere der vermissten Elaine Dawson in den Händen.

Montag, 18. Februar

Pit Wavers war nicht mehr so viel mit Ron zusammen wie früher, und eigentlich tat ihm das leid. Er mochte ihn und hatte sich in seiner Gegenwart immer wohl gefühlt, aber er musste akzeptieren, dass dies von Seiten des anderen nicht der Fall war. Sie hatten tolle Zeiten zusammen gehabt, damals, vor Jahren hier in London, aber bestimmte Geschichten hatten Ron verärgert, und er hatte sie wohl auch nicht verstehen können.

»Du bist ja krank«, hatte er einmal zu Pit gesagt, und das hatte Pit tief verletzt. Jedem anderen hätte er für einen derartigen Ausspruch ein paar in die Fresse gehauen, aber Ron war sein Freund und genoss eine gewisse Narrenfreiheit. Er durfte sich Dinge erlauben, die für andere nie in Frage gekommen wären. Pit konnte sich allerdings niemanden vorstellen, der es gewagt hätte, ihn zu attackieren. Die meisten Menschen in seinem Umfeld hüteten sich davor, ihm ins Gehege zu kommen. Er war klein, aber stark wie ein Löwe. Wenn man ihn reizte, noch stärker. Und er verlor leicht die Kontrolle über seine Fäuste. Wenn er erst einmal begonnen hatte, einen Gegner zusammenzuschlagen, vermochte er kaum mehr aufzuhören. Es war wie ein Rausch. Er liebte die Schmerzensschreie und das Wimmern der anderen, liebte das Geräusch, wenn Rippen brachen oder Gelenke knackten. Bei fließendem Blut oder einem zerberstenden Kieferknochen bekam er fast einen Orgasmus. Und das genau war der Unterschied zu Ron. Ron ging mit seinen Feinden auch nicht zimperlich um, weiß Gott nicht, aber er blieb kalt in Herz und Hirn, wenn er einen Gegner krankenhausreif prügelte. Er war gewalttätig, aber seine Gewaltausbrüche hatten nicht den Charakter einer Orgie wie bei Pit. Pit war wie von Sinnen, wenn er ein Opfer vor sich hatte, und er geriet in Ekstase, wenn sein Ausbruch roher, wütender und undifferenzierter Gewalt in ein gezieltes *Foltern* des anderen überging. Er erlaubte sich dies nicht allzu oft – es gab auch selten die passenden Gegebenheiten –, aber wenn es dazu kam, erlebte er ein echtes Highlight. Ganz und gar würde er nie darauf verzichten können. Auch wenn ihn dies seinem Freund entfremdete. Er verstand nicht, weshalb sich Ron deswegen aufregte.

Ein bisschen mehr Toleranz, alter Junge, dachte er oft, im Grunde sind das doch Peanuts. Kein Grund, uns zu zerstreiten.

An diesem frühen Montagmorgen war er auf dem Weg zu Rons Wohnung in Islington. Lange vorbei die Zeit – leider! –, da sie beide sich eine Wohnung geteilt und eine perfekte Männer-WG gebildet hatten, garniert mit verschiedenen mal lang-, mal kurzlebigen Affären, hübschen, jungen Weibern, die lange Haare und üppige Brüste hatten und schnell kapierten, dass sie sich unterzuordnen hatten, wollten sie sich nicht mit gebrochener Nase oder ausgeschlagenen Schneidezähnen wiederfinden. Pit liebte es, Frauen einzuschüchtern. Es gefiel ihm, wenn sie flackernde Augen und Piepsstimmen bekamen. Frauen, hatte er herausgefunden, verfügten über einen weit besseren Instinkt als Männer. Er hatte selten eine Frau erlebt, die ihn, Pit, unterschätzt hätte. Mit Männern passierte ihm das ständig. Es hing mit seiner Größe von einem Meter dreiundsechzig zusammen. Die Männer glaubten, er sei ein Zwerg, ein Niemand, einer, der sich aufplusterte, hinter dem aber nichts steckte. Das hatte natürlich seinen ganz eigenen Reiz. Er war viel stärker und brutaler, als sie es je für möglich gehalten hätten, und bis sie es kapierten, steckten sie hoffnungslos im Schlamassel. Er genoss zutiefst den Moment, in dem er an ihren Gesichtern ablesen konnte, dass sie ihren Fehler begriffen und es heftig bedauerten, sich mit ihm angelegt zu haben.

London war an diesem Morgen wie immer mit tosendem Verkehrslärm erwacht, mit Millionen von Menschen, die sich über Plätze, Straßen, U-Bahnhöfe ergossen. Tausende von Stimmen, dazwischen Autohupen, kreischende Bremsen, aufheulende Motoren, Fahrradklingeln. Montags war die Stadt besonders laut, besonders voll, besonders lebendig. Herrlich, dieses hektische Leben und Treiben. Dazu noch ein leuchtend blauer Himmel, der den Frühling ankündigte. Endlich Schluss mit Schneeregen und Nebel. Nun begann die schöne Jahreszeit.

Er bog um die letzte Ecke, die ihn noch von dem Hochhaus getrennt hatte, in dessen Erdgeschoss Ron eine Wohnung hatte, und er kam auf die Minute richtig, um zu sehen, wie Ron aus der Haustür trat – die Hände auf dem Rücken, rechts und links flankiert von zwei Bullen. Ein Polizeiauto wartete bereits, daneben standen zwei weitere Beamte.

Es war nur allzu offensichtlich: Ron Malikowski, der schon jede Menge Gefängniszellen und Gerichtssäle von innen gesehen hatte, aber noch nie wirklich lange im Bau hatte schmachten müssen, wurde gerade verhaftet.

An diesem sonnigen, vielversprechenden Morgen.

Scheiße! Was war passiert?

Pit wich sofort wieder hinter die Ecke zurück, sehr schnell realisierend, dass es äußerst unklug wäre, sich dort jetzt blicken zu lassen. Automatisch griff er nach der Waffe, die in seinem Gürtel steckte und die er häufig mit sich führte, wenn er nach draußen ging, aber er zog die Hand gleich wieder zurück. Im Film hätte er jetzt wahrscheinlich wild herumgeballert und seinem Kumpel einen Fluchtweg freigeschossen, aber in Wahrheit tat man etwas so Sinnloses und Gefährliches natürlich nicht. Stattdessen überlegte er fieberhaft. Was konnte passiert sein? Weshalb setzten die Scheißbullen Ron fest? Auch wenn ihre Freundschaft nicht mehr so war wie einst, sie waren doch weitgehend über alles informiert, was der jeweils andere gerade so trieb. Genauer gesagt: in welche Art krimineller Aktivitäten er verwickelt war. Und nach allem, was Pit wusste, stand bei Ron nichts konkret an. Ron war mit den Jahren deutlich zahmer geworden, das musste man leider sagen. Er verdiente sein Geld noch immer mit Prostituierten, und es ging dabei auch um Mädchen, die aus Osteuropa eingeschleust wurden und gegen ihren Willen dem Gewerbe nachgingen. Aber schon lange hatte es keinen Neuzugang gegeben, jedenfalls nichts über Rons Verbindung. Die Frauen, die für ihn arbeiteten, hatten sich irgendwie mit ihrem Schicksal abgefunden. Für die meisten war es immer noch besser als das Leben in dem Dreck, aus dem sie kamen, jedenfalls behauptete Ron das immer. Unwahrscheinlich, dass eine plötzlich zur Polizei gerannt war und damit ihre Ausweisung riskiert hatte. Das hatte die eine oder andere mal versucht am Anfang, wenn ihr aufging, was sie in England erwartete. Dann konnten schon mal ein paar Sicherungen durchbrennen und irgendeine Verzweiflungstat geplant werden. Über die Planung war allerdings noch keine hinausgekommen. Rons Überwachungssystem war genial und lückenlos. Die Mädchen waren immer rechtzeitig aufgeflogen. Nach einer sehr intensiven Behandlung durch Ron und seine Kollegen verloren sie in der Regel die Lust, erneut einen Ausbruch zu versuchen. Sie waren dann so gefügig, dass es schon bald wieder langweilig wurde. Pit mochte es, wenn Frauen versuchten, sich zu wehren. Es machte Spaß, ihren Willen zu brechen, aber das ging naturgemäß nur dort, wo noch ein Wille vorhanden war. Frauen, die Ron in der Mangel gehabt hatte, vermochten vermutlich kaum noch das Wort zu buchstabieren.

Wenn es nicht um eine Nutte ging, worum dann?

Er hatte den finsteren Verdacht, dass es etwas mit ihm zu tun haben könnte. Mit der Geschichte wegen dieser verdammten Schlampe Linda. Himmel, war das eine scharfe Braut gewesen! Leider hatte sie den Mund nicht halten können und immerzu widersprechen müssen. Aufsässiges, kleines Ding. Irgendwann war er in Wut geraten... Eigentlich hatte er ihr nur eine kleine Abreibung verpassen wollen, aber die Sache war aus dem Ruder gelaufen. Er hatte in der Zeitung gelesen, dass man ihre Leiche gefunden hatte.

Gab es einen Zeugen, der sie mit Ron gesehen hatte? Die beiden waren ein paar Mal zusammen unterwegs gewesen.

Pit fluchte leise, aber ausgiebig.

Ron mochte so etwas wie ein Freund sein, aber den Kopf würde er für Pit nicht hinhalten. Wenn sie ihm die Sache mit Linda anzuhängen versuchten, würde er ohne Skrupel erklären, wie es wirklich gewesen war. Und das bedeutete, dass er, Pit, damit rechnen musste, dass die Bullen vielleicht schon in den nächsten Stunden bei ihm aufkreuzten.

Besser, er ging gar nicht erst nach Hause.

Aber wohin dann? Verdammte Scheiße! Wenn er wenigstens wüsste, was genau los war! Vielleicht wagte er sich ganz umsonst nicht in seine Wohnung zurück. Andererseits war das Risiko zu hoch, es einfach darauf ankommen zu lassen.

Verflixt noch mal! Wenn es um Linda ging, hatte er ein ernstes Problem.

Er hatte noch nicht gefrühstückt und eigentlich damit gerechnet, bei Ron einen schönen, starken Kaffee zu bekommen, aber das wurde ja nun nichts. Er ging in das nächste *Starbucks*, bestellte einen Cappuccino, setzte sich in eine warme Ecke und überlegte erst einmal. Für mindestens zwei, besser drei Tage durfte er sich nicht in der Nähe seiner Wohnung blicken lassen, das stand fest, und das war höchst ärgerlich – zumal er ja auch nichts mitgenommen hatte. Es gab Kumpels, bei denen er vorübergehend sein Quartier aufschlagen konnte, aber am besten wäre es, ihm fiele jemand ein, den Ron nicht kannte. Man wusste ja nicht, wie viele Namen sein Freund hinausposaunen würde, wenn es darum ging, seinen eigenen Arsch in Sicherheit zu bringen.

So ein Mist! So ein verdammter, überflüssiger Mist.

Er trank ein paar Schlucke von seinem Kaffee, genoss die Wärme in seiner Kehle. Vielleicht sollte er einmal die heutige Zeitung durchforsten, am Ende stieß er auf etwas, das ihm Aufschluss gab. Er ging zur Theke, nahm einen *Daily Mirror* vom Stapel und zog sich damit wieder an seinen Platz zurück.

Der Mord an Linda, an dessen grausigen Umständen sich die Presse in den letzten Tagen mit wahrer Wollust aufgegeilt hatte, war von der Titelseite verschwunden. Genau genommen entdeckte Pit trotz aufmerksamen Blätterns in der ganzen Zeitung nicht eine einzige Notiz mehr zu dem Thema. Was natürlich nicht hieß, dass die Polizei nicht mit Hochdruck nach dem Täter fahndete oder vielleicht sogar schon sehr konkrete Spuren verfolgte. Schließlich teilten sie nicht alles der Presse mit.

Er war nicht schlauer als vorher. Außer in der Hinsicht, dass offenkundig kein neues Delikt vorlag, mit dem Ron in einem Zusammenhang stehen konnte. Was die Wahrscheinlichkeit erhöhte, dass es um Linda ging.

Er blätterte lustlos in der Zeitung herum – und erstarrte plötzlich.

»Das gibt es doch gar nicht«, murmelte er halblaut.

Es war eine ausgesprochen schlechte Fotografie, die ihm vom unteren Drittel der Seite entgegensprang, zu dunkel, grobkörnig und etwas unscharf, und doch hätte er das gezeigte Gesicht unter Tausenden erkannt. Trotz der Jahre, die vergangen waren. Trotz der miserablen technischen Qualität des Bildes.

Und obwohl die Frau auf dem Foto einiges versucht hatte, ihr Aussehen zu verändern. Ihre Haare waren dunkel, nicht mehr blond; einst taillenlang, waren sie jetzt zu einem kurzen Pagenkopf geschnitten. Einfache Kleidung, kein Make-up, soweit sich das beurteilen ließ. Jedenfalls war sie das Gegenteil von einem Vamp. Sie sah eher aus wie eine biedere Hausfrau aus irgendeiner mittelenglischen Kleinstadt. Nur dass sie trauriger schien, als es Hausfrauen üblicherweise waren, trostlos und angstvoll.

Und dazu, dachte er, hat sie verdammt jeden Grund.

Es war Pamela. Hundertprozentig sicher seine Pamela. Nie würde er diesen großen, vollen Mund vergessen. Diese absolut perfekt geformte Nase. Sie war eine Schönheit gewesen. Und sie konnte es wieder sein, wenn sie aufhörte, sich in diese Unscheinbarkeit zu verkriechen.

Komisch. Er hatte immer gewusst, dass er sie eines Tages finden würde. Dass er sie nun sogar in einer der größten Tageszeitungen Englands präsentiert bekam…

Aufmerksam las er den kurzen Artikel und wunderte sich ein wenig. Offensichtlich gab sich Pamela als *Elaine Dawson* aus und lebte in einem winzigen Dorf namens Langbury in Northumberland.

Northumberland! Dieser fleischgewordene Männertraum dort oben im Norden, im hintersten Winkel der Welt… unfassbar!

Wenn er den Text richtig verstand, war eine Frau namens Elaine Dawson vor fünf Jahren unter mysteriösen Umständen verschwunden, und der Mann, der mit ihrem Verschwinden in einen Zusammenhang gebracht wurde, jedwede Verantwortung jedoch bestritt, hatte nun geglaubt, sie aufgrund eines Hinweises aus der Bevölkerung in Langbury entdeckt zu haben. Was sich als Irrtum erwiesen hatte. Die Zeitung sprach von einer zufälligen Namensgleichheit.

Pit grinste. Nein, der Fall lag anders, aber das wussten die Heinis von der Presse natürlich nicht. Pamela lebte ganz einfach unter falschem Namen.

Der Typ, dem es so heftig um eine Aufklärung des Falls ging, ein Rechtsanwalt namens Marc Reeve aus London, wurde in seinen Bemühungen von einer Journalistin unterstützt, einer Rosanna Hamilton, die es sich, so der *Mirror* wörtlich, »zur Aufgabe gemacht hat, die Unschuld eines Mannes zu beweisen, dessen Leben seit Jahren unter dem Schatten eines hässlichen Verdachts steht – und der ihr wohl privat auch schon längst nicht mehr gleichgültig ist«. Der *Mirror* äußerte im Anschluss sehr subtil formuliert, aber zwischen den Zeilen durchaus erkennbar, dass Reeve und Hamilton möglicherweise gehofft hatten, die falsche Elaine Dawson als die richtige auszugeben, um ein für alle Mal klarzustellen, dass die Vermisste keineswegs einem Verbrechen zum Opfer gefallen war, sondern stillvergnügt im Norden Englands lebte. Dank der Wachsamkeit der Medien konnte dieses Vorhaben aber nun natürlich nicht gelingen.

Gute Story, dachte Pit, möchte nur mal wissen, wie der *Mirror* Wind davon kriegen konnte. Egal. Was mache ich jetzt damit?

Auf der Hand hätte es gelegen, sofort nach Langbury in Northumberland durchzustarten. Wenn er schon nicht in seine Wohnung konnte, wäre ein Trip hinauf bis fast nach Schottland nicht das Schlechteste, um die Zeit zu überbrücken. Und eine Sache zu Ende zu bringen, von der er stets gewusst hatte, dass er sie zu Ende bringen *musste*, wenn er nicht eines Tages mit einer offenen Rechnung sterben wollte.

Was sie mit ihm gemacht hatte, hatte noch keine Frau gewagt. Sie musste begreifen, dass es ein Fehler gewesen war, ihn hinters Licht zu führen und dann der großen Blamage auszusetzen. Einem Mann wie ihm brannte keine Frau durch. Und wenn doch, dann bezahlte sie dies teuer. Was Pamela zweifellos bewusst war, daher die gefärbten Haare, der falsche Name, der abgelegene Ort und dieser angstvolle Blick, mit dem sie in die Kamera eines Reporters gestarrt hatte. Er grinste. So ein Pech für das arme Ding! Sie hatte sich so gut versteckt und sich wahrscheinlich schon recht sicher gefühlt. Aber dann war sie – durch ungünstige Zufälle vermutlich – mit dieser Jahre zurückliegenden Vermissten-Geschichte konfrontiert worden und nun in der Presse gelandet. Eine Randnotiz, die niemanden wirklich interessieren dürfte.

Außer ihm. Und zwar brennend.

Am liebsten wäre er sofort Richtung Norden losgebrettert, aber er zwang sich, erst einmal vernünftig zu überlegen. Pamela war ein Miststück, aber sie war nicht blöd. Sie wusste, dass sie aufgeflogen war und dass sie sich in der Zeitung wiederfinden würde, und sie würde kaum das Risiko eingehen, in Langbury zu sitzen, bis Pit seinen Weg dorthin gefunden hatte. Wahrscheinlich hoffte sie aus tiefstem Herzen, dass er die entsprechende Meldung nicht las oder sie zumindest auf dem Foto nicht erkannte, aber sie würde sich auf diese Möglichkeit kaum verlassen. Sie wusste zu gut, was sie erwartete, wenn er ihr erst einmal gegenüberstand.

Sicher hatte sie dem Dorf schon jetzt den Rücken gekehrt.

Nur – wohin war sie gegangen?

Wenn er nicht wahllos in Northumberland herumsuchen wollte – ohne sicher sein zu können, dass sie sich in der Grafschaft überhaupt noch aufhielt –, musste er die einzigen Anhaltspunkte nutzen, die er hatte. Das waren dieser Marc Reeve und seine tapfere Streiterin Rosanna Hamilton. Reeve war Anwalt in London, es würde ein Leichtes sein, ihn ausfindig zu machen. Vielleicht würde sich darüber eine Möglichkeit ergeben. Am Ende hatten er und die Hamilton seine Pamela sogar im Schlepptau.

Er trank den letzten Schluck Kaffee, faltete die Zeitung zusammen und schob sie in die Innentasche seiner Jacke. Er fühlte sich von frischen Kräften durchströmt und guten Mutes. Durch Rons Verhaftung hatte der Tag beschissen angefangen, aber jetzt war ein Licht am Ende des Tunnels aufgetaucht.

Leise vor sich hin pfeifend, verließ er den Coffee-Shop und fädelte sich wieder in den Menschenstrom des frühmorgendlichen London.

Während er versuchte, Reeve ausfindig zu machen, würde er sich nebenher ausmalen, was er mit Pamela anstellte, wenn er sie erst hatte.

Das Leben konnte so amüsant sein!

2

Während Marc Kaffee kochte, sah sich Rosanna unauffällig ein wenig in seiner Wohnung um. Zwei Zimmer, eine Küchenzeile, ein Bad – mehr gab es nicht, aber das war vermutlich auch ausreichend für einen Mann, der allein lebte und mindestens zwölf Stunden am Tag in seinem Büro verbrachte. Im Wohnzimmer hing ein Aquarell an der Wand, das ein Segelschiff vor einer steinernen Hafenmauer zeigte. Am rechten unteren Rand entdeckte Rosanna die Buchstaben J.R. Jacqueline Reeve. Ihr fiel ein, was Mrs. Hall, die einstige Nachbarin der Reeves, erzählt hatte: dass Jacqueline eine talentierte und bekannte Malerin war. Das Bild war sehr schön, aber auch sehr düster. Seltsam, dass Marc ein Bild, das seine Exfrau gemalt hatte, so exponiert aufhängte, aber das zeigte wohl nur, dass er in der Lage war, über den Dingen zu stehen. Zudem hatte sie nicht den Eindruck gehabt, dass Hass oder auch nur Abneigung in seiner Stimme schwangen, als er über Jacqueline und ihrer beider gescheiterte Ehe sprach. Eher Traurigkeit. Es schien ihm nicht um Schuldzuweisungen zu gehen. Vielleicht war das einmal so gewesen, aber er hatte dieses Stadium hinter sich gelassen. Trotz des Verlustes seines Sohnes – und sie hatte spüren können, wie tief dieser Stachel in ihm steckte und wie sehr er schmerzte – konnte er die Dinge sachlich und vernünftig einordnen.

Bis auf das Bild gab es wenig Persönliches zu entdecken. Eher gar nichts. Keine Bücher, keine CDs. Keine gerahmten Fotografien oder irgendwelche Dekorationsstücke. Nicht einmal eine Pflanze auf dem Fensterbrett. Typisch vielleicht für einen Mann, der den Beruf zu seinem Lebensmittelpunkt gemacht hatte. Ob er irgendwo ein Bild seines Kindes stehen hatte? Vielleicht im Schlafzimmer. Rosanna konnte nur durch die halb geöffnete Tür in diesen Raum spähen, hineinzugehen traute sie sich nicht. Sie sah ein Doppelbett, über das ein wenig achtlos und verrutscht eine dunkelgraue Tagesdecke gebreitet war, und daneben einen Stapel Zeitungen auf dem Fußboden. Mehr vermochte sie nicht zu erkennen.

Sie hatten die völlig apathische Pamela Luke auf das Sofa gesetzt, wo sie in genau der Haltung verharrte, in der sie platziert worden war. Rosanna musste an ein verletztes Kätzchen denken, das sie einmal gefunden und mit nach Hause genommen hatte. Das Tier war so elend und erschöpft gewesen, dass es immer in exakt der Position verblieb, in der es Rosanna absetzte. Die Energie, auch nur eine Pfote um einen Millimeter zu bewegen, hatte es nicht mehr gehabt. Trotz aller Bemühungen war es schließlich gestorben.

Auf der nächtlichen Fahrt nach London hatte Pamela kein Wort mehr gesprochen, und Rosanna hatte schließlich die Fragen nach Elaines Reisepass aufgegeben und auf einen späteren, günstigeren Zeitpunkt gehofft. Pamela hatte nur noch eine einzige, heftige Reaktion gezeigt: Als Marc sie gefragt hatte, ob man sie nach Hause bringen könne, hatte sie entsetzt aufgeschrien. »Nein! Nein, um Gottes willen! Nein! Ich muss hier weg!«

»Aber Ihre Sachen«, hatte Rosanna eingewandt. »Sie müssen doch...«

»Ich will weg! Bitte bringen Sie mich hier weg!«

»Dann nehmen wir Sie mit nach London«, hatte Marc schließlich entschieden, »aber dort müssen Sie uns ein paar Dinge erklären, Miss Luke. Die Sache ist wirklich wichtig für uns.«

Pamela hatte den Kopf gegen die Autofensterscheibe gelehnt und sich in undurchdringliches Schweigen gehüllt.

Sie waren durch die Nacht gefahren, hatten nichts als Dunkelheit erkannt und die Lichter entgegenkommender Autos. Rosanna und Marc hatten ebenfalls geschwiegen. Irgendwann war Marc auf einen Rastplatz gefahren.

»Ich brauche eine kurze Pause. Ich will nicht am Steuer einschlafen.«

Er und Rosanna waren in die zu dem Rastplatz gehörende Gaststätte gegangen, die über Nacht geöffnet hatte. Pamela reagierte nicht auf ihre Bitten und Aufforderungen, sie zu begleiten. Sie blieb einfach sitzen, den Kopf noch immer an die Scheibe gepresst. Aber sie schlief nicht. Ihre Augen waren weit aufgerissen.

Rosanna äußerte die Sorge, sie könne die Gelegenheit nutzen, sich aus dem Staub zu machen, aber Marc hielt das für unwahrscheinlich.

»Sie ist viel zu erschöpft. Und sie weiß auch, dass sie von hier aus nirgendwohin kommt. Lass sie einfach in Ruhe. Wahrscheinlich braucht sie den Abstand zu uns und überhaupt zu allem und jedem.«

Die Gaststätte war leer, schlecht beleuchtet, und die Frau hinter der Theke hatte ein Pferdegebiss und war äußerst mürrischer Laune. Immerhin gab es einen ganz anständigen, recht starken Kaffee. Rosanna und Marc setzten sich an einen der Plastiktische. Jemand hatte *I love Jeremy forever* mit grünem Filzstift auf die Platte geschrieben.

Rosanna hatte Elaines Ausweis nicht an Pamela zurückgegeben. Sie zog ihn aus ihrer Tasche. »Umsonst war der Weg nach Langbury nicht«, sagte sie, »denn nun haben wir eine echte Spur. Elaines Pass. Es ist nicht zu glauben. Allerdings bin ich, ehrlich gesagt, verwirrter als zuvor!«

»Bist du denn ganz sicher, dass es sich wirklich um Elaines Pass handelt?«, fragte Marc. Er war blass und hatte gerötete Augen vor Müdigkeit, aber in seiner Stimme schwang ein Vibrieren, das verriet, wie angespannt und zugleich erregt er war.

Sie schlug ihn auf. »So viele zufällige Übereinstimmungen kann es nicht geben. Elaine Susan Dawson. Das ist ihr vollständiger Name. Geboren am 1. August 1979. Auch das stimmt. Geboren in Taunton, Somerset. Ebenfalls ein Treffer.« Sie schloss das Dokument. »Noch Zweifel? Und das Foto zeigt ebenfalls einwandfrei meine Elaine. Nein, Marc, es ist gar keine Frage, wir haben hier ihren Pass vor uns liegen. Wenn wir jetzt noch herausfinden, wie er in den Besitz dieser seltsamen Pamela Luke geraten ist, dürften wir der Lösung des Rätsels schon wesentlich näher sein.«

»Sie wird es uns erzählen«, meinte Marc, »die Frage ist nur, wie bald? Sie scheint mir vollkommen traumatisiert zu sein. Vor irgendetwas hat sie entsetzliche Angst, und das lässt sie immer wieder verstummen. Eigentlich müssten wir mit ihr und diesem Ausweis sofort zur Polizei gehen.«

»Wir dürfen ihr nicht das Gefühl geben, sie könne uns nicht vertrauen. Sonst sagt sie nie wieder ein Wort. Wir sollten sie erst einmal irgendwohin bringen, wo sie sich ausruhen kann.«

»Dann schlage ich vor, wir fahren zu mir«, sagte Marc. »Meine Wohnung ist still und leer, und sie kann dort zu sich kommen. Aber unser Rückzug mit ihr kann nur vorübergehend sein, hörst du? Die Sache muss zur Polizei. Ich will nicht am Ende noch den Verdacht an mir kleben haben, ich hätte versucht, irgendwelche Beweise oder Spuren zu unterschlagen. Ich will mit absolut offenen Karten spielen.«

Sie nickte. »Natürlich. Das ist doch klar. Ich finde es nur nicht geschickt, jetzt mit ihr ohne Umweg in ein Polizeirevier zu marschieren. Ich könnte mir vorstellen, dass sie unter der Befragung eines Beamten keinen Ton mehr von sich gibt.«

»Und dann würde ich wirklich gern herausfinden, wer Lee Pearce auf uns gehetzt hat«, sagte Marc. »Dieser Tony Harper könnte ein Zeitproblem für uns darstellen, Rosanna. Wenn seine Geschichte – wie auch immer aufbereitet – öffentlich wird, bevor wir bei der Polizei waren, haben wir schon schlechte Karten.«

»Also dann«, sie schob ihren Becher weg und stand auf, »lass uns weiterfahren. Wir sollten schnellstens in London ankommen.«

Sie hatten die Außenbezirke der Hauptstadt in den frühen Morgenstunden erreicht, waren trotzdem bereits in zahlreiche Staus geraten. Es wurde acht Uhr, bis sie Marcs Wohnung, die sich in einem modernen, fantasielosen Mehrfamilienhaus befand, betraten. Alle drei waren sie übernächtigt, hatten steife Gelenke und brennende Augen. Rosannas

Sehnsucht nach einer Dusche wurde fast übermächtig. Sie hatte sich selten so schmuddelig, ungepflegt und unattraktiv gefühlt. Marcs Anwesenheit und die beklemmenden Gefühle, die er in ihr auslöste, vergrößerten noch ihr Unbehagen.

Er kam aus der Küchenecke mit einem Tablett, auf dem eine große Kaffeekanne, drei Tassen, eine Zuckerdose und ein Milchkännchen standen. »Eine erste Stärkung«, sagte er. »Wie ist es, soll ich rasch über die Straße zum Bäcker gehen und ein paar Muffins holen?«

Rosanna löste sich von der Betrachtung der Wohnung und von dem Versuch, aus ihrer Einrichtung Rückschlüsse auf den Charakter ihres Bewohners zu ziehen. »Ich gehe. Bleib du bei Pamela und flöße ihr ein bisschen Kaffee ein, wenn es geht!«

Als sie mit einer großen Tüte voll frischer und köstlich duftender Blaubeermuffins zurückkehrte, hatte sich Pamela immerhin aus ihrer Sofaecke bis zum Esstisch bewegt, dort niedergelassen und begonnen, an ihrem Kaffee zu nippen. Ihre Wangen hatten einen Hauch von Farbe bekommen.

Marc saß ihr gegenüber. Es sah nicht so aus, als hätten die beiden in der Zwischenzeit einen regen Gedankenaustausch gepflegt, wie Rosanna frustriert feststellte. Sie hoffte, dass Pamela sich ihnen nun schnell anvertrauen und vor allem dabei mit offenen Karten spielen würde.

Sie legte die Muffins in einen dafür bereitstehenden Korb, setzte sich ebenfalls an den Tisch und rührte einen Löffel Zucker in ihren Kaffee.

Dann sah sie Pamela sehr ernst an.

»Pamela, wir wollen Sie nicht bedrängen. Aber es ist ungemein wichtig für uns, dass Sie uns erklären, wie Sie an den Pass meiner Freundin Elaine gekommen sind. Bitte. Und leider haben wir für all das nicht allzu viel Zeit.«

Pamela setzte ihre Kaffeetasse ab.

»Nein«, bestätigte sie, »wir haben nicht allzu viel Zeit. Wenn dieser Reporter mein Foto veröffentlicht, wird Pit alle Hebel in Bewegung setzen, um mich zu finden. Und dann wird er mich umbringen.«

Sie sagte dies voller Angst, aber zugleich mit einer ungeheuren Selbstverständlichkeit, die angesichts des Inhalts ihrer Aussage schockierend wirkte.

Rosanna und Marc starrten sie entsetzt an.

»Umbringen?«, fragte Rosanna, während Marc gleichzeitig wissen wollte: »Wer ist Pit?«

Pamela beantwortete Marcs Frage zuerst.

»Er ist ein Psychopath. Ein Killer. Der gefährlichste Mensch, den ich kenne. Er hat bereits eine Frau ermordet. Und mit mir wird er das auch machen. Er ist krank.«

»Er hat eine Frau ermordet?«, wiederholte Marc. »Und er will Sie töten? Warum, um Himmels willen, sind Sie denn nicht zur Polizei gegangen? Ich meine, mit diesem Wissen…«

Pamela unterbrach ihn. Sie lächelte. Das Lächeln war zwar nicht glücklich, aber es enthüllte die Tatsache, dass es sich bei Pamela Luke um eine ungewöhnlich attraktive Frau handelte – wie Rosanna verwundert bemerkte. Anders zurechtgemacht, hätte sie als Fotomodell arbeiten können. Sie hatte nur all ihre Energie darauf verwandt, wie eine graue Maus auszusehen.

»Bei Männern wie Pit«, sagte sie, »kann einem die Polizei nicht helfen.«

»Wenn ihm ein Mord nachzuweisen ist, wird er zumindest auf Jahrzehnte weggesperrt«, sagte Marc.

»Und wenn ihm der Mord nicht nachzuweisen ist?«, gab Pamela zurück. »Mr. Reeve, Sie wissen doch, wie die Dinge laufen. Das Opfer interessiert niemanden. Das mögliche nächste Opfer erst recht nicht. Verständnis und Interesse gebühren stets dem Täter. Selbst wenn sie einen Mörder wegsperren, dann kommt er frühzeitig wieder nach draußen, weil sich garantiert irgendein Psychologe findet, der ihm völlige Resozialisierung bescheinigt. Er macht sich durch die sogenannte gute Führung beliebt, und niemand kann in ihn hineinschauen und wissen, ob das nicht alles nur eine perfide Strategie ist. Vor Pit wäre ich in meinem ganzen Leben nicht mehr sicher gewesen. Es konnte für mich nur ein Untertauchen geben, sonst nichts.«

»Diese Frau, von der Sie sagen, Pit habe sie umgebracht«, begann Rosanna, »könnte es sein, dass...«

»Was?«

»Dass es sich um Elaine Dawson handelte?«

Pamela schüttelte den Kopf. »Nein. Ich kannte die Frau. Jane French. Eine Prostituierte. Mit Sicherheit nicht Ihre Elaine Dawson.«

»Ich begreife das alles immer noch nicht«, sagte Marc, »woher haben Sie denn nun diesen Pass?«

»Den habe ich in Rons Wohnung gefunden. Und an mich genommen. In der Hoffnung, ihn einmal benutzen zu können.«

»Wer ist Ron?«

»Ron Malikowski. Pits bester Freund. Die beiden steckten immer zusammen.«

»Und was ist dieser Ron für ein Typ?«, fragte Rosanna.

»Ein Zuhälter. Rücksichtslos und äußerst brutal. Aber nicht krank, so wie Pit. Er ist kein Psychopath, er ist einfach nur ein skrupelloser Typ, der Frauen benutzt, um zu Geld zu kommen. Er und seine Leute machen Frauen, die aus dem Gewerbe aussteigen wollen, durch stundenlange Vergewaltigungen gefügig. Ich glaube aber nicht, dass er jemals jemanden umgebracht hat. Mit Mord will er nichts zu tun haben.«

»Und bei ihm haben Sie Elaines Pass gefunden?«, vergewisserte sich Rosanna. »Was, um alles in der Welt, kann Elaine mit einem Zuhälter zu tun gehabt haben?«

Pamela zuckte die Schultern. »Wahrscheinlich schafft sie für ihn an. Den Mädchen werden dort die Papiere abgenommen. Allerdings sind sie normalerweise so sicher verwahrt, dass niemand an sie herankommt. Elaines Ausweis lag in einer Schublade in Rons Schlafzimmer. Das wunderte mich, aber ich hielt es für eine Schlamperei, ein Versehen. Und erkannte meine Chance.«

Rosanna schwirrte der Kopf. Sie dachte an Elaine, ihre kleine Elaine Dawson aus Kingston St. Mary. Als Prostituierte? Das war nicht absurder, als wenn sie sich die Queen in dieser Rolle vorzustellen versucht hätte.

»Elaine würde doch niemals auf den Strich gehen«, sagte sie fassungslos.

»Wenn sie gezwungen wird, bleibt ihr vielleicht nichts anderes übrig«, sagte Marc. »Und dieser Malikowski scheint sich ziemlich rabiater Methoden zu bedienen, um seine Wünsche durchzusetzen.«

»Aber wie sind die beiden zusammengekommen? Du hast sie in die U-Bahn Richtung Flughafen gesetzt. Wurde sie dort von ihm angesprochen? Am Flughafen? Oder hatte sie aus irgendeinem Grund beschlossen, nun doch nicht nach Gibraltar zu fliegen, und befand sich auf dem Heimweg nach Kingston St. Mary, als sie ihm in die Arme lief?«

»Man kann in jede Richtung spekulieren«, sagte Marc. »Schließlich gibt es ja noch Mr. X – den großen Unbekannten. Elaines Freund, den sie mir gegenüber erwähnte. Vielleicht war das dieser Typ.«

»Mit so jemandem hätte sich ein Mädchen wie Elaine nicht eingelassen. Ihre Mutter hat sie vor Männern immer gewarnt. Sie hat wirklich Sittenstrolche gewittert, wo gar keine waren.«

»Aber gerade solchen Mädchen passieren leicht die

schlimmsten Irrtümer«, meinte Marc, »denn sie sind zwar voller Ängste und Vorbehalte, aber zugleich komplett unerfahren. Wenn ein Mann sich nur ein bisschen darauf versteht, kann er sie leicht hinters Licht führen. Ihr Vertrauen gewinnen und leider Gottes sogar ihr Herz erobern. Bis sie merkt, an wen sie da geraten ist, sitzt sie bereits in der Falle.«

Rosanna nickte. Sie wusste, dass er recht hatte. Es konnte durchaus so geschehen sein.

Sie wandte sich wieder an Pamela, die der Unterhaltung reglos gefolgt war.

»Pamela, es wäre wirklich wichtig, dass Sie mit uns zur Polizei gehen«, sagte sie fast flehentlich. »Sehen Sie, es ist jetzt zu umständlich, alles zu erklären, aber Marc Reeve wurde im Zusammenhang mit Elaines Verschwinden eines möglichen Verbrechens verdächtigt. Es kam nicht zur Anklage, und ihm konnte nie auch nur die kleinste Kleinigkeit nachgewiesen werden, aber bis heute liegt dieser… Schatten über ihm und seiner Familie. Wenn endlich herauskäme, was tatsächlich mit Elaine passiert ist, könnte er ein ziemlich dramatisches und sehr unerfreuliches Kapitel in seinem Leben endlich abschließen.«

Pamela starrte sie an, fast ungläubig. »Er wurde verdächtigt?«, fragte sie mit einer Kopfbewegung in Richtung Marc. »Meine Güte, wie absurd. Er ist überhaupt nicht der Typ. Rosanna, leider weiß ich nicht, was geschehen ist, aber ganz offensichtlich ist diese Elaine auf irgendeine Weise entweder mit Ron oder mit Pit oder mit allen beiden in Kontakt gekommen. Und das ist, so leid es mir tut, ein verdammt schlechtes Zeichen. Wenn sie überhaupt noch lebt, dann steckt sie zumindest bis zum Hals in der Scheiße, und das schon seit Jahren. Darauf können Sie wetten!«

3

Nachdem der erste Schritt getan war, hatte Pamela ihre ganze Geschichte erzählt. Mit einer monotonen Stimme, mit einem seltsam abwesenden Ausdruck in den Augen.

Sie erzählte Ungeheuerliches, und als sie fertig war, sprachen minutenlang weder Marc noch Rosanna auch nur ein Wort. Rosanna war wie vor den Kopf geschlagen. Sie fühlte sich wie in einem schlechten Traum und dachte, dass jeden Moment jemand kommen und sie aufwecken müsse.

Schließlich war es dennoch sie gewesen, die das lastende Schweigen brach.

»Ich brauche jetzt unbedingt eine Dusche«, hatte sie gesagt, und irgendwie hatte dieser Satz, der so gar nicht zu dem zuvor Gehörten passen wollte, den Bann gebrochen, der über allen dreien lag.

Marc hatte angeboten, Rosanna zu ihrem Hotel zu bringen, aber sie hatte den Kopf geschüttelt. »Bleib du bei Pamela. Ich nehme ein Taxi.«

Natürlich hätte sie auch bei Marc duschen können, aber sie brauchte unbedingt frische Wäsche, neue Kleider, ihr Make-up. Es waren achtundvierzig Stunden vergangen, in denen sie sich nicht hatte zurechtmachen können und in immer denselben Sachen gesteckt hatte – sogar während der Nächte. Sie wäre notfalls zu Fuß zu ihrem Hotel gelaufen, nur um endlich aus ihren Klamotten herauszukommen.

Sie hatte Pamela angeboten, sie mit zu sich zu nehmen, aber bei dem Gedanken an ein großes Hotel und an eine Lobby voller Menschen war Pamela schon wieder zurückgezuckt. »Nein. Nein, lieber nicht. Ich bleibe hier.«

In Marcs stiller Wohnung schien sie ein wenig Sicherheit zu empfinden.

Es war Marc gelungen, zwei Termine vom Vormittag auf den Nachmittag zu verschieben, aber er sagte, dass er spätestens um halb zwölf in sein Büro würde fahren müssen. Seine Sekretärin war noch immer krank, und es warteten Berge von Arbeit auf ihn.

»Bis dahin bin ich zurück«, sagte Rosanna, »entweder gelingt es mir dann, Pamela mitzunehmen, oder ich bleibe hier bei ihr. Nur allein sollte sie im Moment nicht sein. Am Ende taucht sie sonst irgendwo in London unter oder springt in die Themse, oder tut sonst etwas Unberechenbares. Es geht ihr psychisch sehr schlecht – und das ist, weiß Gott, kein Wunder!«

Marc hatte sie hinunter auf die Straße begleitet, nachdem sie das Taxi bestellt hatten.

»Aber du weißt, dass wir zur Polizei müssen«, sagte er, als sie unter vier Augen sprachen, »sie kann jetzt nicht tagelang entweder in meiner Wohnung oder in deinem Hotel sitzen, und wir halten all das zurück, was sie uns erzählt hat. Ich kann mir so etwas schon allein wegen meines Berufs nicht leisten. Sie muss eine Aussage machen, es bleibt ihr nichts anderes übrig.«

Rosanna nickte. »Ich werde mit ihr sprechen, wenn ich zurück bin. Sie wird es schon verstehen.«

Sie standen einander gegenüber. Der Tag war noch kalt, aber wieder ging eine strahlend helle Sonne auf.

Marc streckte die Hand aus, berührte sacht mit dem Finger Rosannas Wange. »Es war etwas sehr Besonderes mit dir in Northumberland«, sagte er leise. »An diesem Strand. Es war ein sehr besonderes Gefühl.«

Sie wusste, dass sie mit dem Feuer spielte, wenn sie sich auf ein Gespräch dieser Art überhaupt einließ, aber sie fragte dennoch zurück: »Und jetzt? Jetzt, hier in London, ist kein besonderes Gefühl mehr da?«

Er überlegte. Sie hatte nicht den Eindruck, dass er seine

Antwort einfach nur so dahinsagte. Es war kein Geplänkel, das zwischen ihnen stattfand.

»Mein Gefühl hat sich nicht verändert«, sagte er schließlich, »aber ich versuche, gut darauf aufzupassen. Ich weiß nicht, was sein wird. Ich weiß nur, dass die Umstände ungünstig für mich sind. Ich will mich nicht verstricken.«

Sie hob hilflos beide Arme. »Ich wünschte, ich könnte irgendetwas...«

»Bitte fühl dich nicht unter Druck gesetzt«, unterbrach er sofort. »Wir beide stecken ohnehin gerade in einer komplizierten Situation. Ich schlage vor, wir lösen erst einmal das Rätsel um Pamela und Elaine – wenn uns das überhaupt gelingt. Alles andere... sehen wir später.«

Rosanna musste lächeln, obwohl sie sich kein bisschen glücklich fühlte. »Das ist sehr vernünftig.«

»Wir können im Augenblick auch nur versuchen, vernünftig zu sein«, sagte er.

Das Taxi bremste neben ihnen. Marc öffnete die Wagentür. »Es ist gut zu wissen, dass ich dich nachher wiedersehe«, sagte er.

Alles andere wäre auch schwer erträglich, dachte Rosanna, und über diesen Gedanken erschrak sie so sehr, dass sie nicht einmal zurückblickte, um festzustellen, ob er ihr nachwinkte. Sie sah starr geradeaus und fragte sich, was mit ihr passierte und weshalb es geschehen konnte. Aber ehe sie zu einer Antwort gelangte – falls es die überhaupt gab –, klingelte ihr Handy. Es war Nick Simon, und wieder einmal kochte er vor Wut.

Er hatte den *Mirror* gelesen.

Sie stürmte geradezu in die Hotelhalle und ließ sich am Empfang ihren Zimmerschlüssel aushändigen. Neben der Theke stand ein Regal mit Zeitungen, sie schnappte sich den *Mirror*, bezahlte ihn mit einem viel zu großen Geldschein und beachtete nicht einmal die Rufe des Portiers, der ihr das üppige Wechselgeld zurückgeben wollte. Im Aufzug nach oben suchte sie den betreffenden Artikel. Pamelas verängstigtes Gesicht blickte ihr entgegen, daneben befand sich der Text, der sie und Marc recht unverhohlen eines Vertuschungsversuchs bezichtigte und ihnen zudem ein intimes Verhältnis unterstellte. Ganz offensichtlich – und durchaus erwartungsgemäß – hatte Tony Harper noch einmal mit Brent Cadwick gesprochen, denn er wusste bereits, dass es sich bei der Fremden nicht um die gesuchte Elaine gehandelt hatte.

»Das darf nicht wahr sein!«, sagte sie laut. Marc hatte recht: Sie mussten jetzt möglichst schnell zur Polizei.

Oben angekommen, lief sie sofort zum Zimmer ihres Bruders und hämmerte gegen die Tür.

»Cedric? Bist du da? Mach bitte auf! Ich bin's, Rosanna! Mach doch bitte auf!«

Sie fürchtete schon, er habe die Nacht wieder irgendwo außerhalb verbracht und sei nun nicht greifbar, aber nach einer Weile, die ihr ewig lang erschien, wurde innen der Schlüssel umgedreht, die Tür geöffnet. Ein verschlafener Cedric, mit nichts als seiner Unterhose bekleidet, stand vor ihr.

»Was ist denn los?«, fragte er. »Was machst du für einen Lärm?«

Sie schob sich an ihm vorbei ins Zimmer, drehte sich dann zu ihm um und drückte ihm die Zeitung in die Hand. »Das ist der Grund. Deshalb mache ich den Lärm. Deshalb muss ich dich sprechen!«

Er schloss die Tür, starrte auf die Zeitung. »Wer ist das?«, fragte er verwirrt.

»Sie heißt Pamela. Pamela Luke. Seit fast fünf Jahren lebt sie jedoch unter dem Namen *Elaine Dawson*!«

Obwohl er sich augenscheinlich noch im Halbschlaf befand, gelang es Cedric, erstaunlich intelligente Schlüsse zu ziehen. »Die Frau in Northumberland. Sie ist nicht unsere Elaine. Eine zufällige Namensgleichheit. Aber wieso ist sie jetzt in der Zeitung?«

Rosanna spuckte die ganze Wut aus, die Nick Simon fünfzehn Minuten zuvor auf ihr abgeladen hatte. »Ja, wieso ist sie in der Zeitung?«, schrie sie. »Eine gute Frage, Cedric! Wieso tauchte da oben in Northumberland, in diesem absolut gottverlassenen Kaff Langbury, plötzlich im richtigen Moment ein Reporter auf? Von der guten Lee Pearce höchstpersönlich auf unsere Spur gebracht. Seit zwölf Stunden schlage ich mich mit der Frage herum, wie die Pearce von dieser Sache erfahren konnte!«

»Woher soll ich das wissen?«, fragte Cedric

Sie bohrte ihm ihren Fingernagel in die nackte Brust. Mit einem leisen Schmerzenslaut wich er zurück.

»Weil«, schrie sie, »genau zwei Menschen außer mir und Marc von dem Anruf aus Langbury wussten: Nick Simon, der den Teufel getan hätte, die Story an die Konkurrenz zu verkaufen, und der mir eben bereits telefonisch den Kopf abgerissen hat, und – du. Dir hatte ich es erzählt. Und ich habe jetzt den fürchterlichen Verdacht, dass du tatsächlich die undichte Stelle gewesen bist!«

Dank ihres Geschreis war Cedric nun so weit wach, dass er wieder klar zu denken vermochte.

»Moment mal«, sagte er wütend, »du redest vielleicht einen Unsinn! Du glaubst, ich gehe mit etwas, das du mir erzählst, an die Öffentlichkeit? Du glaubst, ich käme überhaupt auf eine so abartige Idee? Spinnst du?«

»Nun, ich wüsste nicht …«

»Immerhin gibt es ja noch diesen Anrufer aus Langbury. Hast du dir mal überlegt, dass er vielleicht nicht nur dich informiert haben könnte? Sondern munter in der Weltgeschichte herumtelefoniert hat?«

Sie klappte den Mund zu. Schließlich hat sie selbst Mr. Cadwick sofort verdächtigt. Ein Telefonat mit Lee Pearce hätte zweifellos zu seinem Charakter gepasst.

Wesentlich ruhiger als zuvor und ein wenig kleinlaut sagte sie: »Also, du hast mit niemandem darüber gesprochen?«

»Natürlich nicht. Mit wem sollte ich auch …« Er unterbrach sich. Sie sah, dass er eine Schattierung blasser wurde. »Ach, du lieber Himmel«, murmelte er.

Sie zog sofort den richtigen Schluss. »Du hast doch mit jemandem darüber gesprochen? Mit Dad? Aber er …«

Er wagte es kaum, sie anzusehen. »Nein. Nicht mit Dad. Mit Geoff.«

»Mit Geoff?«

»Ich habe ihn am Samstag in seinem Heim besucht. Es war eine furchtbare Stimmung zwischen uns. Geoff war in einer schlimmen Verfassung. Voller Aggressionen auf mich, gleichzeitig hoffnungslos. Irgendwie … ich weiß auch nicht, wie ich es erklären soll … irgendwie kam ein Moment, da wollte ich ihm etwas geben, woran er sich aufrichten konnte.« Jetzt schaute er seine Schwester an. »Es war feige. Ich wollte ihn von mir ablenken. Von den Vorwürfen, die er mir machte – oder die ich zumindest in allem, was er sagte, spürte. Ich dachte, wenn er hört, dass da eine Frau aufgetaucht ist, bei der es sich vielleicht um seine verschwundene Schwester handelt … Ein Blödsinn natürlich. Ihm Hoffnung zu machen, ohne zu wissen, ob auch nur der Hauch einer Chance besteht, es könnte wahr sein … Es hat ohnehin nicht funktioniert. Er vermutete sofort ein Komplott, mit dem du Marc Reeve reinzuwaschen versuchst …«

Sie atmete tief. »Genau das, was diese Zeitung andeutet. Ich denke, damit ist klar, wem wir diesen Artikel verdanken.«

»Du meinst, Geoff greift wirklich zum Telefon und …«

»Geoff ist besessen von der Annahme, dass Marc Reeve ein Mörder ist. Er würde alle Hebel in Bewegung setzen, ihm das nachzuweisen. Oder um zumindest zu verhindern, dass er seine Unschuld nachweisen kann.«

Cedric fuhr sich mit den Fingern durch die Haare. Wie auch bei seiner Schwester standen sie in kleinen Wirbeln ab. »Es tut mir so leid, Rosanna. Ich hätte das nicht tun dürfen. Ich habe diese Kette von Reaktionen nicht im Mindesten vorhergesehen, aber – ich hätte es trotzdem nicht tun dürfen.«

Er überflog den Artikel. »Aber«, sagte er dann vorsichtig, »wieso... ich meine: Abgesehen davon, dass die dir hier eine Affäre mit Reeve unterstellen, womit du sicher Schwierigkeiten bekämst, wenn das irgendwie Dennis zu Ohren kommt, sehe ich nicht ganz das Problem. Was ist letztlich so schlimm an diesem Artikel? Ihr habt die falsche Frau vorgefunden, die Sache hat sich nun geklärt, und schon morgen interessiert das keinen mehr. Geoff hat nur dafür gesorgt, dass ihr keine Möglichkeit habt, die falsche Elaine für die richtige auszugeben – und ich nehme stark an, dass ihr das sowieso nie vorhattet!«

Sie schüttelte den Kopf. »Natürlich nicht. So ein Gedanke konnte nur in Geoffs hassvernebeltem Gehirn entstehen. Aber, Cedric, der Artikel ist trotzdem eine Katastrophe. Allerdings konntest du das in deinem etwas geschwätzigen Moment wohl wirklich kaum ahnen.«

Cedric zog sie weiter in sein Zimmer herein und deutete auf einen Sessel. »Setz dich doch.« Er griff nach seinem Bademantel, schlüpfte hinein und setzte sich seiner Schwester gegenüber auf sein völlig zerwühltes Bett.

»Jetzt erzähl mir mal alles«, forderte er sie auf und fügte hinzu: »Du siehst schrecklich aus, wenn ich das sagen darf!«

»Ich habe die ganze letzte Nacht auf der Autobahn verbracht, die Nacht davor kein Auge zugetan, weil ich in einem unmöglichen Bett lag, und Samstag früh habe ich zum letzten Mal geduscht.« Sie holte tief Luft. »Cedric, wir sind da an eine wirklich gespenstische Geschichte geraten, und ich fürchte nun, dass Elaine tatsächlich nicht mehr am Leben ist. Diese Frau, die wir in Langbury angetroffen haben, Pamela Luke, stammt aus Liverpool – aus einer zerrütteten Alkoholikerfamilie. Vor elf Jahren, mit achtzehn, ging sie nach London, hielt sich dort mit Gelegenheitsjobs über Wasser. Sie lernte einen Typen kennen, Pit Wavers, und wurde seine Freundin. Pit hatte einen engen Freund, Ron Malikowski. Beide Männer zeichneten sich durch extreme Brutalität aus und waren – neben allen möglichen kriminellen Machenschaften – vor allem als Zuhälter tätig. Sie sollen auch mit Menschenhändlerringen gearbeitet haben, die Frauen aus dem Osten nach England einschleusen und hier dann mit Gewalt zur Prostitution zwingen. Während Malikowski überaus brutal, aber dabei berechenbar war, begriff Pamela nach relativ kurzer Zeit, dass sie es bei Pit Wavers mit einem Psychopathen zu tun hatte – jedenfalls bezeichnet sie ihn heute als solchen. Er drohte ihr alles Mögliche an für den Fall, dass sie ihn verließe, und sie hatte das sichere Gefühl, dass es sich nicht um leere Drohungen handelte. Sie begann, Tag und Nacht auf Flucht zu sinnen, aber es verließ sie immer wieder der Mut. Pit begann, sie systematisch zu misshandeln, so dass sie sich auch immer eingeschüchterter fühlte.«

»Warum ging sie nicht zur Polizei?«, fragte Cedric.

»Das Vertrauen, dass ihr jemand helfen könnte, hatte sie bereits verloren. Es gab ja eine ganze Szene um Pit und seinen Freund Ron herum, und ihr war klar, dass die Polizei niemals alle festsetzen und einsperren würde. Sie ahnte, was ihr als Verräterin blühen würde. Bis heute hat sie nicht das geringste Zutrauen in die Polizei.«

»Ich verstehe«, sagte Cedric.

Rosanna fuhr fort: »Ende Oktober 2002 kam es für Pamela zu einem furchtbaren Erlebnis, von dem sie meiner Ansicht nach bis heute tief traumatisiert ist. Einer der Prostituierten, die für Pit und Ron arbeiteten, einer Engländerin namens Jane French, gelang die Flucht. Jane hatte eine Zeit lang ein Verhältnis mit Pit gehabt, und dieser, offenbar in seiner Ehre getroffen, drehte komplett durch. Er setzte alle Hebel in Bewegung, sie zu finden, und tatsächlich stieß er auf ihre Spur und konnte sie im November in einem Abbruchhaus in Hackney, wo sie sich versteckt hielt, stellen. Pamela, zu diesem Zeitpunkt schon weit davon entfernt, Jane French als Rivalin zu empfinden, trotz deren Liaison mit Pit, hatte noch versucht, sie zu warnen, war aber zu spät gekommen. Sie wurde Zeuge, wie Wavers die junge Frau über viele Stunden folterte und quälte und schließlich ermordete. Zu ihrem Glück bemerkte Wavers nicht, dass er beobachtet wurde.«

»Großer Gott«, sagte Cedric erschüttert.

»Der Gedanke an Flucht wurde für Pamela geradezu obsessiv. Sie wusste, dass ihre Beziehung zu Pit Wavers nur in Gewalt und Schrecken enden konnte. Sie hatte seine dunkelste Seite kennen gelernt, und sie konnte Tag und Nacht nichts als Angst und Entsetzen empfinden. Dann, im April 2003, entdeckte sie in Malikowskis Wohnung in einer Schublade zufällig einen britischen Pass. Es war üblich, dass Malikowski den Frauen die Papiere abnahm, nur bewahrte er sie für gewöhnlich an einem sicheren Ort auf. Auch Pamela war der Ausweis weggenommen worden. Insofern stellte der Fund eines gültigen Passes eine echte Chance für sie dar. Es gelang ihr, ihn an sich zu nehmen. Und nun rate, um wessen Pass es sich handelte?«

»Keine Ahnung.«

Sie zog den Pass aus ihrer Tasche, reichte ihn ihrem Bruder und sah zu, wie sich seine Augen vor Staunen weiteten, nachdem er ihn aufgeschlagen hatte.

»Das gibt es doch nicht!«, sagte er.

»Verstehst du nun, warum ich glaube, dass Elaine entweder tot ist oder in größten Schwierigkeiten steckt? Im Januar 2003 verschwindet sie. Im April wird ihr Pass in der Wohnung eines Zuhälters in Islington gefunden. Cedric, irgendwo auf dem Weg zwischen Marc Reeves Wohnung und dem Flughafen Heathrow ist sie an jenem Januarmorgen entweder Ron Malikowski oder Pit Wavers begegnet. Und damit in ihr Verderben gelaufen.«

Cedric stand auf. »Du musst mit diesem Wissen sofort zur Polizei gehen, Rosanna«, sagte er.

Sie nickte. »Ich weiß. Das Problem ist Pamela. Sie dreht durch vor Angst.«

»Ihr habt sie mit nach London gebracht?«

»Sie sitzt im Moment in Marcs Wohnung und weigert sich, auch nur einen Schritt hinaus zu tun. Ihr ist damals die Flucht geglückt. Seit fast fünf Jahren hält sie sich versteckt, an verschiedenen Orten, vor allem im Norden Englands. Unter dem Namen Elaine Dawson.«

»War das nicht riskant? Immerhin dürfte dieser Name dem feinen Mr. Wavers bekannt gewesen sein.«

»Klar. Aber sie musste Papiere vorlegen, um Jobs zu bekommen und sich Zimmer mieten zu können, und andere als diese hatte sie nun mal nicht.«

»Fünf Jahre… warum ist sie nicht ins Ausland gegangen?«

Rosanna zuckte die Schultern. »Angst. Sie war immerhin mit obskuren Papieren unterwegs und hatte keine Ahnung, woher diese stammten. Irgendeinem Zimmerwirt in Northumberland kann man alles unter die Nase halten, aber bei Grenzkontrollen sieht das unter Umständen anders aus.«

»Aber fünf Jahre… und sie fürchtet sich immer noch so

sehr vor diesem Wavers? Ich meine, nach der langen Zeit interessiert sie ihn doch wahrscheinlich überhaupt nicht mehr.«

»Sie behauptet, dass seine Rachegelüste mit den Jahren nur schlimmer geworden sein können. Außerdem müsste sie jetzt ja auch noch hingehen und ihn verraten. Er wird nicht begeistert sein, wenn sie der Polizei erzählt, wer diese Jane French umgebracht hat und was bei ihm und Malikowski sonst noch so gelaufen ist.«

»Ich sehe das Problem, ja. Aber ihr müsst trotzdem zur Polizei gehen. Es gibt gar keine Alternative. Was meint denn Reeve?«

»Dasselbe. So schnell wie möglich zur Polizei gehen.«

»Und da hat er absolut recht. Rosanna...«

»Ich weiß. Aber ich mache mir wirklich Sorgen um Pamela. Denn dieser verdammte Artikel«, sie wies auf die Zeitung, »bringt sie unter Umständen in höchste Gefahr. Wavers kann womöglich ihre Spur aufnehmen. Deshalb wollte Pamela auch keinesfalls in Northumberland bleiben. Sie weiß noch nichts von dem Geschmiere hier, aber sie hat gestern Nachmittag den Auftritt des Reporters natürlich erlebt und weiß auch, dass er ein Foto von ihr hat. Ich frage mich übrigens, wie er das Bild so schnell in der Zeitung lancieren konnte.«

»Er brauchte im Grunde nur einen Laptop, auf den er seine Bilder überspielt hat, und einen Internetanschluss. Gar kein Problem. Foto und dazugehörige Informationen befanden sich vermutlich schon am frühen Abend beim *Mirror* – rechtzeitig für die Drucklegung.«

»Dummerweise werden auch Marc und ich namentlich erwähnt. Das ist ein echter Anhaltspunkt für Wavers.«

»Vor allem Reeves Adresse dürfte er sehr rasch herausbekommen. Deshalb ist dessen Wohnung sicher nicht der günstigste Aufenthaltsort für Miss Luke. Wobei ich trotzdem glaube, dass ihre Angst übertrieben ist. Ich meine, nach allem, was sie erlebt hat, ist es verständlich, dass sie so reagiert, aber ich kann mir nicht denken, dass dieser Wavers nach fünf Jahren nichts Besseres zu tun hat, als sich mit einer Frau abzugeben, die ihm irgendwann einmal weggelaufen ist.«

»Diese Einstellung wirst du ihr nicht vermitteln können. Und ich möchte nicht über sie hinwegtrampeln, verstehst du? Diese Frau hat Entsetzliches mitgemacht. Jetzt einfach zur Polizei gehen, dann mit den Beamten bei ihr aufkreuzen, sie der Vernehmung aussetzen … ich käme mir vor wie ein Verräter.«

Sie sahen einander an. Schließlich meinte Rosanna: »Ich habe mir Folgendes überlegt: Marc geht zur Polizei und berichtet dort alles, was wir wissen. Zuvor aber bringe ich Pamela an einen sicheren Ort. Irgendeine Pension, ein *Bed & Breakfast* außerhalb von London. Natürlich wird sie dort unter einem anderen Namen einquartiert. Vielleicht bleibe ich auch bei ihr – je nachdem, worauf sie sich einlässt. Erst wenn die Polizei Wavers festgesetzt hat, verlässt Pamela ihr Versteck.«

»Die Polizei wird sofort mit ihr sprechen wollen.«

Sie hob die Schultern. »Dann kann sich bestimmt ein Beamter mit ihr treffen. Aber sie muss an einem Ort sein, an dem sie sich sicher fühlt. Wie du selbst gesagt hast, ist Marc Reeves Wohnung nicht geeignet, und vor der Vorstellung, hier in unser Hotel zu ziehen, ist sie sofort zurückgeschreckt – zu zentral, zu belebt.«

Cedric stand auf. »Die Idee ist nicht schlecht, aber ich werde das machen«, sagte er entschlossen, »ich habe schließlich Entscheidendes vermasselt. Ich fahre mit Miss Luke aufs Land, suche einen versteckten Platz und warte dort mit ihr. Du und Reeve, ihr geht gemeinsam zur Polizei. Ihr seid beide tief in diese Geschichte involviert.«

»Du würdest das wirklich tun?«

Er nickte. »Mir verdankt Pamela Luke den Ärger, dass ihr Foto in der Zeitung ist. Ich möchte das irgendwie wiedergutmachen. Außerdem…«

»Ja?«, fragte Rosanna, als er nicht weitersprach.

»Außerdem hätte ich endlich das Gefühl, etwas Nützliches zu tun«, sagte Cedric. »Seit Tagen gammle ich hier herum, schlafe bis in die Puppen, lebe von Dads Geld…«

»Du hast dir Geld von ihm geliehen?«

»Glaubst du, ich könnte mir dieses Hotel hier von meinen paar erbärmlichen Kröten leisten?«

»Cedric…«

»Ich weiß. So kann es nicht weitergehen mit mir. Schon klar. Du glaubst nicht, wie sehr mich genau dieser Gedanke ständig verfolgt.«

»Es ist schön, wenn du Pamela hilfst. Aber das ändert noch nichts an deinem Leben, das weißt du!«

Er schien ungeduldig. »Ich weiß. Ich weiß! Aber lass mich irgendwie anfangen, ja? Es ist einfach ein Anfang. Ein winziger Schritt. Danach muss ich weitersehen.«

»Okay.« Sie wollte ihn nicht weiter in die Enge treiben, aber sie fürchtete, dass es sich wieder einmal um eine für Cedric und seinen ganzen bisherigen Lebensweg so überaus typische Aktion handelte: Er tat etwas Spektakuläres, etwas Besonderes, etwas, das durchaus ehrenwert war, was ihn auf seinem persönlichen Weg aber keinen Schritt weiter brachte.

Es war nicht der Moment, darüber zu sprechen. Zu viele Probleme drängten.

Sie erhob sich ebenfalls. »Ich werde jetzt erst einmal duschen und mich umziehen. Und Dennis anrufen. Rob ist seit Freitagabend verschwunden.«

»Was?«

»Sie hatten wieder Streit, wegen einer Party, zu der Dennis ihn nicht gehen lassen wollte. Es sind immer die gleichen Themen zwischen ihnen. Insofern glaube ich auch nicht, dass etwas passiert ist, ich glaube, dass Rob einfach nur irrsinnig wütend auf seinen Vater ist und sich bei irgendeinem Freund versteckt. Trotzdem ist das natürlich eine schreckliche Situation für Dennis.«

»Vielleicht hält sich Rob auch versteckt, weil du weg bist«, sagte Cedric.

Auf diesen Gedanken war Rosanna noch nicht gekommen. »Meinst du wirklich?«

»Ich glaube, dass deine beiden Männer, jeder auf seine Art, dort in Gibraltar Amok laufen. Du bist der Stabilisierungsfaktor in dieser Familie. Wenn du fehlst, haben beide erhebliche Probleme.«

»Ich kann nicht immerzu auf sie aufpassen.«

»Natürlich nicht. Aber bei jedem Abnabelungsversuch von deiner Seite brennen bei beiden erst einmal die Sicherungen durch. Das musst du einfach wissen.«

Sie ging zur Tür. Sie war so müde, dass sie auf der Stelle hätte einschlafen mögen. Zugleich vibrierten ihre Nerven. Ihr Leben kam ihr im Augenblick vor wie ein verrückter, beängstigender Film.

»Ach, Rosanna«, sagte Cedric, als sie schon die Hand auf der Türklinke hatte. »Stimmt es eigentlich, was hier steht? Dass da ... irgendetwas läuft zwischen dir und Marc Reeve?«

Sie beide hatten sich als Kinder bis zum Umfallen gestritten und einander manchmal am liebsten die Augen ausgekratzt, aber sie hatten nie Geheimnisse voreinander gehabt. Jeder war der engste Vertraute des anderen gewesen.

»Ja«, sagte sie deshalb einfach, »es stimmt.«

Cedric pfiff durch die Zähne. »Dann hast du noch mehr Probleme, als ich dachte.«

Sie erwiderte darauf nichts, sondern verließ das Zimmer.

Draußen lehnte sie sich für einige Sekunden mit dem Rücken an die Wand und atmete tief durch.

Eins nach dem andern. Sonst verlierst du die Nerven. Einfach eins nach dem andern!

Der nächste Schritt war eine ausgiebige, heiße Dusche.

Bevor sie diese nicht hinter sich hatte, würde sie über nichts Weiteres nachdenken.

4

Pit Wavers hatte sein eigenes Auto vorsichtshalber stehen lassen. Der Wagen war in unmittelbarer Nähe zu seiner Wohnung geparkt, und wenn er auch den Schlüssel dabeihatte, so empfand er doch das Risiko als zu groß. Zudem würde sein Autokennzeichen im Blickpunkt polizeilichen Interesses stehen, wenn Ron sang und die Bullen nach ihm, Pit, fahndeten. Und er war nicht blöd. Er hatte nicht vor, sich für zwanzig Jahre einbuchten zu lassen, nur weil er zwei Schlampen um die Ecke gebracht hatte, die für diese Welt ohnehin nicht von Nutzen waren.

Er kannte einen Kumpel, der ihm noch einen Gefallen schuldete, und von dem lieh er sich ein Auto.

»Kann sein, du bekommst es erst in ein paar Tagen zurück«, sagte er.

Der Kumpel hatte gerade etliche Joints geraucht und blinzelte ihn aus glasigen Augen an. »Klar. Kein Problem«, murmelte er. Pit hatte den Eindruck, dass er zehn Minuten später kaum noch wissen würde, wem er sein Auto eigentlich geliehen hatte.

Umso besser.

Es hatte ihn keinerlei Mühe gekostet, in einem Telefonbuch in der Post Marc Reeves Büroadresse ausfindig zu machen. Er fuhr sofort dorthin und strich eine Weile vor dem schönen, stuckverzierten Sandsteinbau in Belgravia herum. Das Büro befand sich, dem Klingelschild nach, im ersten Stock, aber er hatte den Eindruck, dass sich niemand dort aufhielt. Die Fenster gingen nach Norden und wurden zudem von hohen, wenn auch kahlen Bäumen beschirmt. Es hätte Licht brennen müssen. Es wirkte jedoch alles sehr dunkel.

Schließlich klingelte er probehalber, aber wie erwartet, geschah nichts. Reeve war nicht da. Und Rosanna Hamiltons Adresse war nicht herauszukriegen. Es wimmelte von Hamiltons in London, auch von solchen, deren Vorname mit R begann. Unmöglich, die Richtige zu finden. Nein, wenn es überhaupt eine Chance gab, an Pamela Luke heranzukommen, dann nur über Marc Reeve.

Er stand noch unschlüssig vor dem Hauseingang, als eine ältere Dame im Pelzmantel heraustrat und ihn misstrauisch anblickte.

»Zu wem wollen Sie denn?«, fragte sie mit scharfer, unfreundlicher Stimme.

»Zu Rechtsanwalt Reeve«, sagte Pit. Fasziniert betrachtete er die dicken Goldklunker an ihren Ohren. Immer wenn Menschen ihren Reichtum so unverhohlen zur Schau stellten, hätte er sie am liebsten mit einem Handkantenschlag erledigt und sich genommen, womit sie so hemmungslos und provozierend protzten.

Aber zweifellos war dies nicht der Moment dafür.

»Im Büro ist niemand«, sagte die Alte, »ich wohne darunter, ich wüsste es. Ich höre jeden Schritt über mir, verstehen Sie? Der Nachteil von so alten Häusern. Die Dielen knarren. Man hat nie seine Ruhe.«

»Meine Güte, das ist aber wirklich ärgerlich«, sagte Pit. »Ich habe sehr wichtige Prozessakten für Mr. Reeve. Er muss sie unbedingt so schnell wie möglich bekommen. Ist denn nicht einmal eine Sekretärin da?«

»Die hat schon seit über einer Woche die Grippe.« Die Alte war gut informiert. Das Misstrauen in ihrem Blick vertiefte sich. »Wo haben Sie denn die Akten?«

»Im Auto«, sagte Pit eilig. »Verdammt schwer zu schleppen. Deshalb wollte ich erst einmal sichergehen, ob jemand da ist.«

Die Alte zuckte mit den Schultern. Schweres, teures Parfüm wehte Pit bei dieser Bewegung entgegen. »Ich kann Sie ins Treppenhaus lassen, und Sie deponieren die Sachen vor der Bürotür«, schlug sie vor.

Das war absolut nicht das, was Pit wollte. Er mimte leises Entsetzen. »Um Gottes willen! Das sind hochbrisante Papiere! Die darf ich Reeve nur persönlich in die Hand drücken, sonst komme ich in Teufels Küche.« Er kratzte sich am Kopf, tat, als überlege er.

»Sie wissen nicht vielleicht, wo Reeve wohnt?«, fragte er. »Dann könnte ich ihm das Zeug schnell vorbeibringen.«

»Natürlich weiß ich, wo Mr. Reeve wohnt«, sagte die alte Dame streng. »Aber ich bin mir nicht sicher, ob ich Ihnen das sagen darf.«

Und ich bin sicher, dass ich ein paar Griffe kenne, da würdest du es mir ganz schnell sagen, du blöde Fotze, dachte Pit.

Resigniert wandte er sich zum Gehen. »Na, dann… kann ich nichts machen«, sagte er leise.

Er war schon an der Straße, als er ihre Stimme wieder hörte. »Warten Sie. Wenn es wirklich so wichtig ist…«

Er drehte sich zu ihr um. »Madam, wenn Mr. Reeve erfährt, dass Sie dafür gesorgt haben, dass er rasch an diese Unterlagen kommt, verleiht er Ihnen einen Orden«, sagte er erleichtert.

Eine halbe Minute später hatte er die Adresse.

Während er schräg gegenüber von Reeves Wohnhaus parkte und wartete, sagte er sich, dass er unter Umständen völlig sinnlos hier herumsaß und die ganze Angelegenheit am Ende ergebnislos würde abbrechen müssen. Er hatte keine Ahnung, ob Reeve überhaupt wieder in London war oder sich nicht noch in Northumberland herumtrieb. Weshalb, beispielsweise, war er an einem gewöhnlichen Montagmorgen nicht in seinem Büro? Die Sekretärin war krank, er hatte jeden Grund, dort die Stellung zu halten. Konnte natürlich auch sein, dass er an einer Gerichtsverhandlung teilnehmen musste und erst später sein Büro aufsuchen würde. In diesem Fall musste er irgendwann abends in seiner Wohnung erscheinen. Wenn er nicht woanders schlief. Hatte der *Mirror* nicht ziemlich unverblümt behauptet, dass zwischen ihm und dieser Hamilton etwas lief?

Je mehr Pit darüber nachdachte, desto unsicherer wurde er. Die tiefstehende Februarsonne hatte die Straße noch nicht erreicht, es war kalt im Auto. Den Motor laufen zu lassen, wagte Pit nicht, weil er nicht unnötig auffallen wollte. Heutzutage wimmelte es ja überall von diesen furchtbaren Ökoaktivisten, die über jeden in ihren Augen unnötigen Kohlendioxidausstoß total aus dem Häuschen gerieten. Und falls Ron plauderte wie eine aufgezogene Sprechpuppe, wurde er, Pit, womöglich schon mit einem Haftbefehl gesucht. Nicht der Augenblick, wegen einer Umweltsünde ins Visier irgendeines Streifenbeamten zu geraten.

Und wenn er doch nach Northumberland hinaufbretterte? Sein Hass auf Pamela, seine Angst wegen Rons Festnahme, seine ganze Scheißsituation versorgten ihn mit so viel Adrenalin, dass allein der Gedanke, sich auf die Autobahn zu begeben und das Gaspedal durchzudrücken, berauschend war. Aber er bemühte sich, seine Gefühle unter Kontrolle zu halten. Es hatte keinen Sinn, einfach den Bedürfnissen nachzugeben. Northumberland war groß. Weder Pamela noch Marc Reeve, noch diese Hamilton würde er dort finden.

Hier in London besaß er wenigstens eine Adresse.

Er hauchte warmen Atem in seine klammen Hände, rieb die Finger aneinander. Wenn es nur nicht so kalt wäre! Allein dafür, dass er sich hier den Arsch abfror, hatte Pamela eine ganz besondere Behandlung verdient. Kurz tastete er nach seiner Waffe, strich fast liebevoll über das kühle Metall. Er würde Pam auseinandernehmen. Er hatte fast fünf Jahre lang von dem Moment geträumt, wenn er ihr gegenüberstünde, und nun würde er sich ein paar spezielle Dinge für sie ausdenken.

Er war damals so perplex gewesen über Pammys Flucht, dass er sich tagelang geweigert hatte einzusehen, dass sie es wirklich getan hatte. Noch dazu in einem Moment, da es ihm schlecht ging. Es war ein ungewöhnlich kalter und verregneter April gewesen, und er hatte fast zwei Wochen lang eine fiebrige Erkältung gehabt. An jenem Dienstag hatte er auf dem Sofa gelegen und unter heftigen Kopfschmerzen gelitten, und er hatte Pamela angefahren, ihm sofort zwei Aspirin zu bringen. Er hatte sie im Bad herumstöbern hören, dann war sie im Wohnzimmer erschienen. »Es sind keine mehr da. Soll ich schnell zur Apotheke gehen?«

Sie hatte ein böses Veilchen am rechten Auge gehabt, ein Andenken an den letzten Streit, den sie gehabt hatten. Daran erinnerte er sich bis heute. Und auch daran, dass er gedacht hatte: Lass sie nicht gehen. Ruf Ron oder sonst jemanden an und lass dir die Tabletten besorgen, aber behalte die Schlampe bei dir in der Wohnung.

Er wusste zu diesem Zeitpunkt bereits, dass sie über Flucht nachdachte. Er kannte die Signale, wenn eine Frau so weit war. Die Hoffnung, seine Gunst noch einmal zu gewinnen, hatte sie aufgegeben. Sie lebte in ununterbrochener Angst vor seinen Gewalttätigkeiten. Sie verlor an Attraktivität, war mager, bleich und hatte häufig ein nervöses Zucken am Auge. Sie hielt stets vorsichtigen Abstand zu ihm, weil sie ständig mit einem Faustschlag rechnen musste – auch dann, wenn nichts vorgefallen war. Pit wusste, dass man einen anderen Menschen am sichersten dadurch einschüchterte, dass man sich völlig unberechenbar für ihn machte. Pamela hatte keine Ahnung, welches Verhalten sie an den Tag legen musste, um ihn gnädig zu stimmen, und das machte ihr Leben zur Hölle.

Ihre Ausweispapiere hatte er ihr schon vor längerer Zeit abgenommen, aber er hatte es sich zudem angewöhnt, sie in der Wohnung einzuschließen, wenn er ohne sie fortging. Er begleitete sie zum Einkaufen und achtete darauf, dass sie nicht alleine draußen herumlief. Früher war sie gerne gejoggt; das hatte sie aufgeben müssen, weil er natürlich keine Lust hatte, neben ihr herzuhecheln.

Es war nicht so, dass er sie noch als *seine Frau* haben wollte. Er war verrückt nach ihr gewesen, weil sie eine scharfe Person war, aber inzwischen ging sie ihm nur noch auf die Nerven. Sie war auch lange nicht mehr so attraktiv wie früher. Trotz ihres jugendlichen Alters zeigte sie verhärmte Züge. Er hatte längst wieder angefangen, anderen Frauen unverhohlen hinterherzustarren, und schließlich hatte es auch die Affäre mit Jane French gegeben, dieser miesen Person, die versucht hatte, ihm zu entkommen.

Er jedoch bestimmte, wann er eine Frau ausmusterte, nur er! Und das würde mit Pamela nicht anders sein.

Er hatte sie an jenem Apriltag schließlich gehen lassen, das Aspirin zu holen, denn ihm war schon übel gewesen von den Kopfschmerzen, und er hatte keine Nerven mehr gehabt, sich einen anderen Boten zu organisieren. Er war dann eingeschlafen, und als er aufwachte, waren mehr als drei Stunden vergangen. Die Apotheke lag fünf Minuten entfernt. In der ganzen Wohnung keine Spur von Pamela.

Schmerzgepeinigt war er herumgetorkelt, hatte ihren Namen gebrüllt, hatte in jeden Schrank, unter jedes Bett geschaut. Ihre Sachen waren noch da, aber das besagte nichts. Sie wäre kaum mit einem Koffer losgezogen.

Im Bad fand er, ganz hinten in einem Regal, ein angebrochenes Päckchen Aspirin. Sie hatte ihn angelogen, als sie behauptete, es sei nichts mehr da.

Nachdem er zwei Tabletten genommen hatte, ging es ihm langsam besser. Obwohl alles so offensichtlich war, sagte er sich, dass sie bestimmt wiederkommen würde. Letztlich würde sie eine solche Geschichte nicht durchziehen. Nicht Pamela mit ihrem nervösen Augenzucken und ihrer unterwürfigen Art. Sie trieb sich ein wenig herum, aber sie würde irgendwann winselnd nach Hause schleichen. Er würde ihr einen Empfang bereiten, den sie nie vergessen sollte.

Er glaubte das auch noch am nächsten und am übernächsten Tag. Am dritten Tag sagte Ron zu ihm: »Die ist weg, Mensch, begreif das doch endlich. Die hat sich vom Acker gemacht. Die siehst du nicht mehr wieder.«

Er wusste bis heute, dass er in den Sekunden, die diesen Worten folgten, gemeint hatte, an seiner Wut und seinem Hass buchstäblich zu ersticken.

Und seltsamerweise war der Hass im Lauf der Jahre nicht schwächer geworden. Er hatte phasenweise tief in ihm geschlummert und sich nicht gerührt, aber dann war er wieder ausgebrochen, urplötzlich, ohne dass ein Auslöser bemerkbar gewesen wäre. Dann war Pit in der Stadt herumgefahren und hatte Ausschau nach ihr gehalten. So wie in den Wochen nach ihrem Verschwinden. Er hatte Gesichter studiert, Gestalten, hatte nach ihrer charakteristischen Art zu laufen gesucht. Wie besessen. In solchen Momenten hatte nichts sonst für ihn existiert. Da war nur sie wichtig gewesen und die unbedingte Notwendigkeit, sie zu finden.

Ron hatte ihm oft erklärt, dass er verrückt sei. »Mensch, was willst du denn noch von der? Du warst doch sowieso fast durch mit ihr. Jetzt lauf doch nicht einer Frau nach, die dir am Schluss ohnehin nur noch auf die Nerven ging!«

»Du bist auch nicht gerade zimperlich, wenn dir eine abhaut!«

»Weil meine Mädchen mein Geschäft sind. Mein Kapital. Und ich eine Abschreckung schaffen muss, sonst sind ganz schnell alle über den Berg, und ich kann sehen, wo ich bleibe. Aber bei dir und Pamela ist das doch ganz anders. Vergiss sie endlich!«

Es war aussichtslos, er konnte Ron nicht klarmachen, was in ihm vorging. Er konnte es ja nicht einmal sich selbst so recht erklären. Er wurde einfach mit der Kränkung nicht fertig, die sie ihm zugefügt hatte. Er vermochte die Wut, die dieses Verlassenwerden in ihm ausgelöst hatte, nicht unter Kontrolle zu bringen. Die Wut war wie ein Feuer, das nicht verlosch und immer neue Nahrung suchte. Und ihn verzehrte. Erst wenn er diese Sache in Ordnung gebracht hätte, würde er Ruhe finden.

Und in sehr seltenen Momenten, manchmal in den frühen Morgenstunden, spürte er, dass es Schmerz war, was sich unter der Wut verbarg, ein unfassbarer, namenloser Schmerz, und er begriff, dass er seine Wut brauchte, um den Schmerz fernzuhalten. Weil er ihn nicht würde ertragen können.

Er fand das verwirrend. Wieso Schmerz? Er hatte Pamela nicht geliebt. Er hatte sie begehrt und später lästig gefunden. Er verstand das alles überhaupt nicht. Er wusste nur immer, dass er sie finden musste.

Und jetzt bin ich ganz dicht davor, sagte er sich und blies erneut seinen Atem in die kältestarren Hände.

Er war so in Gedanken versunken, dass er für einige Momente die Straße nicht mehr im Auge gehabt hatte. Er schrak zusammen, als er plötzlich zwei Personen bemerkte, die das Haus betraten, in dem Marc Reeve wohnte. Ein Mann und eine Frau. Reeve und Hamilton? Natürlich konnte es sich auch um jemand ganz anderen handeln, es lebten schließlich noch mehr Parteien in dem Haus. Ärgerlicherweise hatte er nicht mitbekommen, ob sie geklingelt oder einen Schlüssel benutzt hatten. Er presste sein Gesicht ganz dicht an die Windschutzscheibe, aber das brachte ihn nicht viel weiter. Die beiden Leute verschwanden im Haus. Die Tür fiel hinter ihnen zu.

Immerhin, es hatte sich endlich etwas bewegt. Die Frau war nicht Pamela gewesen, da war er sich sicher. Pamela war größer und hatte eine andere Körperhaltung. Nach vorn gezogene Schultern und zumeist vor der Brust verschränkte Arme. Sie hatte tolle, ungewöhnlich üppige Brüste, die sie immer zu verbergen suchte. Sie empfand Männer als Feinde, die sie lieber nicht auf sich aufmerksam machen wollte. Das war schon so gewesen, ehe sie sich mit Pit zusammentat. Ihr Vater hatte dafür gesorgt. Seit den ersten Tagen ihrer Pubertät war sie vor ihm nicht mehr sicher gewesen.

Diese Frau eben hingegen hatte den Kopf hoch getragen und sich aufrecht gehalten, und selbst von hinten war ihr anzusehen gewesen, dass sie mit einer zumindest durchschnittlichen Menge an Selbstbewusstsein ausgestattet war. Könnte Hamilton, die Journalistin, sein. Er hasste Frauen dieses Typs.

Er war jetzt aufmerksam und behielt das Haus scharf im Auge. Eine ganze Weile tat sich überhaupt nichts. Er schaute auf seine Uhr. Es war zwanzig vor zwölf. Er saß jetzt seit gut zwei Stunden hier. Wenn Reeve überhaupt daheim war, so hatte er es in seiner Wohnung sicher kuscheliger als er hier unten. Ein heißer Kaffee wäre zu schön. Er überlegte gerade, ob er seinen Beobachtungsposten kurz aufgeben, den nächsten Coffeeshop ansteuern und etwas später zurückkehren sollte, da öffnete sich die Tür des Hauses erneut, aber diesmal kamen zwei Menschen *heraus*. Ein Mann und eine Frau. Doch während er den Mann wegen dessen brauner Lederjacke als denjenigen erkannte, der ungefähr eine Viertelstunde zuvor angekommen war, war die Frau jetzt eine andere.

Es war Pamela.

Er hätte sie auch ohne das neue Zeitungsfoto sofort erkannt, trotz der vielen Jahre, die vergangen waren, und obwohl sie sich wirklich sehr verändert hatte. Die kurzen dunkelbraunen Haare anstelle der taillenlangen blonden Mähne machten einen völlig anderen Typ aus ihr. Während er immer darauf bestanden hatte, dass sie sich sehr auffällig und schrill zurechtmachte, hatte sie sich jetzt in das andere Extrem geflüchtet, in die vollkommene Biederkeit. Schwarze Jeans, olivgrüner Parka, grauer Schal, schwarze, flache Schnürschuhe. Kein Gramm Schminke im Gesicht, wenn er das auf die Entfernung richtig erkannte. Sie sah fade und unattraktiv aus. Und älter, als sie war.

Gott, was ist aus der bloß geworden?, dachte er fassungslos.

Sein Herz raste. Er war sicher, dass sein Blutdruck in gefährliche Höhen gesprungen war. Ihm war schwindlig, für einen Moment hielt er sich instinktiv mit beiden Händen am Lenkrad fest, obwohl er saß.

Da war sie. Er sah sie plötzlich vor sich, wie sie an jenem Apriltag aus dem Wohnzimmer ihrer Wohnung gegangen war. Im Jeans-Minirock, auf silberfarbenen Stilettos. Die blonden Haare wippten, zum Pferdeschwanz gebunden, über ihren Rücken.

Nun schlich sie an einem Februartag aus einem Londoner Wohnhaus, nichts war geblieben von Minirock und Stilettos, und dennoch schloss sich der Kreis, und die Dinge schickten sich an, in Ordnung zu kommen.

Es drängte ihn, aus dem Auto zu springen, in zwei Sätzen die Straße zu überqueren, ihren Arm zu packen, dem Typ neben ihr ein paar in die Fresse zu hauen und sie dann mitzunehmen – an irgendeinen ruhigen Ort, an dem sie ganz allein waren. Und alles in Ruhe aufarbeiten konnten, was zwischen ihnen geschehen war.

Aber das wäre nicht klug. Nicht hier, mitten in London. Der Typ würde wahrscheinlich Gegenwehr leisten, herumbrüllen, Aufsehen erregen. Irgendjemand würde sein, Pits, Autokennzeichen notieren. Sie würden nicht weit kommen.

Pamela ließ einen unruhigen Blick die Straße hinauf- und hinunterschweifen, und Pit duckte sich sofort hinter sein Armaturenbrett. Faszinierend, sie hielt immer noch die Arme vor ihren Titten verschränkt. Sie war immerzu auf der Hut.

Wie recht sie doch im Grunde damit hatte.

Als er sich wieder hervorwagte, sah er, dass der Typ – Reeve? – ein direkt vor der Haustür geparktes Auto mit Londoner Nummernschild aufschloss und Pamela einsteigen ließ. Dann ging er um den Wagen herum, setzte sich hinter das Steuer. Er schnallte sich an. Er würde gleich losfahren.

Pit musste blitzschnell entscheiden, was er tun wollte.

Aber eigentlich war das keine Frage. Hinterher. Etwas anderes gab es nicht.

Als das Auto mit Pamela darin auf die Straße rollte, verließ auch Pit seinen Parkplatz. Er hatte schweißnasse Hände. Er durfte die beiden da vor ihm nicht verlieren, aber er durfte auch nicht zu dicht auffahren. Wenn Pamela aus irgendeinem Grund in den Rückspiegel blickte, konnte sie ihn erkennen. Er hatte sich nicht verändert, und er vermutete, dass er oft genug durch ihre Albträume gegeistert war. Sie kannte jeden Leberfleck in seinem Gesicht.

Jetzt musst du eine Glanzleistung bringen, Junge, sagte er zu sich.

Er war schon lange nicht mehr so wach und so gespannt gewesen.

Und so entschlossen.

5

Es war fast vier Uhr, als Marc und Rosanna bei New Scotland Yard saßen, im Büro von Inspector Fielder, und sie hatten das Gefühl, endlich den richtigen Mann vor sich zu haben.

Nachdem Cedric und Pamela mit unbekanntem Ziel aufgebrochen waren, war Marc in sein Büro gefahren, aber im Grunde nur um die Post abzuholen und die zuvor verschobenen Termine für diesen Tag endgültig abzusagen.

Dann hatten er und Rosanna die nächste Polizeidienststelle aufgesucht und waren an einem äußerst phlegmatischen Beamten hängengeblieben, der alles, was sie sagten, umständlich zu Protokoll nahm und die ganze Zeit über deutlich zu verstehen gab, dass er die Geschichte ausgesprochen abenteuerlich fand und nicht sicher war, ob er das alles ernst nehmen oder als Spinnerei abtun sollte. Irgendwann war Marc der Geduldsfaden gerissen, und er hatte verlangt, den Vorgesetzten des Beamten zu sprechen. Nach einigem Hin und Her war dies geschehen. Dann kam endlich Bewegung in die ganze Angelegenheit, vor allem nachdem der Name *Jane French* gefallen war. Ein paar aufgeregte Telefonate folgten, dann wurden Marc und Rosanna mit einem Wagen der Polizei hinüber nach Westminster gefahren, zu dem zwanzigstöckigen Bürobau, in dem sich der Sitz von New Scotland Yard befand. Man brachte sie in eine Art Konferenzraum und erklärte ihnen, Inspector Fielder werde jeden Moment bei ihnen sein. Während sie warteten, versuchte Rosanna zum wiederholten Mal, Dennis zu erreichen, aber weder daheim noch in seinem Büro, noch auf seinem Handy meldete sich jemand. Es machte sie nervös und unruhig, nicht zu wissen, was mit Rob passiert war, zugleich merkte sie, wie Wut und Ärger auf Dennis immer mehr anstiegen. Sie völlig im Ungewissen zu lassen, war seine Art, sie für ihren England-Aufenthalt zu bestrafen, und ihr wurde mehr und mehr klar, dass ihrer beider Beziehung einer Reihe klärender Gespräche bedürfen würde, um weitergeführt zu werden – wenn es ihnen überhaupt gelang, dafür noch eine Grundlage zu finden. Trotz aller Spannung, die der Augenblick in ihr hervorrief, war sie plötzlich von tiefer Traurigkeit erfüllt. Es hatte sich so vieles verändert in den letzten Tagen.

Schließlich war Fielder erschienen, ein ruhiger Mann, auf den ersten Blick etwas unscheinbar und von zurückhaltender Art. Wer genauer hinsah, konnte erkennen, dass es unklug sein mochte, seine Entschlusskraft und sein Durchsetzungsvermögen zu unterschätzen.

Fielder hatte sie mit in sein Büro genommen und ihnen Plätze gegenüber seinem Schreibtisch angeboten, dann war eine Sekretärin mit Kaffee erschienen, und schließlich hatte Fielder gesagt: »Sie meinen, Sie wissen, wer Jane French im November 2002 ermordet hat? Bitte erzählen Sie mir alles.«

Rosanna überließ es Marc, die ganze Geschichte in all ihren verwirrenden Einzelheiten wiederzugeben. Fielder hörte konzentriert zu, ohne ein einziges Mal zu unterbrechen. Als Marc geendet hatte, fragte er als Erstes: »Wo ist Pamela Luke jetzt?«

»Sie ist mit meinem Bruder unterwegs«, sagte Rosanna,

»und sowie die beiden ein Quartier gefunden haben, melden sie sich bei uns.«

»Miss Luke müsste aber hier sein«, sagte Fielder stirnrunzelnd.

Marc nickte. »Das wissen wir. Und wir hätten sie gern mitgebracht. Aber sie war nicht dazu zu bewegen. Inspector Fielder, diese Frau ist wirklich völlig traumatisiert. Und überzeugt, dass Mr. Wavers ihr bereits auf der Spur ist – dank des Zeitungsfotos. Sie wollte ihn keinesfalls an die Polizei verraten, aus Angst vor seiner Rache. Dem konnten wir natürlich nicht nachgeben, aber wir mochten sie auch nicht völlig überrumpeln und dabei riskieren, dass sie in Panik ausbricht.«

»Ich verstehe«, sagte Fielder.

»Wir konnten mit ihr den Kompromiss aushandeln, dass wir zwar zur Polizei gehen, dass sie aber zuvor an einen sicheren Ort gebracht wird. Wenigstens so lange, bis dieser Pit Wavers gefasst ist.«

»Und Ihre Wohnung, Mr. Reeve, erschien Ihnen nicht sicher genug?«

Marc schüttelte den Kopf. »Es ging nicht so sehr darum, was ich für sicher hielt und was nicht. Es ging um Miss Lukes Gefühle. Sie konnte argumentieren, dass es durch die Nennung meines Namens im *Mirror* für Mr. Wavers natürlich möglich wäre, meine Adresse ausfindig zu machen. Sie wollte dort weg. Ich neige dazu zu glauben, dass sie sich zu viele Sorgen macht, aber es war völlig unmöglich, sie davon zu überzeugen, dass sie keineswegs in solch akuter Lebensgefahr schwebt, wie sie annimmt.«

»Ich verstehe«, sagte Fielder noch einmal. Dann fügte er hinzu: »Sie sind Anwalt, Mr. Reeve, Sie kennen sich aus. Ich nehme an, Ihnen ist klar, dass es nicht in Ordnung war, diese wichtige Zeugin ausgerechnet jetzt mit unbekanntem Ziel von London fortzubringen?«

Marc nickte zu diesem Vorwurf. »Mir ist das völlig klar. Ich habe in diesem Fall verschiedene Alternativen bedacht und schließlich eine Entscheidung getroffen. Die verständlicherweise nicht in Ihrem Sinn ist.«

»Cedric – mein Bruder – wird sich bald melden«, beteuerte Rosanna.

Fielder überging diese Bemerkung. Er war ärgerlich, das konnte Rosanna deutlich spüren, versuchte jedoch, seinen Ärger so wenig wie möglich zu zeigen.

»Hat Miss Luke den Namen *Linda Biggs* einmal genannt?«, fragte Fielder.

Marc runzelte die Stirn. »Der Fall ging gerade durch die Zeitung, oder? Eine junge Frau, die ermordet im Epping Forest aufgefunden wurde.«

»Wir sehen einen Zusammenhang zu dem Fall French. Natürlich ist es eher unwahrscheinlich, dass Miss Luke etwas weiß, da sie ja offenbar seit Jahren versteckt in Northumberland gelebt hat.«

»Den Namen hat sie nicht erwähnt«, sagte Rosanna.

»Sie meinen, Pit Wavers hat vor wenigen Tagen schon wieder eine Frau bestialisch ermordet?«, fragte Marc ungläubig, und seinem Gesicht war anzusehen, dass er anfing, Pamelas panikartige Ängste vor Wavers allmählich ernster zu nehmen als zuvor.

»Es gibt Parallelen zu der Geschichte von Jane French«, sagte Fielder vorsichtig. Er überlegte einen Moment und sagte dann: »Wir haben heute früh Mr. Ronald Malikowski festgenommen. Eine Zeugin hat ihn im letzten Dezember zusammen mit Linda Biggs gesehen.«

»Malikowski sitzt fest?«, fragte Marc. »Wavers' engster Freund! Man darf natürlich keine voreiligen Schlüsse ziehen, aber ein paar Puzzleteile scheinen sich zusammenzufügen.«

Fielder sah das auch so. »Zweifellos. Malikowski streitet jegliche Beteiligung an beiden Verbrechen vehement ab. Hat bislang allerdings auch noch keinen anderen Namen genannt. Was vermutlich nur eine Frage der Zeit ist. Diese Typen verpfeifen einander ziemlich hemmungslos, wenn es schließlich darum geht, den eigenen Kopf zu retten.«

»Inspector Fielder«, sagte Rosanna, »können Sie sich vorstellen, was mit Elaine Dawson geschehen ist?«

Sie hatte längst begriffen, dass er ungern spekulierte, höchstens insgeheim, aber nicht in Andeutungen nach außen. Trotzdem interessierte es sie brennend, was ein erfahrener Beamter von Scotland Yard sagen würde.

»Die Tatsache, dass sie seit Jahren spurlos verschwunden ist und dass ihr Reisepass kurz nach ihrem Verschwinden, wie behauptet, in der Wohnung eines Mannes gefunden wurde, der gerade wegen dringenden Tatverdachts in zwei Mordfällen von uns verhört wird, lässt leider keine allzu optimistischen Schlüsse zu, was ihr Schicksal angeht«, sagte Fielder. »Und selbst wenn sich herausstellt, dass Malikowski nicht der Mann ist, den wir suchen, sondern stattdessen ein enger Freund von ihm, liegen die Dinge verquickt genug, um die Sache nicht gerade in besserem Licht erscheinen zu lassen. Ich überrasche Sie sicher nicht, Mrs. Hamilton, wenn ich Ihnen sage, dass Sie im Hinblick auf Elaine Dawson mit dem Schlimmsten rechnen sollten.«

Das überraschte sie tatsächlich nicht. Sie rechnete schon die ganze Zeit damit.

»Ich weiß«, sagte sie.

»Wir werden Malikowski nach ihr befragen«, sagte Fielder, »er wird uns eine Erklärung für den Pass geben müssen. Haben Sie im Übrigen dieses Dokument vielleicht dabei? Oder reist Miss Luke nach wie vor damit durch die Gegend?«

Rosanna öffnete ihre Handtasche, nahm den Pass heraus und reichte ihn dem Inspector. Er betrachtete ihn genau, legte ihn dann neben sich. Es war klar, dass er ihn einbehalten würde.

Er erhob sich zum Zeichen, dass er das Gespräch als beendet ansah, und reichte erst Rosanna, dann Marc die Hand. »Ich danke Ihnen, dass Sie gekommen sind. Sie haben uns sehr wertvolle Informationen geliefert. Ihre Adressen hier in London haben wir. Ich möchte Sie bitten, die Stadt vorläufig nicht zu verlassen. Außerdem müssen wir sofort über den Aufenthaltsort von Miss Pamela Luke informiert werden, sobald Sie ihn kennen.«

»Sie können sich darauf verlassen«, sagte Marc.

Rosanna schielte unauffällig auf das Display ihres Handys. Noch immer kein Anruf von Cedric.

Er und Pamela waren jetzt seit vier Stunden unterwegs.

6

Er hatte London Richtung Somerset verlassen, eigentlich ohne nachzudenken, aber es war ein Weg, der ihm vertraut war, den er viele Male genommen hatte. Gerade jetzt am Wochenende erst. Kurz hatte er erwogen, dass sie einfach zu seinem Vater fahren und dort ihr Quartier aufschlagen könnten, aber als er diese Möglichkeit andeutete, hatte Pamela entsetzt abgelehnt. »Nein! Das kann er herausfinden. Wir müssen einen ganz neutralen Ort finden.«

»Ehrlich gesagt, ich glaube kaum, dass Wavers dahinterkommen kann. Er kennt den Namen *Hamilton*, aber das ist der Ehename meiner Schwester. Herauszufinden, wie sie früher hieß und wo sie lebte, dürfte fast unmöglich sein.«

Ihre einzige Antwort war gewesen: »Sie kennen ihn nicht.«

Er hatte den Gedanken wieder aufgegeben. Vielleicht war es besser so. Er hätte seinen Vater in die ganze Geschichte einweihen müssen, und das hätte den älteren Mann womöglich überfordert.

Sie gerieten von einem Stau in den nächsten und kamen nur langsam vorwärts. Je weiter der Tag voranschritt, desto häufiger machte Cedric den Vorschlag, in ein Dorf abzubiegen und eine Unterkunft zu suchen, aber jedes Mal wehrte Pamela ab. »Wir sind noch viel zu nahe an London!«

»Wir sind bald in Bristol!«, sagte Cedric. »Ich denke wirklich, wir sind aus der Reichweite jedes nur denkbaren Londoner Gewaltverbrechers heraus!«

Ihm wurde zunehmend klar, dass er einen schwierigen Part übernommen hatte. Er hätte sich gern mit Pamela unterhalten, um mehr über sie zu erfahren, aber jeden seiner diesbezüglichen Versuche blockte sie sehr rasch ab. Immer wieder betrachtete er sie verstohlen von der Seite. Sie saß tief in ihren Sitz gekauert, die Arme vor der Brust verschränkt, und das Stunde um Stunde. Den Kopf hatte sie zwischen die Schultern gezogen wie eine misstrauische Schildkröte. Sie machte den Eindruck eines Menschen, der sich am liebsten in Luft aufgelöst oder sich auf sonst irgendeine Art unsichtbar gemacht hätte. Die Angst umgab sie als eine fast sichtbare Aura, man meinte, sie fühlen oder sogar riechen zu können. Cedric glaubte zu spüren, dass die Angst längst ein integraler Bestandteil dieser Frau geworden war, so wenig je wieder von ihr abzuspalten wie ihre Organe. Selbst wenn alle Pit Wavers dieser Erde hinter Gittern säßen, würde die Angst bleiben. Pamela Luke konnte die Welt nur noch als einen Ort des Schreckens empfinden, wie ein Tier, das zu lange und zu schwer gequält worden ist, um das Gute überhaupt noch wahrnehmen zu können.

Als die Dunkelheit kam und sie sich kurz hinter Glastonbury in Richtung Burnham-on-Sea befanden, beschloss Cedric, sich über Pamelas panisches *Weiter! Weiter!* hinwegzusetzen. Er hatte begriffen, dass sie von selber nie mehr anhalten würde.

Er fuhr in eine Parkbucht und bremste. Er sah sie an, ihr bleiches Gesicht im rasch versickernden Tageslicht schien ihm wie die schmale Sichel des Mondes.

»Pamela, wir werden uns hier nun ein Quartier suchen«, sagte er behutsam, aber mit einem Unterton, der deutlich machte, er würde nicht mit sich verhandeln lassen. »Wir könnten noch weiter bis Cornwall und dann quer hindurch fahren, aber irgendwann erreichen wir Land's End, und dann ist sowieso Schluss. England ist eine Insel!«

Er konnte sehen, dass sie nickte. »Ich weiß. Es ist nur...« Sie zögerte. »Es ist nur so, dass ich eine solche Bedrohung spüre«, sagte sie dann. »Mein Herz rast. Irgendetwas...« Sie suchte nach Worten, um auszudrücken, was sie empfand, fand aber keine.

»Pamela, ich kann das verstehen, aber was Sie umtreibt, ist sicher kein objektives Empfinden, sondern Ihre Angst«, sagte er. »Sie wissen doch, wie das ist: Wenn man Angst hat, hört und sieht man überall Anzeichen von Gefahren. Ich erinnere mich genau an die Zeit, als ich ein kleiner Junge war. Ich fürchtete mich ganz schrecklich vor dem Keller in unserem Haus. Und jedes Mal, wenn ich dort hinuntergehen musste, um mir etwas zu trinken zu holen, hörte ich seltsame Geräusche oder sah sogar glühende Augen in der Dunkelheit. Ich hätte jedem geschworen, dass ich mir das nicht einbildete, ich bin sogar richtig wütend geworden, wenn mein Vater etwas von meiner wilden Fantasie erzählte. Na ja, aber heute weiß ich natürlich, dass es Blödsinn war. Es gab keine Gespenster im Keller. Es gibt keinen Pit Wavers in unserer Nähe. Wir sind ganz dicht am Meer, und morgen zeige ich Ihnen den Strand von Burnham-on-Sea. Ich bin früher oft dort gewesen. Die Gegend ist wunderschön. Vielleicht vergessen Sie dort ein wenig Ihre Ängste!«

Er merkte, dass er sie nicht wirklich mit seinen Worten erreichte, aber dass sie aufgeben würde, sich zu wehren. Nicht weil ihre Angst nachließ, sondern weil sie begriff, dass ihre Angst auch dann nicht kleiner würde, wenn sie bis ans andere Ende der Welt jagte.

Es erwies sich als nicht einfach, eine Unterkunft zu finden, und die nun sehr schnell einfallende Nacht machte die Sache nicht leichter. Cedric fluchte in sich hinein, weil er sich nicht durchgesetzt und noch bei Tageslicht nach einer Pension gesucht hatte. Sie erreichten Cannington, wo es ein paar *Bed & Breakfast*-Unterkünfte gab, und sie waren jetzt im Februar auch nicht belegt, aber unglücklicherweise hatten die meisten erst gar nicht geöffnet. Die Leute waren um diese Jahreszeit nicht auf Besucher eingestellt und hatten keine Lust, jetzt am Abend noch rasch ein Zimmer in Ordnung zu bringen, weil zwei unerwartete Gäste hereinschneiten. Cedric erwog, weiter nach Bridgewater zu fahren und sich nach einem Hotel umzusehen, aber Pamela begann schon wieder flach zu atmen.

»Nein, kein Hotel«, sagte sie flehentlich, und er gab es auf, ein logisches Gespräch mit ihr zu führen.

»Versuchen Sie es doch mal bei Mrs. Blum, die Straße runter, gleich an der Ecke«, riet eine Frau, bei der sie geläutet hatten, weil ein Schild an ihrem Haus auf freie Zimmer hinwies. Die Zimmer wurden jedoch gerade renoviert und waren nicht bewohnbar. »Mrs. Blum hat ein Haus etwas außerhalb mit vier Ferienapartments. Vielleicht können Sie da eines bekommen.«

Der Tipp erwies sich als nützlich. Mrs. Blum schien zwar nicht begeistert, an diesem kalten Abend ihre gemütliche Sofaecke verlassen zu müssen, aber die Aussicht auf einen unerwarteten Verdienst scheuchte sie schließlich doch auf die Beine.

»Auf welchen Namen?«, fragte sie misstrauisch, und Cedric beschloss, kein Risiko einzugehen.

»Mr. und Mrs. Jones«, erklärte er. »Wir sind auf der Durchreise, werden aber vielleicht ein paar Tage bleiben.«

»Komische Zeit, um zu reisen«, meinte Mrs. Blum kopfschüttelnd, »und es ist auch nicht klug, vorher nichts zu buchen. Die Apartments sind nicht geheizt, wissen Sie. Ist mir zu teuer, wenn doch keiner drin wohnt. Hätte ich Bescheid gewusst...«

»Wir kommen schon zurecht«, versicherte Cedric.

»Die Gasheizung funktioniert gut. Aber es wird eine Zeit lang dauern, bis es warm ist. Die Wände sind völlig ausgekühlt.«

Mrs. Blum fuhr mit ihrem Auto vorneweg, Cedric und Pamela folgten. Es ging über gewundene Landstraßen weiter ins Landesinnere hinein. Bald schon waren nirgendwo mehr Lichter zu sehen, die auf menschliche Behausungen hindeuteten. Immerhin begegneten ihnen hier und da andere Autos.

Pamela kroch immer tiefer in ihren Sitz. »Das liegt ja vollkommen einsam!«

Er reagierte leicht gereizt. »In eine größere Stadt und ein richtiges Hotel wollten Sie ja nicht. Wir können jetzt nicht mehr herumsuchen. Ich bin müde und will endlich ankommen. Wenn Sie die perfekte Unterkunft wollen, hätten Sie früher anfangen müssen, danach Ausschau zu halten. Bevor draußen rabenschwarze Nacht herrschte!«

Sie sagte nichts mehr, aber er nahm wahr, dass sie zitterte. Er hätte ihr gern für einen Moment beruhigend die Hand auf den Arm gelegt, wagte es aber nicht. Er hatte das Gefühl, dass jede Art von Berührung sie einschüchterte.

Irgendwann bog Mrs. Blum von der Landstraße ab und fuhr eine gewundene Auffahrt hinauf. Rechts und links standen hohe Bäume, die, obwohl noch winterlich kahl, doch so dicht standen, dass sie das Mondlicht schluckten und alles noch düsterer machten. Cedric fürchtete sich nicht, aber ihm war klar, dass dies ein ungeeigneter Ort für seine verstörte Begleiterin war.

Morgen suchen wir etwas anderes, nahm er sich vor.

Das Haus lag zwischen den Bäumen. Es war, soweit Cedric das erkennen konnte, modern und nicht besonders schön, ein lieblos hochgezogener, sehr funktionell erscheinender Bau mit flachem Dach, schmucklos und kalt.

»Mein Mann hat das Grundstück vor Jahren geerbt«, erklärte Mrs. Blum. »Wir haben das alte Haus abreißen lassen und dieses hier gebaut. Es hat vier Apartments. Wir haben uns damals ganz schön verschuldet, aber wir sind jeden Sommer komplett ausgebucht, und unsere Schulden sind bald abgetragen.«

Sie wirkte ausgesprochen selbstgefällig. Cedric mochte sie genauso wenig wie ihr Haus.

Er und Pamela folgten ihr in das Innere. Sie schloss gleich die erste Tür auf, die vom Hausflur abging, und betrat eine kleine Wohnung, die, wie Cedric rasch überblickte, aus zwei winzigen Schlafzimmern, einem Bad und einem Wohnzimmer mit Küchenzeile bestand. Billig eingerichtet und nur mit dem Notwendigsten ausgestattet. Und tatsächlich erbärmlich kalt. Egal. Für eine Nacht würde es gehen.

Mrs. Blum schraubte an einem Heizkörper herum, der an der Wand hing, und zu Cedrics Erleichterung erwachte er knirschend und ächzend zum Leben.

»Wird bald warm«, sagte Mrs. Blum. Sie händigte ihnen den Schlüssel aus und ließ sich sogleich für die erste Übernachtung bezahlen.

»Morgen sehe ich nach Ihnen«, versprach sie, und es war klar, dass dieser Besuch vor allem dem Abkassieren der nächsten Nächte dienen würde. Cedric wusste, dass die Küste des Bristol Channel im Sommer von Touristen förmlich überschwemmt wurde. Nur so war zu erklären, dass diese unangenehme Frau das abgelegene Haus, das an sozialen Wohnungsbau erinnerte, offenbar ohne Probleme vermieten konnte.

Vielleicht ist aber auch die Landschaft ganz hübsch, dachte Cedric. Morgen wissen wir mehr.

Er schloss hinter Mrs. Blum sorgfältig die Tür ab, nicht so sehr aus eigenem Interesse, sondern um Pamela zu beruhigen. Sie stand in dem scheußlichen Wohnzimmer und hielt noch immer die Arme vor der Brust verschränkt. Sie war leichenblass.

»So«, sagte Cedric betont munter, »nun werde ich erst einmal Rosanna anrufen und ihr erzählen, wohin es uns verschlagen hat. Vielleicht hat sie auch schon Neuigkeiten zu berichten. Am Ende sitzt Wavers bereits hinter Schloss und Riegel.«

Sein Display zeigte an, dass mehrere Anrufe aufgelaufen waren, die er offenbar im Auto nicht gehört hatte. Wahrscheinlich von Rosanna. Klar, seine Schwester konnte sich nicht erklären, weshalb das alles so lange dauerte. Er fluchte in sich hinein, als er feststellte, dass er keinen Netzempfang bekam. Kein Wunder, in diesem abgelegenen, waldigen Tal. Er versuchte es an dem Telefon, das auf dem Küchentresen stand, aber die Leitung war tot. Der Apparat war stillgelegt. Verdammte, geizige Alte! Er vermutete, dass man eine Telefonkarte bräuchte, um das Gerät zu aktivieren, und dass Mrs. Blum mit der Karte einen guten Zusatzgewinn erzielte.

Pamela starrte ihn an. »Das Telefon funktioniert nicht?«

»Wir brauchen eine Karte dafür. Mrs. Blum sorgt sich, jemand könnte sie in den Ruin telefonieren.«

»Und das Handy geht auch nicht?«

»Kein Empfang. Wahrscheinlich reicht es, wenn ich nach vorn zur Straße laufe. Ich…«

»Nein!« Sie wurde noch blasser. »Gehen Sie jetzt nicht weg!«

»Ich muss meine Schwester anrufen.« Er überlegte kurz. »Ich weiß ja nicht, wie das bei Ihnen ist, aber ich habe einen Bärenhunger. Ich schlage vor, wir setzen uns ins Auto und fahren rasch nach Burnham hinüber, suchen uns ein Pub und essen erst einmal. Von dort können wir dann auch telefonieren.«

Sie schien hin- und hergerissen. »Aber wenn wir weggehen und in der Zwischenzeit…«

»Was denn?« Sie nervte ihn. Sie sah aus wie eine Spitzmaus, und ihre Augen waren weit aufgerissen.

»In der Zwischenzeit könnte er hierherkommen und auf uns warten, bis wir zurückkehren.«

Das fand er so absurd, dass er fast gelacht hätte. Er verbiss es sich, weil er ihre echte Not und Bedrängnis spürte. »Da müsste er doch erst einmal wissen, wo wir sind. Wie soll er das denn herausfinden? Über diesen idyllischen Ort hier stolpert man nicht gerade!«

Sie schien nicht überzeugt, widersprach aber auch nicht. Er hatte den Eindruck, dass sie Männern überhaupt selten widersprach. Vermutlich war ihr das allzu oft schlecht bekommen.

Er nahm den Autoschlüssel vom Regal. »Gehen wir.«

Sie traten hinaus in die kalte Nacht.

Um sie herum war es vollkommen still und vollkommen dunkel, und nicht ein Windhauch bewegte die Äste der kahlen Bäume.

Rosanna stand in ihrem Hotelzimmer und fragte sich gerade, ob das schwarze Kleid, das sie trug, zu kurz war und als eindeutige Absicht ausgelegt werden konnte, als ihr Handy klingelte. Zu ihrer Überraschung war es Dennis, der anrief. Sie hatte es wieder und wieder bei ihm versucht und es inzwischen fast aufgegeben, ihn erreichen zu können. Nun meldete er sich selbst. Seine Stimme klang ungewöhnlich erschöpft.

»Rosanna? Ich bin's. Dennis.«

Sie brauchte ein paar Sekunden, aber dann fuhr sie ihn anstelle einer Begrüßung an: »Dennis? Das gibt es doch nicht! Hast du eine Vorstellung, wie viele Sorgen ich mir gemacht habe?«

»Rosanna...«

»Das Letzte, was ich von dir gehört habe, war, dass Rob verschwunden ist. Und dann verschwindest du vollkommen in der Versenkung, rührst dich nicht mehr und bist auch nicht zu erreichen. Gibt es etwas Neues?«

»Rob ist nach London geflogen. Zu seiner Mutter.«

Rosanna schnappte nach Luft.

»Was?«, fragte sie dann ungläubig.

»Hör zu, Rosanna, ich bin ebenfalls in London. Ich bin heute Mittag eingetroffen. Marina hat mich gestern Abend verständigt. Sie wollte nicht, dass ich komme; ich denke, auch Rob wollte es nicht. Aber ich... ich konnte nicht länger einfach in Gibraltar herumsitzen.«

Dennis war in London. In ihrer unmittelbaren Nähe. Von einem Moment zum anderen hatte sie das Gefühl, schwerer zu atmen.

»Können wir uns sehen?«, fragte Dennis.

Sie schluckte. »Wann?«

»Jetzt. Ich nehme ein Taxi und komme zu dir ins Hotel.«

Sie war mit Marc zum Abendessen verabredet, aber es ging um Rob, und sie hatte den Eindruck, einem Gespräch unmöglich ausweichen zu können.

»Okay«, sagte sie widerwillig. Es schien, als wolle Dennis noch etwas fragen – er mochte registriert haben, wie wenig erbaut sie von der Aussicht auf eine Begegnung mit ihm war –, aber nach einigem Zögern sagte er nur: »Dann bis gleich!«, und legte den Hörer auf.

Im nächsten Moment läutete das Telefon erneut. Es war Cedric.

»Bei dir war besetzt!«, sagte er. Im Hintergrund waren Stimmengewirr und Gläserklirren zu hören.

»Cedric! Endlich! Wo seid ihr?«

»In Burnham. Somerset. Pamela war nicht zu stoppen. Sie wollte am liebsten ans andere Ende der Welt. Sie ist wirklich völlig durch den Wind.«

»Cedric, Marc und ich waren bei Scotland Yard. Ron Malikowski, der Typ, in dessen Wohnung Pamela Elaines Pass gefunden hat, ist heute früh im Zusammenhang mit einem letzte Woche verübten Mord festgenommen worden. Es kann aber auch sein, dass Wavers dahintersteckt. Sie fahnden nach ihm.«

»Das ist gut. Ich hoffe, sie schnappen ihn bald.«

»Man war dort ziemlich ärgerlich, weil Pamela London verlassen hat. Der ermittelnde Beamte will unbedingt mit ihr sprechen.«

»Ich glaube nicht, dass ich sie überreden kann, nach London zurückzukehren, solange Wavers auf freiem Fuß ist.«

»Aber vielleicht stimmt sie einem Treffen in Burnham zu. Wo genau seid ihr da?«

»Ein Stück außerhalb von Cannington. In einem grauenvollen Apartmenthaus – wo ich bestimmt nicht länger als eine Nacht bleibe. Das Telefon dort ist gesperrt, und mein

Handy hat kein Netz. Ich rufe dich jetzt von einem Pub aus an, wo wir etwas essen. Morgen suche ich eine bessere Unterkunft.«

»Bitte melde dich morgen früh wieder, sobald du kannst. Inspector Fielder muss mit Pamela sprechen.«

»Klar. Ich melde mich. In aller Frühe. Versprochen.«

Sie beendeten das Gespräch. Rosanna trat vor den Spiegel. Das Kleid war wirklich zu kurz, aber sie hatte keine Lust, sich noch einmal umzuziehen.

Sie betrachtete ihr Gesicht.

Du hast einige Probleme, Rose Anne!

Dabei liefen die Dinge gut. Das Verbrechen an Elaine – sie zweifelte kaum mehr daran, dass eines stattgefunden hatte, und die Polizei, wie sie deutlich gemerkt hatte, auch nicht – stand kurz vor seiner Aufklärung. Nach allem, was sie wusste, schien Pit Wavers die Schlüsselfigur zu sein. Es war nur eine Frage der Zeit, bis man ihn hatte. Vielleicht würde Pamela Luke dann ein neues Leben beginnen können. Marc wäre von dem Albtraum seiner Vergangenheit befreit. Geoff Dawson hatte die Genugtuung, von seiner Schwester tatsächlich nicht freiwillig verlassen worden zu sein, vielleicht fand er darüber seinen Frieden. Unter Umständen konnte Elaine in das Grab ihrer Familie nach Kingston St. Mary überführt werden.

Alles würde gut werden.

Und ich kehre nach Gibraltar zurück und lebe glücklich und zufrieden mit Dennis.

Sie schnitt ihrem plötzlich so sorgenvoll dreinblickenden Spiegelbild eine Grimasse.

Ich habe mich in Marc Reeve verliebt. Kann ich so tun, als wäre das nicht passiert, und einfach da weitermachen, wo ich vorher war? Aber wo war ich eigentlich? Glücklich mit Dennis? Glücklich in Gibraltar? Zufrieden mit meinem Leben?

Die letzten drei Fragen musste sie, wenn sie ehrlich war, alle mit einem klaren Nein beantworten.

Und darin lag ein großes Problem. Sie hatte die Tatsache, dass sie in ihrer Ehe nicht allzu glücklich war, einigermaßen verdrängen und ignorieren können, solange kein anderer Mann aufgetaucht war. Jetzt gab es Marc. Jetzt würde sie keine Vogel-Strauß-Politik mehr betreiben können.

Sie wandte sich vom Spiegel ab. Marc! Sie musste ihn anrufen und ihm für heute Abend absagen.

Noch hatte ein Date mit ihrem Ehemann Vorrang.

»Hattest du heute Abend etwas vor?«, fragte Dennis prompt, nachdem sie einander ziemlich steif in der Hotellobby begrüßt und schließlich in einer der kleinen Sitzgruppen Platz genommen hatten. Ein Kellner brachte Mineralwasser für Rosanna und einen Gin Tonic für Dennis. Dennis, der immer sehr auf sein Äußeres zu achten pflegte, war ungewöhnlich nachlässig gekleidet: Jeans, ein nicht ganz sauberes kariertes Hemd, darüber ein Jackett, das farblich nicht passte. Er war schlecht rasiert und schien sehr müde zu sein. Wahrscheinlich hatte er seit Roberts Verschwinden kaum geschlafen.

Rosanna schüttelte den Kopf auf seine Frage hin. »Nein. Ich hatte nichts vor.«

»Du siehst sehr gut aus.«

»Danke.«

»Ja, nun«, Dennis räusperte sich, »die Lage ist alles andere als erfreulich. Wie ich schon sagte…«

»… ist Rob zu seiner Mutter geflüchtet. Du hast ihn gesprochen? Wie geht es ihm?«

»Er wirkt verstört. Er war keineswegs glücklich, mich zu sehen, und eigentlich hat er wenig geredet. Im Wesentlichen hat er gesagt, dass er nicht mehr mit mir nach Gibraltar zurückmöchte.«

»Er geht dort zur Schule!«

»Er meint, dass er hier in England genauso zur Schule gehen kann. Was natürlich stimmt.«

»Möchte er denn bei seiner Mutter leben?«

Dennis zuckte mit den Schultern. »Genaues scheint er sich da gar nicht vorzustellen. Ich habe den Eindruck, er will einfach nur weg von mir. Über die Konsequenzen hat er gar nicht richtig nachgedacht. Er ist durchgebrannt – und zwar zu dem einzigen Menschen, den er außer mir auf der Welt noch hat: zu seiner Mutter.«

»Wie geht sie damit um?«

»Marina? Auf mich wirkt sie etwas überfordert. Das Ganze kam für sie völlig überraschend, er hatte sich nicht angekündigt. Er stand plötzlich in ihrem Haus, als sie von einem Ausflug zurückkehrte, und sie wollte schon um Hilfe schreien, weil sie ihn für einen Einbrecher hielt. Nun hat sie auf einmal einen Sohn, der den Anspruch an sie stellt, sich wie eine Mutter zu verhalten. Sie hat sich erst einmal ein paar Tage freigenommen, um Zeit mit ihm verbringen zu können. Sie versucht ihr Bestes.«

»Im Grunde ist es ja gar nicht schlecht, dass die beiden einander kennen lernen«, sagte Rosanna. »Roberts Mutter ist schließlich nicht tot. Ich fand die Vorstellung immer etwas bedrückend, dass absolut kein Kontakt zwischen ihnen bestand. Robert ist in einem schwierigen Alter. Es geht jetzt für ihn auch darum, seine Identität zu finden, und dafür braucht er auch seine Mutter. Vielleicht hat seine Flucht nach England viel mehr mit diesem Bedürfnis zu tun als mit eurem Streit.«

»Du meinst, der Streit war eine Art Auslöser für etwas, das er ohnehin wollte?«

»Ich könnte mir denken, dass ihn die Frage nach seiner Herkunft schon länger beschäftigt. Er hat mit Marina etwas zu klären. Vielleicht sollte man das nicht unterbinden.«

»Es kommt aber noch etwas hinzu«, sagte Dennis. Er sah Rosanna nicht an, sondern blickte an ihr vorbei in die Hotellobby, in der das übliche Leben und Treiben eines normalen Abends herrschte: viele Geschäftsleute, die einander zum Essen trafen, ein paar ältere Paare, die sich, ihrer Kleidung nach zu schließen, auf den Weg ins Konzert oder ins Theater machten, Ankommende, die ihre Trolleys hinter sich herzogen und die Rezeption ansteuerten. Es herrschte lautes Stimmengewirr, und von irgendwoher erklangen die Töne eines Pianos.

»Es kommt noch etwas hinzu«, wiederholte Dennis. »Robert war sehr verstört, ehe er ... von daheim weglief. Er ist von der fixen Idee besessen, dass du nicht zu uns zurückkommen wirst. Offenbar hegt er schon seit längerer Zeit Ängste in dieser Richtung, und durch deinen Aufenthalt in London sieht er sich bestätigt. Ich glaube, er hat das Gefühl, dass seine Welt zusammenbricht. Dass unsere Familie schon bald nicht mehr bestehen wird. Ich denke, wäre nur mein Verbot, zu dieser Party zu gehen, der Grund für sein Weglaufen gewesen, dann hätte er sich zu dir geflüchtet. Bei eurem guten Verhältnis wäre das nur logisch gewesen. Aber er glaubt, dass er dich verliert. Vielleicht schon verloren hat. Daher nannte ich Marina vorhin den *einzigen Menschen, den er außer mir noch hat*. Er versucht, sich in Marina den Ersatz für dich zu sichern. Was so natürlich nicht geht, und was sicher auch nicht funktionieren wird.«

Sie war froh, dass er so beharrlich an ihr vorbeiblickte, denn sie hatte den Eindruck, dass ihr Gesichtsausdruck sie verriet: Sie war sehr erschrocken, und sie fürchtete, dass man ihr das ansah.

»Er ... hat er das so gesagt?«, fragte sie nach einer Weile mit belegter Stimme. »Dass ... ich nicht zurückkommen werde?«

Dennis sah sie noch immer nicht an. »Er hat gesagt, dass

398

du nicht glücklich mit mir bist. Und dass du gehen wirst. Er hat das in dieser Deutlichkeit gesagt.«

Sie erwiderte nichts. Schließlich wandte Dennis den Kopf.

»Kann es sein«, fragte er, »dass er recht hat?«

Sie hielt ihr Wasserglas umklammert. Wie in grelles Licht getaucht, sah sie sich selbst: das frisch gewaschene Haar, das Gesicht stärker geschminkt als sonst, das viel zu kurze Kleid. Dennis hatte eine andere Frau vor sich. Allein ihre Aufmachung beantwortete bereits seine Frage.

»Ich weiß es nicht«, sagte sie, als das Schweigen zu lange dauerte und dadurch schon fast nicht mehr missverständlich war, »wirklich, Dennis, ich weiß es nicht genau.«

Er atmete tief.

»Weißt du, was du damit sagst?«, fragte er.

Sie nickte.

Er betrachtete sie. »Es gibt einen anderen Mann. Und du warst heute Abend eigentlich mit ihm verabredet.«

»Bitte, Dennis...«

»Könntest du bitte ehrlich sein?«

»Ich bin ehrlich, wenn ich dir sage, dass ich es nicht weiß. Ich habe einen anderen Mann kennen gelernt, ja. Aber ich weiß nicht, ob diese Sache eine Zukunft hat, ich weiß nicht einmal, ob ich will, dass sie eine hat. Ich bin mir weder über meine Gefühle für diesen Mann wirklich im Klaren noch über meine Gefühle für dich. Ich brauche Zeit.«

»Zeit!«, sagte er höhnisch, aber in dem Hohn schwang seine ganze Verletztheit.

»Ich muss mich in mir wieder zurechtfinden, Dennis.« Sie sah ihn bittend an, hoffte, dass er verstand, was sie sagen wollte. »Ich habe damals, als wir zusammenkamen, vollständig dein Leben übernommen. Dein Land, deinen Sohn, deine Freunde. Ich habe alles hinter mir gelassen, was zu mir gehörte. Und irgendwie bin ich damit nicht glücklich geworden.«

»Aber damals hast du…«

»Ich weiß. Niemand hat mich dazu gezwungen. Aber es war auch nicht so, dass ich eine Wahl gehabt hätte, wenn ich mit dir zusammensein wollte. Es war einfach von Anfang an klar, dass wir dein Leben leben und nicht meines.«

»Ich hatte damals schon ein gutgehendes Immobilienunternehmen in Gibraltar. Ich konnte das nicht einfach aufgeben.«

»Ich hatte auch einen Job, der mir Spaß machte.«

»Aber du warst nicht selbstständig. Du konntest auch anderswo eine Anstellung suchen. Ich hätte alles hinwerfen müssen, was ich mir aufgebaut hatte, und ganz von vorn anfangen müssen.«

»Ja. Und deswegen gab es ja auch nie eine Diskussion zwischen uns in dieser Frage. Aber dadurch hast du vielleicht auch nie begriffen, dass ich einen sehr großen Schritt auf dich zu gemacht habe. Ich habe es mir ja selbst nicht richtig eingestanden. Aber wann immer ich davon anfing, wenigstens in Gibraltar dann wieder zu arbeiten, hast du so lange dagegen geredet, bis ich aufgegeben habe. Zum Schluss hatte ich das Gefühl, ich sitze nur noch daheim, wasche Wäsche, koche Essen und schlichte die Streitereien zwischen dir und Robert. Das hat mich nicht befriedigt. Dennis, das war zu wenig für mich.«

Er nickte langsam. »Ich wollte einfach… ich wollte Stabilität für Rob. Dass da eine Mutter ist, wenn er von der Schule zurückkommt. Dass seine Tage in der nötigen Regelmäßigkeit ablaufen. Als ich allein mit ihm war, wurde er ständig herumorganisiert, mal hier abgestellt, mal dort… Wir hangelten uns von einem Provisorium zum nächsten… Ich wollte, dass er das nie wieder mitmachen muss. Dass er Geborgenheit findet.«

Sie berührte kurz seinen Arm. Sie wusste, wie sehr er Robert liebte. Sie wusste auch, dass ein Großteil ihrer Gefühle für ihn dort ihren Ursprung hatten: in dieser Liebe zu seinem Sohn und der Rührung, die es in ihr ausgelöst hatte, dies zu beobachten. Aber die damit verbundene Erwartung an sie hatte sie zugleich erschlagen. Für Dennis war sie in gar keiner anderen Rolle mehr sichtbar gewesen als in der, die perfekte Mutter für Rob darzustellen. Alle anderen Anteile in ihr hatte Dennis nicht beachtet. Bis sie sie schließlich selbst kaum noch hatte wahrnehmen können.

»Vielleicht war das das Problem«, sagte sie. »Du hast in allererster Linie nach einer Mutter für Rob gesucht. Erst in zweiter nach einer Frau für dich. Das kann nicht funktionieren. Und das Traurige ist: Letztlich funktioniert es für Rob auch nicht.«

»Ja«, sagte er, »offenbar.«

Seine Augen waren gerötet vor Erschöpfung. Es drängte Rosanna, ihn in die Arme zu nehmen, über dieses müde Gesicht zu streichen und ihm zu sagen, dass alles gut würde.

Aber es wäre nicht ehrlich gewesen.

»Gib mir Zeit«, bat sie noch einmal, »irgendwo habe ich mich selbst verloren in den letzten Jahren. Ich muss herausfinden, was ich mit meinem weiteren Leben machen möchte.«

Er fuhr sich über die Augen. »Und wie sieht das aus? Ich gebe dir Zeit und warte, und am Ende erklärst du mir, dass du dich für diesen anderen Mann entschieden hast und leider nicht mehr wiederkommst. Und das war es dann.«

»Es geht absolut nicht in erster Linie um die Frage, für welchen Mann ich mich entscheide. Es geht um viel mehr.«

Wut flammte auf in seinen brennenden Augen. »Ach? Es geht nicht um Männer? Dann schau dich doch mal an! Deine Aufmachung heute Abend ist eine einzige Aufforderung an jeden Mann, dir wesentlich näher zu kommen, als ihm das gegenüber einer verheirateten Frau eigentlich zusteht. Jedenfalls sobald du das unangenehme Gespräch mit deinem Ehemann hinter dich gebracht und ihn endlich wieder zu seiner Exfreundin und seinem Sohn zurückkomplimentiert hast. Mit viel Selbstfindungsgesülze und der Bitte, dir Zeit zu lassen. Zeit, die du zweifellos auf sehr angenehme Weise verbringen wirst, so viel ist klar.«

»Ich habe mit diesem Mann nicht geschlafen, und ich habe es auch nicht vor.«

»Deshalb hast du auch zehn Pfund Make-up im Gesicht und steckst in einem Kleid, in dem du ständig aufpassen musst, dass niemand deinen Schlüpfer sieht – falls du überhaupt einen trägst. Mich hast du nie in solch einer Aufmachung erwartet.«

»Weil du das nicht magst.«

»Sehr richtig«, sagte er heftig, »ich mag es nicht!« Er stand auf, stellte klirrend sein Glas ab, winkte nach dem Kellner, der in der Lobby bediente.

»Das übernehme ich«, sagte Rosanna und erhob sich ebenfalls, »ich wohne schließlich im Moment hier.«

Er schüttelte störrisch den Kopf. »Wenigstens zu einem Drink darf ich dich vielleicht einladen. Das verpflichtet dich zu nichts.«

Er sah so verletzt aus, dass sie hätte heulen mögen. »Ich würde gern Rob sehen«, sagte sie, »morgen vielleicht?«

»Ruf ihn an«, sagte er kurz angebunden.

Unschlüssig standen sie einander gegenüber. Dann war der Kellner bei ihnen, und Dennis bezahlte.

»Ja, ich rufe ihn an«, griff Rosanna seine Worte auf.

»Was macht eigentlich dein Auftrag?«, fragte Dennis. »Der Grund – oder sollte ich sagen: der vorgeschobene Grund –, warum du hier bist?«

»Alles verworren«, antwortete sie, ohne auf seinen provokanten Nebensatz einzugehen, »aber die Nebel lichten sich.« Trotz allem musste sie kurz an Cedric denken, der mit der verstörten Pamela in Cannington saß. Und an die

Polizei, die mit Hochdruck nach Pit Wavers fahndete. Und plötzlich auch an Geoff, den verbitterten, rachsüchtigen Geoff in dem schrecklichen Heim in Taunton. Es war so viel geschehen in ihrem Leben in den letzten Tagen, viel mehr als in den vergangenen fünf Jahren zusammen.

Dennis gab ihr einen angedeuteten Kuss auf die Wange. Sie spürte seine Bartstoppeln. Dennis und Bartstoppeln! Es ging ihm wirklich schlecht.

Sie sah ihm nach, als er das Hotel verließ. Er hatte die Situation mit mehr Würde ertragen, als sie ihm zugetraut hatte.

Auf einmal hatte sie das Bedürfnis, in ihr Zimmer zu gehen und zu weinen.

Sie würde Marc heute nicht mehr anrufen. Es wäre ihr unpassend erschienen.

8

Es war kurz nach zweiundzwanzig Uhr, als Cedric und Pamela aufbrachen, um in ihr Apartment zurückzukehren. Sie hatten sich lange in einem Pub in Burnham aufgehalten, denn beide verspürten sie wenig Lust auf die eiskalten, lieblos eingerichteten Räume, die sie erwarteten. Es waren wenig Leute da gewesen, aber trotzdem hatte im Pub eine gemütliche Atmosphäre geherrscht. In einem großen, gemauerten Kamin brannte ein Feuer, und das Essen, das serviert wurde, schmeckte ausgezeichnet. Cedric hatte mit gutem Appetit gegessen, aber Pamela hatte nur auf ihrem Teller herumgestochert und schließlich seufzend die Gabel zur Seite gelegt.

»Es hat keinen Sinn. Ich bringe einfach nichts herunter.«

Er hatte mit Rosanna telefoniert und Pamela dann gleich von dem Gespräch erzählt: Malikowski verhaftet, die Fahndung nach Wavers lief. Die Tatsache, dass der die Ermittlungen leitende Beamte dringend mit Pamela sprechen wollte und dass sie am nächsten Tag in irgendeiner Weise mit Scotland Yard in Verbindung würden treten müssen, unterschlug er vorläufig. Es hatte Zeit, dies am nächsten Morgen anzusprechen. Er fürchtete, dass Pamela sofort wieder in Panik geraten und hysterisch werden würde, und er mochte sich den Abend nicht noch mehr verderben. Er fand es nicht schlecht, in Somerset zu sein, er freute sich, am nächsten Tag an den Strand zu gehen. Diese Reise, so seltsam die Umstände auch waren, unter denen sie verlief, stellte doch eine hübsche Abwechslung zu dem Londoner Hotel dar, in dem er die Tage verschlafen und die Nächte durchgesoffen und jeden Gedanken an seine Zukunft zu verdrängen versucht hatte, aber diese Frau ihm gegenüber verdarb ihm ein wenig die Laune. Spitz und bleich im Gesicht, dazu diese riesigen, angsterfüllten Augen, aus denen sie sich ständig furchtsam umblickte, als erwarte sie jeden Moment, das leibhaftige Verhängnis zur Tür hereinkommen zu sehen. Um nicht ungerecht zu sein, rief er sich immer wieder ins Gedächtnis, dass sie Schlimmes erlebt und daher jedes Recht hatte, die Welt als bloßes Grauen zu empfinden. Aber warum sie hier in diesem harmlosen Städtchen, weit weg von London, derartig herumzitterte, mochte ihm nicht ganz einleuchten.

Sie ist traumatisiert, und traumatisierte Menschen agieren nicht logisch, sagte er sich.

Er trank ein wenig zu viel Bier, eigentlich nur, um den Zeitpunkt des Aufbruchs hinauszuzögern. Da er Alkohol in recht ordentlichen Mengen gewohnt war, spürte er es nicht, aber zweifellos hätte er nicht mehr fahren sollen. Egal. Irgendwie mussten sie schließlich in ihre Nobelherberge kommen.

Im Auto sagte Pamela plötzlich: »Ich verstehe nicht, weshalb sie nach Pit fahnden müssen. Warum verhaften sie ihn nicht einfach in seiner Wohnung?«

»Weil er wahrscheinlich nicht zu Hause war, als sie aufkreuzten«, sagte Cedric, »und möglicherweise bislang auch nicht erschienen ist. Bestimmt observieren sie seine Wohnung. Irgendwann tappt er in die Falle. Vielleicht hat er es sogar schon getan.«

»Es sei denn, er weiß, dass Ron verhaftet wurde.«

»Woher sollte er das wissen?«

Sie zuckte mit den mageren Schultern. »In diesen Kreisen sprechen sich solche Dinge rasch herum. Wenn Pit bis jetzt nicht gefasst wurde, ist ihm mit Sicherheit von irgendeiner Seite zugetragen worden, dass sie Ron geschnappt haben. Und dann geht er im Leben nicht in seine Wohnung zurück.«

»Muss er denn aus Malikowskis Verhaftung zwangsläufig schließen, dass ihm das Gleiche droht?«

»Er wird es zumindest befürchten. Pit ist nicht dumm. Er ist gefährlich und krank, aber er ist absolut clever. Und er kennt Ron. Die beiden sind dicke Freunde, aber jeder würde den anderen sofort verpfeifen, wenn er einen Vorteil davon hätte.«

»Sehr ehrenhaft«, murmelte Cedric.

»Ehre ist ein Wort, das die nicht kennen«, sagte Pamela, »und wenn sie es kennen würden, würden sie darüber lachen.«

Cedric fluchte leise, weil er merkte, dass er an der Abzweigung zu Mrs. Blums Haus vorbeigefahren war. Den schmalen, dunklen Waldweg konnte man bei Nacht leicht übersehen. Er legte den Rückwärtsgang ein, fuhr ein Stück zurück und bog dann ab. Als sie vor dem einsamen Haus hielten, wandte er sich an Pamela.

»Pamela, wo ist denn das Problem? Okay, nehmen wir an, Wavers rechnet mit seiner Verhaftung und hält sich versteckt, und meinetwegen tut er das mit großer Geschicklichkeit und Umsicht. Aber gerade darum wird er nicht losziehen und versuchen, seine abartigen Rachegelüste an Ihnen auszuleben. Er ist vollauf damit beschäftigt, seine Haut zu retten. Und wie sollte er uns finden? Schauen Sie sich doch um! Hier findet uns niemand!«

Er konnte mehr spüren als sehen, dass sie zitterte. »Sie kennen ihn nicht«, flüsterte sie.

»Nein, ich kenne ihn nicht, aber es gibt ein paar Dinge, die sagt mir einfach mein gesunder Menschenverstand«, erklärte Cedric und stieg aus. »Pamela, hören Sie auf, sich zu fürchten. Ich verstehe, was in Ihnen vorgeht, aber Sie haben keinen Grund, sich so verrückt zu machen.«

Und mich auch, fügte er in Gedanken hinzu.

In tiefster Dunkelheit suchten sie sich den Weg zur Haustür. Cedric sperrte auf. Sie machten Licht und traten in ihre Wohnung. Der Gasofen ächzte und stank, verbreitete jedoch wenig Wärme. Es war noch immer sehr kalt in den Räumen.

»Sind die Betten bezogen?«, fragte Cedric.

Pamela spähte in eines der Schlafzimmer. »Nein.«

Das hatte er befürchtet. »Dann müssen wir erst einmal nach Bettwäsche suchen. Hoffentlich gibt es hier so etwas!«

Sie fanden die Bezüge in einem kleinen Schrank im Wohnzimmer. Sie wirkten sauber, fühlten sich jedoch klamm an und rochen etwas muffig. Pamela schien sich daran nicht allzu sehr zu stören, aber Cedric fing allmählich an, dieses Abenteuer zu verfluchen.

Im ersten Tageslicht, schwor er sich, brechen wir hier auf. Und suchen uns irgendwo ein hübsches und gepflegtes Hotel.

»In welchem Zimmer möchten Sie schlafen?«, fragte er. »Sie können es sich aussuchen.«

Sie schüttelte den Kopf. »Ich möchte überhaupt nicht schlafen. Ich bleibe hier im Wohnzimmer sitzen.«

»Warum das denn?«

»Ich bin dann weniger angreifbar.«

»Das kann doch nicht wahr sein! Pamela, Sie brauchen Ihren Schlaf! Sie sehen todmüde aus. Und Wavers ist nicht hier. Mit Sicherheit nicht!«

Sie schüttelte erneut den Kopf. Ihre Augen waren riesig und voller Furcht. »Ich habe ein ganz schlechtes Gefühl«, flüsterte sie.

Er merkte, dass er wütend wurde. Zum Teufel, natürlich konnte es ihm egal sein, sollte sie doch die Nacht über in diesem kalten Zimmer hocken, frieren und dabei die Wände anstarren. Aber dann wären am nächsten Tag ihre Nerven noch schlechter, und das würde auch er selbst auszubaden haben. Er fand sie anstrengend und hysterisch und fragte sich, weshalb er so blöd gewesen war, sich um diese Aufgabe hier förmlich zu reißen. Das Ganze war Rosannas Geschichte, nicht seine.

»Vielleicht sollten Sie mal versuchen, mit Ihrem *schlechten Gefühl* irgendwie fertigzuwerden«, sagte er gereizt, »anstatt es immer mehr zu kultivieren. Sie essen nichts, Sie wollen nicht schlafen, und dann wundern Sie sich, wenn Sie immer mehr durchdrehen!«

»Ich spüre, dass Pit…«, begann sie mit Tränen in den Augen, aber er unterbrach sie grob: »Ach, hören Sie doch auf mit Ihrem Gespür! Sie reden sich da etwas ein, und, ehrlich gesagt, langsam gehen Sie mir ungeheuer auf die Nerven!«

Er war laut geworden. Als er an ihr vorbei aus dem Zimmer gehen wollte, schrie sie auf und wich entsetzt vor ihm zurück.

Er blieb abrupt stehen.

»Pamela«, sagte er leise.

Sie gab einen Klagelaut von sich, der ihn an einen getretenen Hund oder ein misshandeltes Kind erinnerte.

»Pamela«, wiederholte er. Er streckte vorsichtig die Hand aus, zog sie aber wieder zurück. »Pamela, es tut mir leid. Ich wollte Sie nicht erschrecken. Was hat er denn nur mit Ihnen gemacht? Was hat er gemacht?«

Sie erwiderte nichts. In ihren Augen stand nackte Panik.

»Bitte, beruhigen Sie sich«, bat er.

Sie nickte. »Ich dachte…«, begann sie, sprach den Satz aber nicht zu Ende.

»Ich weiß, was Sie dachten«, sagte Cedric, »aber bitte, denken Sie das nie wieder.« Er strich ihr das wirre, kurze Haar aus der Stirn. »Es sind nicht alle Männer wie Pit Wavers«, sagte er.

Sie war ein Bündel aus Angst und Elend, und er begriff, dass sie jetzt keinesfalls würde einschlafen können.

»Wissen Sie, wir setzen uns beide jetzt noch ein wenig hier ins Wohnzimmer«, sagte er, »und ich durchstöbere die Küche, ob Mrs. Blum nicht irgendwo einen Schluck Alkohol versteckt hat. Ein Schnaps würde uns bestimmt guttun.«

Sie erwiderte nichts, aber er erkannte einen Ausdruck der Dankbarkeit in ihren Augen. Dankbar, weil er nicht darauf beharrte, dass sie schlafen ging. Dankbar, weil er sie nicht allein ließ.

Hoffnungsvoll begann er, einen Schrank nach dem anderen zu öffnen. Ein guter Schluck würde Pamela wieder ein wenig Farbe ins Gesicht zaubern.

Und sie ruhiger werden lassen.

Er wusste nicht, was ihn geweckt hatte. Ohnehin brauchte er einen Moment, um die Situation zu begreifen, in der er sich befand: Er lag in einem unbequemen Sessel in völliger Dunkelheit und eisiger Kälte, er fror bis auf die Knochen, und wegen seiner unbequemen Haltung taten ihm alle Glieder weh. Er wollte sich aufsetzen und unterdrückte gleich darauf einen Jammerlaut. Sein Nacken schmerzte.

Die ungewohnte Stellung und die Kälte hatten ihn in einen ziemlich desolaten Zustand gebracht.

Wieso brannte das Licht nicht mehr? Er und Pamela hatten hier zusammengesessen, jeder mit einem Glas in der Hand, in das er den Schnaps eingeschenkt hatte, den irgendein Feriengast in der Kochnische vergessen hatte. Sie hatten getrunken und sich ein wenig unterhalten, aber er erinnerte sich, dass er müder und müder geworden war, dass es ihn immer mehr Anstrengung gekostet hatte, die Augen offen zu halten. Irgendwann musste er eingeschlafen sein.

Sie ist ins Bett gegangen und hat das Licht ausgemacht, dachte er.

Er erhob sich, tastete nach der Stehlampe, die sich, wie er sich entsann, unmittelbar neben ihm befand. Er stieß dagegen, konnte sie gerade noch festhalten, ehe sie umfiel. Licht flammte auf. Er warf einen Blick auf die Gasheizung, die inzwischen nicht einmal mehr ächzte, geschweige denn heizte.

Morgen verlange ich einen Teil der Miete von der Alten zurück, dachte er wütend.

Er sah auf seine Uhr. Es war viel weniger Zeit vergangen, als er gedacht hatte, es war erst halb zwölf. Er hatte vielleicht eine halbe Stunde geschlafen.

Und in diesem Moment hörte er das Geräusch.

Er fragte sich später, ob es das gewesen war, was ihn geweckt hatte, aber die Antwort auf diese Frage blieb für immer ungeklärt, und vielleicht war es auch unerheblich. Voller Grauen mutmaßte er in diesem Zusammenhang nur immer, was geschehen wäre, hätte ihn nicht irgendetwas aufgeweckt. Hätte er weiter tief schlafend in diesem Sessel gekauert ... es war nicht auszudenken.

Das Geräusch kam von der Wohnungstür. Jemand machte sich an dem Schloss zu schaffen. Jemand, der die Außentür bereits hinter sich gelassen hatte und sich nun schon im Innern des Gebäudes befand.

Das Geräusch war im Grunde unzweideutig, trotzdem sagte er sich, dass er entweder unter einer Halluzination litt oder dass es zumindest eine sowohl logische als auch harmlose Erklärung für dieses Vorkommnis gab. Oder hatte er sich von Pamelas Hysterie bereits so weit anstecken lassen, dass er Dinge hörte und sah, die überhaupt nicht existierten?

Der Gedanke an Pamela brachte ihn auf eine andere Idee. Vielleicht war sie hinausgegangen, und die Tür war hinter ihr zugefallen? Sie bemühte sich nun, wieder hereinzukommen, ohne ihn zu stören. Absurd, dass sie dabei versuchen sollte, die Wohnungstür aufzubrechen, ebenso absurd die Vorstellung, dass sie überhaupt in dieser kalten, finsteren Nacht draußen herumlaufen sollte, aber sie erschien ihm ziemlich durchgedreht, und vielleicht folgte sie mit allem, was sie tat, einer eigenen, für andere nicht nachvollziehbaren Logik.

Er beschloss, nicht in der Mitte dieses Zimmers stehen zu bleiben und zu warten, was geschehen würde, sondern hinzugehen und die Wohnungstür zu öffnen. Verdammt, er lebte normalerweise mitten in Manhattan, ganz bestimmt nicht das sicherste Pflaster auf der Welt. Er würde sich in der abgeschiedenen Idylle Somersets von nichts und niemandem ins Bockshorn jagen lassen.

Er trat in den kleinen Vorraum und wollte mit zwei Schritten zur Tür, als ihn ein leises Zischen zurückhielt. Es kam aus dem Badezimmer, das gleich neben dem Wohnzimmer lag.

»Er ist da«, flüsterte eine Stimme.

Er spähte in den fensterlosen Raum. Es herrschte völlige Dunkelheit.

»Pamela?«, fragte er leise.

»Er ist an der Tür«, wisperte sie. Sie musste dort irgendwo in der Finsternis kauern, und er konnte sich vorstellen, dass sie wie Espenlaub zitterte. Offensichtlich hatte sie ebenfalls die Geräusche von der Tür gehört, in ihrer Panik alle Lichter gelöscht und sich im Bad verkrochen – der ungünstigste Raum, da es aus ihm keinerlei Entkommen gab.

Die Tatsache, dass sie sich dort befand, bedeutete aber noch etwas anderes, und bei dieser Erkenntnis wurde ihm nun doch mulmig zumute: Sie war es jedenfalls nicht, die sich an der Tür zu schaffen machte.

Aber wer, um Gottes willen, war es dann?

Für einen Moment wusste Cedric tatsächlich nicht, was er tun sollte. Er stand wie paralysiert, und es schoss ihm nur ein Gedanke durch seinen Kopf: Wie konnte ich so dumm sein! Ein derart abgeschiedenes Haus. Kein Handy-Netz, kein Telefonanschluss! Wie, um alles in der Welt, konnte ich nur …

Weiter kam er nicht. Die Tür ging auf, und Cedric wusste sofort, dass der Gnom mit dem irren Blick, der da auf der Schwelle stand, Pit Wavers sein musste.

Klein, brutal und geisteskrank. Und er hatte eine Waffe.

»Wo ist sie?«, fragte er.

»Ich weiß nicht, wen Sie meinen«, antwortete Cedric.

Pit Wavers hatte lang mit Pamela zusammengelebt. Und in den vergangenen fünf Jahren hatte er diese Frau ununterbrochen in seinem Kopf mit sich herumgetragen, sich mit ihr beschäftigt, war mit ihr schlafen gegangen und mit ihr aufgestanden. Er kannte sie in- und auswendig. Er kannte sie besser als sich selbst, denn sich selbst sah er sich vorsichtshalber nie so genau an.

Die Pistole auf Cedric gerichtet, schob er sich, halb rückwärts gewandt, in das Badezimmer und schaltete das Licht ein.

Cedric hörte Pamela aufschreien.

»Ich wusste es«, sagte Pit, »eine Ratte verkriecht sich immer dort, wo es am dunkelsten ist. Du hast dich nicht verändert, Pammy. Steh auf und komm her.«

Er lehnte im Türrahmen, die Waffe zielte unverwandt auf Cedrics Brust.

»Hören Sie…«, begann Cedric, ohne genau zu wissen, was er eigentlich sagen wollte. Ein kerniges *Verlassen Sie sofort diese Wohnung*? Lächerlich. Wavers saß am längeren Hebel. Warum sollte er irgendeiner Aufforderung Cedrics nachkommen? Sein Zeigefinger lag am Abzug. Er brauchte ihn nur ein wenig zu krümmen.

Cedric merkte, dass ihm der Schweiß ausbrach.

»Halt's Maul«, sagte Pit, »du bist später dran, du Wichser.«

Pamela tauchte aus dem Bad auf, geblendet vom Licht. Sie folgte tatsächlich Pits Befehl und trat dicht an ihn heran. Er griff in ihre Haare, riss brutal daran, so dass er ihren Kopf bis hinunter auf die Höhe seiner Armbeuge zog. Er zwang sie, in dieser gekrümmten Haltung zu verharren.

»Hatte ich dir nicht verboten, dir die Haare abschneiden zu lassen?«, fragte er. »Und hatten wir uns nicht geeinigt, dass du immer tust, was ich sage?« Er zerrte erneut an den Haaren. Pamela schrie auf, vor Schmerz schossen ihr die Tränen in die Augen.

Cedric zögerte jetzt nicht mehr. Ihm war von einer Sekunde zur anderen klar geworden, dass sie nichts zu verlieren hatten. Wavers würde sie töten. Alle beide. Ihn, Cedric, wahrscheinlich schneller, Pamela langsamer. Aber am Ende dieser Nacht wären sie beide tot, und sie hatten hier draußen keinerlei Hilfe zu erwarten.

Er machte einen völlig unerwarteten Satz nach vorn und schlug Wavers mit einer einzigen heftigen Bewegung die Waffe aus der Hand. Die Pistole schlitterte ins Bad hinein. Vor Überraschung ließ Wavers Pamela los.

»He!«, schrie er perplex.

Cedric stand direkt vor ihm.

»Entweder Sie verschwinden jetzt auf der Stelle«, sagte er, »oder Sie legen sich mit mir an. Aber lassen Sie die Finger von Pamela!«

Anstelle einer Antwort krachte Wavers' Faust in Cedrics Gesicht. Der spürte, wie ihm das Blut als warmer Schwall aus der Nase schoss, ehe er rückwärts zu Boden ging. Der Schmerz war unmenschlich.

Meine Nase ist gebrochen, dachte er, und als Nächstes: Steh auf! Steh sofort auf, ehe er sich die Waffe wieder schnappt!

Irgendwie kam er auf die Beine. Er war wenigstens anderthalb Köpfe größer als Wavers, war muskulös und gut trainiert, aber er gab sich keinen Moment lang der Illusion hin, er wäre dem durchgeknallten Zwerg vor sich überlegen. Wavers war an Schlägereien gewöhnt, er hatte stahlharte Muskeln, verfügte wahrscheinlich über eine ungeheure Wendigkeit und zog eine beinahe übermenschliche Kraft aus seiner auf völlige Rücksichtslosigkeit gegründeten Brutalität. Wavers war es im Zweifelsfall egal, ob er einen Menschen umbrachte oder ihn zum Krüppel schlug. Es gab kein Tabu für ihn.

Pamela hatte ihn als Psychopathen bezeichnet. Cedric begriff, dass sie recht gehabt hatte.

Er holte aus und versetzte Wavers einen Kinnhaken, der diesen rückwärts gegen den Türrahmen taumeln ließ. Ehe Wavers sich besinnen konnte, landete Cedrics Faust erneut in seinem Gesicht. Im nächsten Moment hatte sich Wavers jedoch zur Seite weggeduckt und schoss plötzlich aus einem anderen Winkel nach vorn. Er boxte Cedric so heftig in den Magen, dass diesem die Luft wegblieb. Sekundenlang wurde ihm schwarz vor Augen. Er krümmte sich, fühlte gleich darauf einen stechenden Schmerz in seiner rechten Seite. Wavers' Stiefelspitze hatte ihn in die Rippen getroffen. Entsetzt erkannte Cedric, dass er diesen Kampf verlieren würde. Er hatte nicht den Fehler begangen, Wavers zu unterschätzen, aber es hatte dennoch jenseits seines Vorstellungsvermögens gelegen, dass jemand so stark sein konnte. Er versuchte eine Gegenwehr, traf den anderen in den Unterleib – eine Tabuzone, aber Cedric hatte bereits kapiert, dass die Ehrenregeln, die er einmal irgendwann in der Schule gelernt hatte, hier nicht angebracht waren –, und tatsächlich jaulte Wavers auf, war für Sekunden außer Gefecht. Cedric richtete sich keuchend auf, wischte sich mit dem Unterarm übers Gesicht, sah, dass der Ärmel seines Pullovers troff von Blut. Wavers lag zu seinen Füßen, zusammengerollt wie ein Embryo, und winselte leise. Eine innere Stimme sagte Cedric, dass dies der Moment war, den anderen mit einem gezielten Fußtritt gegen den Kopf in vorübergehende Bewusstlosigkeit zu versetzen, aber er brauchte zu lange, die Hemmschwelle zu überwinden, die es ihm trotz allem noch verbot, einen wehrlos am Boden liegenden Gegner zu attackieren. Es waren nur Sekunden, in denen er mit sich rang, aber die reichten für Wavers. Sein Arm schoss urplötzlich nach vorn, seine Hände umklammerten Cedrics rechtes Bein, zogen mit einem einzigen, scharfen Ruck daran. Cedric verlor sofort sein ohnehin mühsam gewahrtes Gleichgewicht und stürzte nach hinten. Er spürte, dass sein Kopf gegen etwas Hartes schlug, und während ihm die Sinne schwanden, dachte er: Scheiße. Das war's.

Er wusste nicht, wie lange er so gelegen hatte, aber als er die Augen wieder aufschlug, sah er Wavers, der vor der Haustür stand. Reglos. Leicht nach vorn geneigt. Der Blick lauernd.

Cedric bestand nur aus Schmerzen. Von seiner Nase aus jagten glühende Pfeile durch alle Gesichtsnerven, zudem war die Nase nach innen so geschwollen, dass er kaum mehr Luft bekam. Sein Kopf schien zerspringen zu wollen. Als er sich ein Stück aufrichtete, hätte er schreien mögen: Seine rechte Seite tat so grausam weh, dass er mutmaßte, Wavers' Stiefelspitze hätte ihm wenigstens eine Rippe gebrochen, wenn nicht sogar mehrere. Mit zusammengebissenen Zähnen schaffte er es dennoch, sich auf die Ellbogen zu stützen und den Kopf oben zu halten. Ein überraschendes Bild bot sich ihm. Pamela stand mit dem Rücken zu ihm in der Wohnzimmertür. Ihre Hand hielt Wavers' Pistole. Sie richtete sie auf ihren Feind, aber sie bot keine wirklich überzeugende Vorstellung dabei: Sie zitterte so sehr, dass sie im Zweifelsfall wahrscheinlich eher Wände, Decke oder Fußboden getroffen hätte als Wavers.

»Verschwinde«, sagte sie mit rauer Stimme, und Cedric nahm an, dass sie das wohl schon öfter gesagt hatte. Wavers schien sich nicht darum zu scheren. Obwohl er noch benommen war, erkannte Cedric, dass sich die Situation jeden Moment ändern konnte. Wavers wurde für den Augenblick von seiner eigenen Verblüffung in Schach gehalten, die Pamelas Gegenwehr – vermutlich die erste in ihrem Leben – in ihm ausgelöst hatte. Noch ein paar Sekunden, und ihm wäre klar, dass von dieser völlig entnervten Frau keine echte Gefahr ausging.

Cedric schaffte es in eine aufrecht sitzende Position. Teufel, er hatte noch nie im Leben derartige Schmerzen gehabt. Aber er konnte nicht lange bewusstlos gewesen sein. Die Szene vor ihm musste sich in den letzten ein oder zwei Minuten eingestellt haben. Und trotz allem war er jetzt wieder klar im Kopf.

»Gib mir die Waffe, Pamela«, sagte er, das Risiko, sie könnte die Pistole vor Schreck fallen lassen, in Kauf nehmend. Pamela fuhr herum.

»Cedric!«, rief sie.

»Die Waffe!«, fauchte er.

Sie machte einen blitzschnellen Schritt zu ihm hin.

Jetzt hielt er die Pistole. Er hätte es nicht garantieren können, aber zu seiner Erleichterung zitterte seine Hand immerhin nicht.

Aus seiner angeschlagenen Position heraus hielt er sie ruhig auf Wavers gerichtet und sagte mit kalter Stimme: »Ich knall Sie ab, Wavers. Unterschätzen Sie mich nicht. Wenn Sie einen Schritt machen, sind Sie tot!«

Er konnte sehen, dass Wavers den Ernst der Lage abwog. Cedric wusste, dass er einen jämmerlichen Anblick bot, blutüberströmt und verletzt, aber er hatte die Waffe und zugleich nichts mehr zu verlieren.

Wavers schien seine Schlüsse daraus zu ziehen. Ehe noch irgendjemand etwas sagen oder tun konnte, hatte er sich mit einer fast schlangenartigen Bewegung zur Wohnungstür hinausgewunden. Er war so plötzlich verschwunden, dass es fast den Anschein hatte, er wäre nie da gewesen. Kein Laut war zu hören.

Pamela kniete neben Cedric nieder. »Cedric! Sie brauchen sofort einen Arzt!«

Er richtete sich noch weiter auf, stöhnte dabei. »Pamela, hören Sie, ich fürchte, der kommt wieder. Wir müssen hier weg.«

»Wenn wir uns verbarrikadieren...«

»Er hat die Haustür und die Wohnungstür aufgebrochen. Die lassen sich nicht mehr abschließen. Die Türen hier drin sind ein Witz. Außerdem...«

»Was?«

»Niemand weiß, wo wir sind, nicht einmal Rosanna kennt den genauen Ort. Die Einzige, die irgendwann morgen früh hier aufkreuzen wird, ist Mrs. Blum. Nicht, dass ich große Sympathien für sie hegte, aber wir können nicht zulassen, dass sie diesem Psychopathen in die Arme läuft.

Der macht sie ohne Skrupel kalt, um sie daran zu hindern, die Polizei zu verständigen.«

Sie nickte. »Das tut er.«

»Helfen Sie mir auf die Füße«, bat Cedric.

Sie stützte ihn, bis er auf den Beinen stand. Seinen Oberkörper hielt er gekrümmt nach vorne geneigt. Die Schmerzen in der Seite machten ihn fast wahnsinnig. Er bekam immer schlechter Luft.

»Haben Sie irgendetwas gehört?«, fragte er. »In den letzten fünf Minuten? Ein Motorengeräusch?«

Sie sah ihn verwirrt an.

»Wavers kann uns nur gefunden haben, indem er uns von London aus gefolgt ist. Das bedeutet, er ist mit dem Auto hier.«

»Ich habe nicht darauf geachtet«, sagte sie verzweifelt, »keine Ahnung, Cedric. Ich kann nicht sagen, ob ich etwas gehört habe oder nicht. Ich weiß nicht einmal, ob man hier hinten im Wohnzimmer etwas hätte hören *müssen*!«

Er wusste es auch nicht, und er hatte auch nicht auf irgendetwas von draußen geachtet. Fehler über Fehler, dachte er. Wavers konnte noch um das Haus herumlungern, er konnte aber auch das Weite gesucht haben. Sie wussten es nicht. Am besten, sie rechneten mit dem Schlimmsten.

Seine Hand umfasste den Griff der Pistole fester.

»Wir versuchen jetzt, unser Auto zu erreichen«, sagte er. »Wir sind bewaffnet. Er nicht. Das ist unsere Chance.«

Eine Frau, die dicht vor einem Nervenzusammenbruch stand. Ein schwer verletzter Mann, der nicht aus eigener Kraft stehen konnte. Und eine Pistole.

Er wusste, dass ihre Chance sehr klein war.

Dienstag, 19. Februar

Es war nach Mitternacht, als sie die Haustür erreichten. Sie kamen unendlich langsam voran, die wenigen Schritte durch den Flur dauerten eine Ewigkeit. Cedric konnte nur durch den Mund atmen, und jeder Atemzug schmerzte fast unerträglich in seinen Lungen und in den Seiten. Immer wieder musste er stehen bleiben und, nach vorn gebeugt, eine weitere Schmerzattacke über sich ergehen lassen, ehe er weiterkonnte. Er bemühte sich, nicht an das zu denken, was er je über Rippenbrüche gelesen hatte. Es gab Menschen, die stellten erst durch Zufall und Tage nach einem Unfall eine Fraktur fest, weil sie überhaupt nichts gespürt hatten, und andere wurden, so wie er, fast ohnmächtig vor Schmerzen. Häufig hing das damit zusammen, dass die gebrochenen Rippen ein anderes Organ erheblich verletzt hatten. Am gefürchtetsten war eine Perforation der Lunge. Ohne rasche medizinische Hilfe konnte so etwas tödlich verlaufen, und er fragte sich, ob die Tatsache, dass ihm das Atmen so schwerfiel und so qualvoll war, bereits ein Anzeichen für diese schlimmste aller Möglichkeiten darstellte.

Doch dann schob er diesen Gedanken rasch wieder beiseite. Es nützte nichts, sich irgendwelche Gräuel auszumalen. Er musste sich einzig darauf konzentrieren, sich aus diesem Haus und dem gottverlassenen Waldstück herauszuschleppen.

Kämen sie nur schneller voran! Das Übelste war, dass sich Wavers da draußen anhand ihres Schneckentempos unschwer ausrechnen konnte, wie angeschlagen sein Gegner sein musste. Tatsächlich fühlte sich Cedric so schwach und schwindelig, dass er nicht sicher war, ob es ihm im

Ernstfall überhaupt noch gelänge, einen Schuss aus der Pistole abzugeben, geschweige denn, den anderen auch noch zu treffen.

Wieder dachte er, was er schon eine knappe Stunde zuvor während der Schlägerei mit Wavers gedacht hatte: Diesen Kampf verliere ich.

Kurz bevor sie die Haustür erreichten, blieb er erneut erschöpft stehen. Er holte Luft und wurde mit einem grausamen Stechen quer durch die Brust bestraft. Als bohrten sich Messer in seinen Körper.

»Zum Teufel, Pamela«, sagte er leise, »wie konnten Sie sich nur je mit diesem Typen einlassen?«

Er konnte sie im Dunkeln nur schattenhaft wahrnehmen, erkannte aber das Glänzen ihrer Augen. Sie schienen weit aufgerissen zu sein. Pamela musste halb wahnsinnig sein vor Angst.

»Er war der erste Mensch in meinem Leben, der mich liebte«, erwiderte sie und setzte dann, als spüre sie sein Staunen, hinzu: »Der erste Mensch, von dem ich zumindest glaubte, dass er mich liebt. In den ersten zwei Jahren hätte ich den Boden geleckt, über den er ging, wenn er es verlangt hätte.«

Die Haustür war angelehnt. Cedric zog sie einen Spalt weit auf und spähte hinaus. Die Nacht war still und fast rabenschwarz hier unter den Bäumen, aber er bezweifelte dennoch, dass die Dunkelheit ausreichen würde, ihn und Pamela ganz unsichtbar zu machen. Zumal sie sich kaum lautlos bewegen konnten, er in seinem erbärmlichen Zustand schon gar nicht. Schattenhaft nahm er ihr Auto wahr. Er hatte gar nicht realisiert, dass es so weit weg geparkt stand, achtlos gute zehn Meter von der Haustür entfernt abgestellt. Unhörbar fluchte er in sich hinein. Nur ein paar Schritte näher, und wie sehr wäre ihnen damit schon geholfen!

Ringsum schweigende Büsche und Bäume. Undurchdring-liches Dickicht. Er wäre jede Wette eingegangen, dass Wavers sich dort irgendwo versteckt hielt. Er konnte die Nacht wunderbar als Deckung benutzen.

Er kann natürlich nicht wissen, dass das Telefon nicht geht und dass mein Handy hier keinen Empfang hat, überlegte er, er muss damit rechnen, dass wir längst die Polizei gerufen haben. In diesem Fall wäre es gefährlich für ihn, allzu lange hier zu warten.

Es war wie russisches Roulette. Sie mussten ein hohes Risiko eingehen und hatten keine Ahnung, was geschehen würde.

»Passen Sie auf«, sagte er leise. »Wir laufen jetzt, so schnell wir können, zu unserem Auto. Es befindet sich ein Stück rechts von uns – leider ziemlich weit weg. Können Sie es ausmachen?«

»Ja.«

»Sie haben den Autoschlüssel?«

Sie hatte ihn von der Anrichte genommen, während sie Cedric langsam durch das Wohnzimmer geführt hatte.

»Ja«, sagte sie noch einmal.

»Okay. Dann nichts wie hin, ohne nach rechts und links zu sehen. Es ist zu dunkel. Wir bemerken Wavers ohnehin erst, wenn er … schon ziemlich dicht an uns dran ist.«

Er konnte spüren, dass sie wieder zu zittern begann.

»He«, sagte er in einem bemüht aufmunternden Ton, der wenig überzeugend klang, »wir sind bewaffnet, vergessen Sie das nicht!«

»Aber wenn er plötzlich von hinten kommt«, wisperte sie, »dann haben Sie vielleicht gar keine Gelegenheit mehr zu schießen.«

Er könnte schon die ganze Zeit von hinten kommen, dachte Cedric. Das war ihm aufgegangen, während sie sich durch den Flur gemüht hatten. Und wenn er sich oben im

Treppenhaus versteckt hält?, hatte er gedacht. Gesagt hatte er jedoch nichts. Wenn Pamela durchdrehte, machte das alles nur noch schlimmer.

»Und wenn wir doch bis morgen ...«, fuhr sie fort.

Er rang um Atem. »Ich brauche einen Arzt, Pamela. Und zwar möglichst schnell. Ich bin, fürchte ich, erheblich verletzt.«

Er konnte mehr fühlen als sehen, dass sie nickte. »Dann gehen wir jetzt«, bestimmte sie, plötzlich mit mehr Entschlossenheit in der Stimme, als er das während der vergangenen zwölf Stunden, die er sie nun kannte, an ihr erlebt hatte.

Noch nie waren ihm zehn Meter so lang vorgekommen. Noch nie hatte sich eine Strecke so unendlich hingezogen. Vor Jahren war er den *New York Marathon* mitgelaufen. Seine Lungen hatten zu schmerzen begonnen, und irgendwann, auf dem letzten Stück, hatte er geglaubt, die Strecke werde nie ein Ende nehmen. Dennoch hatten ihn seine Lungen damals nicht halb so sehr gequält wie jetzt. Und jenes letzte Stück war nicht so weit, so schwer, so hoffnungslos erschienen wie die zehn Meter in dieser Nacht.

Er gönnte sich jetzt keine Pause mehr, obwohl die Beine nachzugeben drohten. Er war nicht mehr weit von einer Ohnmacht entfernt, das konnte er spüren, und er hoffte nur verzweifelt, er werde in diesem Auto und weit weg sein, ehe ihm die Sinne schwanden.

»Sie fahren«, zischte er Pamela zu, die ihn zog, stützte, schleifte.

Unbehelligt erreichten sie den Wagen. Pamela öffnete ihn mit der Fernbedienung. Sie riss die Beifahrertür auf und ließ Cedric, der vor Schmerz viel zu laut aufstöhnte, auf den Sitz gleiten. Sie rannte um den Wagen herum. Als sie die Fahrertür öffnete, sagte er: »Kontrollieren Sie den Rücksitz. Schnell!«

Er schaffte es selbst nicht, sich umzudrehen, hatte aber Angst, Wavers plötzlich im Rückspiegel auftauchen zu sehen. Das Auto schien verschlossen gewesen zu sein, aber wer konnte das genau sagen? Keuchend vor Angst, spähte Pamela nach hinten.

»Leer«, sagte sie.

»Dann nichts wie los!«

Pamelas Finger zitterten so heftig, dass ihr das Anlassen des Motors erst beim dritten Versuch gelang.

»Ich kann nur Autos mit Automatik fahren«, flüsterte sie.

»Verdammt. Egal. Sie kriegen das schon hin!«

»Ja, aber…«

»Fahren Sie. Irgendwie. Wir müssen hier weg. Ich muss in ein Krankenhaus.« Ihm wurde übel. Die Atemnot wurde unerträglich. Er hoffte, dass Pamela die Nerven behielt und ihn zu einer Polizeiwache oder direkt in ein Krankenhaus chauffierte, falls er bewusstlos wurde. Dass sie nicht irgendwo stehen blieb und zu heulen anfing. Er wusste nicht, wo genau er verletzt war, aber er hätte gewettet, dass er in ein paar Stunden tot sein würde, käme er nicht umgehend zu einem Arzt.

Die Pistole entglitt seinen Händen. Er konnte nichts dagegen tun. Er hatte kein Gefühl mehr in den Fingern und nicht einen Funken Kraft. Vor seinen Augen begann es zu flimmern.

»Geben Sie Gas!«, stieß er hervor.

Langsam setzte sich der Wagen in Bewegung. Sie hoppelten den Weg entlang. Pamela saß nach vorn geneigt, die Nase dicht an der Windschutzscheibe. Sie hatte kein Licht eingeschaltet. Vielleicht besser so. Wenn sie in belebtere Gegenden kamen, musste er ihr sagen, wo sich der betreffende Hebel befand. Hoffentlich wäre er dazu noch in der Lage. Seine Zunge schien anzuschwellen und pelzig zu werden.

Ich bin gleich weg, dachte er.

Und doch keimte Hoffnung.

Wir sind im Auto. Wir fahren. Wir verschwinden von hier. Der Scheißkerl kann uns nichts mehr anhaben.

In diesem Moment trat Pamela so heftig auf die Bremse, dass Cedric nach vorn geschleudert wurde. Er brüllte auf vor Schmerz.

»Warum, verdammt...«, begann er – und verstummte.

Er bemerkte den Wagen, der sich ihnen, so kurz vor dem Erreichen der Landstraße, in den Weg gestellt hatte.

»Scheiße«, keuchte er.

James Bond gab in solchen Fällen Gas und legte einen beeindruckenden Flug über die Kühlerhaube des anderen Autos hin. Pamela hingegen versuchte verzweifelt den Rückwärtsgang einzulegen.

»Ich finde den Rückwärtsgang nicht!«, schrie sie.

»Nicht zurück«, presste Cedric hervor. Er konnte vor Schmerz kaum sprechen. »Nicht zurück... wir... sitzen doch dann in der Falle...«

Er nahm wahr, dass eine Gestalt das Auto verließ. Ein Schatten. Pit Wavers.

Pamela kämpfte noch immer ebenso hektisch wie vergeblich mit dem Rückwärtsgang.

»Schießen Sie«, rief sie, als Wavers langsam näher kam, »schießen Sie doch!«

»Ich... habe... die Waffe... verloren...«

Die Schaltung gab ein jammervolles Geräusch von sich. Cedric mutmaßte, dass sie in ihren letzten Zügen hing. Während sie den Hebel wild hin und her bewegte, vergaß Pamela wahrscheinlich, die Kupplung durchzutreten.

Wavers bewegte sich weiter auf sie zu, bereit, jeden Moment in Deckung zu gehen, sollte auf ihn gefeuert werden.

Trotz seiner Schwäche gelang es Cedric noch, einen halbwegs klaren Gedanken zu fassen: Er riskiert viel. Das bedeutet, dass wahrscheinlich nur ein oder zwei Schuss in der Waffe sind. Durch die Windschutzscheibe ist unsere Zielgenauigkeit erheblich eingeschränkt. Wenn es ihm gelingt, rechtzeitig unterzutauchen, hat er uns anschließend wehrlos vor sich.

»Wo ist die verdammte Waffe?«, schrie Pamela schrill.

»Im ... in ... meinem ... Fußraum ... irgendwo ...«

Sie gab es auf, die Kupplung zu malträtieren, und tauchte zwischen Cedrics Füße. Cedric konnte Wavers' weißes, schweißglänzendes Gesicht erkennen. Er meinte, nie eine hassverzerrtere Fratze gesehen zu haben.

Es ist aus, dachte er verzweifelt, selbst wenn sie die Waffe findet, ist es aus. Ich kann nicht ... mehr ...

Seine Gedanken zerfielen, wollten sich nicht mehr recht einfangen lassen.

Ich ... kann ... nicht ... mehr ... schießen ...

Wavers kam näher und näher. Er stand jetzt direkt vor dem Auto.

»Ich hab sie«, zischte Pamela.

Sie tauchte aus dem Fußraum des Wagens auf. Vor Cedrics Augen verschwammen die Bilder mehr und mehr.

»Schieß!«, flüsterte er. »Verdammt noch mal, schieß!«

Er dachte daran, wie ihre Hand gezittert hatte, als sie vorhin im Wohnzimmer auf Wavers gezielt hatte. Unmöglich, dass sie traf. Sie waren verloren.

»Schieß doch«, wiederholte er trotzdem, ohne dass sich für ihn irgendeine Hoffnung damit verbunden hätte.

Der Knall zerriss ihm fast das Trommelfell. Die Kugel zerschlug die Windschutzscheibe und verwandelte sie im Bruchteil von Sekunden in ein riesiges Spinnennetz. Im Wegdämmern vernahm Cedric noch das leere Klacken des Abzughahns, das sich rasend schnell und hektisch immerzu wiederholte.

»Die Munition ist aus!«, schrie Pamela. Ihre Stimme war

sehr hoch, überschlug sich fast. »Sie ist aus, Cedric! Die Pistole ist leer!«

Wusste ich es doch, dachte er, fast in einer Art irrationalem Stolz, weil er recht behalten hatte. Na bitte, wusste ich es doch!

Dann verlor er das Bewusstsein.

Teil 3

Mittwoch, 20. Februar

I

Die Trauer und mehr noch das Unfassbare, das plötzlich in ihr Leben eingebrochen war, hatte ihre Gesichter zu Masken verwandelt. Das war Inspector Fielders erster Eindruck, als er der Familie Biggs wieder gegenüberstand. In den wenigen Tagen hatten sie alle sich verändert, auch die Jungs, obwohl diese nach wie vor versuchten, so cool wie möglich aufzutreten.

Sie stehen unter Schock, dachte Fielder, und das sieht man ihnen an.

Angela hatte es am schlimmsten getroffen. Die Verzweiflung begann sich in ihre Züge einzugraben. So jung sie war, schien sie doch auf einmal seltsam verhärmt. Die Augen glanzlos, die Lippen fest aufeinandergepresst und dadurch schmaler als vorher.

Ihr Vater, Gordon, wirkte wie ein Schlafwandler. Ein Mann, der sich durch einen bizarren Alptraum bewegt und kaum Hoffnung hat, daraus je wieder erwachen zu dürfen. Er war bereits in einen Zustand der Resignation geglitten. Was immer der gewaltsame Tod seiner Tochter aus ihm machen würde, er würde sich nicht dagegen wehren. Er wehrte sich nie im Leben.

Sally erschien Fielder noch am unverändertsten, was daran lag, dass sie betrunken war und den Alkohol als einen Schutzwall zwischen sich und die Wirklichkeit gelegt hatte. Sie hatte sich nur insofern verändert, als sie nun seltsamerweise ein hohes, schlankes Sektglas für ihren Schnaps benutzte. Sie schenkte sich mit konzentriertem Gesichtsausdruck nach, wobei sie den Arm mit der anderen Hand abstützen musste, um des Zitterns Herr zu werden. Sie tat, als seien das Glas und die Flasche das einzig Wesentliche in ihrem Leben. Das Einzige, was wirklich zählte.

Wieder saßen sie in der Fielder nun schon vertrauten Küche. Alle hatten sich versammelt, obwohl es mitten am Vormittag war. Die Jungs schienen den Tod ihrer Schwester zum Anlass zu nehmen, vorerst überhaupt nicht mehr zur Schule zu gehen, und auch Angela hatte sich offensichtlich für längere Zeit von ihrer Lehrstelle beurlauben lassen.

Es könnte sein, dass sie jetzt alle auch noch das bisschen Gerüst verlieren, das sie bislang zusammengehalten hat, dachte Fielder, und bei dem Gedanken fühlte er sich plötzlich sehr müde und sehr traurig.

»Haben Sie Neuigkeiten für uns?«, fragte Angela. Sie hatte sich die Haare aus der Stirn gekämmt und keinerlei Schminke aufgelegt. Ihr Aussehen schien sie nicht zu interessieren. »War es der Mann, den Dawn identifiziert hat?«

Fielder schüttelte den Kopf. »Aller Wahrscheinlichkeit nach nicht. Aber die Aussage von Miss Sparks war dennoch von großer Bedeutung. Denn nach allen Erkenntnissen, die wir derzeit haben, steht ein enger Freund von diesem Ron Malikowski unter dringendem Tatverdacht. Pit Wavers. Wissen Sie, ob Linda den Namen irgendwann einmal fallen ließ?«

Alle sahen einander an, außer Sally, die gerade wieder den Balanceakt zwischen Flasche und Sektglas auszuführen versuchte.

»Nein«, sagte Gordon, »den Namen hat sie nie erwähnt.«

»Bestimmt nicht«, versicherte Angela, »daran würde ich mich erinnern. Das Problem war, dass sie eben überhaupt nichts mehr erwähnte im letzten halben Jahr.«

»Wir haben Malikowski vorgestern früh festgenommen«, sagte Fielder, »und nach einigem Hin und Her hat er eine Menge berichtet. Demnach haben sich Pit Wavers und Linda im letzten Sommer kennen gelernt. Malikowski meint, dass Wavers sie in der U-Bahn angesprochen hat, aber so genau wurde das wohl nie besprochen. Ob er sich wirklich in sie verliebt hatte oder ihr solche Gefühle nur vorgaukelte, ist schwer zu sagen. Jedenfalls kehrte er wohl den Mann von Welt heraus, ging mit ihr in tolle Restaurants und machte ihr großzügige Geschenke. Das deckt sich mit Ihrer Beobachtung, dass sie plötzlich teure Kleider trug und irgendwie über ihre persönlichen Verhältnisse zu leben schien. Malikowski sagt, dass Linda sehr rasch in eine Abhängigkeit von Wavers geriet. Sie wollte ihm gefallen, wollte sich unbedingt seine Zuneigung und sein Wohlwollen erhalten. Er sagt, dass dies der typische Ablauf bei allen Beziehungen war, die Wavers einging. Auf irgendeine Weise gelang es ihm immer recht schnell, die Mädchen gefügig zu machen.«

»Das passt gar nicht zu Linda«, sagte Angela tonlos.

Fielder warf ihr einen teilnahmsvollen Blick zu. »Dass sie eigentlich eine willensstarke Persönlichkeit war, wurde ihr vielleicht zum Verhängnis«, sagte er leise. »Malikowski berichtet, dass Wavers' Gefühle für Linda rasch abkühlten und dass er genau das vorhatte, was er mit allen Frauen irgendwann tat: Er wollte sie auf den Strich schicken. Und daran kräftig verdienen.«

Von Gordon kam ein entsetzter Laut. Er stützte den Kopf in beide Hände. »Mein Gott«, flüsterte er.

»Es schien Probleme zu geben, weil sich Linda diesem Ansinnen widersetzte. Malikowski sagt, die beiden hätten ständig Streit miteinander gehabt. Dann fand Wavers heraus, dass Linda ihn belogen hatte, was ihre Lebensumstände anging. Sie hatte wohl behauptet, nur mit ihrer großen Schwester zusammenzuleben, aber schließlich erfuhr Wavers, dass es auch noch Vater, Mutter und drei Brüder gab.

Das machte Linda zum Risiko. Wavers hatte sich bis dahin nur mit jungen Mädchen eingelassen, die aus jeglichem familiären Verbund herausgefallen waren. Malikowski kann nur vermuten, dass Wavers im Zuge einer der nun immer häufiger stattfindenden Auseinandersetzungen die Beherrschung verlor. Das scheint etwas zu sein, was zu ihm passt. Er kann Widerspruch nicht ertragen. Er verliert dann leicht die Kontrolle über sich.«

»Und wie sicher ist, dass nicht dieser Malikowski selbst…?«, fragte Angela.

»Sicher ist im Moment gar nichts«, antwortete Fielder, »und wir sind mit Malikowski auch noch nicht am Ende. Wir kriegen ihn sowieso dran wegen Zwangsprostitution, Vergewaltigung und Körperverletzung. Aber wir haben eine absolut ernst zu nehmende Zeugenaussage, was den Fall Jane French betrifft. Eine Augenzeugin hat Wavers beobachtet, wie er die junge Frau zu Tode quälte. Wegen der Ähnlichkeit der Tatumstände spricht vieles dafür, dass er auch der Mörder von Linda ist. Einen Beweis haben wir allerdings dafür bislang nicht.«

»Können Sie Wavers festnehmen?«, fragte Angela. »Fahnden Sie nach ihm?«

Fielder schwieg einen Moment lang bedrückt. »Wavers ist tot«, sagte er dann.

Alle starrten ihn an.

»Tot?«, wiederholte einer der Brüder, so ungläubig, als liege diese Möglichkeit weit außerhalb von allem Vorstellbaren.

»Wavers wurde in der Nacht von Montag auf Dienstag in Cornwall getötet. In Notwehr und von einer Frau, die sich seit Jahren auf der Flucht vor ihm befand und die er nun gestellt hatte. Er war bewusstlos und nicht vernehmungsfähig, als er in ein Krankenhaus gebracht wurde. Dort starb er nach wenigen Stunden.«

Schweigen folgte auf seine Worte. Alle versuchten sich über die Bedeutung dessen, was sie gerade erfahren hatten, klar zu werden.

Angela sprach als Erste. »Dann wird es nie Gewissheit geben«, sagte sie.

Fielder zuckte bedauernd die Schultern. »In Form eines Geständnisses von Pit Wavers sicher nicht. Was gerichtsmedizinisch und spurentechnisch noch möglich ist und vielleicht Beweise erbringt, muss man sehen. Vielleicht hat auch Malikowski noch nicht alles gesagt, was er weiß. Er hat so viele Probleme am Hals, dass er sicher zu dem einen oder anderen Deal mit der Polizei bereit sein wird. Aber nach allem, was ich jetzt weiß, und zusammen mit meiner jahrelangen Erfahrung bin ich zu neunzig Prozent sicher, dass Pit Wavers Linda ermordet hat.«

»Es wird keinen Prozess geben«, sagte Angela.

»Nein«, entgegnete Fielder, »einen Prozess gegen Wavers wird es nicht geben.«

Wieder Schweigen. Sally kämpfte mit der Flasche, murmelte irgendetwas, das niemand verstand.

»Ich hätte dem Kerl gern Auge in Auge gegenübergestanden«, sagte Gordon, ein Ausspruch, der seinem ältesten Sohn ein zynisches Grinsen entlockte. »Und dann, Dad? Was dann? Hättest du dann etwas richtig Schlimmes mit ihm gemacht? Ihm deine starken Fäuste gezeigt?«

»Wenn du nicht aufpasst, siehst *du* gleich meine Fäuste«, fauchte Gordon, aber er wirkte auch dabei nicht überzeugend.

»Glauben Sie mir«, sagte Fielder, »auch mir gefällt ein Ausgang wie dieser überhaupt nicht. Ich bevorzuge klare Beweise und einen richtigen Prozess. Was das Duo Malikowski und Wavers betrifft, ermitteln wir auch noch im Zusammenhang mit einer vor Jahren spurlos verschwundenen Frau, die ebenfalls ein Opfer gewesen sein könnte.

Auch in diesem Fall bremst uns Wavers' Tod ziemlich aus. Auf der ganzen Linie unerfreulich – aber es hilft ja nichts. Wir können ihn nicht wieder lebendig machen.«

»Natürlich nicht«, sagte Angela mit erschöpfter Stimme.

Fielder erhob sich. Er hätte gerne einen Kaffee gehabt, aber niemand hatte daran gedacht, ihm etwas anzubieten. Er hatte in der vergangenen Nacht nur drei Stunden geschlafen. Er brauchte dringend irgendetwas, das ihn wach machte.

»Sie sollten auf jeden Fall gleich Bescheid wissen«, sagte er, »deshalb bin ich hergekommen. Ganz gleich, was wir herausfinden, es bringt Ihnen Ihre Tochter und Schwester nicht zurück. Aber aus Erfahrung in solchen Fällen weiß ich, dass es für die Angehörigen alles noch schlimmer macht, wenn sie nicht Bescheid wissen. Man muss, trotz allem, seinen Frieden wiederfinden. Das geht vielleicht nur, wenn da ein klares Bild ist, das man irgendwann so stehen lassen kann.«

Niemand erwiderte etwas. Gordon starrte vor sich hin. Sally hatte die Augen geschlossen. Die Brüder schauten auf den Boden vor sich und malten imaginäre Kreise mit ihren Schuhspitzen darauf.

»Ich bringe Sie zur Tür«, sagte Angela.

Sie geht ihren Weg, dachte Fielder, sie hat mehr Intelligenz und Energie als der ganze Rest der Familie zusammengenommen. Wenn diese Geschichte sie nicht aus der Bahn wirft, dann packt sie das Leben schon.

An der Wohnungstür sagte er: »Trauern Sie, Miss Biggs. Es klingt banal, aber leben Sie Ihren Schmerz aus. Betäuben Sie sich nicht, wie Ihre Mutter es tut, und vergraben Sie sich nicht hinter Abgestumpftheit wie Ihr Vater. Stellen Sie sich diesem unfassbaren Kummer. Nur dann...«

Er zögerte. Sie sah ihn sehr aufmerksam an.

»Ja?«

»Nur dann können Sie irgendwann wieder leben. Und etwas aus Ihrem Leben machen. Ich bin sicher, das hätte Ihre Schwester gewollt.«

Sie nickte und erwiderte seinen Händedruck. Nicht fest, aber auch nicht völlig kraftlos. Ihre Hand war eiskalt.

Als er die Treppe schon halb hinuntergelaufen war, dachte Fielder: Dummes Geschwätz. Was wollte ich ihr eigentlich sagen?

Er strich sich über die Augen. Er war wirklich völlig übermüdet.

2

»Ich verstehe das, Rosanna, natürlich«, sagte Nick. »Ich bin nicht glücklich über deine Entscheidung, aber ich kann dich verstehen.«

Nach den heftigen Auseinandersetzungen, die sie während ihrer letzten Gespräche gehabt hatten, sprach er nun wieder freundlich mit ihr, war der alte Nick, der immer eher Rosannas Freund als ihr Chef gewesen war. Sie merkte, dass dies sie mit Erleichterung erfüllte. Sie hatte ihm soeben den gesamten Auftrag gekündigt, jegliche Mitarbeit an der Serie niedergelegt. Es hätte passieren können, dass er sie anbrüllte. Fast fürchtete sie, dass sie in so einem Fall in Tränen ausgebrochen wäre. Ihre Nerven waren in einem erbärmlichen Zustand. Die sich überschlagenden Ereignisse der letzten Tage hatten ihre Spuren hinterlassen. Am schlimmsten waren die Verletzungen ihres Bruders. Pit Wavers hatte ihm mehrere Rippen gebrochen, die Schmerzen hatten seine Atmung immer wieder aussetzen lassen.

Nick betrachtete sie mitfühlend über seinen Schreibtisch hinweg. Sie saßen in seinem Büro, jeder hatte eine Kaffeetasse vor sich, aber Rosanna hatte ihre nicht angerührt.

»Wie geht es Cedric heute früh?«, fragte er. »Du hast sicher schon mit ihm telefoniert?«

»Klar. Ich denke, das Schlimmste ist überstanden. Er liegt in Taunton im Krankenhaus, und unser Vater ist bei ihm. Ich habe Dad die ganze Geschichte erzählt, und er war ziemlich verwirrt. Und entsetzt.«

»Dass diese Pamela Luke Wavers mit einem einzigen Schuss niedergestreckt hat, ist schon eine Leistung. Ziemlich kaltblütig, dieses Mädchen.«

»Die Chance, dass sie ihn traf, stand eins zu hunderttausend, schätze ich mal. Wir hatten riesiges Glück. Cedric vor allem.«

»Miss Luke ist jetzt in London?«

Rosanna nickte. »Sie hat Cedrics Zimmer in meinem Hotel übernommen. Sie wird pausenlos von Scotland Yard verhört. Das Ganze scheint ja ein gewaltiger Sumpf zu sein. Wavers und sein Kumpel Malikowski sind in jede Menge Verbrechen verstrickt. Aber Wavers war der Schlimmere. Ihm werden zwei Morde zur Last gelegt. Wenn es sich nachweisen lässt, dass er auch Elaine getötet hat, sind es sogar drei.«

»Und dafür spricht manches?«

»Wie man's nimmt. Pamela hat Elaines Ausweis bei Malikowski in der Wohnung gefunden. Dieser streitet jedoch vehement ab, Elaine überhaupt gekannt zu haben oder jemals im Besitz ihrer Papiere gewesen zu sein.«

»Würde ich an seiner Stelle auch abstreiten.«

»Andere Taten, die ihm zur Last gelegt werden, streitet er aber nicht ab.«

»Im Fall Elaine könnte es sich um ein Tötungsdelikt handeln. Das ist ein anderes Kaliber. In den Knast wandert er sicher, aber es ist ja nicht ganz unerheblich, für wie lange!«

»Man wird sehen«, sagte Rosanna.

Ihm fielen ihre Blässe und ihr düsterer Blick auf. »Was ist los? Du wirkst sehr unglücklich.«

Sie strich sich mit der Hand über die Augen. »Ich bin nur müde. Die Sache mit Cedric ... und alles andere ...«

»Ich glaube, du solltest jetzt ganz rasch nach Hause zu deiner Familie fliegen. Und dich richtig ausschlafen und erholen. Ich bin nicht sauer wegen der geplatzten Serie, ehrlich nicht.«

Leise entgegnete sie: »Ich mache mir solche Vorwürfe. Ich habe ja all das Schreckliche erst in Gang gesetzt. Ich hätte mich darauf beschränken sollen, einfach meine Geschichten zu schreiben und abzuliefern. Es war verhängnisvoll, auf eigene Faust Nachforschungen anzustellen.«

»Dass dir die Klärung von Elaines Schicksal am Herzen lag, war doch ganz natürlich«, sagte Nick. »Und im Übrigen – was hast du schon Schlimmes getan? Den Stein ins Rollen gebracht hat die Talkshow, und dort bist du nur auf meinen Wunsch hin aufgetreten. Ich habe Pamela Lukes Vermieter an dich weiterverwiesen. Hättest du auf ihn nicht reagiert, hätte er sich an jemand anderen gewandt, und er hätte nicht eher geruht, bis irgendjemand angebissen hätte. Der Mann wollte Publicity, das hast du selbst gesagt.«

»Sicher. Aber nicht ausgerechnet ich hätte mich zu seinem Werkzeug machen sollen. Zumindest hätte ich dann vernünftiger agieren müssen. Es war einfach ein Fehler, auf Pamelas Ängste, so verständlich sie gewesen sein mögen, einzugehen. Marc Reeve und ich hätten sie bei der Polizei abliefern müssen. Und sie nicht aus London wegbringen und dabei auch noch Cedric mit hineinziehen dürfen. Das war Wahnsinn!«

»Dass Wavers sie derart schnell ausfindig machen und den beiden folgen würde, konntest du wirklich nicht ahnen!«

Sie nickte heftig mit dem Kopf. »Doch! Doch! Mir hätte

klar sein müssen, dass er nur die Zeitung zu lesen braucht und dadurch alle Anhaltspunkte serviert bekommt. Marc Reeves Name war erwähnt, und das war der entscheidende Hinweis. Die Adresse der Kanzlei fand er im Handumdrehen durch das Branchenverzeichnis. Liegt in den meisten Haushalten und in jeder Post aus. Die Polizei weiß, dass er einer Frau, die in Marcs Bürogebäude wohnt, die Privatadresse abgeluchst hat. Dann musste er dort nur noch warten. Ihm war klar, dass Pamela dort entweder aufkreuzen würde oder dass Marc ihn zu ihr führen würde. Er hatte die Fährte aufgenommen, und dann brauchte er nur noch ein wenig Geduld.«

»Aber…«

»Ich habe Pamela nicht geglaubt«, sagte sie verzweifelt, »und das war mein größter Fehler. Sie war halb verrückt vor Angst und hat pausenlos davon gesprochen, dass Wavers besessen sei von dem Gedanken, sich an ihr zu rächen. Ich hielt das für überspannt. Ich konnte mir nicht vorstellen, dass sich ein Mann nach fünf Jahren an einer Frau dafür rächt, dass sie ihn irgendwann einmal verlassen hat. Fünf Wochen oder meinetwegen Monate nach ihrem Verschwinden vielleicht noch, aber doch nicht nach fünf Jahren! Zumindest glaubte ich nicht, dass er dafür irgendwelche größeren Anstrengungen unternehmen würde. Wie man sieht, habe ich mit dieser Einschätzung dramatisch danebengelegen. Pamela kannte ihn nur zu gut. Ich hätte ernster nehmen müssen, was sie sagte. Sie wusste, dass er gestört war – ein Psychopath, wie sie es nannte. Ich habe das irgendwie vom Tisch gewischt. Und darüber hätte mein Bruder sein Leben verlieren können!« Sie kämpfte mit den Tränen.

Nick stand auf, kam um den Schreibtisch herum, drückte ihr ein Taschentuch in die Hand. Sie betupfte sich die Augen.

Jetzt nicht auch noch heulen, beschwor sie sich insgeheim. Sie ahnte, dass sie sonst nicht so rasch würde damit aufhören können.

Er tätschelte ihr die Schulter. »Sieh doch auch einmal das Positive an der Situation«, sagte er. »Es ist viel passiert, und es hat sich vieles geklärt. Pit Wavers ist tot. Nicht Cedric – der wird es schaffen. *Sondern Wavers!* Der Psychopath, der Killer, der Mann, der immer wieder eine Gefahr für andere dargestellt hätte. Pamela Luke muss sich nicht länger hinter einer anderen Identität verstecken und in irgendwelche gottverlassenen Dörfer am Ende der Welt abtauchen. Sie wird Zeit brauchen, aber dann kann sie ein normales Leben führen. Und wir haben klare Anhaltspunkte dafür, was mit Elaine passiert ist. Keine – oder noch keine – endgültige Gewissheit, aber es kristallisiert sich wohl immer mehr heraus, dass sie das Opfer eines Verbrechens von Pit Wavers und Ron Malikowski wurde. Traurig genug, aber dies zu wissen, bedeutet zweierlei: Marc Reeve ist rehabilitiert, der Schatten dieser ganzen Geschichte liegt nicht länger über ihm. Und auch Geoffrey Dawson, Elaines Bruder, kann endlich seinen Frieden finden. Er weiß jetzt, dass ihn seine Schwester nicht freiwillig im Stich gelassen hat. Er kennt ihr Schicksal, so tragisch es ist. Aber wenn ein Mensch verschwindet, gibt es für die Angehörigen nichts Schlimmeres als die Ungewissheit. Den Tod kann man betrauern – und irgendwann akzeptieren. Man kann dann weiterleben. Dawson wird das im Augenblick noch nicht so empfinden, aber mit der Klärung des Falls hast du ihm ein Geschenk gemacht. Es wird sich etwas verändern in seinem Leben. Er wird nicht mehr grübelnd dahinvegetieren. Er wird sich von Elaine in Liebe verabschieden und seine Zukunft meistern können.«

Sie nickte. Alles, was Nick sagte, stimmte, und doch fühlte sie sich so elend, so kraftlos.

Vielleicht war einfach alles zu viel, dachte sie.

Sie knäulte das Taschentuch zusammen, schob es in ihre Handtasche und stand auf. »Ich will dich nicht länger aufhalten, Nick«, sagte sie. »Ich danke dir für dein Verständnis. Und für... deine Freundschaft. Es war schön...«, sie lächelte, »es war schön, wieder einmal Zeitungsluft zu schnuppern!«

»Jederzeit gern wieder«, sagte Nick. »Wenn du dich ein bisschen erholt hast und Lust verspürst, melde dich. Du kannst immer für mich arbeiten!«

Sie fühlte sich gleich ein wenig besser, als sie dann unten auf der Straße stand. Nicks Liebenswürdigkeit hatte ihr gutgetan. Die überraschend warme Februarsonne schien ihr ins Gesicht. Sie blinzelte. Was kam als Nächstes?

Weder sie noch Nick hatten es angesprochen, aber es war klar, dass sie so rasch wie möglich aus ihrem teuren Hotel ausziehen musste. Von jetzt an wurde ihr Aufenthalt in London natürlich nicht mehr von *Cover* finanziert, und es schien fraglich, ob sie es rückwirkend tun würden. Sie war aus der Vereinbarung ausgestiegen, und wieweit Nick die Kosten für die ganze Geschichte trug, hing einzig von seinem Entgegenkommen ab. Verpflichtet war er zu nichts mehr. Sie selbst hatte kein eigenes Geld. Würde Dennis ihre Hotelrechnung bezahlen?

Sie konnte es sich nicht recht vorstellen.

Der Gedanke an Dennis brachte sie auf etwas anderes, und sie fluchte leise. Rob! Sie hatte versprochen, ihn am Dienstag anzurufen. Heute war Mittwoch, und über all den sich überschlagenden Ereignissen hatte sie ihren Stiefsohn völlig vergessen. Nächster dicker Minuspunkt in Dennis' Augen. Im Moment schien sie von einem Fettnapf in den nächsten zu stolpern.

Sie riss ihr Handy aus der Tasche und tippte, noch auf der Straße stehend, Dennis' Nummer ein.

Er meldete sich sofort. »Ja?«

»Dennis? Ich bin es. Rosanna. Es tut mir leid, ich …«

»Bei *mir* musst du dich nicht entschuldigen«, unterbrach er sie mit kühler Stimme.

Sie hatte nicht damit gerechnet, dass er auch nur eine Spur von Entgegenkommen und Verständnis zeigen würde, und es war nicht neu, dass sie sich wieder einmal in der Defensive befand. Sie merkte, dass Wut in ihr keimte, zugleich fühlte sie sich aber nicht berechtigt, Wut zu empfinden. Es war ihr zuvor nie wirklich bewusst geworden, sie bemerkte jetzt zum ersten Mal, dass sie dieser Ambivalenz in ihrer Ehe mit Dennis häufig ausgesetzt gewesen war.

»Seid ihr noch in London?«, fragte sie.

»Rob ist noch in London. Ich bin gestern Abend nach Gibraltar zurückgeflogen. Ich muss meinen Job machen, da hilft alles nichts. Rob wollte um keinen Preis mitkommen.« Er klang vorwurfsvoll, zugleich aber auch sehr bedrückt. Er tat Rosanna leid. Sie konnte sich vorstellen, wie sehr ihn die Situation quälte.

»Es ist viel passiert«, sagte sie, obwohl sie ahnte, dass ihn dies nicht interessieren würde. »Cedric liegt in Taunton im Krankenhaus. Er wurde von einem Psychopathen brutal zusammengeschlagen. Derselbe Mann hat vermutlich Elaine vor fünf Jahren getötet.«

»Aha«, sagte Dennis.

»Ich bin aus der Serie ausgestiegen. Ich werde den Auftrag nicht beenden. Nach allem, was geschehen ist …«

Sie wartete auf eine Erwiderung, aber Dennis blieb stumm.

»Ich werde Rob anrufen«, fuhr sie schließlich fort. »Ich werde ihm alles erklären. Ich bin sicher, er versteht mich.«

»Und wann gedenkst du, nach Hause zu kommen?«, fragte Dennis. »Falls du das überhaupt vorhast?«

»Ich muss jetzt erst einmal zu Cedric. Wohnen werde ich

bei meinem Vater. Ich kann nicht einfach so verschwinden. Ich… ich habe Cedric in diese Situation gebracht, und…«

»Dein ganzer Plan, unbedingt wieder für Nick Simon arbeiten zu wollen, ist für alle Beteiligten nicht gerade glücklich ausgegangen«, bemerkte Dennis. »Rob ist total durcheinander, Cedric liegt im Krankenhaus, Elaine hilft das alles auch nichts mehr, und du schreibst die Geschichte nun nicht einmal. Außer Spesen nichts gewesen. Nur jede Menge Ärger für jeden, der auch nur entfernt mit all dem zu tun hatte.«

»Immerhin ist Elaines Schicksal geklärt. Und man kennt den Täter.«

»Und? Ist das wichtig für uns? Oder, anders gefragt: War die Aufklärung der Umstände von damals der Grund, weshalb du den Auftrag angenommen hast? Dir ging es doch gar nicht um irgendwelche Enthüllungen, also solltest du jetzt auch nicht so tun, als hättest du dein selbstgestecktes Ziel erreicht. Im Grunde ist alles aus dem Ruder gelaufen.«

»Das sehe ich nicht so«, sagte Rosanna, aber sie merkte selbst, wie schwach das klang, und auch, dass sie Dennis sowieso nicht erreichte. Selbst mit der besten und unschlagbarsten Argumentation wäre sie nicht zu ihm durchgedrungen. Er war verletzt und wütend und hatte riesige Probleme mit seinem Sohn, und alles andere interessierte ihn nicht.

»Ich melde mich wieder«, sagte sie daher hastig, eilig bemüht, das unerquickliche Gespräch möglichst rasch zu beenden. »Ich fahre noch heute nach Kingston St. Mary. Bis bald, Dennis!«

»Grüße deinen Vater«, erwiderte er förmlich, dann legte er auf.

Sie steckte ihr Handy ein, widerstand der Versuchung, ihren Tränen freien Lauf zu lassen, Tränen, die nicht allein aus Dennis' Verhalten resultierten, sondern aus allen Geschehnissen der letzten vierundzwanzig Stunden.

»Nicht heulen. Einfach die nächsten Schritte gehen«, sagte sie laut zu sich selbst, und zwei Passanten drehten sich überrascht nach ihr um.

Was waren die nächsten Schritte?

Ins Hotel fahren, packen, die Rechnung mit ihrer Kreditkarte zahlen, die über Dennis' Konto lief, und hoffen, dass das funktionierte.

Sich von Pamela Luke verabschieden, falls sich diese im Hotel aufhielt und nicht im Büro von Inspector Fielder – was weit wahrscheinlicher war.

Zum Bahnhof fahren, eine Zugverbindung nach Taunton ausfindig machen.

Von daheim aus versuchen, Rob zu erreichen. Das Gespräch mit ihm würde sie nicht auf der Straße und in Eile führen.

Heute Abend würde sie in ihrem alten Zimmer in ihrem Elternhaus in Kingston St. Mary schlafen, und bei diesem Gedanken wurde ihr leichter zumute. Auch als erwachsene Frau brauchte man manchmal ein Nest, in das man flüchten konnte. Sie hatte immer ein sehr vertrauensvolles Verhältnis zu ihrem Vater gehabt. Vielleicht konnte sie ihm alles erzählen. Von ihrer Ehe mit Dennis. Davon, wie unglücklich sie stets in Gibraltar gewesen war. Von Marc Reeve, der…

Bei dem Gedanken an Marc Reeve hielt sie inne.

Das war das Allererste, was sie tun musste. Sie musste Marc anrufen. Sie musste sich verabschieden, ehe sie nach Kingston St. Mary aufbrach.

3

»Mir gefällt da etwas nicht«, sagte Inspector Fielder mit nachdenklich gerunzelter Stirn. Er saß in einem Café in Mayfair, trank einen doppelten Espresso und aß ein Hörnchen, das so trocken war, als stamme es aus lang vergangenen Zeiten. Sein Frühstück war an diesem Tag ausgefallen, sein Abendessen am Vorabend ebenfalls. Einem plötzlichen Gefühl von Kreislaufschwäche nachgebend, war er den Ermahnungen seiner Mitarbeiterin Christy McMarrow gefolgt und hatte sich zu einer Mahlzeit und einem Kaffee überreden lassen. Er und Christy hatten Pamela Luke in ihrem Hotel aufsuchen wollen, aber die junge Frau war nicht dort gewesen. Ihr Zimmerschlüssel lag an der Rezeption. Der Portier hatte erklärt, Miss Luke habe das Hotel gegen acht Uhr am Morgen verlassen.

»Sie hat nicht ausgecheckt«, hatte er erklärt, »und Gepäck hatte sie auch keins.«

»Sie besitzt ja auch kein Gepäck«, hatte Fielder geknurrt, mit unruhigen Blicken das Foyer absuchend, »es merkt keiner, ob sie abreist oder einfach nur spazieren geht.«

»Weshalb sollte sie abreisen?«, hatte Christy gefragt, dann war ihr die Blässe im Gesicht ihres Chefs aufgefallen, und nach einigem Hin und Her hatte er zugegeben, dass diese mit seinem niedrigen Blutzuckerspiegel zusammenhängen mochte. Da sie über den Fall Wavers sprechen wollten, ihnen die Sitzgruppen in der Halle aber zu offen waren und anderen Gelegenheit zum Mithören boten, hatte Christy ihn in das Café bugsiert, das in Sichtweite des Hotels lag. Wenn Pamela aufkreuzte, würden sie sie sehen.

»Was gefällt Ihnen nicht?«, fragte Christy. Sie hatte lediglich ein Mineralwasser bestellt, weil sie dringend abnehmen wollte. »Dass sie nicht im Hotel ist?«

»Immerhin war vereinbart, dass sie sich ständig zu unserer Verfügung hält.«

»Aber sie wird doch verrückt, wenn sie nur in ihrem Zimmer sitzt. Vielleicht muss sie auch mal irgendetwas kaufen – Zahnpasta oder Strümpfe oder eine Gesichtscreme. Wir hatten uns nicht angekündigt.«

»Als ich bei den Biggs fertig war, habe ich versucht, sie anzurufen. Aber da war sie schon nicht mehr in ihrem Zimmer.«

Christy McMarrow fand das nicht so verwunderlich. Pamela Luke hatte eine Menge hinter sich. Gestern hatte man sie mit einem Polizeiauto von Taunton nach London gebracht. Stundenlang hatte Fielder mit ihr geredet. Die Nacht davor musste ein einziger Albtraum für sie gewesen sein, die Konfrontation mit ihrem einstigen Peiniger, Cedrics schwere Verletzungen, der Schuss, den sie auf Wavers abgefeuert und der diesen tatsächlich getroffen und getötet hatte. Sie hatte es anschließend sogar geschafft, den inzwischen bewusstlosen Cedric zu einer Polizeistation zu bringen, wo man dann sofort einen Notarztwagen angefordert hatte. Pamela hatte größte Mühe mit dem Auto gehabt, war zudem ohne Beleuchtung gefahren, weil sie den Lichtschalter nicht gefunden hatte. Vermutlich war es nur der ländlichen Umgebung zu verdanken, dass sie nicht in einen schlimmen Unfall verwickelt worden war. Nach all dem konnte Christy sich gut vorstellen, dass die junge Frau heute früh das Bedürfnis gespürt hatte, der Enge ihres Zimmers zu entkommen und durch die Stadt zu laufen. Auf ihrer Netzhaut mussten sich schreckliche Bilder eingebrannt haben. Auf den paar Quadratmetern ihres Zimmers auf und ab gehend, konnte sie ihnen sicher nicht einmal für Sekunden entkommen.

Fielder schob sein Hörnchen beiseite. Er fand es ungenießbar.

»Dass sie nicht im Hotel ist, habe ich aber nicht gemeint«, sagte er. »Mir kommen nur ein paar ihrer Aussagen widersprüchlich vor.« Er strich sich über die müden Augen. »Die ganze Frau kommt mir widersprüchlich vor.«

»Sie hat viel mitgemacht.«

Er rührte nachdenklich in seiner Kaffeetasse. »Sie sagt, sie hat vor etwa fünf Jahren in einer Schublade in Ron Malikowskis Schlafzimmer den Reisepass von Elaine Dawson gefunden und an sich genommen. Zusammen mit Wavers war sie öfter in seiner Wohnung. Auf gezielte Nachfrage erwähnte sie eine Kommode, von der sie allerdings nicht mehr genau weiß, an welcher Stelle des Zimmers sie sich befand. Ich habe gestern Abend mit Malikowski gesprochen. Er sagt, Pamela Luke sei sicher nie in seinem Schlafzimmer gewesen. Im Übrigen gebe es dort keine Kommode und habe auch nie eine gegeben.«

»Muss nicht stimmen.«

»Wir waren in seiner Wohnung. Es gibt tatsächlich keine Kommode in seinem Schlafzimmer. Es gibt überhaupt keine Schubladen. Er hat ein japanisches Futonbett und einen gigantischen weißen Schrank mit Schiebetüren und offenen Fächern darin. Ansonsten sind keine Möbel vorhanden.«

»Das kann vor fünf Jahren aber anders gewesen sein.«

»Die Möbel wirken nicht besonders neu. Aber ich habe einen Beamten abgestellt, der die Wohnung nach Fotos durchsucht. Vielleicht gibt es Bilder von damals, die uns Aufschluss geben.«

Christy schüttelte den Kopf. »Wieso glauben Sie, dass irgendein Wort von diesem Typ wahr ist? Der Kerl ist ein Zuhälter der übelsten Sorte. Er hat Frauen, die man unter falschen Versprechungen aus Osteuropa hierhergelockt hat, mit Gewalt zur Prostitution gezwungen. Der Typ ist das Allerletzte. Entweder hat er Elaine Dawson selbst umgebracht, oder sein Freund Pit Wavers hat das erledigt. Die

Papiere hat er behalten, weil man so etwas in seiner Branche ja immer brauchen kann. Wavers war ein Killer, der offenbar nie lange gefackelt hat.«

»Weshalb sollte einer der beiden Elaine Dawson getötet haben?«

»Aus demselben Grund, aus dem Jane French und Linda Biggs getötet wurden.«

»Mit beiden hatte Wavers zuvor ein Verhältnis.«

»Vielleicht auch mit Elaine.«

»Sie war nicht sein Typ.«

»Also, hören Sie …«, begann Christy, aber er unterbrach sie: »Das ist ein wesentlicher Gesichtspunkt, Christy. Wavers war dabei, zum Serienmörder zu werden, und in solchen Fällen sind immer Übereinstimmungen bei den Opfern zu finden. Jane French, Pamela Luke und Linda Biggs verkörpern alle den gleichen Frauentyp – auch wenn sich die Luke inzwischen so getarnt hat, dass auf den ersten Blick nicht allzu viel davon zu entdecken ist. Alle sehr jung, sehr attraktiv, in einer bestimmten Weise aufgetakelt, die manche als billig bezeichnen, die aber haargenau Wavers' Geschmack traf. Sie stammten aus Familien, in denen sie wenig beschützt und beachtet wurden, vielfach bereits mit Gewalt in Berührung kamen. Sie hatten und haben ein vergleichsweise niedriges Bildungsniveau. All das trifft auf Elaine Dawson nicht zu.«

»Haben Sie sich näher mit dem Fall befasst?«

Er nickte. »Es hat ja seinen Grund, dass ich heute so müde herumhänge. Ich habe heute Nacht noch einmal alle Akten und Protokolle von damals studiert. Elaine Dawson hatte einen höheren Schulabschluss und arbeitete als Arzthelferin. Von ihrem Arbeitgeber wurde sie als zwar ungewöhnlich schüchtern und gehemmt, jedoch auch als gewissenhaft und intelligent beschrieben. Sie galt als ausgesprochen belesen. Eine Frau, die sicher zur Universität gegangen wäre, hätte sie sich nicht nach dem Tod beider Eltern um den schwerstbehinderten Bruder kümmern müssen. Sie war nie aus Somerset herausgekommen, hatte wohl etwas von einem Freund erzählt, aber den kannte keiner. Sie dürfte sehr unerfahren gewesen sein. Auf Fotos sieht man eine pummelige junge Frau, die wohl kaum je mit einem Lippenstift Bekanntschaft gemacht hat. Völlig unscheinbar. Der Typ des ewigen Mauerblümchens, das von niemandem richtig wahrgenommen wird. Garantiert nicht die Frau, mit der Wavers etwas angefangen hätte. Und nicht die Frau, die Malikowski für das horizontale Gewerbe rekrutiert hätte. Im Übrigen habe ich auch nicht den Eindruck, dass sie Männern wie den beiden auf den Leim gegangen wäre. Bei aller Unerfahrenheit – ich schätze sie als einen Menschen mit einem durchaus stabilen Wertesystem ein.«

»Aber irgendwie muss ihr Pass in Malikowskis Wohnung gekommen sein.«

»Irgendwie muss ihr Pass in die Hände von Pamela Luke gekommen sein«, korrigierte Fielder.

Christy McMarrow zog sich unauffällig das verschmähte Hörnchen ihres Chefs heran und brach sich ein Stück ab. Ihre Diät währte bereits zwei Wochen. Sie war so hungrig, dass sie in die Tischplatte hätte beißen mögen.

»Und Sie meinen, Pamelas Geschichte stimmt nicht?«

»Ich meine nur, dass es ein paar Ungereimtheiten gibt. Vielleicht tue ich ihr Unrecht, aber ich möchte über nichts hinweghuschen, was mir gegen den Strich geht.«

Christy brach das nächste Stück von dem Hörnchen ab. »Ziehen Sie in Erwägung, dass Pamela Luke selbst Elaine Dawson umgebracht und ihren Pass an sich genommen hat?«, fragte sie unverblümt. »Verstehe ich Sie da richtig?«

»Sagen wir so, ich halte es sowohl instinktiv als auch auf Grund meiner – sicher noch sehr oberflächlichen – Auseinandersetzung mit der Person Elaine Dawson für wahrscheinlicher, dass sich dieses *junge Mädchen vom Land,* das von jedem, der sie kannte, als extrem schüchtern und ängstlich beschrieben wird, von einer Frau einwickeln ließ als von einem Mann. Zumal von Männern wie Wavers und Malikowski, denen die Gewaltbereitschaft und Primitivität ins Gesicht geschrieben steht.«

»Aber wie soll das vor sich gegangen sein?«, wollte Christy wissen.

Fielder zuckte mit den Schultern. »Um das zu erfahren, müssten wir eine Aussage von Pamela Luke haben. Ich denke mir, was sie uns erzählt hat, stimmt bis zu einem gewissen Punkt. Sie hat den Mord an Jane French beobachtet und war von da an traumatisiert. Sann Tag und Nacht nur auf Flucht. Wusste aber zugleich, in welche Gefahr sie das brächte. Ihre Papiere hatte Wavers ihr weggenommen. Aber selbst wenn sie sie noch gehabt hätte: Sie konnte nicht einfach nur abhauen und irgendwo anders ein neues Leben beginnen. Sie musste sich selbst eine neue Identität geben.«

»Und da lief ihr Elaine Dawson über den Weg?«, fragte Christy skeptisch.

»Elaine Dawson hat am frühen Morgen des 11. Januar 2003 die Wohnung von Marc Reeve, dem Anwalt, der ihr Unterkunft geboten hatte, verlassen. Er sah sie in die U-Bahn steigen, mit der sie nach Heathrow wollte, um eventuell einen Flug zu ergattern, der sie noch rechtzeitig zur Hochzeit ihrer Freundin nach Gibraltar bringen konnte. Gesetzt den Fall, Reeves Aussagen stimmen – und es gab offenbar nie einen Anhaltspunkt dafür, dass das nicht der Fall wäre –, dann können wir auch seiner Behauptung Glauben schenken, dass Elaine ratlos und verzweifelt war und das Leben als Pflegerin ihres Bruders als zunehmend unerträglich empfand. Sie soll Reeve gegenüber mehrfach den Wunsch geäußert haben, überhaupt nicht mehr nach

Hause zurückzukehren. Tatsache ist, sie ist nicht nach Gibraltar geflogen. Sie ist verschwunden.«

»Und Sie meinen, in der U-Bahn saß zufällig auch Pamela Luke, die beiden kamen ins Gespräch, Elaine erzählte von ihren unguten Lebensumständen, woraufhin Pamela ihr Gott weiß was versprach – einen tollen Job, ein tolles neues Leben. Stattdessen lockte sie sie jedoch irgendwohin in die Einsamkeit, murkste sie ab und nahm ihren Pass an sich. Versteckte die Leiche so perfekt, dass niemand sie je fand. Entschuldigen Sie, Chef, aber für mein Dafürhalten klingt das sehr konstruiert.«

»Sie kann jedenfalls verdammt gut schießen, unsere Miss Luke.«

»Sie meinen…?«

»Ich meine, dass der bravouröse Fangschuss, mit dem sie vorletzte Nacht Pit Wavers umbrachte, kein Zufallstreffer war. Zumindest sollten wir das nicht einfach so ungeprüft hinnehmen. Fakt ist, dass Pamela Luke in einer verzweifelten Lage war. Des Nachts in gottverlassener Einsamkeit, in einem Auto sitzend, mit dem sie nicht zurechtkam, neben sich einen schwerverletzten Mann, der um Atem rang und völlig wehrlos war. Vor sich einen psychopathischen Killer, von dem sie nur zu gut wusste, wozu er fähig war. Sie sagt selbst, dass sie wie Espenlaub zitterte, und ich glaube ihr das. Sie zitterte ja noch, als sie davon sprach. Sie hat Munition für einen einzigen Schuss in ihrer Waffe, das heißt, sie kann nicht einfach wild herumballern und hoffen, dass sich irgendein Querschläger zu Wavers hinverirrt. Die Windschutzscheibe liegt zwischen ihr und ihm. Es steht wirklich alles gegen sie. Trotzdem streckt sie ihn mit diesem einen Schuss sauber nieder. Die Kugel sitzt knapp neben dem Herzen. Für meinen Begriff versteht sie den Job.«

»Oder hatte immenses Glück«, beharrte Christy.

»Falls sich herausstellt, dass die Angaben Pamela Lukes

über die Wohnungseinrichtung von Ron Malikowski und damit über den Fundort des Passes nicht stimmen, ist sie uns zumindest eine gute Erklärung schuldig«, sagte Fielder.

»Was tun wir als Nächstes?«, fragte Christy.

Fielder blickte auf seine Uhr. »Wir warten hier noch eine halbe Stunde. Vielleicht kreuzt Miss Luke in der Zeit auf, dann nehmen wir sie gleich zur Vernehmung mit. Ansonsten fahren wir allein ins Büro zurück. Mal sehen, wie weit der Kollege mit der Rekonstruktion von Malikowskis Schlafzimmer im Jahr 2003 ist. Und dann werde ich mit Taunton telefonieren. Sowie dieser Cedric Jones vernehmungsfähig ist, möchte ich ihn sprechen.«

Er trommelte ungeduldig mit dem Mittelfinger auf den Tisch.

Christy winkte der Kellnerin. Es war jetzt egal. Sie würde sich noch ein Hörnchen bestellen.

4

»Fahr nicht heute nach Taunton«, sagte Marc, »bleib wenigstens bis morgen.«

Sie stand in seinem Büro, unschlüssig, zu nervös, um noch länger sitzen zu bleiben. Sie hatte im Hotel ausgecheckt, hatte ihren Koffer dabei, war zu Marc gefahren, weil er sie inständig am Telefon darum gebeten hatte. Sie war nie zuvor in seinem Büro gewesen. Bücherwände bis zur Decke, Aktenstapel auf Beistelltischen und auf dem Fußboden. So aufgeräumt Marcs Wohnung war, so chaotisch und überfüllt präsentierte sich sein Büro. Er stand inmitten der Unordnung, die Krawatte hing lose um seinen Hals, seine Hemdsärmel waren aufgekrempelt – und er wirkte überfordert.

»Meine Sekretärin ist immer noch nicht zurück. Ich

kann hier nicht weg. Ich ersticke in Arbeit. Seit zwei Wochen kümmert sich niemand mehr um die Ablage…« Er fuhr sich mit der Hand durch die Haare. »Bitte, Rosanna. Ich schaffe es heute um sechs Uhr, von hier wegzukommen. Gib uns noch einen gemeinsamen Abend. Lass uns irgendwo etwas essen, lass uns reden.«

Sie sah an ihm vorbei zum Fenster hinaus. »Ich habe das Gefühl, mit dem Feuer zu spielen, Marc. Ich bin verheiratet. Ich kann nicht einfach…«

»Was?«

»Ich kann nicht einfach tun, was ich möchte«, sagte sie leise.

»Ich will nur reden«, sagte Marc.

Sie hob bedauernd die Schultern. »Im Hotel habe ich ausgecheckt. Und ich habe praktisch kein Geld mehr.«

»Du fährst jetzt in meine Wohnung. Ich gebe dir den Schlüssel, und du wartest, bis ich komme. Du kannst bei mir übernachten, und morgen früh fährst du nach Taunton.«

»Weißt du, was mein Mann dazu sagen würde? Wenn ich bei dir übernachte?«

»Dann nimm dir einen Leihwagen und fahr heute Abend noch nach Taunton. Aber lass uns miteinander sprechen. Ich habe das Gefühl…«, sein Telefon klingelte, aber er ignorierte es, »ich habe das Gefühl, wenn du jetzt aufbrichst, dann sehe ich dich nie wieder.«

Sie schwieg. Das Telefonklingeln brach ab, setzte kurz darauf erneut ein. Marc schien entschlossen, den Anrufer so lange auflaufen zu lassen, bis Rosanna sich seiner Bitte ergeben hätte.

»Okay«, sagte sie schließlich.

Er atmete erleichtert auf. »Hier«, er nahm zwei Schlüssel von seinem überquellenden Schreibtisch, »Wohnung und Auto. Nimm meinen Wagen. Du weißt den Weg?«

»Ja, aber ...«

»Ich komme mit der U-Bahn. Kein Problem. Bitte.«

Das Telefon klingelte erneut.

»Jetzt geh endlich ran«, sagte Rosanna, »ich komme zurecht.«

Sie verließ den Raum, sah noch, dass er ihr winkte, während er den Hörer aufnahm und sich meldete.

Beklommen fragte sie sich, ob es richtig war, was sie tat.

Als sie vor Marcs Wohnhaus versuchte, den ihr unvertrauten Wagen in eine eigentlich zu kleine Parklücke zu bugsieren, klingelte ihr Handy. Sie fluchte, hielt in ihren fruchtlosen Bemühungen inne und kramte in ihrer Handtasche.

»Ja?«, meldete sie sich atemlos. Sie stand so, dass sie die Straße blockierte, und konnte nur hoffen, dass jetzt niemand auftauchte, der vorbeiwollte.

»Mrs. Hamilton? Fielder hier. Sagen Sie, haben Sie eine Ahnung, wo Miss Pamela Luke steckt?«

»Nein. Ist sie nicht im Hotel?«

»Sie hat es heute Morgen gegen acht Uhr verlassen. Jetzt ist es fast ein Uhr, und sie ist immer noch nicht wieder aufgetaucht.«

»Waren Sie mit ihr verabredet?«

»Nicht konkret. Aber es war ausgemacht, dass sie sich zu unserer Verfügung hält. Ich bin etwas verwundert. Selbst wenn sie ein paar Besorgungen erledigen wollte – das dauert doch nicht fünf Stunden! Und für Großeinkäufe dürften ihr die Mittel fehlen.«

Es fiel Rosanna auf, dass Fielder sehr ernst klang. Mehr als das – beunruhigt.

»Wo sind Sie im Augenblick?«, erkundigte er sich.

Sie mochte ihm nicht die Wahrheit sagen. »Ich will gerade Freunde hier in London besuchen«, erklärte sie, »und

453

heute Abend oder morgen früh werde ich nach Taunton fahren. Ich möchte zu meinem Bruder.«

»Sie geben mir bitte Bescheid, bevor Sie nach Gibraltar zurückfliegen? Es kann sein, Sie werden noch gebraucht.«

»Ich rufe Sie auf jeden Fall an, Inspector.«

Er zögerte. »Mrs. Hamilton, Sie haben Miss Luke in Northumberland ausfindig gemacht und etliche Stunden mit ihr verbracht. Hat sie Ihnen irgendetwas erzählt, woraus sich Rückschlüsse auf ihren derzeitigen Aufenthaltsort ziehen ließen? Etwas, das Sie bislang vielleicht noch nicht erwähnten, weil es Ihnen bedeutungslos erschien?«

Rosanna überlegte. Sie begriff, worauf Fielder hinauswollte. »Sie meinen, sie ist verschwunden? Untergetaucht?«

»Wir können das nicht ausschließen«, sagte Fielder. »Ich will ganz offen sein: Es haben sich Ungereimtheiten in ihren Aussagen ergeben. Was den Fundort des Reisepasses von Elaine Dawson betrifft.«

»Im Schlafzimmer dieses Zuhälters. Malikowski, oder wie er heißt. Das hat sie mir und Anwalt Reeve erzählt.«

»Wir haben gesicherte Erkenntnisse, dass ihre Angaben über die Räumlichkeiten von Malikowski falsch sind. Vermutlich ist sie in besagtem Schlafzimmer nie gewesen. Dann könnte sie dort aber auch den Ausweis nicht gefunden haben.«

»Es sind fünf Jahre vergangen. Vielleicht…«

»Vielleicht hat sich in ihrer Erinnerung etwas verschoben, ja. Das wäre natürlich möglich. Aber es könnte auch sein, dass sie bewusst die Unwahrheit gesagt hat. Ich muss leider zugeben, dass ich auf Grund ihres plötzlichen Verschwindens geneigt bin, Letzteres anzunehmen.«

Rosanna sah im Rückspiegel ein Auto, das sich ihr näherte und nicht die geringste Chance hatte, an ihr vorbeizukommen. »Inspector, ich parke hier gerade völlig unmöglich«, sagte sie hastig, »ich muss Schluss machen. Es tut mir wirklich leid, aber im Augenblick habe ich keine Ahnung, wo Pamela stecken könnte. Wenn mir etwas einfällt, rufe ich Sie an!«

Der Autofahrer hinter ihr hupte ungeduldig. Sie klappte ihr Handy zu und manövrierte den Wagen mehr schlecht als recht in die Lücke. Er stand mit den Hinterreifen auf dem Gehsteig, die Nase ragte weit in die Straße. Zwei Passanten schüttelten den Kopf, als Rosanna ausstieg. Sie merkte, dass sie unter ihrem Pullover völlig verschwitzt war. Wegen des Einparkens? Oder hatte der Anruf des Inspectors sie so aufgeregt?

Während sie langsam die Treppen zu Marcs Wohnung hinaufstieg, dachte sie über die Bedeutung von Fielders Worten nach. Er schien überzeugt, dass Pamela log, was den Fundort des Passes anging. Aber welchen Grund sollte sie dafür haben?

Weil sie auf eine Art und Weise in den Besitz des Dokuments gelangt ist, die sie nicht offenlegen kann, überlegte Rosanna. Leichte Gänsehaut überlief sie. War Pamela Luke in dieser ganzen verworrenen Geschichte mehr als nur ein Opfer? War sie weit weniger unschuldig, als sie alle glauben machen wollte?

Weshalb war sie verschwunden?

Sie schloss die Wohnungstür auf und trat ein. Die Wohnung war so still, so kühl und so nichtssagend, wie sie sie in Erinnerung hatte. In der Küche stand eine benutzte Kaffeetasse in der Spüle, daneben lag das gewellte Backpapier, das von einem Muffin übrig geblieben war. Ein Muffin und eine Tasse Kaffee, offenbar Marcs übliches Frühstück.

Sie fragte sich plötzlich, wie einsam er sich fühlen mochte, wenn er morgens hinter der Küchentheke stand und diese schnelle, traurige Mahlzeit einnahm. Sie bezweifelte, dass er sich dazu überhaupt hinsetzte. Ob er in diesen Momenten an die Familie dachte, die er einmal gehabt hatte? Eine Frau, die einen Tisch deckte. Ein Kind, das plapperte.

Er sprach so wenig davon, verschloss alle diesbezüglichen Empfindungen in sich. Aber wie schwer mochte der Verlust heute noch wiegen?

Sie öffnete den Kühlschrank. Er war trostlos karg bestückt. Eine angebrochene Flasche Mineralwasser, eine noch verkorkte Flasche Weißwein. Eine Schachtel Margarine, eine Packung Schnittbrot. Eine winzige Ecke Cheddarkäse, in Alufolie eingewickelt. Das war alles.

Sie merkte, dass sie Hunger hatte, nahm sich eine Scheibe Brot und den Käse, aß beides im Stehen aus der Hand und trank hinterher ein paar Schlucke Wasser. Schon hatte sie ein schlechtes Gewissen. Einkaufen schien nicht zu Marcs Stärken zu gehören, und sie fraß ihm die paar Vorräte auch noch weg. Sie könnte losziehen, den nächsten Supermarkt ausfindig machen und ihm den Kühlschrank mit ein paar schönen Leckereien auffüllen, aber sie verwarf diesen Gedanken rasch wieder. Es mochte zu aufdringlich wirken. Marc war ein erwachsener Mann. Er konnte für sich allein sorgen.

Etwas ziellos streifte sie durch das Wohnzimmer. Wie schon bei ihrem ersten Besuch berührte sie die frappierende Unpersönlichkeit des Raums. Wie ein Hotelzimmer oder eine möblierte Wohnung. Vielleicht war es das auch. Vielleicht hatte Marc nach der Scheidung alle Möbel, alle Habseligkeiten seiner Exfrau überlassen oder irgendwo eingelagert, um nicht mehr an diese Phase seines Lebens erinnert zu werden, und hatte sich einfach die nächstbeste Unterkunft genommen. Zweifellos lebte er schlechter, als er es müsste. Weshalb? Hatte ihn die ganze Geschichte viel mehr mitgenommen, als er zugab? Die Trennung von seiner Frau, gut, das erlebte heute jedes dritte Paar, schenkte man den Statistiken Glauben. Aber was mochte die grausame Trennung von seinem Sohn, von seinem einzigen Kind, für ihn bedeuten? Sie dachte an Dennis, der mit Rob zwar falsch umgehen mochte, von dem sie aber wusste, dass er mit jeder Faser an ihm hing. Es hätte Dennis in völlige Verzweiflung getrieben, hätte ihn ein Schicksal wie das von Marc ereilt. Vielleicht war es Marc nun gleichgültig, wie und wo er lebte. Er hatte sein Leben auf seine Arbeit reduziert. Wahrscheinlich hielt er sich nur zum Schlafen in dieser Wohnung auf. Sie konnte sich gut vorstellen, dass er selbst die Wochenenden in seinem Büro verbrachte.

Der Gedanke an Dennis und Rob rief ihr den längst versprochenen Anruf ins Gedächtnis. Sie zog ihr Handy hervor und tippte Robs Nummer ein. Ihr war unbehaglich zumute. Sie kannte Robs direkte Art, Fragen zu stellen. Sie mochte ihn nicht belügen, aber was sollte sie ihm darüber sagen, wie sich ihre Zukunft gestalten würde? Sie wusste es ja selbst nicht.

Rob meldete sich beim ersten Klingeln. Er hatte ihre Nummer auf dem Display erkannt, denn er sagte sofort: »Rosanna?«

»Hallo, Rob. He, was machst denn du für Sachen?«

»Weiß nicht.«

»Klar weißt du das! Ich meine, dass du deine Mutter aufsuchst, finde ich ja ganz verständlich und in Ordnung, aber du hättest es deinem Dad vorher sagen müssen. Wir haben uns beide große Sorgen gemacht.«

»Hm.«

»Wie geht es dir?«

»Gut.«

»Ist deine Mutter bei dir?«

»Die ist einkaufen. Aber sie kommt bald nach Hause. Dann wollen wir irgendetwas zusammen unternehmen. Zu McDonald's gehen, oder so. Dad ist wieder in Gibraltar.«

»Ich weiß. Ich habe schon mit ihm telefoniert. Rob...«,

sie zögerte, denn sie wollte ihm nicht das Gleiche sagen, was er wahrscheinlich seit Tagen von allen Erwachsenen ringsum zu hören bekam. Aber schließlich brachte es nichts, das Wesentliche auszusparen.

»Rob, du weißt, dass du nicht einfach so aus deinem Leben ausbrechen kannst. Du lebst in Gibraltar. Du gehst dort zur Schule. Du kannst nicht alles stehen und liegen lassen und deine Zelte plötzlich hier aufschlagen.«

»Das hast du doch auch gemacht.«

»Das ist etwas ganz anderes. Ich habe…«

»Du bist plötzlich verschwunden, und seitdem existieren wir gar nicht mehr für dich. Du hast uns vergessen. Du wolltest mich gestern anrufen, aber das war natürlich nicht wichtig genug!«

»Es war mir wichtig. Du bist mir wichtig. Aber gestern…« Sie mochte ihm nicht die ganze Geschichte erzählen. Was sie beide anging, war sie sowieso unerheblich.

»Mein Bruder Cedric hatte einen Unfall«, sagte sie deshalb nur. »Er musste ins Krankenhaus. In Taunton. Ich war deswegen gestern sehr aufgeregt und durcheinander. Es tut mir leid, dass ich darüber den Anruf bei dir vergessen habe.«

Rob schwieg eine Weile. »Wo bist du jetzt?«, fragte er.

»Hier in London. Bei… Freunden. Ich werde aber wahrscheinlich heute Abend noch nach Taunton fahren. Ich möchte nach Cedric sehen.«

»Kann ich mitkommen?«

Das hatte sie befürchtet. Dass Rob sich nun an sie klammerte. Sie wollte nach Kingston St. Mary, sich in ihrem Elternhaus verkriechen. Sich klar werden über ihre Zukunft. Rob war der letzte Mensch, den sie dabei gebrauchen konnte.

»Rob, das geht doch nicht. Du…«

»Warum nicht?«

»Weil du eigentlich schleunigst zurückfliegen müsstest zu deinem Vater. Was soll er denn deinen Lehrern erzählen?«

»Wir könnten dann zusammen zurückfliegen!«

»Ich weiß aber noch nicht, wann ich zurückfliege.«

Wieder ein längeres Schweigen, dann sagte Robert ebenso aggressiv wie verzweifelt: »Du weißt nicht, *ob* du überhaupt zurückfliegst! Stimmt's? Das ist doch der springende Punkt. Und deshalb willst du mich auch nicht bei dir haben!«

»Ich weiß nicht, wie es Cedric geht. Davon hängt alles Weitere ab.«

»Und wenn es ihm gut geht? Wann fliegst du dann zurück?«

»Es geht ihm im Moment bestimmt nicht gut.«

»Wie günstig für dich«, sagte Rob bissig.

Rosanna merkte, dass sie ihr Handy viel zu hart umklammert hielt, zudem presste sie das Gerät so fest ans Ohr, dass ihr Ohrläppchen glühte. Sie atmete tief durch, bemühte sich um ein wenig Entspannung.

»Rob, das ist nicht sehr fair, was du da sagst«, erwiderte sie ruhig, »und ich glaube, das weißt du auch. Ich kann mich in deine schwierige Situation durchaus hineinversetzen, aber du bist nicht der Einzige, der Probleme hat, und das solltest du auch einmal sehen. Im Übrigen finde ich, dass du, wenn du schon in England bist, die Zeit nutzen solltest, deine Mutter besser kennen zu lernen. Anstatt mit mir an Cedrics Bett zu sitzen!«

Leise sagte Robert: »Ich kenne meine Mutter jetzt. Es funktioniert nicht zwischen uns.«

»Aber…«

»Sie ist nett. Ich glaube auch, sie gibt sich richtig Mühe. Aber im Grunde hat sie absolut keine Ahnung von mir oder von jungen Leuten überhaupt. Alles, was ihr einfällt, ist, mich andauernd zu McDonald's zu schleifen oder mit mir in Kinofilme zu gehen, für die ich zu alt bin. Sie wirkt total gestresst, und ich glaube, sie fiebert meiner Abreise entgegen.«

»Sei gnädig! Was erwartest du denn? Du stolperst urplötzlich in ihr Leben, und sofort soll sie mit dir den perfekten Umgangston haben und genau wissen, wonach dir der Sinn steht! Natürlich ist sie gestresst von der Situation, das wäre ich auch. Jeder wäre es.«

»Mit dir war es aber immer anders. Mit dir war es so … so selbstverständlich!«

»Wir hatten aber auch viel mehr Zeit, uns aneinander zu gewöhnen.«

»Du warst von Anfang an superokay!«

»Und du warst viel jünger. Ein zehnjähriger Junge ist ziemlich unkompliziert im Umgang. Ich musste dir bloß das richtige Trikot vom richtigen Fußballverein schenken, schon hatte ich dein Herz gewonnen. Jetzt bist du sechzehn. Das ist viel schwieriger.«

»Immerhin wusstest du, welcher der richtige Verein ist«, sagte Robert bockig.

Rosanna lachte. »Ich verrate dir jetzt mal etwas: Dein Vater hat mir das damals gesagt. Ich hatte keinen blassen Schimmer von Fußball.«

Rob schien ein paar Momente zu brauchen, diese Information zu verdauen. Dann sagte er: »*Sie* ist nicht meine Mutter, das weiß ich jetzt. *Du* bist es!«

Und damit legte er auf.

»Mist«, sagte Rosanna laut. Sie überlegte, ob sie ihn noch einmal anrufen sollte, entschied sich aber dagegen. Es brachte nichts, sie drehten sich im Kreis. Zudem würde er wieder versuchen, sie auf Aussagen festzunageln, die sie jetzt nicht abgeben konnte. Es mochte feige sein, aber vorerst würde sie sich bei ihm nicht mehr melden.

Sie sah auf ihre Uhr. Halb zwei. Was sollte sie mit dem langen Nachmittag anfangen, der sich vor ihr dehnte?

Schließlich brach sie zu einem Spaziergang auf. Über eine Stunde lang lief sie durch den kalten, stillen Tag. Nach dem Sonnenschein der letzten Tage begann sich der Himmel nun zunehmend mit weißen Schlieren zu überziehen, die Sonne verlor an Kraft. Kein Windhauch rührte sich. Unweit von Marcs Wohnung gab es einen kleinen Park, den Rosanna sehr hübsch fand. Sie setzte sich auf eine Bank, starrte gedankenverloren auf das graugrüne Wasser eines Teichs. Der Park weckte Erinnerungen an Sommerabende in London. Die Hitze, die vom Asphalt aufstieg. Parks voller Spaziergänger, Skateboardfahrer, Menschen, die im Gras saßen und Eis aßen. Das Rascheln der Blätter dicht belaubter, riesiger Bäume. Über allem der Großstadtgeruch nach Benzin, Autoabgasen, Staub.

Es ist meine Stadt.

Sie hatte dies nie so klar gedacht wie in diesem Moment. Meine Stadt. Mein Leben. Wie viel Lebenszeit ließ sich ungestraft verschwenden, indem man sie auf eine Weise verbrachte, die nicht passte, die sich unstimmig anfühlte?

Ziemlich spät merkte sie, dass sie völlig ausgekühlt war. Sie stand rasch auf und machte sich auf den Heimweg.

In Marcs Wohnung zog sie sich sofort aus, duschte sehr heiß und sehr lang, nahm frische Wäsche, einen wärmeren Pullover und dicke Socken aus ihrem Koffer, zog sich wieder an. Sie schaltete den Fernseher ein, sah sich eine Seifenoper an, in der sich zwei Frauen wild um einen Mann zofften, der jung, schön und so beschränkt war, dass Rosanna ihn nicht geschenkt genommen hätte.

Es war halb fünf, als sie die Weinflasche aus Marcs Kühlschrank öffnete und sich ein großes Glas einschenkte.

Nach dem zweiten Glas war es fünf Uhr, und der Alkohol hatte ihre Skrupel so weit fortgespült, dass sie es wagte, das Schlafzimmer ihres Gastgebers zu betreten – in der Hoffnung, dort auf irgendetwas Persönliches zu stoßen, auf etwas, das ihr ein wenig Aufschluss über das Wesen dieses Mannes gab.

Auf den ersten Blick verriet es ihr kaum mehr als der Rest der Wohnung. Ein sehr niedriges Bett, breit genug, dass zwei Menschen darin Platz finden konnten, aber überschaubar genug, dass sich einer allein darin nicht verloren fühlen musste. Kein Nachttisch, nur eine Stehlampe auf der einen Seite. Am Fuß der Lampe etliche Zeitungen und Zeitschriften.

Ein großer, hellgrauer Kleiderschrank stand dem Fenster gegenüber, das, wie auch das Wohnzimmerfenster, nach vorn zur Straße hinausging.

Auf einem weiß lackierten Korbsessel in der Ecke hingen zwei Jeans und einige Pullover nachlässig über der Lehne.

Die Wand gegenüber dem Bett jedoch wurde fast in ihrer gesamten Breite von einem weißen Bücherregal eingenommen, und die ohne jede Ordnung dort zum Teil aufgereihten, zum Teil übereinander gestapelten Bücher stellten den ersten Hinweis darauf dar, dass Marc Reeve ein Leben jenseits seines Berufs und seines Büros hatte, und dass es Abende geben mochte, an denen er es sich daheim gemütlich machte, einen Wein trank und nach Herzenslust schmökerte.

Allerdings – eine Fotografie seines Sohnes fand sich auch im Schlafzimmer nicht.

Sie betrachtete die Bücher. Marc hatte eine eindeutige Vorliebe für historische Biografien, speziell über Persönlichkeiten der englischen Geschichte. Sie füllten den mit Abstand größten Teil des Regals. Allein Oliver Cromwell war viermal vertreten, Thomas Morus dreimal. Daneben gab es andere Geschichtsbücher, hierbei wiederum ein Übergewicht beim Thema Revolutionen: die Französische Revolution, die Russische Revolution, die Revolution in England. Etliche Bände über den Zweiten Weltkrieg. Ansonsten ein paar Kriminalromane von Dorothy Sayers und, darüber musste Rosanna grinsen, fast alles, was Stephen King je geschrieben hatte.

Sie nahm ein paar Bücher zur Hand, blätterte darin herum. Er war ein intensiver Leser und vermutlich ein Mehrfachleser, denn viele Bücher wirkten sehr abgegriffen. Hier und da hatte er in völlig unleserlicher Schrift mit Bleistift irgendwelche Kommentare an den Rand geschrieben. Vor allem aber hatte er die Angewohnheit, Briefe und Postkarten als Lesezeichen zu benutzen und später in dem jeweiligen Buch zu belassen. Es wimmelte in diesem Regal geradezu von Korrespondenz, und Rosanna wusste, dass sie an diesem Punkt spätestens mit dem Stöbern hätte aufhören und das Zimmer verlassen sollen. Dennoch überflog sie eine Postkarte, die sie in Dorothy Sayers' *Aufruhr in Oxford* gefunden hatte. Sie zeigte blaues Meer und eine idyllische Bucht mit weißem Strand und stammte aus der Provence.

»Lieber Marc, sind jetzt seit fast drei Wochen hier. Das Wetter ist ein Traum, die Strände sind leider recht voll, aber wir sind auf die Idee gekommen, uns ein Boot zu mieten und damit in entlegene Buchten zu fahren. Das Baden dort macht riesigen Spaß. Wie geht es dir? Wir hören, dass es in England ständig regnet. Du hättest doch mit uns kommen sollen. Ferien allein daheim sind doch blöd. Vielleicht nächstes Mal…? Liebe Grüße von Ellen und Dan.«

Sie versuchte den Poststempel zu entziffern. August 2002. Das Jahr, in dem ihn seine Frau verlassen hatte. Sein erster Sommer nach der Trennung. Freunde hatten ihn in die Ferien mitnehmen wollen, er hatte offenbar abgelehnt. Die Geschichte mit Elaine lag zu diesem Zeitpunkt noch in der Zukunft. Hatten ihm Freunde auch danach noch aus seiner Einsamkeit zu helfen versucht? Oder hatte man allgemein eher die Finger von ihm gelassen? Immerhin hatte er auch einen beruflichen Einbruch erlitten. Manche mochten ihn nicht mehr so interessant, so reizvoll gefunden haben. Der Gewinnertyp war plötzlich zum Verlierer auf allen Ebenen geworden.

Sie stieß noch auf ein paar Rechnungen, Reklamezettel, den Bestellschein eines Pizza-Lieferservices. Marc hatte auf dem Zettel ein Kreuz hinter *Pizza Diavolo* gemacht, die als besonders scharf gepriesen wurde. Rosanna musste lächeln. Die hätte sie auch bestellt.

Sie griff nach einer der Cromwell-Biografien, und ein zusammengefalteter Brief fiel ihr entgegen. Entsetzt über sich selbst und ihr Verhalten, aber doch unfähig, in ihren Nachforschungen innezuhalten, faltete sie ihn auseinander. Rechts oben prangte in dicken Lettern der gedruckte Briefkopf eines Vereins: *F.I.D. Fathers in Defense.*

Es handelte sich um einen eingetragenen Verein.

Sie fuhr sich mit der Zunge über die trockenen Lippen. Der Brief trug das Datum vom 25. November 2002. Einem Montag.

»*Sehr geehrter Mr. Reeve*«, lautete das Schreiben, »*es hat mich außerordentlich gefreut, Sie am vergangenen Freitag auf der Party im* Vino Veritas *kennen gelernt zu haben. Ich glaube nicht, dass es ein Zufall war, der gerade uns beide auf einer Feier mit rund hundertfünfzig Gästen in einem Gespräch zusammengeführt hat. Schnell hat sich ja auch herausgestellt, dass wir beide das gleiche Problem haben.*

Wie ich Ihnen ja schon sagte, wurde Fathers in Defense, *oder kurz: F.I.D., vor fünf Jahren gegründet, und wir haben in dieser Zeit einen enormen Zuwachs an Mitgliedern zu verzeichnen gehabt. Männer, denen es so oder so ähnlich wie uns geht, Männer, die man von ihren Kindern getrennt und zu reinen Zahlvätern degradiert hat. Die in Anspruch genommen werden bis zum Weißbluten, denen man jedoch jede nur erdenkliche Schikane auferlegt, wenn es darum*

*geht, den Umgang mit ihren Kindern so gering wie möglich
zu halten oder sogar völlig zu unterbinden.*

*Gemeinsam sind wir stark. Zumindest stärker, als es jeder von uns für sich allein wäre. Manches haben wir schon
erreicht, vieles ist noch offen. Etlichen von uns helfen jedoch auch schon die Gespräche mit Leidensgenossen, der
Austausch mit Menschen, die wirklich und aus eigener Erfahrung wissen, worum es geht.*

*Unser nächstes Treffen findet am kommenden Freitag,
den 29. November, im unten näher beschriebenen Restaurant statt. Im Namen der anderen Mitglieder darf ich Sie
herzlich dazu einladen. Ich muss sicher nicht betonen, wie
sehr uns daran gelegen ist, gerade Juristen in unsere Mitte
aufzunehmen.*

*In der Hoffnung auf eine positive Antwort verbleibe ich
mit freundlichen Grüßen …«*

Es folgten eine unleserliche Unterschrift, anschließend
von Hand geschrieben ein Restaurantname und eine offenbar recht eilig gezeichnete Anfahrtsskizze.

Rosanna ließ den Brief sinken.

F. I. D.

Sie hatte von Gruppierungen dieser Art oft gehört. Als
Journalistin hatte sie vor Jahren einmal ein Mitgliedertreffen besucht und darüber berichtet. Ihr war damals die echte
Verzweiflung vieler Männer aufgefallen, der Schmerz, den
ihnen die Trennung von ihren Kindern zufügte, aber auch
die Empörung, die das Gefühl von Rechtlosigkeit in ihnen
auslöste. Sie erinnerte sich, damals sehr betroffen gewesen
zu sein. Sie hatte nicht den Eindruck gehabt, es mit Spinnern zu tun zu haben. Sondern mit zutiefst unglücklichen
Menschen.

War Marc dieser Gruppe beigetreten? War die Abgeklärtheit, die er an den Tag zu legen schien, wenn die Sprache
auf Josh kam, nur gespielt? Verbarg sich tagtäglich mühsam

kontrollierte Verzweiflung dahinter? Waren die nüchterne Wohnung, der leere Kühlschrank, die bedrückende Einsamkeit, die seine privaten vier Wände atmete, Ausdruck eines tiefen Kummers, der ihn umfangen hielt?

Sie hörte das Geräusch von der Tür etwas zu spät. Es gelang ihr nicht, den Brief in das Buch zurückzustecken. Sie hielt ihn offen in der Hand. Marc stand vor ihr.

»Hier bist du«, sagte er unbefangen. »Ich habe es etwas früher geschafft, als ich dachte. Hör mal, wie hast du denn mein Auto geparkt? Da kommt ja kaum noch jemand vorbei!« Er schien nicht verärgert darüber, dass er sie in seinem Schlafzimmer antraf.

Sein Blick fiel auf den Brief.

»Ein Brief?«, fragte er stirnrunzelnd.

Sie hatte sich selten in ihrem Leben so geschämt. »Ich bin unmöglich, Marc. Eigentlich wollte ich nur deine Bücher ansehen, aber...«

Jetzt hatte er den Aufdruck des Vereins entziffert.

»Da hast du ja gleich einen Treffer gelandet«, meinte er.

5

Jeder Atemzug tat ihm weh. Aber wenigstens konnte er überhaupt wieder atmen. Seine letzte Erinnerung war die völlige Dunkelheit, in die er gefallen war, und als er wieder aufgewacht war, waren Ärzte und Schwestern um ihn gewesen, und er hatte an einem Beatmungsgerät gelegen. Einen schrecklichen Moment lang hatte er sich dem Tod näher als dem Leben gefühlt, weil er unfähig gewesen war, sich dem Gerät anzupassen, und entsetzt nach Luft rang, aber irgendwie hatte er schließlich den Rhythmus gefunden.

»Wir haben ihn wieder«, hatte jemand gesagt, und er

hatte besorgte Gesichter über sich erkannt und Augen, die ihn eindringlich musterten.

»Schön atmen«, sagte eine Schwester, und er hätte ihr gern erklärt, wie weh das tat, aber er konnte nicht sprechen. Er vermutete, dass sie ihm irgendetwas Beruhigendes gespritzt hatten, denn nach kürzester Zeit schon waren ihm wieder die Augen zugefallen. Als er erneut erwachte, hing er nicht mehr an der Maschine, aber die Schmerzen quälten ihn fast noch heftiger als zuvor. Sicher bekam er Schmerzmittel. Alles wäre sonst noch schlimmer, wahrscheinlich unerträglich gewesen.

Ein Tag war vergangen und ein zweiter. Cedric hatte nie zuvor in seinem Leben in einem Krankenhaus gelegen, und er fand es schrecklich. Der Geruch. Der hässliche Linoleumboden. Die steife Bettwäsche. Das Essen. Aber am schlimmsten war einfach die Tatsache, bewegungsunfähig zu sein. Ausgeliefert. Hilflos.

»Sie haben eine sogenannte Serienfraktur erlitten«, hatte ihm der Arzt, ein grauhaariger und dennoch recht jugendlich wirkender Mann, erklärt, »vier direkt nebeneinanderliegende Rippen sind gebrochen. Das Gefährliche an derartigen Brüchen ist vor allem die Möglichkeit, dass innere Organe verletzt werden. Ihre Atmung setzte immer wieder aus, so dass wir schon fürchteten, die Lunge sei miteinbezogen und ein Flügel bereits kollabiert. Sie haben jedoch Glück gehabt. Weder die Lunge noch irgendein anderes Organ sind in Mitleidenschaft gezogen worden.«

»Warum konnte ich dann nicht atmen?«, fragte Cedric. Er entsann sich der qualvollen Atemnot in den letzten Minuten, ehe er bewusstlos geworden war.

»Das hat mit den Schmerzen zu tun«, sagte der Arzt, »und das ist bei derartigen Frakturen nicht selten der Fall. Das Atmen tut so weh, dass der Patient unwillkürlich gegen den Schmerz atmet, also versucht, Luft zu bekommen und dabei dem fast unerträglichen Schmerz auszuweichen. Das führt zu einer völligen Verkrampfung bis hin zu einer Blockade der Atmung. Es gibt Patienten, die danach das Atmen erst ganz langsam und umständlich wieder lernen müssen. Bei Ihnen ist alles sehr schnell gegangen.«

Wavers, du Arsch, hatte er gedacht, *wenn ich dich noch einmal zwischen die Finger bekomme, kriegst du das alles zurück, das verspreche ich dir!*

Auch sein Vater war erschienen. Mit einem erschrockenen, bekümmerten Gesicht, bemüht, seine Besorgnis nicht allzu deutlich werden zu lassen.

»Junge, Junge! Was machst du denn für Sachen?«

»Weißt du, was aus Pamela geworden ist, Dad?«, fragte Cedric. Er stellte fest, dass es gar nicht so einfach war, zu sprechen, ohne sich dabei zu bewegen. Denn jedes auch noch so geringe Zucken seines Körpers bezahlte er mit höllischen Stichen, die ihm durch und durch gingen.

»Pamela? Die Dame, die bei dir war? Soweit ich weiß, ist sie in London. Sie wird von der Polizei vernommen. Lieber Himmel, in welche Geschichte bist du denn da geraten? Rosanna hat mir erzählt, dass...«

Nach und nach hatte Cedric die Informationen bekommen, nach denen er suchte. Er hatte erfahren, dass Pamela Pit Wavers erschossen hatte. Dass sie ihn, Cedric, zur nächsten Polizeiwache gefahren hatte. Dass sie inzwischen bei Scotland Yard saß. Dass eigentlich alles gut war.

Jetzt musste er nur noch hier herauskommen. Der Arzt hatte ihm in Aussicht gestellt, dass er bald würde nach Hause gehen dürfen.

»Ihre Rippen heilen hier wie dort. Wir versorgen Sie mit ausreichend Schmerzmitteln, dann müssen Sie nicht unbedingt hier liegen. Aber Ruhe geben, hören Sie? Joggen ist erst einmal nicht drin!«

Am späten Nachmittag war dann ein Polizeibeamter bei

ihm aufgekreuzt, eindringlich von der Schwester ermahnt, den Patienten nicht länger als höchstens zehn Minuten zu belästigen. Er hatte erklärt, im Auftrag von Scotland Yard zu kommen, sodann hatte er einige irritierende Fragen über Pamela Luke gestellt.

»Sie ist verschwunden. Ihre Vernehmung war nicht abgeschlossen, und sie hatte klare Anweisung, sich weiterhin zur Verfügung zu halten. Heute früh um acht Uhr hat sie ihr Hotel verlassen. Seither wurde sie nicht mehr gesehen. Haben Sie eine Ahnung, wo sie sich aufhalten könnte?«

»Nein. Absolut nicht.«

»Es ist wichtig, dass sie gefunden wird.«

»Ich weiß es nicht, tut mir leid.«

»Ist Ihnen irgendetwas an ihr aufgefallen?«

»Was sollte mir denn aufgefallen sein? Sie hatte Todesangst vor Pit Wavers, und zunächst kam sie mir deswegen reichlich überspannt und hysterisch vor. Wie sich aber herausstellte, lag sie mit ihrer Ahnung einer tödlichen Gefahr absolut richtig.«

Der Beamte blickte in seine Unterlagen. »Hat sie sich Ihnen gegenüber noch einmal zu dem ominösen Pass geäußert, den sie vor fünf Jahren in der Wohnung eines… eines Ron Malikowski gefunden haben will?«

»Wir haben darüber nicht noch einmal gesprochen. Sie hat überhaupt wenig geredet. Sie hat nur immer wieder gesagt, dass sie Angst hat. Dass sie ein Unheil spürt. Leider nahm ich das nicht ernst. Deshalb liege ich jetzt hier.«

Als der Beamte gegangen war, dachte Cedric noch einmal über dessen Formulierung nach: *der Pass, den sie gefunden haben will…*

Das klang, als ziehe man bei Scotland Yard ihre Aussage in Zweifel.

Er ärgerte sich, dass er nicht gleich nachgehakt hatte. Es musste an den Schmerzmitteln liegen, dass sich alles in seinem Kopf so langsam bewegte. Er reagierte einfach nicht richtig. Und wieso war Pamela abgehauen? Wovor hatte sie denn nun schon wieder Angst?

Es dämmerte draußen, und Cedric war schon fast wieder am Einnicken, da öffnete sich seine Zimmertür erneut. Er hob den Kopf und stöhnte gleich darauf vor Schmerzen. Ein wenig auch aus Überraschung. Denn es war Geoffrey, der in seinem Rollstuhl ins Zimmer kam.

»Dein Vater hat mich angerufen und mir alles erzählt«, sagte Geoff, »und da dachte ich ... na ja, ich wollte einfach mal nach dir sehen.«

»Wie bist du hierhergekommen?«

»Eine Pflegerin hat mich gefahren. Sie wartet unten.« Er grinste ein wenig schief. »Da ich ja nie zu irgendeiner Aktivität zu bewegen bin, ist man im Heim vor Glück fast ausgeflippt, als ich erklärte, ich wolle einen Freund im Krankenhaus besuchen. Die haben sich überschlagen, mich hierherzuschaffen. War gar kein Problem.«

»Das ist wirklich nett von dir«, murmelte Cedric. Er lag stocksteif im Bett. »Entschuldige, dass ich dich nicht anschaue. Aber die Schmerzen sind einfach grausam, wenn ich mich bewege!«

»So ein Körper kann einen ganz schön fertigmachen«, meinte Geoff, und Cedric entgegnete friedlich und ohne die üblichen Beschönigungen hinzuzufügen: »Und gerade du kannst das wirklich laut sagen!«

Nach einem Moment des Schweigens sagte Geoff: »Hör zu, die Schwester hier auf der Station hat gesagt, ich darf nicht lange bleiben, deshalb komme ich gleich zur Sache. Ich wollte mich entschuldigen.«

»Wofür?«

»Also, wenn ich all die Fragmente, die ich von deinem Vater erfahren habe, richtig zusammensetze, habe ich wohl ziemlichen Mist gebaut mit meinem Anruf bei Mrs. Pearce von *Private Talk*. Damit habe ich offenbar eine Lawine ausgelöst, die ... na ja, die so nicht hätte passieren sollen.«

»Es war jedenfalls nicht gerade die beste Idee deines Lebens.«

»Ich hatte so eine Riesenwut auf deine Schwester, Cedric. Ich hatte sie in der Sendung gesehen und miterlebt, wie sie Marc Reeve reinzuwaschen versuchte. Dann erzähltest du mir von dieser in Yorkshire aufgetauchten Person, die sich Elaine Dawson nennt. Und dass Rosanna auf dem Weg zu ihr ist. Ich habe rot gesehen. Ich war überzeugt, dass es sich nicht um meine Elaine handelt, und damit lag ich ja auch richtig, aber ich dachte, okay, Rosanna geht jetzt hin und versucht irgendetwas zu tricksen, um ihren Marc Reeve in reinem Licht erstrahlen zu lassen. Der Typ hat es ihr angetan, da kannst du sagen, was du willst!«

»Und wenn? Geoff, so gut müsstest du sie kennen! Sie würde deswegen nicht irgendwelche betrügerischen Geschichten inszenieren. Sie ist doch nicht blöd!«

»Auf jeden Fall kam mir die Idee, Mrs. Pearce anzurufen und ihr die ganze Sache zu stecken. Ich dachte, unter den Augen der Presse kann Rosanna jedenfalls kein falsches Spiel beginnen. Die Pearce sprang natürlich total auf meine Nachricht an. Sie versprach mir, einen befreundeten Kollegen nach Northumberland zu schicken.«

»Das war ausgerechnet ein Reporter vom *Mirror*!«

»Ja. Und ich habe euch alle damit in größte Schwierigkeiten und sogar in Lebensgefahr gebracht.« Geoff atmete tief und fügte leise hinzu: »Es tut mir sehr leid. Ich hoffe, du kannst meine Entschuldigung annehmen?«

Cedric machte eine wegwerfende Handbewegung und keuchte gleich darauf vor Schmerz. »Klar. Schwamm drüber. Du warst einfach ...«

»... besessen. Von dem Gedanken an Marc Reeve als

Mörder. Und dem Wunsch, ihn zur Strecke zu bringen. Dabei ... scheint nun alles anders gewesen zu sein ...«

Vorsichtig sagte Cedric: »Du weißt, dass Elaine wahrscheinlich wirklich ... nicht mehr am Leben ist?«

Geoff nickte heftig. »Das sagte dein Vater. Sie ist wohl tatsächlich Opfer eines Gewaltverbrechens geworden. Ein Londoner Zuhälter, wenn ich das richtig verstanden habe? Mir ist zwar schleierhaft, wie sie ausgerechnet so jemanden aufgabeln konnte, aber ... irgendwie muss es wohl geschehen sein, oder?«

Elaine und ein Londoner Zuhälter – das war ein auch für Cedric schwer vorstellbares Bild. Die Worte des Beamten gingen ihm erneut durch den Kopf: ... *der Pass, den sie gefunden haben will ...*

Waren sie wirklich schon am Ende des Falls? Warum war Pamela verschwunden?

Er entschied, dass es keinen Grund gab, Geoffrey zu verwirren. »Geoff, vielleicht werden wir es nie genau wissen, aber es sind verschiedene Möglichkeiten vorstellbar. Wir wissen, dass sie wegen des ausgefallenen Flugs verzweifelt und durcheinander war. Lass sie am Flughafen erfahren haben, dass kein Flug mehr geht. Oder alles ausgebucht ist. Oder sie hat beschlossen, doch nicht mehr zu fliegen. Weil sie einfach der Mut verlassen hat. Vielleicht hat jemand sie angesprochen. Vielleicht ist sie in das falsche Auto gestiegen. Sie war unerfahren und etwas leichtsinnig, das darfst du nicht vergessen. Sie ist auch mit Reeve einfach mitgegangen. Beim nächsten Mann hatte sie vielleicht weniger Glück.«

»Ich wüsste es gern.«

»Pit Wavers ist tot. Aber sein Kumpel redet vielleicht noch.«

Geoff nickte. »Ja, vielleicht.« Übergangslos fügte er hinzu: »Weißt du, so verrückt es klingt, aber obwohl ich jetzt sozusagen die Gewissheit erhalten habe, dass meine Schwester nicht mehr lebt, kann ich doch endlich meinen Frieden mit der ganzen Geschichte machen. Für mich war es immer der schlimmste Gedanke, sie könnte mich verlassen haben. Einfach gegangen sein, ohne noch irgendein Gefühl an mich zu verschwenden. Ich konnte es mir nicht vorstellen, aber ich habe natürlich immer wieder gespürt, dass die meisten Menschen um mich herum genau diese Möglichkeit in Erwägung zogen, und manchmal war ich völlig verunsichert. Ich habe mich sehr damit gequält. So schrecklich es ist zu wissen, dass sie ermordet wurde – ich bin doch befreit. Sie wollte mich nicht verlassen.«

Cedric dachte, dass Geoff das nicht sicher wissen konnte, aber er hütete sich, dies auszusprechen. Die eine Variante war die, dass Elaine in ein Auto gezerrt, irgendwo hingeschafft und ermordet worden war. Die andere war die, dass sie sich sehr bewusst mit einem Mann eingelassen hatte, gerade um der Enge ihres Lebens zu entkommen. Entweder hatte sie in London jemanden kennen gelernt, oder es hatte schon längere Zeit einen Mann in ihrem Leben gegeben. Er dachte daran, dass Rosanna von einem Freund gesprochen hatte, den Elaine gegenüber Marc Reeve erwähnt hatte.

Und wie passte Pamela in das Bild?

Noch vieles war unklar, und vielleicht würde dies auch Geoff noch zu Bewusstsein kommen, aber im Augenblick war er nur erleichtert, und diese Erleichterung mochte Cedric ihm nicht nehmen.

Sie schwiegen beide eine Weile, dann räusperte sich Geoff und sagte: »Na ja, das war's eigentlich schon, weshalb ich gekommen bin. Um mich zu entschuldigen und um dir zu sagen, dass es mir besser geht, und … um nach dir zu sehen natürlich auch, klar.«

Cedric hob vorsichtig die Hand. »Ich hab mich gefreut, Geoff. Ehrlich. Viel mehr, als ich es dir zeigen kann.«

Geoff nahm sacht Cedrics Hand. »Du gehst in die Staaten zurück?«

»Wenn ich mich wieder bewegen kann. Ein paar Wochen werde ich wohl noch bei meinem Vater bleiben. Ist für ihn sicher auch ganz schön.«

»Besuchst du mich noch mal?«

»Glaubst du, ich reise ab, ohne mich zu verabschieden?«, fragte Cedric empört.

Geoff wendete seinen Stuhl und rollte zur Tür.

»Geoff!«, sagte Cedric.

Geoff hielt inne. »Ja?«

»Wir sollten nicht wieder den Kontakt verlieren. Es ist eine ganz schöne Strecke zwischen Taunton und New York, aber es gibt E-Mails und Telefone. Wir sollten einfach … na ja, irgendwie sollte jeder von uns immer ungefähr wissen, was der andere so macht und wie es ihm geht.«

»Würde mich freuen«, sagte Geoff. Er öffnete die Tür. Die Räder seines Rollstuhls quietschten leise auf dem Linoleum, als er hinausfuhr.

Cedric bewegte ganz vorsichtig den Kopf, sah zur Tür, die sich langsam schloss.

Es ist ein Anfang, dachte er, immerhin ein Anfang. Und nach allem, was war, vielleicht mehr, als ich erhoffen durfte.

Er war sehr müde. Das Gespräch mit dem Polizeibeamten und der Besuch von Geoff hatten ihn angestrengt.

Verdammt, ich bin noch ganz schön angeschlagen, dachte er.

Die Tür öffnete sich leise. Wahrscheinlich die Schwester. O Gott, konnte man ihn nicht endlich einmal schlafen lassen?

Noch einmal wandte er sacht den Kopf. Wenn ihn nur nicht jede kleinste Bewegung so schmerzte!

Die Gestalt, die auf Zehenspitzen auf ihn zuhuschte, kam

ihm vertraut vor, aber im Gegenlicht konnte er ihr Gesicht nicht sofort erkennen. Erst als sie schluchzend neben seinem Bett zusammensank, wusste er, wer der dritte Besucher an diesem Tag war.

»Pamela!«, sagte er entgeistert. »Wie kommst du denn hierher?«

Sie starrte ihn aus verweinten, verstörten Augen an. »Cedric! Cedric, du musst mir helfen!«

»Ganz ruhig«, sagte Cedric. Er verfluchte einmal mehr seine Unbeweglichkeit. Er hätte sie gern an sich gezogen, über ihre Haare gestrichen, sie getröstet. »Ganz ruhig. Und sei leise! Die Schwester kommt sonst und wirft dich raus!«

»Ich habe die ganze Zeit im Flur gewartet. Bis der Typ im Rollstuhl endlich weg war. Cedric...«

»Pamela, die Polizei sucht nach dir! Weißt du das?«

Sie nickte heftig. »Ich bin abgehauen. Ich wusste nicht, wohin ich gehen sollte! Der einzige Mensch, der mir in den Sinn kam, warst du. Ich bin mit dem Bus gefahren und getrampt, und... ach, ich war den ganzen Tag unterwegs. Ich bin völlig fertig!«

Genauso sah sie aus. Abgekämpft, bleich, mit wirren Haaren. Fast wie eine Landstreicherin. Cedric fürchtete, dass die Schwester einen Alarm auslösen würde, wenn sie plötzlich hereinkäme.

»Lieber Himmel, Pamela! Du kannst doch nicht gewissermaßen mitten aus einer Vernehmung von Scotland Yard einfach weglaufen! Warum hast du das denn getan?«

Sie kämpfte mit den Tränen. »Weil er mir nicht glaubt. Der Typ dort, Fielder oder wie er heißt! Mir ist das gestern Abend klar geworden. Er glaubt mir nicht, und er versucht, mich in Widersprüche zu verwickeln. Ich bin doch nicht bescheuert, ich merke es, wenn einer mich auszutricksen versucht! Ich habe die ganze Nacht wachgelegen, und dann ist mir klar geworden, dass ich weg muss, dass ich sonst total in der Scheiße sitze und dass ich ...«

Er unterbrach ihren Redefluss. »Leise! Willst du unbedingt die Stationsschwester auf dich aufmerksam machen? Was heißt, er glaubt dir nicht? *Was* glaubt er nicht?«

Sie atmete tief. »Dass ich Elaine Dawsons Reisepass in der Wohnung von Ron Malikowski gefunden habe.«

»Wieso glaubt er das nicht?«, fragte Cedric verwirrt und setzte nach einem Moment des Zögerns eindringlich hinzu: »Du hast ihn aber doch dort gefunden, oder?«

Sie schwieg.

»Pamela! Du hast uns allen erzählt, dass du ...«

Sie unterbrach ihn aggressiv. »Ich weiß, was ich erzählt habe!«

Es gelang ihm, den Kopf so weit zu bewegen, dass er ihr direkt in die Augen sehen konnte.

»Du hast gelogen«, stellte er fest.

Sie blickte zu Boden. »Ja«, gestand sie, kaum hörbar.

»Oh, verdammt!«, sagte Cedric. »Verdammt! Wieso? Wieso denn, Pamela?«

Wieder schwieg sie.

Er hätte sie am liebsten an den Schultern gepackt und geschüttelt. Er war wütend und enttäuscht. Weil ihm klar war, dass es nur einen Grund für ihr Lügen geben konnte: Sie hatte mehr Dreck am Stecken, als die Polizei erfahren durfte. Elaines Pass war auf eine Art in ihre Hände gelangt, von der möglichst niemand etwas wissen sollte. Wahrscheinlich war Pamela nicht viel besser als die Typen, vor denen sie solche Angst gehabt hatte. Und er hatte sie als Opfer gesehen! War mit ihr durch halb England gebrettert, um einen Ort zu suchen, an dem sie sich sicher fühlen konnte. Hatte versucht, sie zu beschützen. Hatte sich zusammenschlagen lassen. Lag jetzt bewegungsunfähig in diesem Bett, konnte keinen Atemzug tun, ohne vor Schmerzen fast an die Decke zu gehen, und musste erfahren, dass sie ihn belogen hatte. Kaltblütig belogen.

»Wie war es dann?«, fragte er. »Pamela, sag endlich die Wahrheit! Wie bist du an Elaines Reisepass gekommen?«

Sie brach erneut in Tränen aus, und diesmal versuchte sie erst gar nicht, des Weinens Herr zu werden.

»Das glaubst du mir ja doch nie«, stieß sie schluchzend hervor.

6

»Ich bin damals zu dem Treffen gegangen, zu dem ich eingeladen wurde«, sagte Marc, »aber ich bin F.I.D. nicht beigetreten. Letztlich ... war mein Problem anders gelagert.«

Sie saßen auf dem Fußboden in Marcs Wohnung. Mit dem Rücken gegen das Sofa gelehnt, die Beine angewinkelt. Sie tranken den Wein, den Rosanna geöffnet hatte. Draußen, jenseits des Fensters, war es Nacht geworden. Die Lampe über der Küchentheke brannte, sonst war es dunkel im Zimmer.

Er war nicht böse gewesen. Weder darüber, dass Rosanna in seinem Schlafzimmer stand, noch deswegen, weil sie in seinen Büchern stöberte. Auch nicht darüber, dass sie einen Brief gelesen hatte, der an ihn gerichtet war.

Er war ins Bad gegangen, hatte geduscht, sich umgezogen. Anzug und Krawatte gegen Jeans und Pullover getauscht.

»Wollen wir irgendwo hingehen?«, hatte er dann gefragt.

Sie hatte den Kopf geschüttelt. »Ich will dich verstehen lernen, Marc.«

Irgendwie waren sie mit ihren Weingläsern auf dem Fußboden gelandet. Hatten langsam die Dunkelheit in das Zimmer schleichen lassen und geredet. Rosanna hatte von ihrem Tag erzählt. Von dem Gespräch mit Fielder. Davon, dass offenbar mit Pamela irgendetwas nicht stimmte. Von ihrem Spaziergang. Von dem Empfinden, dem sie sich in Marcs Wohnung ausgesetzt gesehen hatte.

»Das bist nicht du. Das ist… eine komfortable Notunterkunft. Ja, so kommt es mir vor. Was ist los mit deinem Leben?«

Und damit waren sie bei dem Brief gelandet. Und dem, wofür er stand.

»Es war nicht so, dass ich es nicht gut gefunden hätte, was die Leute dort taten. Wofür oder wogegen sie kämpften. Aber mein persönlicher Fall war einfach ganz anders gelagert. Diesen Männern wurden von ihren Noch-Ehefrauen oder Exehefrauen Steine in den Weg gelegt, was das Umgangsrecht mit ihren Kindern anging. Mit allen möglichen juristischen und sonstigen Tricks. Haarsträubend teilweise. Mein Problem war jedoch nicht Jacqueline. Mein Problem war Josh. Nicht meine Exfrau stellte sich quer, mein Sohn selbst tat es. Und das machte alles so hoffnungslos.«

»Hoffnungslos«, sagte Rosanna, »das ist das richtige Wort. Das Wort, nach dem ich gesucht habe, um dich zu beschreiben, Marc. Diese Traurigkeit in deinen Augen. Dein Lächeln, das nie von innen zu kommen scheint. Deine Wohnung, in der man zu frieren beginnt. Es herrscht Hoffnungslosigkeit in deinem Leben.«

Er lächelte schwach. »Ja. Das stimmt wohl.«

»Als ich diesen Brief fand, den ein anderer verzweifelter Vater an dich geschrieben hat, da spürte ich plötzlich, dass ich den Schlüssel in den Händen hielt. Dass die Tatsache, dass dich dein Sohn verlassen hat, eine weit größere Rolle in deinem Leben gespielt hat und noch spielt, als du irgendjemandem eingestehst. Du hast jedes Gespräch in diese Richtung abgeblockt, und ich fand das verständlich, aber du hast immer den Eindruck vermittelt, dich letztlich damit abgefunden zu haben. Diesen Schicksalsschlag sogar mit einiger Distanz betrachten zu können. Aber in Wahrheit… steckst du mittendrin.«

Er stützte den Kopf in beide Hände. »Ich habe nie mit jemandem darüber gesprochen, Rosanna. Ich wollte mich davon nicht fertigmachen lassen. Ich wollte nicht zu den Leuten gehören, die einem solchen Verein«, er wies auf den Brief, der auf dem Sofa lag, »beitreten. Ich finde den Ton des Briefs larmoyant. Ich mag Begriffe wie *Leidensgenossen* nicht. Ich glaube, ich mag überhaupt den Begriff *Leiden* im Zusammenhang mit mir nicht.«

»Warum hast du nicht um Josh gekämpft?«

»O Gott, das habe ich! Ich habe alles versucht. Ich habe ihm Briefe geschrieben. Ich habe ihn einmal sogar vor seiner Schule abgefangen. Ich habe versucht, mit ihm zu sprechen. Er blockte alles ab. Ich kam nicht an ihn heran.«

»Aber warum? Marc, warum? Wie kann ein Sohn seinen Vater so sehr ablehnen?«

Wieder stützte er den Kopf in die Hände. Er sah müde aus und älter als sonst. »Es kam manches zusammen. Ich glaube, ich habe ihn zu oft enttäuscht. Ich habe ihn abgöttisch geliebt, aber ich habe nie begriffen, dass ein Kind Liebe auch in Form von Zeit spüren muss, die man ihm schenkt. Ich war ein Vater, der meist durch Abwesenheit glänzte. Das wäre vielleicht nicht das Schlimmste gewesen, aber ich habe zu oft etwas getan, was man gerade bei Kindern nicht tun sollte: Ich habe Zusagen nicht eingehalten. Ich habe ihm irgendwelche Aktivitäten für das Wochenende in Aussicht gestellt, dann kam etwas Berufliches dazwischen, und die Sache wurde abgeblasen. Einfach so. Ich habe ihm nicht einmal viel dazu erklärt. Ich fand es normal, dass meine Arbeit Priorität hatte, schließlich ernährte ich damit die Familie. Ich dachte, Josh begreift das, ihm ist klar, dass es nicht anders funktionieren kann. Tatsache ist aber, dass er wohl sehr oft geweint hat. Sich verletzt und zurückgestoßen gefühlt hat. Und ich habe es nicht einmal registriert.«

»Und…«

»Und zudem hatte er mitbekommen, wie oft seine Mutter meinetwegen weinte.«

»Weshalb weinte sie?«

Er zögerte. »Sie war viel allein. Vielleicht hat sie das dazu verleitet, sich… Dinge einzubilden. Von irgendeinem Moment unserer Ehe an war sie nicht mehr bereit, mir zu glauben, dass es nur meine Arbeit war, die mich ständig von meiner Familie fernhielt. Zunächst kam es nur hin und wieder vor, dass sie mir unterstellte, ich hätte irgendetwas mit einer Kollegin oder einer Mandantin, und sie ließ sich davon durch gutes Zureden wieder abbringen. Aber mit der Zeit steigerte sie sich immer mehr in diese Gedankengänge hinein. Es wurde fast zu einer Besessenheit. Sie behauptete, dass ich jungen, attraktiven Frauen auf der Straße hinterherschaute und dass ich auf Partys hemmungslos flirtete, ohne auf sie Rücksicht zu nehmen. Wir hatten nur noch Krach deswegen. Sie konnte völlig ausrasten. Sie warf mit Gegenständen um sich, tobte und schrie. Zum Schluss steigerte sie sich in hysterische Weinkrämpfe und flüchtete zu Josh, um sich bei ihm auszuheulen. Ich fand es katastrophal, was sie dem Jungen damit antat, aber ich war völlig hilflos.«

»Und sie lag mit ihrem Verdacht jedes Mal völlig daneben?«, fragte Rosanna. Sie musste an Marcs einstigen Nachbarn denken. Jacqueline war nicht die Einzige gewesen, die Marc für einen Ehebrecher gehalten hatte.

»Ganz ehrlich, Rosanna, ich habe dermaßen viel gearbeitet zu dieser Zeit, ich hätte gar nicht die Kraft gehabt, mit einer anderen Frau etwas anzufangen. Ich war besessen von meinem Beruf. Rasend ehrgeizig. Entschlossen, es ganz nach oben zu schaffen. Darunter musste meine Familie leiden, und das kann man mir sicher auch vorwerfen. Aber ich habe Jacqueline nie betrogen.«

Sie ließ ihren Blick durch das Wohnzimmer gleiten. »In deiner ganzen Wohnung gibt es nicht ein einziges Bild von deinem Sohn«, sagte sie leise.

Er nickte. »Ich könnte es nicht ertragen.«

»Du erträgst nicht einmal deine alten Möbel, oder?«

»Nein. Ich habe dieses Apartment hier möbliert gemietet. Es geht mir damit besser.«

»Wann hast du Josh zuletzt gesehen?«

»Das war nach der Geschichte mit Elaine. Die Zeitungen hatten über mich berichtet. Ich passte Josh vor seiner Schule ab. Ich wollte ihm erklären, dass ... dass das alles nicht stimmt, was er dort liest. Ich wollte ihm meine Version schildern. Ich konnte mir ja denken, dass diese Sache nun das Fass zum Überlaufen bringt.«

»Er ließ nicht mit sich reden?«, vermutete Rosanna.

»Nicht im Mindesten. Unglücklicherweise kreuzte auch noch Jacqueline auf, die ihn gerade abholen wollte. Es kam zu einer scheußlichen Szene. Josh brüllte, ich solle ihn in Ruhe lassen, und Jacqueline schrie, wie ich es wagen könne, nach allem, was war, hierherzukommen. Andere blieben stehen, einige erkannten mich. Irgendjemand bot an, die Polizei zu rufen ... Es war ein einziger Albtraum. Ich begriff, dass nichts mehr ging. Von da an habe ich keinen Versuch mehr unternommen. Von da an herrschte ... ja, wie du es gesagt hast: Hoffnungslosigkeit. Ich habe keine Hoffnung mehr, was Josh betrifft. Ich habe, und vielleicht ist das noch schlimmer, auch keinen Mut mehr.«

»Denkst du viel an ihn?«

»Jeden Tag.«

Zögernd griff sie nach seiner Hand. Er zog sie nicht zurück.

»Warum kämpfst du so darum, dass keiner es merkt?«, fragte sie. »Es macht einsam, wenn man das, was einen am tiefsten bewegt und beschäftigt, völlig in sich verschließt.«

»Ich komme besser klar, wenn ich nicht darüber rede.«

Sie dachte daran, was er gerade über den Brief gesagt hatte. Wie sehr ihn das Wort *Leidensgenosse* gestört hatte. Wie wenig er überhaupt mit dem Begriff *Leiden* zurechtkam.

»Ich vermute, für dich hat das alles irgendwie mit *verlieren* zu tun, stimmt's? Du denkst, dass du...«

Er sah sie an. Jetzt stand Aggression in seinen Augen. »Oh, Rosanna, wie schlau! Du willst sagen, ich fühle mich als Verlierer? Ja, als was denn sonst? Ich habe meine Ehe in den Sand gesetzt. Ich habe die Liebe meines Kindes verspielt. Und als ich einmal in meinem Leben die Rolle des barmherzigen Samariters übernommen habe, wurde ich hinterher als Triebtäter oder sogar Mörder gehandelt. Meinst du nicht, das reicht, um sich wenigstens ein bisschen als Verlierer fühlen zu dürfen?« Er stand abrupt auf, trat ans Fenster, starrte hinaus auf die von Laternen erhellte Straße, die noch immer halb blockiert war durch sein Auto.

»Verdammt«, sagte er wütend, »es geht mir einfach besser, wenn ich nicht darüber rede. Ich frage mich, warum Frauen immer *über alles reden müssen*!«

Sie erhob sich ebenfalls, irritiert von seinem Stimmungsumschwung. »Ich dachte...«

»Was dachtest du? Dass man in einer Wunde am besten rührt, um sie am Ende etwas weniger schmerzhaft sein zu lassen? Du sagtest, du wolltest mich verstehen lernen. Vielleicht *will* ich gar nicht verstanden werden. Vielleicht will ich nur meine Ruhe. Ich kann in der Sache mit Josh nichts mehr bewegen, und deshalb ist es für mich am besten, ich denke nicht andauernd darüber nach.«

»Ich verstehe das. Und es tut mir leid, dass ich...« Sie suchte nach Worten. Er sah sie abwartend an.

»Es tut mir leid, dass ich diesen Brief gelesen habe«, sagte sie schließlich. »Ich hätte das nicht tun dürfen. Ich hätte vielleicht gar nicht hierherkommen sollen.«

Er widersprach nicht, blickte erneut aus dem Fenster.

Die Stimmung hatte sich von einem Moment zum anderen völlig verändert. Rosanna begriff, wie dünn die Fassade der Gelassenheit und Ausgeglichenheit war, die Marc um sich errichtet hatte. Er war ein verletzter Mann, der sich als gescheitert empfand; er war ein zurückgewiesener Vater, der keine Hoffnung mehr hegte, sich je wieder mit seinem Sohn zu versöhnen. Sein Leben ertrug er, indem er sich mit Arbeit betäubte und sich bemühte, jeden Gedanken an seine Vergangenheit auszuschalten. Es war die männliche Art, mit einer Tragödie fertigzuwerden, neun von zehn Männern hätten es ebenso gemacht.

Sie streckte die Hand aus, berührte ihn vorsichtig am Arm. Er wich dieser Berührung sofort aus.

»Ich muss das Auto umparken«, sagte er, wandte sich vom Fenster ab und griff nach dem Autoschlüssel, der auf dem Couchtisch lag. »So kann es nicht bis morgen früh stehen bleiben.«

Er war schon fast an der Wohnungstür, als Rosanna der Angst, die sie plötzlich befiel, nachgab.

»Marc! Nicht! Geh nicht!«

Er blieb stehen. »Ich will nur das Auto parken.«

Sie wusste nicht, woher der jähe Schrecken rührte, noch ob er gerechtfertigt war. Aber etwas sagte ihr, dass sich Marc, saß er erst dort unten in seinem Auto, der ganzen Situation entziehen und womöglich einfach davonfahren würde. In die nächste Kneipe, um dort im Getöse unterzutauchen und für den Rest des Abends in ein Bierglas zu starren. Oder in sein Büro, um sich die ganze Nacht in einem Berg Akten zu vergraben.

»Bitte, geh nicht«, wiederholte sie. Es erschien ihr auf einmal unerträglich, alleine in dieser trostlosen Wohnung zurückzubleiben. Vergeblich auf ihn zu warten. Und am nächsten Tag nach Taunton aufzubrechen, ohne Abschied genommen zu haben, von da an für immer in der Erinnerung an diesen unglücklich verlaufenen Abend gefangen zu sein.

»Ich will nur das Auto parken«, sagte er, nun zum dritten Mal und schon ungeduldig, aber dann schien er auf einmal etwas von der Not zu spüren, mit der sie nach ihm rief, denn er legte den Schlüssel auf die Küchentheke und machte einen Schritt auf Rosanna zu.

»Was ist los?«, fragte er.

Sie erwiderte nichts. Die Spannung, die plötzlich zwischen ihnen stand, war zu groß. Sie musste überhaupt nichts mehr sagen.

Sie trafen sich in der Mitte des Zimmers und schlangen im selben Moment die Arme umeinander. Für eine Sekunde hatte diese Umarmung etwas von einem Festklammern in Verzweiflung, von der Suche nach Schutz und Trost, aber kaum dass sich ihre Körper berührten, war es nichts mehr von all dem, sondern nur noch eine Explosion, in der sich alle anderen Gefühle in ihrer seit Tagen schon verdrängten und verzweifelt ignorierten sexuellen Sehnsucht nacheinander auflösten.

Sie konnten beide nicht länger widerstehen, auch wenn Rosanna, der trotz allem noch einmal sowohl Dennis als auch das ihm gegenüber geleistete Ehegelöbnis durch den Kopf schossen, einen letzten schwachen Versuch unternahm, das Unvermeidbare abzuwenden.

»Das Auto«, flüsterte sie, »es kann so nicht stehen bleiben…«

»Scheiß auf das Auto«, sagte Marc rau.

Seine Haut roch nach dem Shampoo, mit dem er vor kurzem geduscht hatte. Sein Atem nach dem Wein, den sie beide getrunken hatten.

Später würde sie sich immer an diese Mischung erinnern. An ein Shampoo, das sie nicht kannte. An einen Wein, der ihr eigentlich nicht besonders geschmeckt, von dem sie jedoch eine Menge zu sich genommen hatte. An das Licht der Straßenlaternen vor dem Fenster. Und daran, wie kratzig sich der Teppichboden anfühlte. Er war billig und zweckmäßig, wie alles in dieser Wohnung. Spartanisch, wie Marc Reeves ganzes Leben.

Sie überlegte, ob ihn seine Traurigkeit wohl verließ, während er mit ihr schlief, aber sein Gesicht verriet nichts darüber, und sie wagte nicht, ihn danach zu fragen.

Donnerstag, 21. Februar

I

Der Zauber verlor sich nicht am nächsten Morgen, obwohl der Tag grau und neblig erwachte und ohne eine Spur der Sonne, an die man sich schon gewöhnt und die man als dauerhaften Sieg des Frühlings über den Winter empfunden hatte. Plötzlich schien der November zurückgekehrt. Die noch kahlen Bäume fielen wieder auf, die Farblosigkeit der Stadt. Der Nebel dämpfte alle Geräusche. Jeder Blick aus dem Fenster ließ frösteln. Es würde nass und kalt draußen sein, und in den U-Bahnen und Bussen würde es von Erkältungsviren wimmeln.

Rosanna und Marc hatten den Wohnzimmerfußboden irgendwann in der Nacht verlassen und sich in Marcs Bett eng aneinandergekuschelt, sie hatten einander immer wieder geliebt, dazwischen geredet, geschlafen, und einmal hatte Rosanna geweint, ohne genau zu wissen, weshalb. Marc hatte keine Fragen gestellt. Er schien zu wissen, dass sie selbst keine Worte fand für die Spannung in sich.

Sie standen um halb sieben auf, weil Marc einen Gerichtstermin hatte. Rosanna entdeckte ein paar Muffins, die noch von dem Frühstück mit Pamela stammten, im Eisfach des Kühlschranks.

Marc nahm zwei heraus und schob sie in die Mikrowelle, ließ zwei Tassen Kaffee durch seine Maschine laufen.

»Wie ungewohnt«, sagte er, »Frühstück für zwei. Das hatte ich lang nicht mehr.«

»Du hattest nie eine Frau hier über Nacht, seitdem du geschieden bist?«

Er lächelte. »Hier in dieser Wohnung tatsächlich nicht.

Im ersten halben Jahr nach der Trennung gab es ein paar Frauen, aber das war noch im alten Haus. Irgendwann hatte ich keine Lust mehr auf One-Night-Stands. Letztlich fühlt man sich danach leerer, als wenn man gleich allein bliebe. Mir geht es jedenfalls so.«

Sie rührte langsam in ihrer Tasse. »Und wie empfindest du das, was zwischen uns war?«

»Ich hoffe«, sagte Marc ernst, »dass die letzte Nacht nicht alles war.«

»Ich muss heute eigentlich nach Taunton.«

»Und wenn du wartest bis morgen? Heute komme ich nicht aus meinen Terminen heraus, aber morgen bin ich ab fünf Uhr frei. Ich könnte mitkommen, wenn du das möchtest.«

»Nach Kingston St. Mary?«

»Hättest du etwas dagegen?«

»Mein Vater...«

»Er wäre schockiert?«

»Er hat keine Ahnung, dass es zwischen mir und Dennis nicht mehr stimmt. Ich muss ihm das langsam beibringen. Er ist erst seit wenigen Monaten Witwer und fängt gerade an, diesen Verlust zu verarbeiten. Und da komme ich und erkläre ihm, dass meine Ehe gescheitert ist!« Sie sah Marc unglücklich an. »Es wird ihn sehr treffen. Mein Vater hat... sehr konservative Wertvorstellungen.«

»Ich verstehe«, sagte Marc. Er lehnte mit dem Rücken an einem Küchenschrank, Rosanna hatte sich ihm gegenüber auf die Theke geschwungen. Es war, wie sie vermutet hatte: Marc frühstückte im Stehen in seiner Küchenzeile.

»Pass auf, ich schlage dir etwas vor«, sagte er. »Du fährst nach Kingston St. Mary. Allein. Besuchst deinen Bruder und deinen Vater. Versuchst für dich zu klären, wie es weitergehen soll. Was du als Nächstes tun willst. All diese Dinge. Nimm dir Zeit dafür.«

»Ich finde es sehr schwer, jetzt von dir wegzugehen.«

»Glaubst du, mir fällt es leicht, dich gehen zu lassen? Aber du hast eine Familie. Deinen Mann und deinen Stiefsohn. Für mich ist es leichter, mich auf dich einzulassen. Du musst einen weit gewichtigeren Schritt tun. Vielleicht brauchst du einfach ein paar Tage Ruhe.«

Sie wusste, dass er recht hatte. Aber der Gedanke, ihn zurückzulassen, tat überraschend heftig weh.

»Du kannst meinen Wagen haben«, sagte Marc, »ich brauche ihn weder jetzt noch über das Wochenende.«

»Aber...«

»Bitte, nimm ihn. Wenigstens zwingt dich das...«

»Wozu?«, fragte Rosanna, als er nicht weitersprach.

Er stellte seine Kaffeetasse ab, nahm Rosanna die ihre sanft aus der Hand. Er presste sich an sie, vergrub sein Gesicht an ihrem Hals.

»Es zwingt dich, zu mir zurückzukommen«, flüsterte er, »denn schließlich kannst du nicht mit einem Auto durchbrennen, das dir nicht gehört. Komm irgendwann in der nächsten Woche wieder. Bitte. Länger werde ich es nicht aushalten können.«

Nachdem Marc die Wohnung verlassen hatte, spülte Rosanna die Tassen ab, räumte sie in den Schrank. Sie ging ins Schlafzimmer hinüber, um das Bett zu machen, drückte ein paar Sekunden lang ihre Nase in das Laken, roch den Duft, der von ihrer Nacht mit Marc geblieben war. Sie erinnerte sich an den gestrigen Tag, an dem sie sich so sehr danach gesehnt hatte, in das Dorf ihrer Kindheit zu fliehen, sich in ihrem Elternhaus zu verkriechen, nach den vergangenen Tagen ihren Frieden wiederzufinden. Nichts war von diesem Bedürfnis geblieben, es war über Nacht vollständig in sich zusammengefallen. Sie war voller Schuldgefühle bei dem Gedanken an ihren Bruder, der verletzt und zerschlagen im

Krankenhaus lag, aber es drängte sie nicht mehr zu ihm hin. Sie wollte nichts, als bei Marc bleiben. Wollte ihn erwarten, wenn er am Abend zurückkehrte. Wollte mit ihm in das bunte Londoner Nachtleben eintauchen, irgendwo etwas essen, einen Wein trinken. Arm in Arm mit ihm zurücklaufen. Die ganze Nacht in seinen Armen liegen.

Sie ging ins Bad hinüber, schaute im Spiegel in ihre Augen. Sie waren groß und glänzend.

»Schöner Mist«, sagte sie, »dich hat es komplett erwischt.«

Nachdem sie jede Menge sinnloser Dinge getan hatte, die im Augenblick überhaupt nicht anstanden – imaginären Staub im sauberen Bücherregal gewischt, den spärlichen Inhalt des Wäschekorbs im Bad in die Waschmaschine gesteckt, den fast leeren Müllbeutel hinuntergebracht –, gab sie es auf, sich selbst vorzumachen, sie werde irgendwann im Lauf des Tages noch nach Taunton aufbrechen. Sie schaffte es nicht. Nicht nur, weil sie die Trennung von Marc fürchtete. Sie hatte Angst vor allem, was sie erwartete: Telefonanrufe von Dennis und Rob, die sanften Vorhaltungen ihres verstörten Vaters, Cedrics Warnungen. Wie musste das alles auf die anderen wirken? Sie hatte ihr Unbehagen der letzten Jahre so erfolgreich geheim gehalten, manchmal sogar sich selbst gegenüber nicht zugelassen, dass jeder denken musste, sie werfe eine glückliche Ehe hin für eine kurze Sexaffäre. Zumindest fast jeder. Cedric hatte etwas gemerkt. Aber alle anderen... Man würde sie für verrückt halten. Niemand würde sie verstehen. Sie würde sich das ganze Wochenende über rechtfertigen und am Ende doch keine Absolution bekommen.

Sie machte sich schließlich einen heißen Tee, und während sie ihn in kleinen Schlucken, am Fenster stehend, trank, dachte sie nach.

Cedric braucht mich im Moment nicht. Er hat Daddy,

der sich um ihn kümmert. Rob ist bei seiner Mutter, und auch wenn er sich dort nicht sonderlich wohl fühlt, ist der Aufenthalt wichtig für ihn. Dennis macht seine Arbeit und rechnet ohnehin damit, dass ich noch eine Weile in England bleibe. Er erwartet mich nicht so bald. Den Auftrag für Nick habe ich abgebrochen. Um Pamela Luke kümmert sich Scotland Yard, und wenn mit ihr wirklich irgendetwas nicht in Ordnung ist, so ist das zumindest nicht meine Sache.

Sie war frei. Im Grunde war sie frei zu tun, was sie mochte. Zum ersten Mal seit langer Zeit. Frei von ihrem Job als Ehefrau und Mutter. Frei von ihrem Job als Tochter und Schwester. Frei von ihrem Job als Journalistin.

Und plötzlich wusste sie, was sie tun wollte. Etwas, wozu sie nicht verpflichtet war. Was niemand von ihr erwartete. Am wenigsten Marc.

Sie kippte den restlichen Tee in die Spüle, zog ihre Stiefel und ihren Mantel an, bürstete sich noch einmal kurz über ihre Haare, die sich bei dem feuchten Wetter heute besonders widerspenstig aufführen würden.

Sie nahm den Autoschlüssel und verließ die Wohnung.

2

Sie hoffte, dass sie sich an den Namen richtig erinnerte. Marc hatte ihn nur einmal erwähnt. Binfield Heath.

In Marcs Autoatlas hatte sie den Ort bald gefunden. Binfield Heath, nicht weit von Henley-on-Thames gelegen. Dort war sie früher schon manchmal gewesen. Es war zehn Uhr, als sie auf die M40 Richtung Oxford fuhr.

Schon bald verließ sie den Motorway wieder und suchte sich den Weg über Landstraßen durch idyllische kleine Dörfer und Städtchen, die entlang der Themse lagen. Der Nebel war nicht mehr so dicht wie am frühen Morgen, aber noch immer woben sich seine dunstigen Schleier über Wiesen und Mauern, über schwarz glänzende, nasse Baumäste, über Hausdächer, Ställe und Weiden. Immer wieder sah sie plötzlich Kirchen auftauchen oder gemauerte Gehöfte, die inmitten weiter Wiesen ruhten. Ein paar Mal gewahrte sie den Fluss, einmal einen großen schwarzen Schleppkahn, der langsam und fast majestätisch über das Wasser glitt. Der Nebel ließ ihn, genau wie die Dörfer und Wälder ringsum, melancholisch und einsam erscheinen. Die Welt war nass, still, wie ausgestorben. Immer wieder wurde Rosanna von einem Frösteln befallen, das nicht von eigentlicher Kälte herrührte, denn die Heizung funktionierte zuverlässig. Es war die Stimmung ringsum, die sie frieren ließ. Sie wusste, dass sie durch eine der schönsten Gegenden Englands fuhr und dass die Dörfer im Sommer oder auch nur bei klarem Wetter ein Traum waren. Am heutigen Tag waren sie einfach nur trostlos. Sie hätte doch auf der Autobahn bleiben sollen.

Sie passierte die Orte Marlow, Henley und Shiplake. Der nächste Ort war Binfield Heath.

Ein kleines Dorf, das an diesem grauen Tag, der keine Sicht zuließ, nur wie eine zufällige Ansammlung einiger weniger Häuser irgendwo in der Landschaft wirkte. Vermutlich kletterten Straßen und Wohnhäuser die Hügel ringsum hinauf, aber sie verschwanden völlig hinter den grauen Schleiern. Es gab eine Kreuzung im Dorfkern, an der ein wuchtiges Backsteingebäude stand, das einen Laden und ein Postamt zu beherbergen schien, und es sah so aus, als handele es sich dabei um die einzigen Geschäfte am Platz. Ein Schild wies darauf hin, dass man im Sommer im angrenzenden Garten Tee trinken konnte und Gebäck serviert bekam.

Hübsch, dachte Rosanna. Sie parkte vor dem Haus und

beschloss, sich dort nach Jacqueline Reeve zu erkundigen. Sie vermutete, dass in diesem Dorf jeder jeden kannte und dass der Laden, vor dem sie stand, Mittelpunkt und Umschlagplatz aller Nachrichten und Informationen war.

Kälte und Nässe schlugen ihr unangenehm entgegen, als sie das warme Auto verließ. Für einen Moment zögerte sie. War es verrückt, was sie tat? Noch konnte sie umkehren. Binfield Heath und Jacqueline Reeve unbehelligt lassen. Und nicht nur das. Sie konnte nach London zurückfahren, Marcs Auto wieder vor seinem Haus abstellen, ihren Koffer nehmen und sich in den Zug nach Taunton setzen. Dad und Cedric besuchen und dann gemeinsam mit einem wahrscheinlich überglücklichen Rob zurück nach Gibraltar fliegen. Das alte Leben wieder aufnehmen. Ihr Zwischenspiel in England, Elaine, Pamela, Pit Wavers und Marc vergessen.

Ich bin wahnsinnig, wenn ich das nicht tue, dachte sie, und mit einem plötzlich fast panischen Gefühl fügte sie hinzu: Vielleicht verliere ich völlig die Kontrolle.

Trotzdem verriegelte sie den Wagen, schlug den Mantelkragen hoch und betrat den Laden, in dem es von Tee und Kaffee über Nägel und Schrauben bis hin zu Zeitungen und Postkarten alles gab, was zum täglichen Bedarf der Bevölkerung gehörte. Hinter der Theke stand eine junge Frau, die ein wenig gelangweilt in einer Illustrierten blätterte. Wie zu erwarten gewesen war, kannte sie Jacqueline Reeve.

»O ja, ich weiß, wo sie wohnt! Sie ist eine wirklich begabte Malerin! Wir sind hier recht stolz auf sie!« Sie musterte Rosanna neugierig. »Sind Sie eine Galeristin?«

»Nein. Es geht eher um eine … private Angelegenheit.«

»Ach so.« Die Verkäuferin schien etwas enttäuscht. »Also, von hier aus können Sie problemlos zu Fuß zu ihr gehen. Ein kleines Stück die Straße entlang, dann gleich rechts. Das dritte Haus auf der linken Seite. Dort wohnt sie.«

»Und wo ist ihr Atelier?«

»Im selben Haus. Es ist wirklich ganz einfach.«

Vielleicht würde ich umkehren, wenn es nicht so einfach wäre, dachte Rosanna, als sie wieder draußen stand.

Fünf Minuten später langte sie vor Jacquelines Atelier und Wohnhaus an. Ein uraltes, sehr kleines Häuschen mit weiß gekalkten Wänden, einer leuchtend rot lackierten Eingangstür und einem tief gezogenen Strohdach. Es gab einen winzigen Vorgarten, in dem ein Meer von Krokussen wuchs. An der Hauswand war ein Spalier befestigt, an dessen Fuß ein zurückgeschnittener Rosenstrauch stand. Im Sommer mussten seine Blüten die gesamte Vorderfront überwuchern.

Die Idylle war perfekt, aber der Unterschied zu London, zu dem Haus in Belgravia, dem einstigen Wohnsitz der Reeves, drängte sich Rosanna so heftig auf, dass sie schlucken musste. Dieses Haus hier in Binfield Heath vermittelte ein so völlig anderes Lebensgefühl, stand für eine ganz andere Welt, eine andere Lebensweise. Wie mochte der kleine Josh diese jähe Veränderung empfunden haben?

Sie öffnete das Gartentor, ging über nasse, unregelmäßig geformte graue Steine zur Haustür. Auf ihr vorsichtiges Klopfen reagierte niemand, dafür gab die Tür nach, als sie vorsichtig dagegendrückte. Ein leises Bimmeln ertönte. Rosanna stand in einem kleinen Vorraum, an dessen Wänden etliche Bilder hingen. Ausnahmslos schien es sich um Motive aus der Gegend zu handeln. Eine Weide am Fluss. Ein paar Hügel in dunstigem Morgenlicht. Ein Segelboot auf der Themse. Die Aquarelle hätten kitschig anmuten können, taten es jedoch nicht. Rosanna dachte, dass sie einfach nur schön waren. Jedes davon hätte sie sofort in ihrem Zimmer aufgehängt.

Die Luft war gesättigt mit dem Geruch nach Farbe und Terpentin. Ein dicker, dunkelgrüner Vorhang verhinderte den Blick in das angrenzende Zimmer. Irgendwo spielte leise Klaviermusik.

»Ja bitte?« Eine Frau trat durch den Vorhang und sah Rosanna an. Sie trug über einem dunkelgrauen Rollkragenpullover und Jeans ein bis zu den Knien reichendes weißes Männerhemd, das über und über mit Farbspritzern und Klecksen bedeckt war. Ihre dunklen Haare hatte sie am Hinterkopf zusammengezwirbelt und mehr schlecht als recht mit etlichen Spangen fixiert. Sie war völlig ungeschminkt.

Trotzdem war sie eine der schönsten Frauen, die Rosanna je gesehen hatte.

Sie musste schon wieder schlucken. Wer hätte gedacht, dass Marc mit einer so attraktiven Frau verheiratet gewesen war? Wieso hatte sich Jacqueline je Sorgen gemacht, er könne sie betrügen? Welche Frau hätte sie schon ausstechen können?

Nicht unfreundlich, aber etwas ungeduldig fragte Jacqueline: »Kann ich etwas für Sie tun? Ich bin gerade am Arbeiten…«

Plötzlich fand sie sich selbst vollkommen unmöglich. Zudringlich und indiskret. Plump. Am liebsten hätte sie irgendeine Entschuldigung gemurmelt und sowohl das Haus als auch das ganze Dorf fluchtartig wieder verlassen, aber aus irgendeinem Grund mochten sich ihre Beine nicht bewegen. Sie stand wie blockiert.

»Jacqueline Reeve?«, fragte sie.

»Ja, die bin ich.«

Rosanna gab sich einen Ruck und streckte ihrem Gegenüber die Hand hin. »Rosanna Hamilton.«

Jacqueline wischte sich die Hand an ihrem Hemd ab, erwiderte dann den dargebotenen Gruß. »Freut mich, Mrs. Hamilton. Was führt Sie zu mir?«

»Es ist etwas kompliziert…«, sagte Rosanna zögernd.

»Geht es um die Bilder? Um meine Ausstellung nächste Woche?«

»Nein. Nein, es hat damit nichts zu tun. Ich…« Es war warm in dem Raum. Rosanna brach unter ihrem dicken Wintermantel der Schweiß aus.

»Es geht um Ihren Mann«, sagte sie, sich einen Ruck gebend. »Um Ihren Exmann. Um Marc Reeve.«

Jacquelines Blick verdüsterte sich sofort. Ohne dass sie einen Schritt zurücktrat, schien doch plötzlich eine fast räumliche Distanz zwischen ihr und ihrer Besucherin zu entstehen.

»Oh. Ich wüsste nicht, was…«, begann sie.

Rosanna hatte inzwischen etwas von ihrer Sicherheit zurückgewonnen. »Bitte«, sagte sie, »es ist wichtig. Hätten Sie ein paar Minuten Zeit für mich?«

Jacqueline wirkte nicht glücklich über dieses Ansinnen. »Ich bin mitten in der Arbeit. Ich habe nächste Woche eine Ausstellung, und ich weiß kaum, wie ich bis dahin…«

»Ein paar Minuten«, unterbrach Rosanna. »Bitte!«

Jacqueline kapitulierte. Sie mochte die Dringlichkeit in Rosannas Stimme wahrnehmen, aber vielleicht, so dachte Rosanna, ist sie ja auch einfach ein bisschen neugierig.

»Okay«, sagte sie und schob den Vorhang zur Seite, »kommen Sie und setzen Sie sich. Legen Sie doch Ihren Mantel ab. Möchten Sie einen Tee?«

»Sie sind also Marcs Neue«, sagte Jacqueline. Sie klang nicht unfreundlich, nur ein wenig belustigt. Sie hatte Rosanna nicht in ihr Atelier geführt, sondern ihr in einer winzigen Küche einen Platz an einem kleinen Bistrotisch angeboten. Rosanna hatte endlich ihren dicken Mantel abgelegt und begann sich langsam zu akklimatisieren. In einem Spiegel mit rattangeflochtenem Rahmen, der an der Wand hing, erhaschte sie einen flüchtigen Blick auf ihr blasses, spitzes

Gesicht und die dunklen Haare, die sich wegen der Feuchtigkeit draußen wie befürchtet noch wilder gebärdeten als sonst. Resigniert fragte sie sich, ob irgendwann einmal der Tag käme, an dem sie mit sich und ihrem Aussehen zufrieden wäre. Wahrscheinlich nie. Schon gar nicht, solange ihr Schönheiten wie Marcs Exfrau über den Weg liefen.

Es gab einen sehr heißen, süßen Früchtetee. Von nebenan erklang noch immer die beruhigende Klaviermusik.

Wahrscheinlich Jacquelines Art, Inspiration zu finden. Welch ungewöhnliche Art zu leben! Das Dorf, der Nebel, der Geruch nach Farbe... die Stille, in der nur die Pianoklänge zu hören waren... Dafür hatte sie also das Londoner Leben an der Seite eines Mannes wie Marc aufgegeben.

»Na ja«, sagte Rosanna nun auf Jacquelines Bemerkung hin, »wir kennen uns noch nicht allzu lang. Aber wir sind...« Sie stockte.

»... schwer verliebt«, beendete Jacqueline den Satz, »ja, das kann ich mir vorstellen. Er ist ein sehr attraktiver Mann. Er ist verständnisvoll, großzügig und liebenswürdig. Ich kann verstehen, dass Sie sich in ihn verliebt haben.«

Sie sagte dies sehr offen und unverkrampft. Rosanna lauschte nach einem Hauch von Ironie in ihren Worten, konnte jedoch nichts davon spüren. Jacqueline schien aufrichtig zu meinen, was sie sagte.

»Mrs. Reeve, ich...«

»Nennen Sie mich ruhig Jacqueline.«

»Jacqueline, ich bin mir absolut nicht sicher, ob es richtig ist, hier bei Ihnen zu sitzen. Den Entschluss, Sie aufzusuchen, traf ich heute früh ganz spontan. Marc hat keine Ahnung davon. Vielleicht wäre er entsetzt.«

»Wahrscheinlich.«

»Aber es gibt ein paar Unklarheiten, die ich... Es gibt Dinge, die für mich sehr schwer verständlich sind...« Sie brach ab. Ich hätte nicht kommen sollen, dachte sie unglücklich. Ich stammle herum, und das alles ist mir peinlich.

Jacqueline lehnte sich nach vorn. »Was möchten Sie wissen, Rosanna? Was beunruhigt Sie so sehr? Ist es die Geschichte von damals?«

»Sie meinen...«

»Die Geschichte mit dieser Frau. Wie hieß sie noch... Madeleine...?«

»Elaine. Elaine Dawson.«

»Genau. Elaine Dawson. Sie kennen den Fall?«

Nur zu gut! »Ja.«

»Sie wollen von mir wissen, ob ich glaube, dass mein Mann Elaine Dawson umgebracht hat? Sie haben Angst, dass Sie sich in einen Mörder verliebt haben?«

Rosanna lehnte sich zurück, ein wenig entspannter. Wenigstens in dieser Frage war sie von Anfang an sicher gewesen. »Nein. Diese Angst habe ich nicht. Aber mein Besuch bei Ihnen hat etwas mit dem Fall Dawson zu tun, das ist richtig. Es ist zu langwierig, Ihnen jetzt alles zu erklären, aber es sieht so aus, als ob sich das Rätsel gerade auflöst. Elaine Dawson ist wohl tatsächlich Opfer eines Verbrechens geworden. Mit fast neunundneunzigprozentiger Sicherheit kennt die Polizei den Täter.«

Pit Wavers. Der tote Pit. Und was ist mit Pamela Luke?

Es war nur ein kurzer Gedanke, der ihr durch den Kopf schoss. Pamela hatte London verlassen. Was, wenn sie zu Cedric geflohen war? Könnte das sein? Und was bedeutete es für Cedric, wenn sie tatsächlich nicht das Unschuldslamm war, das alle in ihr gesehen hatten?

Befindet sich mein Bruder in der Gesellschaft einer Mörderin?

Sie verdrängte das Bild sofort. Es war nicht der Moment, darüber nachzugrübeln. Aber Jacqueline hatte die Veränderung in ihrem Blick gesehen.

»Tatsächlich?«, fragte sie. »Der Fall ist geklärt?«

»So gut wie. Ich vermute, dass in den nächsten Tagen auch die Presse darüber berichten wird. Und das brachte mich auf die Idee…«

»Auf welche Idee?«

Rosanna gab sich einen Ruck. »Es geht um Josh. Ihren Sohn. Es geht um das Verhältnis, genau genommen: um das *Nicht*-Verhältnis, das er zu seinem Vater hat. Was ja auch ein Stück weit mit dem Fall Dawson und dem nie ganz ausgeräumten Verdacht gegen Marc zu tun hat.«

»Und?«

»Jacqueline, Marc leidet entsetzlich. Er hat resigniert, was Josh angeht, aber die Tatsache, dass sein Sohn jeglichen Kontakt zu ihm abgebrochen hat, liegt wirklich als dunkler Schatten über seinem Leben. Er vergräbt sich in seine Arbeit, hat wohl auch Erfolg, aber er ist ein zutiefst einsamer Mann, der keine echte Lebensfreude mehr empfinden kann.«

»So einsam kann er nicht sein. Er hat ja Sie!«

»Aber ich ersetze ihm nicht sein eigenes Kind. Das ist es ja, was ich als so schlimm empfinde: Er ist einsam, auch wenn ich bei ihm bin. Er ist einsam unter einer Million Menschen. Er ist traurig, auch wenn er lacht. Er ist ohne Hoffnung.«

»Tja«, sagte Jacqueline, aber sie war nicht ganz so gelassen, wie sie tat. Sie nahm ein Zigarettenpäckchen von der Anrichte, hielt es Rosanna mit fragendem Blick hin und zündete sich, nachdem ihr Gast abgelehnt hatte, selbst eine Zigarette an. Sie inhalierte tief.

»Und wie kann ich Ihnen bei dem Problem helfen?«, fragte sie.

Rosanna sah sie eindringlich an. »Meinen Sie nicht, dass es eine Möglichkeit der Annäherung von Josh an seinen Vater gäbe? Einfach ein kurzes Treffen. Ein kurzes Gespräch.

Irgendeine Chance, dass der abgerissene Faden wieder aufgenommen wird? Wenn sich nun herausstellt, dass Marc wirklich kein Verbrechen begangen hat, und wenn ... «

»Rosanna! Wachen Sie auf!«, sagte Jacqueline schroff. Sie erhob sich, blieb mitten in der Küche stehen, die brennende Zigarette in der Hand. »Ich habe keinen Moment lang geglaubt, dass Marc etwas mit dem Verschwinden von dieser Dawson zu tun hatte. Und ich weiß, dass auch Josh im tiefsten Innern das nicht geglaubt hat und immer noch nicht glaubt. Wenn die Polizei nun einen Täter ausfindig gemacht hat und wir ihn in den nächsten Tagen als Schlagzeile in einer Zeitung präsentiert bekommen, so ist das für uns nicht die ganz große Überraschung. Es freut mich, wenn Marc dann endlich ein für alle Mal reingewaschen ist, die Sache hat ihm weiß Gott zugesetzt. Aber für mich ist das kein Aha-Erlebnis. Und für meinen Sohn auch nicht. «

»Aber ... «

»Natürlich hat Josh den Fall damals aufgegriffen. In der Art: Siehst du, Daddy ist wirklich ganz schrecklich, nun hat er auch noch eine Frau umgebracht! Er hat das gewissermaßen als zusätzliche Rechtfertigung für seinen eigenen Rückzug benutzt. Die Schuldgefühle, die er vielleicht seinem Vater gegenüber doch hatte, damit zum Schweigen gebracht. Niemand konnte ihn zwingen, seine Wochenenden mit einem Mann zu verbringen, an dem dieser Verdacht klebte, nicht wahr? In gewisser Weise kam ihm diese Geschichte gar nicht ungelegen. Und löste natürlich zugleich eine heftige Ambivalenz in ihm aus: Er hasste seinen Vater umso mehr wegen der Presseberichte. Jeder in seiner Schule wusste Bescheid, seine Freunde im Fußballclub, alle Nachbarn ... Josh war noch keine zehn Jahre alt. Was glauben Sie, wie schlimm es für einen Jungen ist, den eigenen Vater in dieser Weise bloßgestellt zu erleben? Vergewaltiger und Mörder! Auf welch tönernen Füßen diese Vorwürfe standen, wie rasch der Verdacht von Seiten der Polizei fallen gelassen wurde, das hat doch niemanden interessiert. Die Leute fanden es herrlich schaurig und spannend. Es war ein Spießrutenlauf für uns beide. Und für Josh bestimmt noch schlimmer.«

»Das kann ich gut nachvollziehen«, sagte Rosanna, »es muss furchtbar gewesen sein. Aber... Jacqueline, bitte sagen Sie mir, wenn ich Ihnen zu aufdringlich und zu indiskret bin, aber ich kann mir das nicht erklären. Ich kann mir *diesen Hass* eines Jungen auf seinen Vater nicht erklären.«

Jacqueline lachte, ohne dabei im Geringsten fröhlich zu wirken. Sie drückte ihre Zigarette auf einem Teller aus und setzte sich wieder. »Josh hat sich von Marc getrennt, Rosanna, unwiderruflich. Genau wie ich.«

Sie wusste, dass sie eine Grenze überschritt. »Warum? Warum *diese* Trennung?«

Jacqueline sah sie einen Moment lang schweigend an. Nicht feindselig, eher nachdenklich. Rosanna fürchtete, dass sie gleich aufstehen und das Gespräch für beendet erklären würde. *War nett, Sie kennen gelernt zu haben, Rosanna, aber meine Eheschwierigkeiten gehen Sie nichts an. Lernen Sie Marc doch selbst kennen. Das Leben mit einem anderen Menschen besteht aus mehr als ein paar leidenschaftlichen Nächten. Finden Sie den ganzen verdammten Alltag mit Marc Reeve selbst heraus!*

Das würde ich jetzt an ihrer Stelle sagen, dachte sie.

Aber Jacqueline sagte es nicht. Sie griff nach der nächsten Zigarette. Ohne sie anzuzünden, hielt sie sie zwischen den Fingern. Leise sagte sie: »Das Leben mit Marc war die Hölle, Rosanna. Für mich und damit auch für Josh. Ich glaube nicht, dass Josh seinem Vater verzeihen möchte, was dieser seiner Mutter angetan hat.«

Das Zimmer war eng und mit wenig Geschmack eingerichtet, aber sie fand es besser als das großkotzige Hotel in
London. Dort hatte sie das Gefühl gehabt, verrückt werden zu müssen. Die Fenster hatten sich nicht öffnen lassen,
sie war mit der Regulierung der Heizung nicht zurechtge-
kommen, und sie hatte sich von dem Luxus dort erschlagen
gefühlt. Allein das riesige, marmorverkleidete Bad mit der
Spiegelwand war überwältigend gewesen. Wenn sie kurz
auf die Straße wollte, um frische Luft zu schnappen, hatte sie eine Hotellobby durchqueren müssen, die sie an die
Abfertigungshalle eines Flughafens erinnerte. Viele Menschen, viele Stimmen, neugierige Blicke, hin und her ei-
lendes Personal. Alles laut und hektisch, der Kopf hatte ihr
gedröhnt.

Und dann dieser Inspector Fielder. Er war nett gewesen,
hatte ihr Kaffee und Mineralwasser angeboten und freundlich mit ihr gesprochen. Aber sie hatte seine Augen nicht
gemocht, diesen kühlen, unbestechlichen Blick. Seine Fragen hatten ihr verraten, wie viel Misstrauen er ihr gegenüber empfand. Er glaubte ihr nicht, was den Fundort des
Passes anging. Er glaubte ihr nicht, dass sie nie zuvor im
Leben eine Waffe in den Händen gehalten hatte. Er lächelte
sie liebenswürdig an und stellte dabei kalte, unnachgiebige
Fragen. Bohrte immer weiter nach. Ließ sie keinen Moment in Ruhe.

Sie hatte es nicht mehr ausgehalten. Das Hotel nicht und
das Vernehmungszimmer schon gar nicht. Vielleicht hatte
sie zu lange auf der Flucht gelebt. Zu lange weltabgeschie-
dene Dörfer aufgesucht. Zu lange den Kontakt mit anderen Menschen gemieden.

Sie trat an das niedrige Fenster, stieß die Flügel auf. Neblige, kalte Luft strömte ins Zimmer. Sie atmete tief. Unter ihr lag eine Wohnstraße, ganz still, kein Mensch war zu sehen. Sie bemerkte ein Eichhörnchen, das von einem Garten in den nächsten flitzte. Sonst regte sich nichts. Die Stille war Balsam für ihre Seele.

Cedric hatte ihr die Pension genannt. Ihr zwanzig Pfund in die Hand gedrückt und sie zum Übernachten hierhergeschickt. Sie wäre gern bei ihm im Krankenhaus geblieben, aber sie hatte eingesehen, dass die Stationsschwester etwas dagegen haben würde.

»Willst du, dass sie dir unangenehme Fragen stellt und am Ende die Polizei holt?«, hatte Cedric gefragt, und natürlich hatte sie das nicht gewollt.

Die Wirtin hatte ihr das Zimmer ohne viel Hin und Her gegeben, aber am Morgen, bei einem üppigen Frühstück – von dem Pamela kaum etwas angerührt hatte –, hatte sie sich als ziemlich neugierig und indiskret entpuppt. Pamela begriff, dass sie auch hier rasch fort musste. Sie sah abgerissen aus und hatte kein Gepäck – die perfekte Kombination, sich verdächtig zu machen und die Fantasie der Menschen anzuheizen.

»Mein Vater holt mich mittags aus dem Krankenhaus ab«, hatte Cedric gesagt, »wir kommen dann bei dir vorbei und nehmen dich mit. Du kannst erst mal das Zimmer meiner Schwester haben. Aber, Pamela, eins muss dir klar sein: Weder ich noch mein Vater werden dich vor Scotland Yard verstecken. Du wirst dich dort melden müssen. Du wirst ihnen erzählen, was du mir erzählt hast!«

Sie wandte sich vom Fenster ab. Sie fror, aber zugleich tat ihr die frische Luft gut, sie mochte sie nicht wieder aussperren. Sie hätte nicht sicher zu sagen gewusst, ob Cedric ihr geglaubt hatte. Sie hatte ihm alles erzählt, und er hatte ernst und ohne sie zu unterbrechen zugehört.

»Warum hast du das nicht gleich gesagt?«, hatte er hinterher gefragt, und sie hatte ihm klarzumachen versucht, dass sie gefürchtet hatte, in einen bösen Verdacht zu geraten.

»Das bist du nun noch mehr«, hatte er gesagt.

Richtig. Sie hatte einen Fehler gemacht. Sie brauchte ihn nicht, dass er ihr das sagte. Sie brauchte ihn, dass er ihr half.

An der Wand ihres Zimmers hing eine altmodische Porzellanuhr, die mit grünen, rankenden Blättern verziert war und zwei Pendel hatte, die aus dunkellila bemalten Weintrauben bestanden. Wo, um alles in der Welt, bekam man so etwas? Es war noch nicht einmal zwölf Uhr. Wahrscheinlich würde es noch dauern, bis Cedric und sein Vater hier auftauchten. Wenn sie das überhaupt taten und nicht kurzerhand die Polizei schickten. Aber die wäre dann schon längst da, oder?

In den letzten beiden Tagen sah sie ständig Pit Wavers vor sich. Und zwar nicht den starken, krummbeinigen, brutalen Pit, der sie jahrelang in Todesangst versetzt hatte, sondern den Pit, der reglos auf einem Waldweg irgendwo in der Gegend von Cannington in Somerset lag. Mit einem Loch in der Brust. Und mit geschlossenen Augen.

Sie hatte sich über ihn gebeugt und kaum geatmet vor Angst. Wenn er sich verstellte? Wenn er plötzlich emporschoss, mit seiner eisernen Faust ihr Handgelenk umklammerte? Ihr die andere Faust in den Magen schlug, so wie er es früher oft getan hatte? Er war zu Boden gegangen, nachdem sie den Schuss abgefeuert hatte, das hatte sie noch gesehen, ehe sich in Sekundenschnelle ihre Windschutzscheibe in ein gigantisches Spinnennetz verwandelt hatte. Aber ob er getroffen war, hätte sie nicht zu sagen gewusst. Er konnte sich genauso gut geduckt haben.

Sie hatte weitere sinnlose Schüsse auf ihr längst unsichtbar gewordenes Ziel abzufeuern versucht, aber die Pistole war leer gewesen, und irgendwann hatte sie aufgegeben. Sie war einfach sitzen geblieben. Regungslos. Buchstäblich erstarrt vor Angst. Gewärtig, dass er jeden Moment neben ihr an der Tür auftauchen konnte. Dass sie in seine kleinen, grausamen Augen blicken würde. Seine Augen hatten immer alles über ihn verraten. Sie hatte einmal in einer Zeitung gelesen, einen Psychopathen zeichne das vollkommene Fehlen jedweden Gefühls aus, das Nichtvorhandensein jeglicher Empathie, die ihn zu Mitgefühl und zur Rücksicht auf andere befähigen würde. Da hatte sie gewusst, dass sie es bei Pit mit einer hochgradig gestörten Persönlichkeit zu tun hatte. Ihre Verzweiflung war ins Unermessliche gestiegen.

Irgendwann hatte sie begriffen, dass sie nicht ewig auf dem Fahrersitz verharren und auf die kaputte Windschutzscheibe starren konnte. Cedric neben ihr hatte offensichtlich das Bewusstsein verloren. Sein Atem ging schleppend und unregelmäßig. Er brauchte einen Arzt, so viel war klar, und er brauchte ihn schnell.

Sie war schließlich ausgestiegen. Bis jetzt erinnerte sie sich an diesen Moment voller Grauen. Irgendwie hatte sie plötzlich die fixe Idee gehabt, er könne lauernd direkt neben dem Auto warten und nach ihrem Knöchel greifen. Sie hielt noch immer die Waffe in der Hand, auch wenn das sinnlos war. Den einen, einzigen Schuss hatte sie abgegeben.

Es war dunkel gewesen, aber ihre Augen hatten sich einigermaßen an die Nacht gewöhnt. Sie war um das Auto herumgeschlichen und dann fast über Pits Körper gestolpert, der genau an der Stelle lag, an der er zu Boden gegangen war. Sie hatte ihn angestarrt, ihr eigenes Blut in den Ohren pochen gehört und darauf gewartet, dass irgendetwas passierte, ohne zu wissen, was das sein sollte.

Es war wieder der Gedanke an Cedric gewesen, der sie

schließlich vorwärtsgetrieben hatte. Wenn sie noch länger hier stand, war er tot, ehe sie den nächsten Schritt tat. Sie hatte sich hinuntergebeugt, hatte gelauscht und gespäht. Sie konnte nicht feststellen, ob Pit lebte oder tot war, ob er atmete oder nicht. Schließlich überwand sie sich und legte eine Hand auf seine linke Brust, meinte, einen schwachen Herzschlag zu spüren. Es hätte aber auch das Zittern ihrer eigenen Hand sein können, das vermochte sie nicht sicher zu sagen. Als sie die Hand wegnahm, war diese nass und klebrig gewesen, und nach einem Moment des Staunens wurde ihr klar, dass es Blut war.

Ich habe dein Herz erwischt, Pit. Sieh mal an, die kleine Pam, das Stück Scheiße, wie du mich so oft genannt hast, sie ist hingegangen, hat gezielt und geschossen und ins Schwarze getroffen. Nicht schlecht. Das hättest du im Leben nicht erwartet, stimmt's?

Nein, das hätte er nicht für möglich gehalten. Noch zwei Stunden zuvor, in dem hässlichen Ferienapartment, hatte sie ihm kaum Angst eingeflößt, als sie plötzlich die Waffe auf ihn gerichtet hatte. Zu diesem Zeitpunkt hatte sie jedoch selbst nicht geglaubt, dass sie es tun könnte. Deswegen hatte sie so sehr gezittert. Und war so erleichtert gewesen, als Cedric die Pistole an sich genommen hatte.

Eine Woge der Euphorie hatte sie überschwemmt, aber sie hatte deutlich gespürt, dass nicht echte Erleichterung sie erfüllte, sondern dass ihre Nerven kurz vor dem Kollaps standen. Ihr war zum Lachen zumute, gleichzeitig zum Weinen, und nicht mehr lange und sie würde schreien.

Du darfst zusammenbrechen. Aber erst wenn du Cedric ins Krankenhaus gebracht hast!

Sie hatte die nutzlose Pistole irgendwo hinter sich ins Gras geworfen, dann hatte sie all ihre Überwindung zusammengenommen, Pit unter den Armen gepackt und zur Seite gezogen. Ihn am Wegesrand liegen gelassen. Sie war in sein Auto gestiegen und hatte zu ihrer Erleichterung festgestellt, dass der Zündschlüssel steckte. Grauenhaft, wenn sie den toten oder schwer verletzten, blutenden Pit nun noch nach dem Schlüssel hätte absuchen müssen. Ihre Hände zitterten, erst beim vierten Versuch gelang es ihr, das Auto anzulassen. Sie hatte es ein Stück nach vorn gesetzt, weit genug, dass es nicht länger die Durchfahrt blockierte. Dann war sie ausgestiegen, zurück zu Cedrics Auto gehastet, hatte wieder eine halbe Ewigkeit gebraucht, um es zu starten. Während der ganzen Fahrt – erst später ging ihr auf, dass sie ohne Licht gefahren war – hatte sie auf ihn eingeredet.

Mach dir keine Sorgen. Bald sind wir in einem Krankenhaus. Dir wird dann ganz schnell geholfen. Pit kann uns nichts mehr anhaben. Ich habe ihn erledigt, wie findest du das? Der liegt im Wald und ist tot, oder fast tot. Aber wir beide, wir schaffen es!

Wie sie es dann tatsächlich geschafft hatte, wusste sie nicht mehr. Sie war planlos durch die Gegend gekurvt, hatte irgendwann nicht mehr die geringste Ahnung gehabt, wo sie sich eigentlich befand. Es ging nur darum, entweder in irgendeiner Stadt zu landen und ein Krankenhaus zu entdecken oder an einer Polizeiwache vorbeizukommen. Als sie schließlich in einer schlafenden Kleinstadt das flimmernde Schild erblickte, das auf eine Dienststelle hinwies, hätte sie vor Erleichterung weinen mögen.

Von da an hatten andere die Regie übernommen. Dunkel entsann sie sich eines unbequemen Plastikstuhles im Polizeirevier, auf dem sie wenigstens eine Stunde lang gesessen hatte, einen Pappbecher mit Kaffee in der Hand, und still und unaufhaltsam geweint hatte.

Sie trat erneut ans Fenster, schloss es diesmal. Es wurde zu kalt, und eine Erkältung konnte sie jetzt nicht brauchen.

Sie hätte nie geglaubt, dass sie eines Tages noch einmal freundlich an ihren Bruder Liam denken würde. Er war ein brutaler Typ gewesen, hinterhältig und gemein, faul und versoffen, aber er war es auch gewesen, der seine kleine Schwester mit zum Schießstand genommen hatte. Liam war von Waffen besessen gewesen. Bevor ihn der Alkohol in ein Wrack verwandelte, hatte er jede freie Minute beim Training mit seiner Pistole verbracht. Pam, stets auf der Flucht vor ihrem Vater, der sie ab ihrem elften Lebensjahr lüstern beäugt hatte und ab ihrem dreizehnten Lebensjahr regelmäßig in ihr Bett gestiegen war, hatte Liam angefleht, sie mitzunehmen. Er behandelte sie oft scheußlich, aber er begrapschte sie wenigstens nicht. Irgendwann, so hatte sie jedenfalls den Eindruck gehabt, hatte es ihm ein wenig Spaß zu machen begonnen, sie in seinem liebsten Hobby zu unterrichten, und in ihrem Eifer, ihm zu gefallen, hatte sie sich viel Mühe gegeben und war schließlich richtig gut gewesen. Sogar Liam hatte sie hin und wieder gelobt, und sie hatte gemerkt, dass er seinen Kumpels gegenüber sogar ziemlich stolz auf seine Schwester gewesen war.

»Die ist ein Naturtalent«, hatte er geprahlt, »am Ende landet die mal bei den Bullen, so klasse, wie die das macht!«

Bei den Bullen war sie nun tatsächlich gelandet. Aber anders, als es Liam gemeint hatte. Gern hätte sie ihn wissen lassen, dass im Grunde er es war, der ihr das Leben gerettet hatte, aber zuletzt hatte sie ihn vor fast zwölf Jahren sturzbetrunken im Eingang einer Liverpooler Ladenpassage gesehen, zusammengerollt schlafend, stinkend vor Dreck, aufgedunsen vom Schnaps. Er hatte die Flasche umklammert gehalten, und als sie ihn weckte, hatte er sie nicht erkannt. Danach hatte sie nie wieder von ihm gehört.

Dass Pit eine Pistole besaß, hatte sie herausgefunden, kurz nachdem sie bei ihm eingezogen war. Sie hatte in einem Schuhschrank gelegen, weit hinten, verborgen hinter alten Gummistiefeln, Baseballschlägern und muffig riechenden Wollschals. Da sie vermutete, dass sie dort nicht hätte herumkramen dürfen, und bereits Bekanntschaft mit seinen Tobsuchtsanfällen gemacht hatte, erwähnte sie ihre Entdeckung ihm gegenüber nicht. Aus einer unbestimmten Vorsicht heraus ließ sie ihn auch nicht wissen, dass sie schießen konnte wie ein Profi. Irgendwie hatte sie die Ahnung, es könnte sich noch einmal als vorteilhaft erweisen, einen ihm unbekannten Vorsprung zu haben.

Nachdem Pit angefangen hatte, sie zunehmend wie Dreck zu behandeln und zu schikanieren, nachdem er regelmäßig gewalttätig wurde und sie nur noch in Angst vor ihm lebte, hatte sie begonnen, von der Pistole zu träumen. Nicht nachts, sondern tagsüber. Das Bild, wie sie ihrem Peiniger den Lauf ins Gesicht hielt, abdrückte und die grinsende, grausame Visage zerfetzte, wurde zu ihrem Fluchtpunkt. Sie malte sich diese Szene aus, während seine Fäuste in ihren Magen krachten, während er sie so brutal vögelte, dass sie vor Schmerzen schrie, während er sie an den Haaren durch die Wohnung zerrte, um ihr an irgendeiner Stelle einen Fleck zu zeigen, den sie beim Saubermachen vergessen hatte. Sie brauchte diese innere Flucht, um nicht völlig zu verzweifeln, sich aus dem Fenster zu stürzen oder sich die Pulsadern aufzuschneiden. In düsteren Momenten begriff sie zwar, dass sie nie den Mut aufbrächte, *es* wirklich zu tun. Sie würde nie hinter der Tür stehen, auf ihn warten und ihn beim Hereinkommen einfach abknallen. Aber auch ein Traum vermochte Kraft zu verleihen, das hatte sie damals festgestellt. Als sie sich zur Flucht entschloss, spielte sie mit dem Gedanken, die Waffe mitzunehmen, um nicht ganz schutzlos zu sein, aber zwei Wochen, bevor sie den entscheidenden Schritt tat, war die Pistole plötzlich aus dem Schuhschrank verschwunden gewesen. Offenbar hielt Pit das Versteck nicht mehr für sicher. Es war ihr nicht mehr gelungen herauszufinden, wo er die Waffe danach deponiert hatte.

Und nun habe ich es getan, dachte sie, und bei all dem Elend, in dem sie sich befand, ging doch ein kleiner Schauer der Erregung durch ihren Körper. Nach so vielen Jahren war ihr Traum nun wahr geworden. Sie hatte Pit erledigt. Wenn sie jetzt nicht im Knast landete, bedeutete dies, dass sie zum ersten Mal seit langer Zeit wirklich frei sein würde.

Wieder ein Blick zu der kitschigen Uhr. Fünf Minuten waren vergangen.

Hatte es Sinn, auf Cedric und seinen Vater zu warten? Vielleicht holte der Vater sofort die Polizei. Aber wohin sollte sie gehen? Sie hatte kaum Geld, sie hatte keine Papiere, sie besaß nicht mal Wäsche zum Wechseln. Und vermutlich dauerte es nicht mehr lange, bis ein Haftbefehl gegen sie lief.

»Vertrau mir«, hatte Cedric am Abend zuvor gesagt, ehe sie Abschied nahmen, »bitte! Du allein kannst deine Lage jetzt nur noch verschlechtern!«

Vertrau mir!

Sie setzte sich auf das Bett und stützte den Kopf in die Hände. Wenn sie eines im Leben kapiert hatte, dann war es die Unmöglichkeit, einem Mann vertrauen zu können, und alles in ihr wehrte sich dagegen, ihr weiteres Schicksal auch nur ansatzweise in Cedrics Hände zu legen.

Sie hasste das Gefühl, keine Wahl zu haben. Weitere fünf Minuten später hatte sie ihre Fingernägel bis aufs Fleisch abgekaut und sich selbst ein Zeitlimit gesetzt: Sie würde noch eine halbe Stunde warten. Wären Cedric und sein Daddy dann nicht bei ihr aufgetaucht, würde sie auf Nimmerwiedersehen verschwinden.

4

Der Nebel schien wieder dichter zu werden, anstatt sich, wie es sonst meist der Fall war, zum Mittag hin aufzulösen. Grau und undurchdringlich wogte er jenseits des kleinen Fensters. In der Küche war es wunderbar warm. Jacqueline hatte die zweite Kanne Tee gekocht, Zucker auf den Tisch gestellt. Sie rauchte eine Zigarette nach der anderen.

»Es hat ziemlich lang gedauert, bis ich begriff, dass Marc ein notorischer Fremdgeher war. Vielleicht hat es auch eine Weile gedauert, bis er damit anfing. Am Anfang mögen ihn seine Gefühle für mich noch gebremst haben. Aber später... wurde er hemmungslos. Das Schlimme war, er musste gar nicht mal aktiv werden. Die Frauen werfen sich ihm an den Hals. Es ist nicht nur sein Aussehen. Es ist auch seine Art. Dieses zurückhaltende, ernste Wesen, sein höfliches Benehmen, diese distanzierte Freundlichkeit... Vielleicht ist es nicht verwunderlich, dass ein Mann schwach wird, dem es so leicht gemacht wird.«

Rosanna nippte an ihrem Tee. Er war heiß, sie verbrannte sich die Lippen. Mit einem leisen Schmerzenslaut setzte sie die Tasse ab.

Jacqueline hatte die Situation missverstanden. »Ja, das hört sich unangenehm für Sie an«, sagte sie, »aber Sie wollten über ihn Bescheid wissen.«

»Ich wollte wissen, weshalb sein Sohn...«

Jacqueline lachte. »Können Sie sich das nicht denken? Fast jeden Abend, wenn Marc wieder einmal nicht nach Hause kam, obwohl er es mir versprochen hatte, wachte Josh von meinem Weinen auf. Er kam dann herüber in unser Schlafzimmer, wo ich allein in dem großen, leeren Bett lag und mir die Augen ausweinte. *Ist Daddy noch immer nicht da?*, fragte er dann, und ich sagte, nein, Daddy arbeite noch, es würde wieder spät werden. *Wein doch nicht, Mummy,* sagte er dann und kroch zu mir unter die Decke, umarmte mich ganz fest und drückte sein Gesicht gegen meine nassen Wangen. Am Anfang glaubte er wohl noch, dass Daddy wirklich immer so viel arbeitete und dass ich einfach nur weinte, weil ich allein war. Aber er wurde älter, Marcs und meine Auseinandersetzungen wurden heftiger, Josh schnappte immer mehr davon auf und kapierte schließlich, worum es ging. Daddy arbeitete nicht, Daddy lag mit anderen Frauen im Bett, und Mummy litt ganz furchtbar darunter. Verstehen Sie, dass unter diesen Umständen ein Sohn anfangen kann, seinen Vater zu hassen?«

Rosanna antwortete nicht, sondern stellte ihrerseits eine Frage: »Dass Marc wirklich nur gearbeitet hat – das ist nicht vorstellbar? Mir gegenüber hat er erklärt, ein schrecklicher Workaholic gewesen zu sein. Ihm ist durchaus bewusst, dass er darüber seine Familie vernachlässigt hat, und er bereut das sehr.«

»Wissen Sie«, sagte Jacqueline, »wenn ich im Begriff wäre, eine neue Beziehung einzugehen, würde ich dem neuen Partner auch nicht als Erstes erklären, dass meine Ehe an meinen Seitensprüngen gescheitert ist. Klar, Marc war außerdem ein Workaholic. Krankhaft ehrgeizig. Mit seinem Job mehr verheiratet als mit mir. Das war das andere Problem, neben dem Fremdgehen. Er versetzte uns ständig. Egal, was wir als Familie zusammen geplant hatten, im Sommer mal übers Wochenende ans Meer zu fahren oder ins Kino zu gehen, oder einen Fahrradausflug zu machen, ich konnte in neun von zehn Fällen sicher sein, am Ende allein mit Josh loszuziehen. Von Marc kam garantiert im letzten Moment ein Anruf, es sei etwas furchtbar Wichtiges dazwischengekommen. Darauf konnte ich schon wetten. Und Sie würden nicht glauben, wie bitterlich ein kleiner

Junge weinen kann, wenn ihm so etwas wieder und wieder geschieht.«

»Und Sie meinen, er hat in den meisten Fällen...«

»... irgendeine Blondine gebumst, statt zu arbeiten? Ich denke, es hält sich die Waage. Die Kanzlei, in der er arbeitete, laugte ihre Mitarbeiter tatsächlich bis aufs Blut aus, und man schien der Ansicht zu sein, ein freier Samstagabend sei für einen dort assoziierten Mitarbeiter geradezu etwas Unanständiges. Ich weiß nicht, wie oft ich ihn anflehte, von da wegzugehen, aber er meinte, er habe das ideale Sprungbrett zur großen Karriere gefunden. Es war dann übrigens ganz interessant zu sehen, wie sie ihn wie eine heiße Kartoffel fallen ließen, als er wegen der Dawson in die Schlagzeilen geriet. Jahrelang hatte er sich für das Büro den Arsch aufgerissen und sein Familienleben geopfert, und nun konnten sie ihn nicht schnell genug loswerden. Aber«, sie zuckte mit den Schultern, »das war ja dann schon nicht mehr meine Sache.«

Rosanna beschloss, den Stier bei den Hörnern zu packen, auch auf die Gefahr hin, dass Jacqueline sie im nächsten Moment hinauswerfen würde. »Marc hat mir erzählt, dass Sie ihm etliche Affären unterstellten«, sagte sie, »aber er behauptet, dies sei eine Art... fixe Idee von Ihnen. Er sei viel zu sehr im Stress gewesen, um fremdzugehen. Er schwört, er habe Sie nicht ein einziges Mal betrogen.«

Jacqueline lachte. »Eine fixe Idee? So würde ich das an seiner Stelle auch nennen. Und es ist noch nett formuliert. Mir warf er ständig vor, nervenkrank zu sein. Wissen Sie, es gab eine schwierige Phase, in der ich meine dahinsiechende Mutter zu betreuen versuchte. Sie war in einem Altenheim in der Gegend von Cambridge, und ich fuhr ständig dorthin, um ihr ein Gefühl von Nähe und Wärme zu geben. Ihre Leiden mitanzusehen, war schrecklich und hat mich ungeheuer deprimiert. Ich habe viel geweint in dieser

Zeit. Ich war sehr traurig – aber keineswegs nervlich zerrüttet. Ich habe nicht angefangen, mir Dinge einzubilden, und das ist es ja, was mir mein Exmann unterstellt. Ich hatte durchaus noch einen klaren Blick für das, was um mich herum geschah.«

Hatte sie den tatsächlich gehabt? Rosanna mochte nicht in ein Klischeedenken verfallen, und sie wusste auch, dass ihre Verliebtheit in Marc nicht gerade dazu führte, sie objektiv sein zu lassen, aber sie war auch nicht bereit, Jacquelines Behauptungen als allein gültige Wahrheit stehen zu lassen. Die Frau kam ihr ein wenig überspannt vor. Setzte sich in dieses gottverlassene Dorf und malte Aquarelle. Zwang ihrem Sohn ein Leben in dieser Gegend auf, wobei sie einen dramatischeren, krasseren Unterschied zu seinem früheren Leben kaum hätte herstellen können. Sie mochte begabt sein – aber neigten nicht gerade begabte Künstler dazu, sich in eine Fantasiewelt hineinzusteigern? Marc war selten zu Hause gewesen, hatte Frau und Sohn emotional verhungern lassen, das hatte er selbst unumwunden zugegeben. Musste er deshalb auch durch fremde Betten gewandert sein? Jacqueline war in ihren Anschuldigungen recht unkonkret geblieben. Sie hatte von Frauen gesprochen, die sich ihm scharenweise an den Hals geworfen hatten, aber es war nicht ein Name oder eine nähere Beschreibung erfolgt, in der Art: *Es gab da eine blonde Kollegin, mit der war er monatelang zusammen* oder *Immer wenn ich bei meiner Mutter war, trieb er es mit der Frau, die drei Häuser weiter wohnte.* Wurde man nicht genauer, wenn man schon so offen war wie Jacqueline? Und dann hatte sie schließlich eingeräumt, sehr belastet gewesen zu sein durch das lange Dahinsiechen ihrer Mutter – was ja nur normal war. *Ich war keineswegs nervlich zerrüttet,* hatte sie gesagt, aber eine Frau, die regelmäßig von London nach Cambridge fuhr, um dort hilflos das Leiden eines geliebten Menschen mitanzusehen, die deswegen häufig und heftig weinte, war genau das – nervlich zumindest angeschlagen. Sie mochte sich von ihrem hart arbeitenden Mann in dieser Zeit allein gelassen gefühlt haben, was sie bestimmt noch trauriger und elender gemacht hatte und vielleicht ungerechter. Es konnte so sein, und es konnte ganz anders sein. Es standen zwei Aussagen gegeneinander, und Rosanna hatte die unklare Empfindung, dass sie weder für die eine noch für die andere je einen Beweis finden würde.

Sie schob ihre Tasse zurück und erhob sich, zum Zeichen, dass sie die Geduld ihrer Gastgeberin nicht länger in Anspruch zu nehmen gedachte. »Ich weiß, dass Sie sehr beschäftigt sind«, sagte sie, »und ich möchte Sie nicht länger stören. Ich danke Ihnen, dass Sie mir gegenüber so offen waren.«

Auch Jacqueline stand auf, die brennende Zigarette zwischen den Fingern. »Es hat mich gefreut, Sie kennen zu lernen«, sagte sie, und es klang aufrichtig, »und ich wünsche Ihnen wirklich viel Glück mit Marc. Mehr Glück, als ich hatte.«

»Es gibt wohl gar keine Chance, eine Versöhnung mit Josh herbeizuführen? Ich glaube, dass Marc keinen größeren Wunsch hat.«

Jacqueline zuckte bedauernd die Schultern. »Ehrlich gesagt, ich glaube nicht, dass ich da viel erreichen werde. Ich werde Josh erzählen, dass sich die Geschichte um Elaine Dawson geklärt hat, aber wie ich schon sagte, das war ohnehin ein eher vorgeschobener Grund. Vielleicht muss er älter werden, um sich seinem Vater wieder anzunähern. Ich würde das durchaus begrüßen.«

»Ja«, sagte Rosanna bedrückt. Ihr schöner Traum, Marc eine herzerweichende Versöhnung mit seinem Sohn zu organisieren, war geplatzt. Hatte sich ihr Weg nach Binfield Heath nun überhaupt gelohnt? Sie hatte einiges erfahren, was sie lieber nicht erfahren hätte. Wenn es Wahnvorstellungen gewesen waren, denen Jacqueline Reeve erlegen war, so konnten sich diese durchaus als ansteckend erweisen. Ganz gleich, was geschah, Jacquelines Anschuldigungen würden als kleiner, nagender Zweifel in Rosannas Kopf bleiben, leise bohrend und immer dann präsent, wenn Marc ihr irgendwelche Ungereimtheiten präsentierte. Sie wusste plötzlich, dass es besser gewesen wäre, diesen Ausflug zu unterlassen.

Im Hinausgehen fragte sie: »War das eigentlich für Marc ein typisches Verhalten? Eine fremde, verzweifelte Frau mitzunehmen und ihr ein Quartier anzubieten?«

Jacqueline verzog das Gesicht. »Wäre die Frau attraktiv gewesen, hätte ich gesagt, es war ein höchst typisches Verhalten für Marc. Aber ich habe später ein Bild von ihr in der Zeitung gesehen. Danach muss es von seiner Seite aus reines Mitleid gewesen sein.«

»Eigentlich ein schöner Charakterzug.«

»Ich habe nie behauptet, dass Marc ein durch und durch schlechter Mensch ist«, sagte Jacqueline, »ich habe mich auch einmal sehr in ihn verliebt. Er konnte von großer Wärme und Herzlichkeit sein. Ich denke, diese Dawson hat ihm wirklich leidgetan. Er zeigte oft eine sehr spontane Hilfsbereitschaft. Ich weiß noch, wie beliebt er in unserem Yachtclub war, jedenfalls solange wir dort noch die meisten Wochenenden verbrachten. Später fehlte ihm ja auch dazu die Zeit. Aber er packte immer an, wo Not am Mann war, und spürte auch, wenn er gebraucht wurde.«

»So empfinde ich ihn auch.«

»Na, dann steht einem gemeinsamen Glück ja nichts mehr im Weg«, bemerkte Jacqueline, aber diesmal meinte Rosanna doch, etwas Bosheit in ihren Worten zu spüren.

Sie traten hinaus. Der Nebel schlug ihnen wie ein nasser, schwerer Waschlappen entgegen.

»Im Sonnenschein ist es hier sicher recht malerisch«, meinte Rosanna.

»Sehr«, bestätigte Jacqueline. »Trotzdem ist und bleibt es ein etwas spießiges Dorf. Aber ich habe hier und in der Umgebung recht viele Bekannte, und das macht alles leichter.«

Die beiden Frauen reichten einander die Hand. Rosanna machte nur ein paar Schritte, dann verschluckte sie bereits der Nebel. Man sah nicht mal wenige Meter weit.

Wie damals, dachte sie plötzlich und fröstelte, wie an jenem Januarabend. Als kein Flugzeug mehr ging. Als Elaine plötzlich in Heathrow festsaß. Werden wir je wirklich wissen, was geschehen ist?

Wann und wo war Elaine ihrem Mörder begegnet?

Und hieß er wirklich Pit Wavers?

5

Der Nebel lastete bis zum Abend über London. Die Dämmerung kam, der Tag verging, ohne dass sich das bleierne Grau jenseits der Fenster bewegt hätte. Rosanna hatte in einem Burger King etwas gegessen und drei Tassen Kaffee getrunken, um sich ein wenig lebendiger zu fühlen, dann hatte sie ein paar Sachen für ein Abendessen gekauft und war am frühen Nachmittag in Marcs Wohnung zurückgekehrt. Sie fühlte sich niedergeschlagen. Sie wünschte, sie wäre nie nach Binfield Heath gefahren.

Gegen vier Uhr rief sie bei ihrem Vater in Kingston St. Mary an. Victor meldete sich sofort. Seine Stimme klang bedrückt.

»Gut, dass du anrufst«, sagte er, »wann kommst du?«

»Bald, Dad. Ich... habe hier noch etwas zu erledigen. Wie geht es Cedric?«

»Den Umständen entsprechend recht gut, würde ich sagen. Ich habe ihn heute Mittag aus dem Krankenhaus abgeholt. Er hat noch große Schmerzen, aber er bekommt Medikamente dagegen. Wird schon werden.«

»Dad – was ist los? Du klingst nicht gut!«

Victor schien mit sich zu ringen. »Diese Pamela Luke ist hier«, sagte er schließlich.

Rosanna schnappte nach Luft. »Pamela Luke? Scotland Yard sucht nach ihr!«

»Ich weiß. Sie ist oben bei Cedric, und er versucht sie zu überreden, sich zu stellen. Sie ist gestern Abend bei ihm im Krankenhaus aufgetaucht. Sie sieht aus wie eine Landstreicherin und steht völlig neben sich. Ich muss sagen, ich bin über diese ganze Entwicklung nicht glücklich.«

Das konnte sich Rosanna nur zu gut vorstellen. Ihr armer Vater! Gesetzestreu und immer korrekt – das äußerste Vergehen, das er sich in seinem bisherigen Leben geleistet hatte, waren zwei oder drei Strafzettel wegen falschen Parkens gewesen. Und nun versteckte sich eine dubiose junge Frau in seinem Haus, hinter der die Polizei her war und die womöglich mit skrupellosen Verbrechern gemeinsame Sache gemacht hatte. Zwei Nächte zuvor hatte sie einen Mann erschossen, und sein eigener Sohn war zusammengeschlagen worden und hatte nun vier gebrochene Rippen. Victor Jones musste das Gefühl haben, in einem Albtraum gelandet zu sein.

»Kannst du mich mit Cedric verbinden?«, fragte Rosanna.

»Einen Moment bitte«, erwiderte Victor in seiner manchmal so förmlichen Art und drückte ein paar Tasten.

Zwei Minuten später meldete sich Cedric. »Rosanna?«

»Cedric! Was ist los? Wieso ist Pamela weggelaufen? Kannst du offen reden?«

Cedric seufzte. »Sie ist drüben in deinem Zimmer und

hat sich hingelegt«, sagte er. »Es geht ihr psychisch sehr schlecht. Sie hat sich in einen ganz schönen Schlamassel hineingeritten, indem sie am Anfang gelogen hat. Es stimmt nicht, dass sie Elaines Pass in Ron Malikowskis Schlafzimmer gefunden hat. Sie ist dort nie gewesen, und das weiß die Polizei inzwischen auch.«

»Aber ... woher hat sie ihn dann? Ich meine ... hat sie etwas mit Elaines Verschwinden zu tun?«

»Sie behauptet nein. Wobei es ein wenig schwierig sein wird, dies nun glaubhaft zu machen, nachdem sie zunächst herumgeschwindelt hat.«

»Aber wo ...?«

»Sie sagt, sie hat den Ausweis gefunden. Im Januar 2003. Offenbar unmittelbar nachdem Elaine verschwunden war.«

»Und wo?«

»In einem abgelegenen Dorf. Wiltonfield oder so ähnlich. Ziemlich weit außerhalb Londons. Sie und Pit machten gemeinsam einen Ausflug, und sie entdeckte den Pass neben mehreren Containern, die am Dorfrand, gleich neben einem Parkplatz, stehen. Altkleidersammlung. Er lag auf dem Boden. Sie hob ihn auf und ließ ihn in ihrer Manteltasche verschwinden. Pit bekam nichts mit. Zu Hause stellte sie fest, dass er auf den Namen *Elaine Dawson* ausgestellt war und dass diese Dawson in etwa demselben Alter wie sie selbst war. Sie erkannte ihre Chance, hielt ihn gut versteckt – und entschloss sich im darauffolgenden April zur Flucht.«

»Glaubst du ihr?«

»Schwer zu sagen. Ich meine – wenn es stimmt, dann weißt du, was das bedeutet?«

»Jemand hat Elaines Kleidung in den Container geworfen. Dabei ist ihr Pass herausgefallen.«

»Sie war auf dem Flughafen gewesen. Ich könnte mir vorstellen, dass ihr Pass in der Manteltasche steckte, weil sie natürlich davon ausging, ihn vorzeigen zu müssen. Klar, dass ihn irgendjemand finden würde.«

»Aber normalerweise meldet man so etwas dann bei der Polizei.«

»Es sei denn, man ist in einer verzweifelten Notlage und erkennt plötzlich, dass ein solches Papier der Schlüssel zu einem neuen Leben sein kann.«

Rosanna schwieg einen Augenblick. »Das heißt ...«

»Das heißt, dass auch nach dieser Variante Elaine höchstwahrscheinlich Opfer eines Gewaltverbrechens geworden ist«, vervollständigte Cedric ihren Satz, »denn weshalb sollte sie selbst ihren Pass neben einen Kleidercontainer irgendwo in der Provinz werfen? Oder ihre Kleider dort entsorgen. Das ergibt kaum einen Sinn.«

»Aber dann ist wieder völlig offen, wer der Täter sein könnte. Pamela ist absolut zufällig an den Pass gekommen, was bedeutet, das Verbrechen muss nichts mit ihrem Umfeld zu tun gehabt haben. Wavers und Malikowski scheiden damit eigentlich aus.«

»Zumindest ist ihre Beteiligung nicht mehr und nicht weniger wahrscheinlich als die irgendeines anderen Kriminellen«, stimmte Cedric zu. »Wie schrecklich für Geoff. Er war so erleichtert, einen Namen zu kennen.«

»Wie, um Himmels willen, ist Elaine in dieses Dorf gekommen?«

»Keine Ahnung. Vielleicht ist sie in das falsche Auto zum falschen Mann gestiegen. Der fährt mit ihr in eine abgelegene Gegend, vergewaltigt sie, bringt sie um, verscharrt sie irgendwo und entsorgt dann die Kleider. Diese Geschichten passieren ja leider häufig.«

»Aber sie war auf dem Weg nach Heathrow!«

»Sie war verzweifelt. Sie kann irgendwo zwischendurch die U-Bahn verlassen haben. Was dann geschah ... werden wir wahrscheinlich nie mit Sicherheit wissen!«

Rosanna kam noch ein anderer Gedanke. »Warum hat Pamela dann Malikowski in Verdacht bringen wollen? Wäre Wavers nicht die bessere Wahl gewesen? Immerhin hatte er bereits ein Verbrechen begangen.«

»Ich habe sie das auch gefragt. Sie begründet es mit ihrer Angst. Malikowski etwas anzuhängen, schien ihr weniger gefährlich – was eine mögliche Rache anging. Wavers hat sie geradezu paralysiert. Das habe ich ja selbst gemerkt, als ich mit ihr unterwegs war. Natürlich, nachdem Wavers tot war, wäre es das Beste gewesen, ihm die ganze Geschichte in die Schuhe zu schieben. Aber da hatte sie sich dir und Marc Reeve gegenüber ja schon anders geäußert und konnte nun von ihrer ursprünglichen Behauptung nicht mehr abrücken. Sie musste die Geschichte mit dem Pass aus Malikowskis Schlafzimmer weiter durchziehen.«

»Warum hat sie nicht von Anfang an gesagt, wie es wirklich war? So unwahrscheinlich ist doch ihre Geschichte gar nicht!«

»Rosanna, Pamela ist in einem kriminellen Umfeld groß geworden«, sagte Cedric, »und kaum von daheim fort, ist sie schon wieder in einem kriminellen Umfeld gelandet. In gewisser Weise waren Verbrechen – oder zumindest die verschiedensten Delikte – ihre gewohnte Realität im Alltag. Solche Leute ticken anders als wir. Du und ich, wir würden einfach erzählen, wie es war, weil wir ein gutes Gewissen hätten und gar nicht auf den Gedanken kämen, jemand könnte uns etwas anderes unterstellen. Aber Leute wie Pamela wissen, dass sie schon auf Grund des Milieus, aus dem sie stammen, immer von vornherein verdächtig für die Polizei sind. Sie stehen stets mit einem Fuß im Knast, und prinzipiell wird ihnen wenig geglaubt. Deshalb hat es in Pamelas Augen durchaus Sinn, der Polizei gleich einen Verdächtigen zu präsentieren und gar nicht erst den Gedanken aufkommen zu lassen, sie könnte selbst in irgendeiner

Weise verstrickt sein. Denn immerhin hätte sie ein Motiv gehabt, Elaine beiseitezuschaffen: Sie brauchte dringend deren Ausweispapiere. Und jetzt sitzt sie wirklich in der Tinte.«

»Wie siehst du die Sache? Glaubst du ihr?«

Er zögerte. »Irgendwie – ja«, sagte er dann. »Ich kann es nicht genau begründen, aber ich habe nicht den Eindruck, dass sie mich belügt. Natürlich kann ich mich furchtbar täuschen. Eine Frau, die fünf Jahre lang unter falscher Identität lebt, ist es gewohnt, ihrer Umwelt etwas vorzuspielen. Vielleicht ist sie ein ganz abgefeimtes Stück. Ich weiß es nicht.«

»Sie wirkte auf mich wie ein Opfer. Absolut nicht wie ein Täter.«

»Immerhin kann sie auch richtig gut schießen. Das hat sie mir inzwischen auch gestanden. Ihr Bruder hat es ihr beigebracht, als sie ein Teenager war. Dass sie Wavers so glatt erledigt hat, war alles andere als ein glücklicher Zufall oder die Hand Gottes. Der Schuss saß, weil sie es verdammt gut kann.«

»Und Wavers besaß eine Waffe, die ihr womöglich zugänglich war.«

»Ja«, sagte Cedric, »so kann es gewesen sein. Oder ganz anders.«

Rosanna sagte drängend: »Cedric, wie auch immer, sie muss zur Polizei. Sie kann sich nicht bei euch verstecken. Das kannst du Dad nicht antun. Es geht ihm überhaupt nicht gut damit, und wir dürfen ihn in all das nicht mit hineinziehen.«

»Ich weiß«, sagte Cedric, »und ich tue mein Bestes, sie zu überzeugen, das kannst du mir glauben.«

Sie schwiegen beide einen Moment. Ich wollte, es wäre vorbei, dachte Rosanna, einfach endlich vorbei, und wir alle hätten Gewissheit darüber, was geschehen ist.

Sie hörte einen Schlüssel an der Wohnungstür. Marc! Er würde überrascht sein, sie anzutreffen. Noch immer hatte sie nicht entschieden, ob sie ihm von ihrem Besuch bei seiner Exfrau erzählen sollte.

»Ich muss Schluss machen«, sagte sie, »Marc kommt gerade.«

»Du bist bei Marc Reeve?«, fragte ihr Bruder.

»Ja«, entgegnete sie einfach und legte den Hörer auf.

Cedrics Meinung zu *diesem* Thema wollte sie jedenfalls nicht hören. Sie hatte genug um die Ohren. Schon allein deshalb, weil sie das unangenehme Gefühl nicht loswurde, irgendetwas übersehen zu haben, das sich aus dem Gespräch mit Cedric hätte ergeben müssen. Da war etwas gewesen, wo sie gedanklich hätte einhaken müssen.

Sie kam nur beim besten Willen nicht darauf, worum es sich dabei gehandelt hatte.

6

In der Nacht konnte Rosanna keinen Schlaf finden. Zu viele Probleme bedrängten sie, zu viele Gedanken geisterten in ihrem Kopf umher. Am späten Abend hatte sie auf ihrem Handy entdeckt, dass Dennis zweimal versucht hatte, sie zu erreichen, aber sie war zu feige, ihn zurückzurufen. Er wähnte sie in Kingston St. Mary. Was sollte sie ihm erklären, weshalb sie sich noch immer in London aufhielt?

Marc war ebenso überrascht wie erfreut gewesen, sie in seiner Wohnung anzutreffen.

»He«, hatte er leise gesagt und sie an sich gezogen, »was ist passiert? Weshalb bist du nicht zu deinem Bruder gefahren?«

»Ich mochte nicht fort von hier«, hatte sie nur geantwortet, und daraufhin waren sie sofort im Schlafzimmer gelandet und hatten zwei Stunden im Bett verbracht, und sie hatte das Läuten ihres Handys ignoriert und damit ihrem Mann keine Möglichkeit gegeben, sie zu erreichen. Später hatten sie sich in Bademäntel gehüllt und aus den Vorräten, die Rosanna gekauft hatte, ein Abendessen gekocht, Kerzen angezündet und eine Flasche Wein aufgemacht, die Marc aus dem Keller holte. Draußen blieben Dunkelheit und Nebel, und die kleine, triste Wohnung wurde mit einem Mal zu einem Ort der Wärme und Behaglichkeit, der Romantik und des Zusammengehörigkeitsgefühls. Beim Essen erzählte Rosanna von Cedrics Anruf und von Pamelas Aussage.

Marc hörte aufmerksam zu.

»Das ist ja ein Ding!«, sagte er, als sie geendet hatte. »Hältst du es für wahrscheinlich, was sie sagt?«

Rosanna zuckte die Schultern. »Schwer zu beurteilen. Ich kenne Pamela ja praktisch nicht, ich habe sie ja auch nur ziemlich kurz erlebt. Cedric, der nun schon mehr Zeit mit ihr verbracht hat, ist geneigt, ihr zu glauben. Aber sicher kann er natürlich auch nicht sein.«

»Wenn es stimmt, was sie sagt, dann ist alles wieder so rätselhaft wie zuvor«, meinte Marc. Frustriert verzog er das Gesicht. »Ich bin dann eigentlich auch wieder im Rennen um einen Platz als Tatverdächtiger!«

»Ich glaube, das nimmt wirklich niemand mehr an«, widersprach Rosanna sofort. »Du hast sie…«

»Ich habe sie in die District Line gesetzt, und dann fuhr sie los, und mehr weiß ich nicht. Kann stimmen oder auch nicht.«

»Du hast ihr erklärt, dass sie umsteigen muss?«

»Klar. South Ealing. Piccadilly Line. Vielleicht hat sie das vermasselt. Ist dort in die falsche Bahn gestiegen und ganz woanders gelandet. Wir werden das wahrscheinlich nie herausfinden, Rosanna. Und weißt du, was?« Er schob seinen noch halbvollen Teller zurück und stand auf. »Es macht mich langsam verrückt, ständig darüber nachzudenken, was geschehen ist. Es ist so sinnlos. Wir kommen nicht dahinter. Ich wünschte, wir könnten das alles endlich abhaken und vergessen.«

Sie hatten dann nicht mehr darüber gesprochen, aber Rosanna hatte auch nicht gewagt, Marc von ihrem Besuch bei Jacqueline zu erzählen. Die Stimmung war ohnehin getrübt, weshalb sollte sie sie völlig verderben. Sie sahen sich zusammen eine Talkshow im Fernsehen an und tranken den Wein aus, und Rosanna spürte, dass ihr Hals zu kratzen begann und ihre Augen brannten. Nun hatte sie sich auch noch eine Erkältung eingefangen. Es war genau das, was sie jetzt gebrauchen konnte.

Als sie im Bett lagen, nahmen ihre Halsschmerzen zu. Und das Gedankenkarussell setzte sich in Bewegung. Sie lauschte auf Marcs gleichmäßige Atemzüge, während sie sich mit Bildern quälte, die vor ihren Augen entstanden. Marc, der mit attraktiven, jungen Frauen durch London zog. Sie selbst daheim wartend, sich sorgend, langsam zerfressen von Eifersucht. Marc, der irgendwann nach Hause kam, nach fremdem Parfüm roch und fadenscheinige Erklärungen von sich gab. Sie konnte die Frustration spüren, die sich in ihr Leben schleichen würde, konnte ahnen, wie quälend es sein musste, sich ständig mit der Frage herumzuschlagen, ob er log oder nicht.

Sie stand schließlich auf, huschte leise ins Wohnzimmer hinüber, schloss die Tür zum Schlafzimmer hinter sich. Sie knipste das Licht in der Küchenecke an, nahm sich ein Glas aus dem Schrank, füllte es mit kaltem Wasser. Die Kälte tat ihrem wunden Hals gut. Das Glas in der Hand, wanderte sie langsam im Zimmer herum. Sie musste zur Ruhe kommen. Sie durfte sich den vielen Bildern, die sie bestürmten, nicht ausliefern. Nächtliches Wachliegen heizte die Fantasie an, man sah Gespenster, die sich am Tag in Luft auflösten.

Marc hatte längst allem widersprochen, was seine Exfrau gegen ihn vorbrachte. Er hatte sie als krankhaft eifersüchtig beschrieben, als einen Menschen, der sich in diesem Punkt praktisch in einen Wahn hineingesteigert hatte. Er hatte keineswegs versucht, sich als idealen Ehemann, tollen Vater und fürsorgliches Familienoberhaupt darzustellen. Er hatte alle seine Fehler eingeräumt, war dabei durchaus schonungslos mit sich umgegangen. Aber er hatte es von sich gewiesen, seine Frau betrogen zu haben. Weshalb sollte sie Jacqueline eher glauben als ihm?

Wenn ich in Begriff wäre, eine neue Beziehung einzugehen, würde ich meinem neuen Partner auch nicht als Erstes erklären, dass meine Ehe an meinen Seitensprüngen gescheitert ist, hatte Jacqueline gesagt. Klar, da hatte sie recht. Trotzdem musste es nicht so sein, wie sie sagte. Es konnte auch so sein, wie Marc es darstellte.

Rosanna drückte ihre heiße Stirn gegen die kühle Fensterscheibe. Es war wie bei der Sache mit Elaine und Pamela. Es konnte so sein, wie Pamela sagte. Es konnte auch ganz anders sein. Alles verschwamm im Nichtwissen. Es war wie da draußen auf der Strasse: Nebel. Einfach nur Nebel.

Der Gedanke an Pamela erinnerte sie daran, dass es etwas in ihrer Schilderung gab, was in ihr einen Impuls ausgelöst hatte. Als Cedric sein Gespräch mit Pamela wiedergegeben hatte, hatte es an irgendeiner Stelle *Klick* gemacht.

Wann, zum Teufel, und warum nur?

Sie trank das Glas aus. Das Halsweh setzte ihr zu, und nun schien sie auch noch Fieber zu bekommen. Zweifellos eine gute Voraussetzung, sämtliche Ungereimtheiten zu lösen. Wenn sie das überhaupt tun musste.

Warum lasse ich es nicht einfach, dachte sie, lasse das

Rätsel um Elaines Verschwinden, wie es ist? Lasse die Zukunft mit Marc einfach auf mich zukommen? Warum höre ich nicht einfach damit auf, all die verworrenen Geschichten um mich herum unbedingt aufklären zu wollen?

Aus schmerzenden Augen blickte sie auf Jacqueline Reeves Aquarell an der Wand, blickte hindurch, ohne es wirklich wahrzunehmen. Ein wolkenverhangener Himmel. Berge im Hintergrund, deren Gipfel im Regen verschwammen. Graues Wasser. Ein Segelboot, das vor einer Hafenmauer vor Anker lag. Ein schwermütiges Bild, traurig und dunkel.

Irgendwie drang das Bild in ihr Bewusstsein vor.

Das Segelboot. Mit abgetakelten Segeln. Der Regen.

Warum malt sie das so traurig?, dachte sie, Marc und sie haben Schiffe doch so geliebt.

Und in diesem Augenblick wusste sie es. Wusste, was die ganze Zeit an ihr nagte. Wusste, was ihr zu schaffen machte, seit Cedric Pamelas Geschichte wiedergegeben hatte.

Der Ort. Wiltonfield. Den Namen des Ortes hatte sie vorher schon einmal gehört. Als Marc ihr von seinem Boot erzählt hatte, auf der Fahrt nach Cambridge. Von dem Club, in dem er mit Jacqueline Mitglied gewesen war. Der Yachtclub in Wiltonfield.

Mit einem Schlag war sie hellwach. Ihr Herz schien plötzlich viel schneller zu schlagen.

Ich muss die Ruhe bewahren, dachte sie, ich darf mich jetzt nicht in voreiligen Schlüssen verlieren.

Sie ging wieder in die Küche, füllte das Glas erneut. Trank in kleinen, konzentrierten Schlucken. Fixierte einen imaginären Punkt in der Nachtschwärze jenseits des Fensters.

Was sind die Fakten – vorausgesetzt, Pamelas Geschichte stimmt?

Pamela Luke findet im Januar 2003, offenbar kurz nach Elaines Verschwinden, deren Pass am Ortsrand eines klei-

nen Dorfes außerhalb von London. Wiltonfield. Der Ausweis liegt gleich neben einem Altkleidercontainer.

In Wiltonfield befindet sich der Yachtclub, in dem Marc und Jacqueline Reeve seit Jahren Mitglieder sind.

Falsch. Konzentriere dich!

Im Januar 2003 ist Marc nicht mehr Mitglied. Nach der Trennung mochte er dort nicht mehr mit seiner Frau zusammentreffen und hat die Mitgliedschaft gekündigt. Das Boot hat er Jacqueline überlassen. Sie besitzt es bis heute, ist noch immer aktives Mitglied des Clubs.

Sie erinnerte sich, was Jacqueline heute gesagt hatte: Sie halte es in Binfield Heath aus, weil so viele Freunde von ihr in der Umgebung lebten.

Natürlich. Wiltonfield musste ganz in der Nähe liegen, ein oder zwei Ortschaften weiter vielleicht. Wahrscheinlich wohnten etliche Mitglieder des Yachtclubs rund um Wiltonfield und Binfield Heath. Menschen, die Jacqueline seit vielen Jahren kannte, mit denen sie gut befreundet war. Deshalb hatte sie Binfield Heath als neuen Wohnort gewählt. Sie musste sich dort nicht allein fühlen.

Im Januar 2003 nimmt Marc Reeve die ihm völlig fremde Elaine Dawson mit in seine Wohnung. Die junge Frau verschwindet anschließend spurlos. Ihr Pass taucht kurz darauf an dem Ort auf, an dem Jacqueline Reeves Boot liegt, an dem Ort, der sich in unmittelbarer Nähe zu ihrem neuen Zuhause befindet.

Zufall?

Rosanna massierte langsam ihre Schläfen. Sie mochte krank sein, fiebrig, aber sie war nun hellwach.

Das kann kein Zufall sein.

Die Geschichte um Elaines Verschwinden hatte mit einem Reeve begonnen. Und nun schien sie auch genau dort zu enden. In einem Zusammenhang mit der Familie Reeve. Aber vielleicht nicht mit Marc.

Ein Gedanke keimte in ihr, eine Idee, aberwitzig vielleicht, aber doch schien sie ihr nicht völlig aus der Luft gegriffen zu sein. Die Idee, dass Jacqueline in die ganze Geschichte involviert war. Die geschiedene Frau – damals, vor fünf Jahren, die *in Scheidung lebende* Frau –, an die nie einer gedacht hatte.

Die Frau, die krankhaft eifersüchtig, in dieser Hinsicht fast von einem Wahn besessen war?

Marc hatte sie so beschrieben. Dass sie ihn ununterbrochen verdächtigt hatte. Verfolgt hatte mit ihren Anschuldigungen. Dass ihr gemeinsames Leben irgendwann nur noch aus Streitereien, Vorwürfen und hässlichen Szenen bestanden hatte. Dass sie geradezu besessen gewesen war von der Vorstellung, er hintergehe sie fortwährend.

Und dass er ihr dafür in Wahrheit nicht einen einzigen Grund gegeben hatte.

Wenn das stimmte, so war sie wirklich in einer fixen Idee gefangen. Schließlich hatte sie auch im Gespräch mit Rosanna praktisch von nichts anderem geredet. Auch der Nachbar damals hatte von Auseinandersetzungen über dieses Thema berichtet. Immer vorausgesetzt, dass Marc die Wahrheit sagte und zwar ein rücksichtsloser Workaholic, aber kein Ehebrecher gewesen war, kristallisierte sich tatsächlich das Bild einer Frau heraus, die sich in eine eigene Vorstellungswelt hineingesteigert und dabei den Bezug zur Realität mehr und mehr verloren hatte.

Und wenn sie an jenem Abend Elaine in Marcs Haus hat gehen sehen?

Rosanna presste das kalte Glas an ihre Stirn, als könne sie damit ihr Fieber vertreiben. Fantasierte sie, oder war das eine plausible Möglichkeit? Es setzte voraus, dass Jacqueline in der Nähe ihres früheren Hauses gewesen war. Vielleicht hatte sie in ihrem Auto gesessen. Vielleicht hatte sie es sich zur Angewohnheit gemacht, ein Dreivierteljahr nach ihrem Auszug dort ihren Ehemann noch immer zu bespitzeln und zu beschatten. Wenn sie krankhaft eifersüchtig und in einem Wahn gefangen war, so mochte dies nicht einfach dadurch aufgehört haben, dass sie sich getrennt hatte und in einen anderen Ort gezogen war.

Vielleicht war Jacqueline auch am Flughafen gewesen. Hatte selbst irgendwohin gewollt, war wegen des Nebels nicht fortgekommen und hatte gesehen, wie ihr Mann mit einer anderen Frau davonging. Oder war sie am nächsten Morgen in der U-Bahn gewesen? Hatte sie Elaine angesprochen? Ihr irgendetwas erzählt, sie aus der Stadt gelockt?

Rosanna zwang sich, ruhig und sachlich zu denken. All ihre Gedankenspiele schienen absurd, aber nicht zu absurd für die Wirklichkeit. Es mochte ein Zufall gewesen sein oder eine Situation, die Jacqueline bewusst herbeigeführt hatte, aber es erschien ihr nicht zu weit hergeholt, sich vorzustellen, dass Jacqueline Reeve etwas gesehen oder mitbekommen hatte, was ihre Zwanghaftigkeit angeheizt hatte.

Und dann?

War es denkbar, dass Jacqueline Reeve Elaine Dawson umgebracht hatte?

So denkbar und so wenig denkbar zugleich wie die Vorstellung, Marc könne es getan haben. Der unbekannte Täter war immer noch der wahrscheinlichste, weil er aus einer Welt kommen mochte, in der es Verbrechen dieser Art gab: Körperverletzung und Mord und Totschlag, herbeigeführt durch Triebhaftigkeit oder Geldgier oder Lust an Gewalt. Niemand konnte abstreiten, dass es diese dunkle Welt gab, die Taten ihrer Bewohner füllten jeden Tag die Seiten der Zeitungen. Aber Marc gehörte nicht dorthin. Und auch von Jacqueline hätte es Rosanna nie geglaubt. Sie beide jedoch auszuklammern hätte bedeutet, den Fundort von Elaines Ausweis als einen Zufall abzutun.

Aber selbst das war denkbar. Zufälle waren immer denkbar.

Sie schrak zusammen, als sie Schritte hinter sich hörte. Marc kam aus dem Schlafzimmer und blinzelte geblendet in das Licht aus der Küchenecke.

»Ich bin aufgewacht, und du warst fort«, sagte er, »was ist los? Kannst du nicht schlafen?«

»Ich bekomme eine Erkältung, glaube ich«, sagte Rosanna, »ich habe Halsschmerzen. Ich brauchte etwas zum Trinken.«

Er nahm sie in die Arme. Sein Körper fühlte sich warm und irgendwie tröstlich an.

»Armer Schatz. Aber du solltest hier nicht ohne Bademantel herumstehen. Das ist viel zu kalt.« Er schob sie ein Stück von sich weg, musterte sie prüfend und legte ihr dann die Hand auf die Stirn.

»Du hast Fieber«, stellte er fest.

Vielleicht lag alles an dem Fieber. Vielleicht steigerte sie sich deshalb in verrückte Ideen hinein. Trotzdem…

»Marc, könnte es sein…«, begann sie und brach dann ab.

Könnte es sein, dass dich deine Frau damals gesehen hat? Deine krankhaft eifersüchtige Frau? Als du Elaine mit in dein Haus genommen hast?

Es war zu früh für diese Frage. Zu früh, ihn mit ihrem ungeheuerlichen Verdacht zu konfrontieren.

»Ja?«, fragte er.

Sie lächelte, schüttelte den Kopf. »Ach, nichts. Du hast recht, mir ist kalt. Lass uns wieder ins Bett gehen.«

Freitag, 22. Februar

I

Es war, wie Rosanna vermutet hatte: Wiltonfield lag nicht weit hinter Binfield Heath und kurz vor Reading, ein verträumtes, kleines Dorf, eingebettet in Wälder und Wiesen, direkt am Ufer der hier recht breiten, sehr friedlich dahinfließenden Themse. Der Anblick der verwinkelten Straßen und Gassen und der kleinen rot geklinkerten Häuser mit den bunt bemalten Türen war sehr idyllisch, denn inzwischen hatte sich das Wetter gebessert, der Himmel war zwar noch voller Wolken, aber der Nebel hatte sich verzogen. Und überall hier draußen lag der Frühling auf der Lauer, schien das Gras darauf zu warten, in die Höhe zu schießen, und schien die schwarze, nass glänzende Erde bereit, all das Leben zu entlassen, das in ihr keimte. Die sonnigen Tage hatten die Vegetation vorangetrieben, der Kälteeinbruch hatte nur für eine Verzögerung gesorgt. Mit der nächsten Schönwetterperiode würde das Land in Farben ausbrechen.

Rosanna fand die Stelle mit den Containern sofort, von der Pamela gesprochen hatte. Wiltonfield war so klein, dass man es im Handumdrehen umrundet hatte, und tatsächlich befand sich an der Westausfahrt des Ortes ein Parkplatz, von dem aus man zu diversen Wanderungen aufbrechen konnte, deren Wegeverlauf von verschiedenfarbigen Schildern gekennzeichnet wurde. Eine große Tafel informierte ausführlich über Flora und Fauna der Gegend, wies auf einen etwas außerhalb gelegenen Gasthof hin, in dem man offenbar recht gut essen konnte, und auf den Yachtclub, der sich anscheinend in der Nähe jenes Gasthofs befand.

Am Rande des Parkplatzes standen drei große Container

für Altkleider. Ein Schild bat darum, nur solche Kleidungsstücke abzugeben, die noch tragbar waren, und diese möglichst sauber zu verpacken. Schuhe möge man paarweise zusammenbinden.

An diesem kalten Morgen hielt sich kein Mensch an der einsamen Stelle auf. Rosanna parkte ihren Wagen und trat dicht an die Container heran. Sie hielt beide Arme um ihre Mitte geschlungen, weil sie so fror. Sie hatte sich vor ihrem Aufbruch in einer Londoner Apotheke Halstabletten und ein fiebersenkendes Medikament gekauft, und es ging ihr ein wenig besser, aber sie konnte sich nicht darüber hinwegtäuschen, dass sie krank war und dass sie wahrscheinlich spätestens morgen oder übermorgen das Bett würde hüten müssen. Eigentlich hatte sie das Marc schon für heute versprochen. Beim Frühstück hatte er sie immer wieder besorgt angesehen und sie schließlich gebeten, im Bett zu bleiben, bis er wiederkäme.

»Heute ist Freitag. Wird nicht so spät«, hatte er beim Abschied gesagt.

Sie hatte aus dem Fenster geschaut und zu ihrer Erleichterung gesehen, dass er den Weg Richtung U-Bahn einschlug. Damit hatte sie das Auto zu ihrer Verfügung.

Sie fröstelte. Nicht nur wegen der kalten Luft, auch wegen der Einsamkeit dieses Ortes. So mochte es auch im Januar gewesen sein, fünf Jahre zuvor. An einem Wintermorgen konnte man hier problemlos Kleider entsorgen, ohne gesehen zu werden. Im Sommer und an den Wochenenden mochte es wimmeln von Wanderern, aber dazwischen ließ sich keine Seele blicken.

Was konnte man noch entsorgen?

Denn die Frage war doch: Wenn jemand – Jacqueline? – hier Elaines Kleider abgelegt hatte, was war mit Elaine selbst geschehen? Es hatte nie einen Leichenfund gegeben, den man ihrem Fall hätte zuordnen können.

Sie musste niesen, zog hastig ein Taschentuch hervor und putzte sich kräftig die Nase.

Ich bin krank, und ich verrenne mich in etwas, dachte sie.

Sie sah die schwere, grobknochige Elaine vor sich – und die zierliche, kleine Jacqueline. Was stellte diese zarte Frau mit einer Leiche an? Wie sollte sie das rein kräftemäßig schaffen?

Nachdenklich blickte sie über die Wiesen zum Fluss hinunter. Man konnte das andere Ufer gut sehen, aber er war wirklich sehr breit an dieser Stelle. Große Weidenbäume tauchten ihre Arme in die Wellen. Wenn man jemanden in einem Fluss versenkte, musste man kein Grab schaufeln.

Der Yachtclub war ganz in der Nähe. Jacquelines Schiff somit auch.

Einem spontanen Entschluss folgend, wandte sie sich wieder dem Auto zu, warf dabei einen Blick auf die Tafel. Der Beschreibung nach musste sie bloß der Landstraße folgen, um den Club zu erreichen. Es war nur eine einfache Frage, die sie stellen wollte. Verrückt vielleicht, aber nun war sie schon einmal hier.

Sie erreichte den Club zehn Minuten später. Ein großes hölzernes Clubhaus, eine breite hölzerne Plattform über dem Wasser, auf der Tische und Bänke standen, die mit Plastikplanen abgedeckt waren. Lange Stege ragten in den Fluss, an ihnen waren zahlreiche größere und kleinere Motorboote vertäut. Gleich neben dem Clubhaus befand sich ein Wohnhaus, dessen Fensterläden jedoch fest verschlossen waren. Im Sommer war hier sicher viel los. Im Augenblick war der Ort von erschlagender, trostloser Einsamkeit.

Rosanna stellte ihr Auto an einem Parkplatz oberhalb des Gebäudes ab und lief über einen schmalen, sandigen Weg zum Fluss hinunter. Die kalte Luft roch nach dem Wasser.

Der verhangene Himmel vermochte den Wellen kein Licht und keine Farbe zu geben, sie waren von einem etwas gelblichen Grau, sahen abweisend, fast etwas bedrohlich aus.

Clubhaus und Bootssteg wurden von einem hohen Zaun umschlossen, und Rosanna fürchtete schon, dass ihr Ausflug an dieser Stelle zu Ende sein würde, aber dann bemerkte sie, dass das Tor offen stand und dass direkt daneben ein Fahrrad lehnte. Irgendjemand musste da sein.

Sie betrat das Gelände, stieg zwei Stufen zu der Plattform hinauf, umrundete das Clubhaus. Sie stellte fest, dass das Gebäude zu einer Seite hin offen war. Man gelangte dort in eine Art Schuppen, der mit Gerätschaften aller Art sowie großen Schränken vollgestellt war. Eine breite Treppe führte in ein höheres Stockwerk. Vermutlich wurde auch dort oben etliches Segelzubehör aufbewahrt. Eine Tür führte in einen angrenzenden Raum. In der Hoffnung, dass sich die Person, der das Fahrrad draußen gehörte, dort aufhielt, klopfte Rosanna an.

Als sie keine Antwort erhielt, öffnete sie sie einfach und trat ein. Als Erstes schlug ihr der Geruch scharfer Putzmittel entgegen. Sie sah Tische und Stühle, ein paar Bilder von Schiffen an den Wänden und eine große Theke, die voller Gläser und Flaschen war. Dahinter stand eine ältere Frau und schien gerade damit beschäftigt, das Spülbecken zu putzen. Vor der Theke waren ein Putzeimer, ein Staubsauger und mehrere Flaschen verschiedener Reinigungsmittel.

»Guten Morgen«, rief Rosanna. Ihre Stimme klang etwas krächzend.

Die Frau hinter der Theke zuckte zusammen. »Gott, haben Sie mich erschreckt«, sagte sie vorwurfsvoll, »um die Zeit erwartet man hier niemanden!«

»Tut mir leid. Ich hatte angeklopft.«

»Ich war in Gedanken. Was gibt's denn?« Die Frau sah sie argwöhnisch an.

Rosanna trat näher, wobei sie bemerkte, dass der Fußboden frisch gewischt war und dass sie ihn soeben mit erdigen Fußabdrücken versah. Eine zweifellos gute Voraussetzung, die ohnehin mürrische Frau am Ausschank freundlich zu stimmen.

»Mein Name ist Rosanna Hamilton. Ich bin eine alte Freundin von Jacqueline Reeve.«

»Aha. Und was wollen Sie dann hier?«

Rosanna versuchte möglichst unbefangen zu lächeln. »Jacqueline und ich sind gemeinsam zur Schule gegangen, aber dann habe ich jahrelang im Ausland gelebt. Nun würde ich sie gern ausfindig machen. Sie ist ja geschieden inzwischen ...«

»Wer ist heute nicht geschieden?«, erwiderte die Frau brummig. »Meiner ist schon vor neun Jahren abgehauen. Hat sich einfach abgeseilt. Meinen Sie, ich müsste sonst hier putzen? Aber das Geld reicht vorn und hinten nicht. Ist ja auch alles teurer geworden.«

»Das stimmt. Man hat es nicht leicht heutzutage.«

»Die haben hier gestern Abend groß gefeiert. War ein ganz schönes Chaos, als ich heute früh kam. Einer hatte Geburtstag. Ich war auch da. Ich gehöre natürlich nicht zu dem feinen Club, aber ich mach den Ausschank bei solchen Gelegenheiten. Bringt ein paar Pfund extra.«

»Sie müssen wirklich viel arbeiten«, meinte Rosanna mitfühlend und zerbrach sich dabei den Kopf, wie sie auf Jacquelines Boot und einen Januartag fünf Jahre zuvor zu sprechen kommen sollte. War allerdings wahrscheinlich sowieso zwecklos. Wer erinnerte sich an irgendetwas, das so lange zurücklag und dabei nicht spektakulär gewesen war?

»Um diese Jahreszeit kann ich mich eigentlich nicht beklagen. Ist nicht viel los. Mal ein Geburtstag oder Stammtisch am Sonntag. Im Sommer ist hier jeden Abend volles Haus. Und an den Wochenenden grillen die draußen über dem Wasser. Wenn man Geld hat, kann man sich eben ein schönes Leben machen.«

Rosanna pflichtete ihr bei. Sie fügte hinzu: »Wissen Sie, wegen Jacqueline...«

»Also, die werden Sie hier nicht mehr antreffen. Die ist schon seit Jahren nicht mehr im Club.«

»Nein?« Rosanna war völlig überrascht. Nicht einmal Marc schien das gewusst zu haben. »Das war doch ihr zweites Zuhause hier!«

»Tja, verstanden hat das niemand hier so richtig. Vielleicht hing es mit ihrem Sohn zusammen. Jungs in der Pubertät kosten viel Kraft. War wohl alles am Ende 'ne Zeitfrage, könnte ich mir denken.«

»Und das Schiff?«, fragte Rosanna.

Die andere machte eine unbestimmte Handbewegung in Richtung Fenster. »Die *Heaven's Gate*. Liegt noch da draußen. Sie hat den Kahn an einen hier aus dem Club verkauft. Der war ganz scharf auf das Schiff.«

»Wann genau war das?«

»O Gott, wie genau wollen Sie das denn wissen? Ist schon 'ne ganze Zeit her.«

»Ungefähr. Das Jahr. Der Monat?«

Die Frau schien zumindest wirklich bemüht, sich zu erinnern. »Warten Sie... ich meine, das war nicht lange, nachdem meine Tochter das Baby bekommen hat...«

»Und das war...?«

»Im November 2002. Am 30. November, um genau zu sein. Mein erstes Enkelkind.«

»Wie schön! Könnte der Verkauf des Schiffs im Januar gewesen sein? 2003?« Rosanna vibrierte vor Aufregung.

»Also, ich meine schon, das wäre im neuen Jahr gewesen. Januar oder Februar. Später bestimmt nicht, es war nämlich noch richtiger Winter. Ja, so um die Zeit, das müsste stimmen.«

»Und von da an hat sich Jacqueline nie mehr im Club blicken lassen?«

»Nicht, dass ich wüsste. Ich glaube, sie trifft sich privat noch mit ein paar Leuten von hier, die erzählen manchmal von ihr. Sie muss ja ganz erfolgreich sein als Malerin. Macht Ausstellungen und solche Sachen. Aber ich interessiere mich nicht für Bilder. Hab auch kein Geld dafür.«

»Wissen Sie noch, ob Jacqueline irgendwann Mitte Januar noch einmal mit dem Boot hinausgefahren ist?«, fragte Rosanna. »So um den zehnten oder elften herum?«

Das Gesicht der anderen verschloss sich wieder in Misstrauen. »Wieso spielt das eine Rolle?«

»Es würde mich einfach interessieren. Kann es sein, dass sie draußen war? Oder dass *irgendjemand* mit der *Heaven's Gate* draußen war?«

»Keine Ahnung. Ich bin ja nicht ständig hier.«

»Hm«, machte Rosanna. Sie wollte nicht, dass die Putzfrau merkte, wie aufgeregt sie war. Weshalb hatte Jacqueline ihr Schiff unmittelbar nach Elaines Verschwinden verkauft? Wieder ein Zufall?

»Weiter unten der Schleusenwärter«, sagte ihr Gegenüber, »der von der Mapledurham-Schleuse, der wird's wissen. Falls die *Heaven's Gate* eine längere Strecke gefahren ist, musste sie da durch. Dort wird die Nummer des Schiffs, Datum, Uhrzeit und so weiter notiert. Da ist alles festgehalten.«

Rosanna krallte ihre Finger um ihre Handtasche. »Wo genau finde ich den Schleusenwärter?«

»Einfach der Straße nach. Sie sehen die Schleuse schon von weitem, Sie können sie gar nicht verfehlen.«

»Danke. Vielen Dank!« Rosanna lief zur Tür. Sie war so erregt, dass sie kaum noch merkte, wie krank sie sich eigentlich fühlte.

»He«, rief die andere hinter ihr her, »wozu brauchen Sie das denn? Ich denke, Sie wollen Ihre Freundin finden?«

Rosanna gab keine Antwort. Sie hörte noch das Schimpfen: »Also nee, wirklich, Sie haben hier alles dreckig gemacht, und überhaupt, wieso...«

Sie rannte den Steg entlang. Die kalte Luft ließ ihre Lungen schmerzen. *Heaven's Gate!* Wo war die *Heaven's Gate?*

Sie fand sie ganz hinten. Eines der letzten Schiffe am Steg. Ein zauberhaftes, blau gestrichenes Holzboot, an dessen Seite in dicker, weißer Ölfarbe der Name prangte. Auf der anderen Seite befand sich die Schiffsnummer.

Rosanna wühlte in ihrer Handtasche, förderte einen Papierfetzen und einen Bleistift zu Tage und notierte sich die Nummer. Ein Blick zurück verriet ihr, dass die Putzfrau sie durch das Fenster des Clubhauses argwöhnisch beobachtete. Egal. Vorerst hatte sie, was sie brauchte.

Ihr nächster Weg würde sie zur Mapledurham-Schleuse führen.

2

»Wieso wolltest du mich eigentlich nicht haben?«, fragte Rob. Er fragte es völlig unvermittelt und in einem harmlosen Ton, so als wolle er wissen, weshalb sie graue Fliesen für ihren Küchenfußboden gewählt hatte. Er ahnte, dass seine Mutter genau diese Frage seit Tagen fürchtete, und er genoss die Macht, die ihm ihre Angst verlieh. Er ganz allein konnte den Moment bestimmen, an dem er sie mit dem Thema konfrontierte, das mit zu den unangenehmsten Erinnerungen ihres Lebens gehören dürfte. Jedenfalls hoffte er, dass es so war. Ein Baby gab man nicht einfach weg wie einen alten Mantel.

Sie saßen in der Küche beim Mittagessen. Nach einem quälend zäh verrinnenden Vormittag, an dem Rob im Wohnzimmer herumgehangen und Marina demonstriert hatte, wie unsäglich er sich mit ihr langweilte, hatte sie – o Wunder, welch eine Abwechslung zu *McDonald's*! – einen Besuch im *Pizza Hut* vorgeschlagen, aber er hatte gestreikt.

»Das ist doch letztlich auch nur Fast Food! Seit ich hier bin, kriege ich nichts als diesen Fertigfraß! Hast du schon mal was davon gehört, dass junge Menschen im Wachstum gelegentlich auch mal so etwas wie Gemüse brauchen?«

Sie war zusammengezuckt, hatte sich dann ihren Mantel und ihre Schuhe angezogen und ihre Geldbörse gegriffen. »Okay, ich kaufe Gemüse«, hatte sie in kühlem Ton gesagt, »möchtest du mitkommen?«

Er aalte sich gerade im Sessel vor dem Fernseher. Es lief eine Uraltfolge der *Sesamstraße*, die ihn nicht interessierte, aber er hatte schon herausgefunden, dass Marina es hasste, wenn tagsüber der Fernseher lief.

»Nee. Keinen Bock. Geh mal allein!«

Sie war mit Brokkoli und Kartoffeln zurückgekommen und hatte sich dann in der Küche mit der Zubereitung abgemüht. Sie hatte ihm während einem ihrer langen Abende, in denen sie versuchte, eine Beziehung zu ihm aufzubauen, erzählt, dass sie nicht kochen konnte und es auch höchst ungern tat, und deshalb hatte es ihm Freude bereitet, sie an den Herd zu scheuchen, aber als sie dann beide vor ihren Tellern saßen, begriff er, dass er sich ins eigene Fleisch geschnitten hatte: Ein faderes, geschmackloseres Essen hatte man ihm selten vorgesetzt. Er fragte sich, ob Marina schon einmal etwas von Salz und Pfeffer und deren Verwendungszweck gehört hatte. Insgeheim sehnte er sich nun nach einer saftigen Pizza mit allem Drum und Dran und viel Käse im Rand eingerollt und ärgerte sich heftig über sich selbst.

Deshalb die Frage nach der Trennung. Er musste sich irgendwie ein Ventil schaffen.

Marina hielt mitten in der Bewegung, mit der sie eine Gabel zum Mund führen wollte, inne. Er beobachtete sie

genau und sah, dass sich ihre Pupillen ein wenig vergrößerten. Langsam führte sie die Gabel zum Teller zurück,
legte sie dort ab.

»Vielleicht ist es gut, wenn wir darüber sprechen«, sagte
sie schließlich.

Er sah sie abwartend an. Er hatte gehofft, dass sie zittern
oder vielleicht sogar heulen würde, aber sie hatte sich recht
gut im Griff.

»Es war nicht so, dass ich dich nicht haben wollte, Robbi. Ich…«

Sie hatte ihn noch nie zuvor *Robbi* genannt, und auf Anhieb konnte er diesen Namen nicht leiden.

»Ich heiße Robert. Oder Rob!«

»Okay. Rob. Damals nannte ich dich eben so. Robbi.«

»Die Phase kann kaum so lange gedauert haben, dass du
dich jetzt nicht umgewöhnen könntest! Soviel ich weiß,
hattest du nach vier Wochen genug von mir und bist abgehauen.«

»Ich habe dich deinem Vater übergeben.«

»Du bist abgehauen. Ob du mich meinem Vater über-
gibst oder im Korb vor ein Waisenhaus stellst, bleibt sich
doch gleich.«

»Nicht ganz. Ein Waisenhaus ist ein Waisenhaus. Ein Vater ist ein Vater. Glaub mir, deine Kindheit im Waisenhaus
hätte anders ausgesehen als die, die du nun tatsächlich hattest.«

Sie blieb ruhig. Er spürte so heftige Aggressionen gegen
sie, dass er ihr am liebsten den Teller mit dem ungenieß-
baren Essen ins Gesicht gekippt hätte. In das Gesicht, in
dessen Augen er seine eigenen erkannte.

»Die allermeisten Kinder sind aber bei ihren Müttern!«

Sie konnte ihm nur recht geben. »Ja. Ich weiß. Aber…
ich war so jung. Ich war mitten im Studium. Ich wusste
einfach nicht…« Sie hob hilflos die Schultern.

»Wenn mich nicht alles täuscht, gab's vor siebzehn Jahren schon die Pille. Wenn du auf keinen Fall ein Kind wolltest, warum hast du dann nicht verhütet?«

»Ich habe die Pille nicht vertragen. Dein Vater und ich ... wir versuchten aufzupassen, aber ...«

»Aber dann passierte die Panne. Das Unglück. Die Riesenscheiße. Wie würdest du mich nennen, *Mummy*? Panne? Unglück? *Riesenscheiße*? Welches Wort gefällt dir am besten?« Er merkte, dass er leise zitterte. Zu blöd. Sie hätte zittern sollen!

»Keines dieser Worte gefällt mir«, sagte Marina. »Du warst nichts von all dem. Du warst – und bist –, was alle Kinder sind: ein Geschenk.«

Wollte sie ihn verarschen?

»Geschenke behält man aber.«

»Es gibt wunderschöne Geschenke, die den Empfänger trotzdem zu einem bestimmten Zeitpunkt überfordern.« Sie schob ihren Teller zurück, stand auf. »Ich war überfordert, Rob. Ich war zu unreif für ein Kind. Wenn du einmal selbst ein Kind hast, wirst du begreifen, was ich meine. Kinder sind ungemein fordernd. Babys schreien. Tag und Nacht. Dauernd brauchen sie etwas zu essen und zu trinken. Dauernd müssen sie frisch gewickelt werden. Du wanderst nächtelang mit ihnen auf dem Arm herum und schaukelst sie hin und her und fragst dich, weshalb sie nicht einschlafen. Deine Augen brennen, und du könntest heulen vor Müdigkeit. Du weißt, dass du am nächsten Tag eine wichtige Klausur schreibst. Du weißt, dass du nach dieser durchwachten Nacht im Morgengrauen wirst aufstehen und das Kind zur Tagesmutter bringen müssen, um selbst rechtzeitig in der Uni zu sein. Du weißt, dass du über der Klausur fast einschlafen und dass du sie vergeigen wirst. Du malst dir aus, wie viele Klausuren du vergeigen kannst, ehe sie auf der Uni von dir nichts mehr wissen wollen. Du bekommst Angst um deine Zukunft, und… ach«, sie wischte sich mit einer müden, resignierten Geste über die Augen. »Jede Lebenssituation sieht anders aus«, sagte sie, »meine war eben so.«

Er erhob sich ebenfalls. Er hatte das Gespräch so kaltblütig begonnen, und nun hatte er schon nach wenigen Minuten weiche Knie, und ihm war schwindelig. Es regte ihn auf, was sie sagte, es regte ihn so maßlos auf.

»Jetzt bin ich schuld? Weil ich so ein anstrengendes Baby war?«

»Natürlich nicht. So meinte ich das überhaupt nicht. Es ging mir nur um… eine Erklärung.« Sie hob hilflos beide Hände. »Wahrscheinlich kann jedes Wort, das ich jetzt sage, nur falsch sein. Wollen wir uns nicht setzen, ich mach uns einen Kaffee, und wir versuchen, ohne Stress miteinander…«

Er unterbrach sie: »Dad hat es doch auch geschafft. Dad war auch mitten im Studium. Er musste auch Klausuren schreiben und Prüfungen bestehen und all das. Er hat trotzdem für mich gesorgt.«

»Ich weiß. Er war älter, er war verantwortungsbewusster. Er…«

»… hat mich geliebt. Im Unterschied zu dir.«

»Ich habe dich auch geliebt. Rob, keine Mutter gibt ihr Kind leichten Herzens her. Das musst du mir glauben. Aber nach so einer Schwangerschaft…«

Er unterbrach sie erneut. »Jetzt fang nicht mit den Hormonen an, die an allem schuld waren! Meines Wissens sorgen die bei den normalen Frauen nämlich genau dafür, dass sie ihre Kinder lieben und unbedingt beschützen wollen. Das funktioniert bei jeder Katze. Nur nicht bei dir!«

»Jetzt machst du es dir ziemlich leicht«, sagte Marina, »und ich frage mich, ob du überhaupt ein Gespräch mit mir suchst oder nur deine Wut, die zu empfinden du jedes Recht hast, irgendwie loswerden willst. Dann sollte ich nämlich besser meinen Mund halten. Ich werbe um Verständnis, aber ich habe nicht die geringste Chance, es zu erlangen.«

Er sah sie höhnisch an. »Hat es sich denn wenigstens gelohnt? Deinen Weg so zielstrebig zu gehen und alles beiseite zu räumen, was hinderlich sein könnte? Bist du heute glücklich? Mit deinem Beruf, mit diesem Haus? Allein? Ohne Mann, ohne Kinder? Das ist es, was du wolltest, oder? Bloß nicht für jemanden sorgen, dich bloß nicht einschränken müssen. Du hast nur übersehen, dass es dann am Ende womöglich auch niemanden gibt, der für dich sorgt. Aber vielleicht verzichtest du ganz locker darauf!«

Endlich zuckte ihr Mund. Er hatte den wunden Punkt getroffen. Sie war allein, sie war jämmerlich einsam, das war ihm aufgefallen in den letzten Tagen. Kein Hahn krähte nach ihr. Kaum je läutete das Telefon, niemand klingelte, holte sie zu irgendeiner Unternehmung ab. Ihre Abende waren lang und trostlos. Sie zahlte ihren Preis, und das zu sehen, genoss er, genoss er zutiefst.

»Ich möchte nicht weiter darüber sprechen«, brachte sie hervor. Sie war dicht am Heulen.

Er stieß seinen Stuhl zurück, griff nach seiner Jacke, die er, um Marina zu ärgern, auf dem Kühlschrank abgelegt hatte.

»Ich muss hier raus«, sagte er, »ich brauche frische Luft.«

»Wohin gehst du?«

»Spazieren.«

»Rob!« Sie kam um den Tisch herum, wollte nach seinem Arm greifen, aber er wich zurück, als habe sie nach ihm geschlagen.

»Ich habe eine Mutter«, erklärte er, »und deshalb brauche ich dich zum Glück nicht. Rosanna ist meine Mutter. Sie ist eine tolle Frau. Sie hat alles, was du nicht hast.«

»Ich bin überzeugt, dass sie ein fantastischer Mensch ist, Rob. Und ich bin sehr froh, dass sie für dich sein kann, was ich nicht konnte. Aber …«

»Ja?«

»Ach, nichts.« Warum sollte sie es thematisieren? Dennis hatte ihr erzählt, dass seine Ehe in einer Krise steckte, dass es fraglich war, ob Rosanna zu ihm und Rob zurückkehren werde. An Robs Augen, in denen plötzlich ein Ausdruck fast kindlicher Hilflosigkeit stand, konnte sie sehen, dass auch er gerade wieder daran dachte. Dass er schreckliche Angst hatte.

Er tat ihr so leid. Dieser große, aggressive, verletzliche Junge dauerte sie so sehr, dass sie am liebsten getan hätte, wozu sie sich nicht hatte durchringen können, als er ein Baby gewesen war: ihn in die Arme nehmen, sacht hin und her schaukeln, ihr Gesicht an seines pressen und ihm zuflüstern, dass alles gut werde. Ihn wiegen, bis er einschlief.

Was völlig ausgeschlossen war.

»Wann kommst du wieder?«, fragte sie.

»Weiß nicht«, sagte er, dann war er aus der Küche, und sie hörte die Haustür knallen. Die eigentümliche, beklemmende Stille, die einer lautstarken Auseinandersetzung folgt, senkte sich über das Haus.

Tagelang waren sie wie die Katzen umeinander herumgeschlichen. Jetzt war es endlich passiert. Die Bombe war hochgegangen. Vielleicht war das gut so. Es hatte irgendwann passieren müssen.

Aber es tat so weh.

Marina setzte sich auf ihren Stuhl. Sie stützte das Gesicht in die Hände und begann zu weinen.

3

Marc war irritiert, als Rosanna am frühen Nachmittag in sein Büro gestürzt kam. Er hatte arglos den Türöffner betätigt und war dann in die Diele getreten, um den Besucher in Empfang zu nehmen, und sah sich plötzlich der Frau gegenüber, von der er geglaubt hatte, sie liege daheim im Bett und kuriere ihre beginnende Grippe.

»Hallo«, sagte er, »du sollst doch nicht draußen herumlaufen!« Dann bemerkte er ihre geröteten Wangen und ihre seltsam glühenden Augen, ihre Atemlosigkeit und Aufgeregtheit.

»Was ist denn passiert?«, fragte er.

Sie ließ sich auf einen Stuhl fallen. »Ich muss dir etwas erzählen«, stieß sie hervor.

Er zog einen zweiten Stuhl heran, setzte sich ihr gegenüber, nahm ihre Hände in seine. »Ich glaube, du hast Fieber«, stellte er fest.

»Keine Ahnung. Kann sein. Marc, ich habe etwas Unglaubliches herausgefunden.«

»Beruhige dich doch erst einmal. Warum rennst du überhaupt in der Gegend herum?«

Sie entzog ihm ihre Hände, kramte hektisch in ihrer Handtasche, zog einen Zettel hervor, auf den sie irgendetwas Unlesbares in ihrer krakeligen Handschrift notiert hatte.

»Die *Heaven's Gate* hat am 11. Januar 2003 morgens um acht Uhr die Mapledurham-Schleuse von Purley-on-Thames passiert. Am 11. Januar! Morgens! In der ersten Dämmerung!«

Er starrte sie völlig verständnislos an.

Sie war so aufgeregt, dass es ihr schwerfiel, eine logische Reihenfolge in ihre Schilderung zu bringen.

»Ich habe mit dem Schleusenwärter gesprochen. Und er hat in seinen Aufzeichnungen nachgesehen. Einen Tag, nachdem Elaine verschwunden war, ist das Schiff deiner Exfrau an einem *frühen Wintermorgen* die Themse entlanggetuckert. Durch den Nebel. Weißt du, was das bedeutet?«

Er war noch immer perplex. »Nein. Was denn? Und wieso ...?«

»Der Pass. Elaines Pass! Er wurde doch in Wiltonfield gefunden. Ganz nah am Yachtclub. Dann dieser seltsame Ausflug zu einer völlig unwirtlichen Zeit. Oder fuhr Jacqueline öfter im Winter frühmorgens im ersten Dämmerlicht auf den Fluss hinaus?«

»Nein. Ich glaube, kein Mensch würde das tun. Aber ...«

»Und weißt du, was ich noch herausgefunden habe? Unmittelbar danach hat sie das Schiff verkauft. An jemanden aus dem Club. Sie besitzt die *Heaven's Gate* nicht mehr!«

»Das wusste ich gar nicht«, sagte Marc überrascht. Ganz allmählich dämmerte ihm, was Rosanna da sagte und worauf sie hinauswollte.

Er wurde blass. »Du willst doch nicht behaupten ...?«

Sie merkte, wie sehr sie ihn überfahren hatte und wie entsetzt er reagierte, und begriff, dass sie ihm eine solche Ungeheuerlichkeit schonender hätte beibringen müssen. Für einen Moment legte sie ihre eiskalten Hände an ihre heißen Wangen, als könne sie damit ihre innere Aufregung kühlen.

»Ich weiß es nicht, Marc. Ich weiß nicht, was geschehen ist, und ich will nicht mit Behauptungen um mich werfen, die andere Menschen in größte Schwierigkeiten bringen können, aber wie ich es auch drehe und wende, ich kann mir das alles nicht als reinen Zufall erklären. Ich könnte mir denken, dass Jacqueline etwas mit Elaines Verschwinden zu tun hat, wobei mir natürlich jede Menge Teile in

der Geschichte fehlen und auch Ungereimtheiten zurück-
bleiben, aber...«

Er unterbrach sie. »Das Motiv, Rosanna. Ich sehe nicht
das Motiv. Welchen Grund sollte Jacqueline denn gehabt
haben, *Elaine verschwinden zu lassen*, um es vorsichtig zu
umschreiben? Woher hätte sie sie überhaupt kennen sollen?«

Sie blickte an ihm vorbei zum Fenster, wollte ihm nicht
in die Augen sehen, während sie ihm gestand, wie tief sie
ohne sein Wissen in seinem Leben herumgestochert hatte.
»Ich habe sie aufgesucht, Marc. Gestern. Ich war in Binfield Heath, in ihrem Atelier. Ich habe eineinhalb Stunden
mit ihr geredet.«

»Das darf doch nicht wahr sein!«

»Doch. Und die ganze Zeit über hatte sie eigentlich nur
ein einziges Thema: deine Untreue. Dein Fremdgehen. Die
Tatsache, dass du sie – ihrer Ansicht nach – während eu-
rer Ehe praktisch ununterbrochen betrogen hast. Sie ist bis
heute davon überzeugt, dass es wirklich so gewesen ist.«

Er stand auf. Sie konnte spüren, wie er sich mühte, seinen aufkeimenden Ärger zu kontrollieren.

»Mein Gott«, murmelte er.

Sie erhob sich ebenfalls. »Das Motiv, Marc, das Motiv
könnte darin begründet liegen. In ihrer Eifersucht. Du hast
mir erzählt, dass sie krank ist. Dass sie sich Dinge eingebildet hat, die nicht stimmten. Dass ihr deswegen ständig Ärger und Streit hattet. Dass sie mit Gegenständen um sich
warf, Sachen zerstörte, wenn sie wieder einmal überzeugt
war, du habest eine Affäre. Schließlich ist sie gegangen,
aber bist du sicher, dass ihr Wahn deshalb endete? Vielleicht kochten Wut, Verzweiflung und das Gefühl, betrogen und damit zurückgewiesen worden zu sein, noch Monate danach in ihr. Jahre vielleicht.«

»Aber wie...«

»Es läuft auf eine einzige Frage hinaus, Marc. Kann sie euch gesehen haben? Dich und Elaine, an jenem Januarabend, als du sie mit in dein Haus nahmst? Kann sie euch gesehen und die falschen Schlüsse daraus gezogen haben?«

Er schüttelte den Kopf. »Das ist doch absurd«, erklärte er.

Aber er klang nicht vollkommen überzeugt.

»Deine ganze... Theorie hängt doch davon ab, ob Pamela Luke die Wahrheit sagt, was den Fundort von Elaines Reisepass betrifft«, sagte Marc. »Und obwohl sie uns und der Polizei zunächst eine völlig andere Version angeboten hat, bist du offenbar bereit, ihr nun unbesehen zu glauben. Das halte ich für etwas gewagt.«

Er sprach mit gedämpfter Stimme, obwohl ringsum ein äußerst hoher Lärmpegel herrschte. Sie hatten das Büro verlassen, nachdem Marc plötzlich gesagt hatte, er müsse raus.

»Ich werde verrückt hier drin. Lass uns gehen.«

Sie waren in einem Café zwei Straßen weiter gelandet, das sich nun, je weiter der Freitagnachmittag fortschritt, immer mehr füllte. Hausfrauen, Geschäftsleute, Studenten saßen an den kleinen Bistrotischen, tranken Cappuccino oder Milchshakes und erfüllten den Raum mit lautem Gelächter, heftigen Diskussionen und fröhlichem Geplauder. Marc und Rosanna hatten sich einen Tisch in der Ecke ergattert, Mineralwasser und Espresso bestellt und sich dann vorsichtig umgesehen, um herauszufinden, ob ihnen irgendjemand allzu interessiert zuhörte. Ein derart belebter Ort war nicht die ideale Kulisse für das Gespräch, das sie führten, aber Rosanna verstand, dass Marc die Stille seines Büros nicht ausgehalten hatte, und in der Stille seiner Wohnung wäre es nicht besser gewesen. Rosanna stellte jedoch rasch fest, dass sie sich keine Sorgen machen mussten: Niemand achtete auf sie.

»Wenn wir annehmen, dass Pamela diesmal ebenfalls nicht die Wahrheit sagt«, griff sie Marcs Einwand auf, »dann müssen wir davon ausgehen, dass sie zufällig genau den Ort für ihre Geschichte gewählt hat, in dem der Yachtclub, zu dem Jacqueline gehörte, ansässig ist. Denn davon kann sie nichts wissen.«

»Ein solcher Zufall wäre aber möglich. Die Gegend dort ist allseits beliebt für Ausflüge. Sicher war sie wirklich schon einmal an diesem Parkplatz – sie wusste ja auch, dass sich dort diese Altkleidercontainer befinden. Nachdem ihre erste Behauptung, das Papier bei diesem Zuhälter Malikowski gefunden zu haben, offenbar nicht länger zu halten war, hat sie sich etwas anderes überlegt. Dabei fiel ihr Wiltonfield ein – weil sie die Gegend kennt und nicht noch einmal den Fehler begehen wollte, sich durch falsche Beschreibungen der Örtlichkeiten zu verraten.«

»Okay. Lassen wir diesen Zufall noch gelten, aber findest du es nicht seltsam, dass Jacqueline in den frühen Morgenstunden des 11. Januar auf die Themse hinausschippert? An einem nebligen, kalten Wintermorgen? Der Schleusenwärter hat mir bestimmt nichts Falsches erzählt. Kannst du dir dafür eine Erklärung vorstellen?«

Er rührte in seinem Espresso. Seine Stirn war zerfurcht. »Nein«, sagte er nach einer Weile, »auf Anhieb fällt mir dafür keine Erklärung ein. Aber mir erscheint es nicht fair, ihr deswegen Gott-weiß-was zu unterstellen. Vielleicht könnte sie selbst das alles ganz schnell und harmlos aufdecken.«

»Bleibt noch der Umstand, dass sie unmittelbar nach jenem 11. Januar das Schiff verkauft hat. Plötzlich. Nach all den Jahren.«

»Weißt du das sicher? Dass sie das Schiff nach dem 11. Januar verkauft hat? Könnte es auch kurz davor gewesen sein?«

Rosanna wurde unsicher. Die Putzfrau im Club hatte

sich in dieser Frage nicht genau festlegen können. Sie war nur sicher gewesen, dass es nach dem Jahreswechsel und noch im Winter, also spätestens im Februar gewesen war.

»Nein«, sagte sie zögernd, »sicher weiß ich das nicht. Aber das ließe sich bestimmt nachprüfen.«

»Wenn Jacqueline die *Heaven's Gate* vor dem 11. Januar verkauft hat, wäre es ein anderer gewesen, der an jenem Morgen auf dem Fluss herumtuckerte.«

»Was in jedem Fall seltsam erscheint.«

»Stimmt. Aber nichts mit Elaine zu tun haben muss.«

Rosanna ließ die Schultern sinken. Sie war so berauscht gewesen von all ihren Entdeckungen, aber nun schien nichts mehr gesichert. Vielleicht hatte Pamela wirklich erneut gelogen. Vielleicht überinterpretierte sie Geschehnisse, die Zufälle und darüber hinaus völlig harmlos waren.

»Überleg doch mal«, sagte Marc, »wann und wie sollte Jacqueline denn etwas davon mitbekommen haben, dass Elaine bei mir übernachtete? Sie müsste ja direkt vor meiner Haustür herumgelungert haben.«

»Krankhaft eifersüchtige Menschen tun so etwas. Da wäre sie nicht die Erste gewesen.«

»Wir waren damals seit einem Dreivierteljahr getrennt.«

»Sie kann dir trotzdem nachspioniert haben. Es gibt Menschen, die seit ewigen Zeiten geschieden sind und noch immer durchdrehen, wenn sich der Expartner neu orientiert.«

»Gut. Aber dann? Wie stellst du es dir weiter vor? Sie hat im Auto vor meinem Haus gewartet, hat mich und Elaine am nächsten Morgen hinauskommen sehen. Ist uns – notgedrungen zu Fuß – zur U-Bahn gefolgt. Ist sie ebenfalls eingestiegen? Hat sie Elaine angesprochen? Hat sie sie bequatscht, mit ihr zu kommen? Hat sie sich ihr Auto wiedergeholt – das ich in unmittelbarer Nähe meines Hauses im Übrigen die ganze Zeit über nicht bemerkt habe? Ist sie mit ihr nach Wiltonfield gefahren? Wobei sie sich enorm beeilt haben muss, sonst hätte sie nicht schon um acht Uhr die Schleuse passieren können. Hat sie Elaine an jenem Parkplatz umgebracht? Oder erst auf dem Schiff?«

So, wie er das sagte, hörte es sich absurd und völlig unrealistisch an. Rosanna erwiderte nichts.

Wahrscheinlich habe ich mich völlig vergaloppiert, dachte sie unglücklich.

Marc stützte beide Arme auf den Tisch, sah Rosanna eindringlich an. »Rosanna, ich kenne die Schwächen meiner Exfrau wirklich ganz genau, besser als jeder andere wahrscheinlich. Ich habe sie als hysterisch, überdreht, fanatisch, krankhaft eifersüchtig und oft genug als zerstörerisch erlebt – gegen sich und gegen andere. Trotzdem ist das alles natürlich etwas ganz anderes als *Mord*. Denn das ist es, was du ihr unterstellst: den Mord an Elaine Dawson.«

»Ich unterstelle nichts«, sagte Rosanna. »Ich habe nur ein paar Vorkommnisse aufgezählt, die mir in ihrer Zufälligkeit seltsam vorkommen. Aber sicher lassen diese Vorkommnisse viele Schlüsse zu, nicht nur einen.«

»Stell es dir doch auch bildlich vor. Du hast ja Jacqueline nun kennen gelernt. Sie ist klein und zierlich, alles andere als eine kräftige Person. Elaine war mindestens einen Kopf größer als sie und wog etliche Kilo zuviel. Letzten Endes willst du doch darauf hinaus, dass Jacqueline Elaine im Wasser versenkt hat. Wie soll sie das gemacht haben? Rein kräftemäßig – und überhaupt? Ich meine, man braucht eine Menge krimineller Energie für ein Tötungsdelikt. Ich habe dafür nie ein Anzeichen bei Jacqueline entdeckt.«

»Aber es hat Ausbrüche von Gewalt gegeben, wenn sie sich wieder einmal in ihre Eifersucht hineinsteigerte. So etwas kann unter Umständen ganz schlimm ausgehen. Obwohl es dann nur im Affekt passiert ist und es nicht die geringste Tötungsabsicht gab.«

»Bei der Geschichte, die du konstruierst, ist aber eine Menge Planung auf Jacquelines Seite nötig.«

»Vielleicht wollte sie nur mit ihr reden. Und dann ist die Situation eskaliert.« Rosanna fand selbst, dass ihre Argumentation dünn klang. Sie war so sicher gewesen. Und nun war alles innerhalb kurzer Zeit zerbröckelt. Sie stützte den Kopf in die Hände. Vielleicht war sie einfach zu krank, um irgendwelcher intelligenter Gedanken fähig zu sein.

Sie spürte, dass Marc sie ansah, und hob den Blick. Er wirkte sehr ernst.

»Rosanna«, sagte er, »warum willst du es unbedingt wissen? Nach all den Jahren – warum willst du unbedingt wissen, was mit Elaine damals geschehen ist? Warum kannst du nicht loslassen? Warum gehst du immer neuen Spuren nach, stürzt dich in immer waghalsigere Vermutungen? Warum?«

Sie zuckte die Schultern. »Ich weiß nicht, es ist…«

»Warum bist du zu Jacqueline gefahren? Ich meine, ich verstehe das nicht! Weshalb musstest du meine Exfrau aufsuchen?«

Warum? Das hatte sie sich selber immer wieder gefragt. Vordergründig war da der Gedanke gewesen, über Jacqueline eine Versöhnung zwischen Marc und Josh herbeizuführen. Unbewusst mochte mehr dahintergesteckt haben. Marc näherzukommen, Dinge aus seiner Vergangenheit herauszufinden. Gab es noch eine Seite in ihr, die ihm misstraute? Sie hatte keine Antwort auf diese Frage.

»Es ist wegen mir«, unterbrach er, »stimmt's? Vielleicht ist es dir nicht einmal bewusst, aber dieser letzte Schatten eines Verdachts, der auf mir liegt, macht dir zu schaffen. Letztlich hast auch du nur mein Wort, dass ich Elaine nichts angetan habe und über ihren Verbleib so wenig Bescheid weiß wie alle anderen auch. Das kann stimmen oder auch nicht. Ich kann es nicht beweisen. Du erhofftest dir von Jacqueline Aufschlüsse über meinen Charakter. Aber davon abgesehen möchtest du endlich einen Tathergang haben und einen überführten Täter. Dann könntest du diesen Punkt abhaken. Diesen winzigen, nagenden Zweifel für immer ausschalten. Kann es sein, dass es das ist? Dass dich das treibt?«

Sie hätte seinen Verdacht am liebsten entrüstet von sich gewiesen, aber konnte sie das? Lag nicht ein kleines Stück Wahrheit in dem, was er sagte? Gab es einen Zweifel in ihr, oder gab es zumindest die Zweifel der Umwelt, die sie störten, die sie gern entkräftet und für immer zum Verschwinden gebracht hätte?

Es mochte so sein, aber es war zugleich mehr als das. Das Problem um Elaine war kompliziert und vielschichtig.

Müde rieb sie sich ihre brennenden Augen.

»Ich kann nur wiederholen, ich weiß es nicht«, sagte sie. »Bewusst hege ich keine Zweifel an dir, aber ich kann selbst nicht mehr auseinanderhalten, was alles in diese Geschichte hineinspielt. Was ich deutlich spüre, seitdem ich in England bin und Nicks Auftrag angenommen habe, ist, dass ich Schuldgefühle gegenüber Elaine habe. Ich glaube, ich hatte sie all die Jahre, aber ich habe sie ziemlich erfolgreich verdrängt. Jetzt sind sie präsent, und manchmal empfinde ich sie wie schwere Steine, die auf meiner Brust liegen.«

Er schien ein wenig erstaunt. »Schuldgefühle? Weil du…«

»Weil ich sie eingeladen habe damals. Wegen mir hat sie ihre kleine behütete Welt in Kingston St. Mary verlassen und sich in das Abenteuer einer Reise ins Ausland gestürzt. Es ging nur um mich und meine Hochzeit. Und dauernd bedrängt mich jetzt der Gedanke, dass ich es ihr schuldig bin, ihr Schicksal aufzuklären. Nicht, weil das ihr oder irgendjemandem sonst noch etwas nützen würde, aber weil ... sie nicht so sang- und klanglos vergessen werden soll. Sonst ist es mit ihrem Verschwinden, mit ihrem Tod vielleicht, genauso wie mit ihrem Leben: Es schert sich niemand darum. Es schaut niemand hin. Sie bleibt dann für immer jemand, der übersehen wird.«

Er nickte, sie konnte sehen, dass er sie verstand. »Aber«, sagte er vorsichtig, »sie zu einer Hochzeit eingeladen zu haben, war nichts Böses. Es war etwas Schönes. Freundschaftliches. Es war der Versuch, sie genau aus dieser Eintönigkeit und Einsamkeit herauszuholen, in der sie offenbar verwurzelt war und aus eigener Kraft nicht herausfand.«

Sie lächelte traurig. Wie schön das klang! Wäre es nur so gewesen!

»Ich wünschte, du hättest recht. Ich wünschte, ich könnte es vor mir selbst so darstellen. Dass ich eine gutherzige und wohlmeinende Freundin war, die Elaine helfen wollte. Aber das war ich nicht. Meine Motive waren nicht so edel.«

Er griff über den Tisch, nahm ihre Hand in seine. Er betrachtete sie sehr ernst, sie konnte sein Bemühen, sie wirklich zu verstehen, erkennen. »Wie waren deine Motive denn?«

Sie merkte, dass ihre fiebrigen Wangen noch stärker zu glühen begannen.

»Meine Motive«, sagte sie unglücklich, »meine Motive waren, glaube ich, die gleichen, die die meisten Menschen aus Kingston St. Mary bewegten, wenn es um Elaine ging. Verstehst du – sie war einfach der geborene Verlierer. Ein Mensch, der durchs Leben ging und nicht beachtet wurde, und wenn sie überhaupt gelegentlich auffiel, dann durch ihre absolute Unscheinbarkeit und Schüchternheit. Sie war der Typ, der nie zum Tanzen aufgefordert wird und bei dem sich im Laden die Leute in der Schlange vordrängeln, weil er zu ängstlich ist, um zu protestieren. Es gab immer wieder Situationen, in denen Menschen sagten: *Wir müssen etwas für die arme Elaine tun!* Und dann wurde sie zu irgendetwas eingeladen, zu einem Geburtstag oder einer Feier in der Gemeinde, aber dabei war immer spürbar, dass es nicht um sie ging, sondern nur darum, dass sich jemand als barmherziger Samariter aufspielen konnte, oder, noch schlimmer, darum, jemanden dabeizuhaben, gegen den alle anderen so vorteilhaft abstachen. Neben Elaine fühlte man sich erfolgreich und attraktiv und vom Leben bevorzugt, ganz gleich, in welchen Problemen man gerade steckte. So arm dran wie sie war man jedenfalls nie – und wenn das nur deshalb war, weil man immer Hoffnung auf Veränderung und Verbesserung in sich tragen konnte. Bei ihr schien es diese Hoffnung nicht zu geben. Weder hegte sie sie, noch jemand anderes tat es für sie. Nach dem Unglück mit ihrem Bruder schon gar nicht. Sie schien dazu verurteilt, als alte Jungfer durchs Leben zu gehen und die Haushälterin für einen Rollstuhlfahrer zu spielen. Wir anderen konnten Prüfungen versieben, unsere Beziehungen konnten scheitern, wir konnten pleite sein oder von unserem Chef gefeuert werden, aber wir lebten doch zumindest. Und man konnte sich dann immer sagen: Schöner Mist, in den ich mich gerade hineingeritten habe, aber wenigstens bin ich nicht ein so armer Teufel wie Elaine. Und schon fühlte man sich besser.«

»Ich verstehe«, sagte Marc.

Sie sah ihn an. »Findest du nicht, dass das eine Form von Missbrauch ist? Einem anderen Menschen gegenüber?«

Er überlegte. »Das würde ich so nicht sagen. Es ist, glaube ich, einfach… ein sehr menschliches Verhalten. Darüber hinaus lässt es dem anderen jede Möglichkeit, sich aus seiner Rolle hinauszukatapultieren. Elaine musste nicht in ihrer Situation verharren.«

»Aber…«

»Das sagt sich leicht, ich weiß. Trotzdem ist es so. Sie musste nicht so unscheinbar herumlaufen. Sie musste sich nicht von jedem die Butter vom Brot nehmen lassen. Sie musste sich nicht derart von ihrem Bruder ausbeuten lassen. Dafür, dass sie es getan hat, konnte niemand etwas. Niemand war dafür verantwortlich. Auch du nicht.«

»Als ich die Einladung an sie abschickte, kam ich mir sehr großherzig vor. Die arme Elaine! Sie war absolut keine Bereicherung für eine Festlichkeit, aber in meiner Gutmütigkeit würde ich sie trotzdem dazubitten. Die Wahrheit war: Ich würde ihr vorführen, wie weit ich es gebracht hatte – ein attraktiver, erfolgreicher Mann, ein entzückender Stiefsohn, ein wunderschönes Haus in der Wärme und Sonne Gibraltars. Ein rauschendes Hochzeitsfest. Ich wusste genau, dass es sie quälen würde, dies mitzuerleben, und dass sie wieder völlig am Rand stehen würde, aber irgendwie machte ihre Armseligkeit mich noch glanzvoller, und das wollte ich mir nicht entgehen lassen.«

Er drückte ihre Hand. »Nicht schön, stimmt. Aber viele würden so empfinden. Wir sind nun mal alle keine Heiligen.«

»Kurz vor der Hochzeit telefonierte ich mit Cedric und erzählte ihm, dass Elaine zugesagt hatte. Wir machten Witze über sie – dass sie es nie schaffen würde, sich von Geoffrey loszueisen, und dass sie ihr Kleid bestimmt wieder im spießigsten Textilgeschäft von Taunton kaufen würde. Schließlich schlossen wir eine Wette ab: Cedric meinte, sie kommt nicht, weil sie es gleich gar nicht schafft, am richtigen Tag zur richtigen Zeit in das richtige Flugzeug zu steigen. Ich sagte, sie kommt, aber sie wird zunächst in der falschen Kirche landen und schweißüberströmt sein, bis sie endlich die richtige Hochzeitsgesellschaft gefunden hat. Wir fanden das echt komisch. Aber dann... kam sie wirklich nicht, und am Ende... war nichts daran mehr komisch.«

Marc nickte. »Ich verstehe, was dich dabei bewegt. Aber du weißt auch, dass nichts von all dem etwas damit zu tun hat, was geschehen ist – was immer es war. Irgendjemand ist schuldig an Elaines Verschwinden, aber nicht du. Und wenn deine Beweggründe, sie einzuladen, lauterster und reinster Natur gewesen wären, es hätte nichts geändert.«

»Es hätte etwas geändert, wenn ich sie gar nicht eingeladen hätte. Ich wusste, dass diese Reise sie total überfordert.«

»Aber das würde bedeuten, jemanden wirklich für immer in seiner Isolation sitzen zu lassen. Sieh es doch einmal so: Die Reise hätte auch eine echte Chance sein können. Wäre alles gutgegangen, so hätte es bestimmt einen Auftrieb für ihr Selbstbewusstsein bedeutet. Vielleicht hätte sie sich ein anderes Mal wiederum eine Reise zugetraut. Sie hatte nun auch die Möglichkeit, sich ein wenig von Geoffrey abzugrenzen, einen ersten Schritt in Richtung Emanzipation zu wagen. Das war wichtig für sie. Und in diesem Punkt übrigens war sie auch erfolgreich. Sie hatte ihm gegenüber die Reise durchgesetzt. Wie sie mir erzählte, hat er ein ziemliches Theater deswegen veranstaltet, aber sie ist trotzdem losgefahren. Für sie ein gewaltiger Schritt. Es hätte der Beginn einer ganz neuen Entwicklung sein können. Dass es dann anders kam – das konnte niemand voraussehen.«

Seine Worte taten ihr gut, aber innerlich vermochte sie noch nicht zur Ruhe zu kommen.

»Trotzdem, ich wüsste einfach gern, was geschehen ist. Ich meine immer, ich bin ihr das schuldig.«

»Und wenn es doch so ist, wie wir auch schon einmal vermuteten: dass sie sich aus freien Stücken, von allein abgesetzt hat? Dass sie einfach ausgebrochen ist und nur hofft, dass ihr nie jemand auf die Schliche kommt?«

»Warum hätte sie dann ihren Pass neben einen Altkleidercontainer in Wiltonfield legen sollen?«

Marc zuckte die Schultern. »Das weiß ich auch nicht.«

»Ich möchte morgen noch einmal dorthinfahren«, sagte Rosanna, »nach Wiltonfield. Ich möchte herausfinden, wann genau Jacqueline das Schiff verkauft hat. Und an wen.«

Marc sah sie mit einer Mischung aus Belustigung und Resignation an. »Du hast dich wirklich verbissen.«

»Kommst du mit?«

Er zog sein Portemonnaie hervor, legte zwei Geldscheine auf den Tisch und erhob sich. »Ich komme mit, ja«, sagte er ergeben. »Aber jetzt bringe ich dich erst mal ins Bett. Du siehst wirklich krank aus, und ich glaube, dein Fieber ist wieder gestiegen. Und eines versichere ich dir: Wenn es dir morgen nicht besser geht, binde ich dich eher in der Wohnung fest, als dass ich dich in Wiltonfield herumstapfen lasse!«

Sie nickte. Sie ahnte, dass er sie nicht würde festbinden müssen, wenn es ihr morgen nicht besser ginge.

Sie würde dann sowieso keinen Schritt allein tun können.

Samstag, 23. Februar

I

Es hatte eine hässliche Szene am Vorabend gegeben, und Marina hatte lang nicht einschlafen können, hatte ihr Herz bis in den Hals schlagen gespürt. Nach dem Streit vom Mittagessen hatte sich Rob eine Weile draußen herumgetrieben, war gegen vier Uhr wieder erschienen und hatte sich wortlos in das Gästezimmer zurückgezogen, das er für die Zeit bei seiner Mutter bewohnte. Als sie ihn zum Abendessen holen wollte, reagierte er nicht. Erst um halb zehn kam er die Treppe herunter. Marina, die im Wohnzimmer saß und fernsah, hörte, wie er seine Jacke von der Garderobe nahm.

Sie trat in den Flur.

»Du willst noch eine Runde durchs Viertel drehen?«, fragte sie betont locker, obwohl sie sofort fürchtete, dass ihm mehr als das vorschwebte. Er hatte pfundweise Gel in seine Haare geschmiert und sich mit Aftershave geradezu übergossen.

Er zog seine Jacke an. »Ich geh weg«, erklärte er, »irgendwohin, wo was los ist.«

»Was heißt, *wo was los ist*?«

»Das heißt, was es heißt. Es ist Freitagabend. Ich sitze doch an einem Freitagabend nicht hier am Stadtrand herum und schau mir bescheuerte Quizsendungen im Fernsehen an!«

»Wo genau möchtest du denn hingehen?«

Er zuckte mit den Schultern. »Keine Ahnung. Ich schau mich um.«

»Rob, du kennst dich doch hier gar nicht aus. Du hast

keine Freunde und Bekannten hier. Und du bist erst sechzehn!«

Als habe er sie nicht gehört, nahm er den Haustürschlüssel, den sie ihm für die Dauer seines Aufenthalts überlassen hatte, vom Haken und schickte sich an, zu gehen.

»Rob!«, sagte Marina scharf.

Er drehte sich widerwillig um. »Ja?«

»Ich möchte das nicht. London ist kein Dorf. Ich kann dich hier nicht allein losziehen lassen. Es ist viel zu gefährlich!«

Er bemühte sich, sie cool und überlegen anzublicken, aber in seinen Augen standen vor allem Verletztheit und Wut.

»Wie willst du mich denn daran hindern?«

»Ich verbiete es dir.«

Jetzt grinste er. »Was soll die Show, *Mummy*?«, fragte er. »Glaubst du ernsthaft, du kannst mir irgendetwas verbieten? Soll ich dir mal sagen, wie sehr mich interessiert, was du möchtest oder nicht? Genau so viel interessiert mich das!« Damit hatte er ihr den Mittelfinger gezeigt und war durch die Tür hinaus in die Dunkelheit entschwunden, noch ehe sich Marina von ihrem Schrecken über die obszöne Geste erholt hatte und reagieren konnte.

Sie hätte nicht mehr zu sagen gewusst, wie der Abend vergangen war. Sie hatte ihn vor dem Fernseher verbracht, aber sie hatte nichts von den Programmen mitbekommen, die dort liefen. Sie trank Wein, zu viel Wein, ihr liefen die Tränen über das Gesicht, und sie sah immer wieder zwei Szenen vor ihrem inneren Auge: den Tag, an dem Rob geboren wurde, den Moment, da ihr die Schwester das winzige, rosige Baby in den Arm legte und sie daraufhin zu weinen begann, so heftig und untröstlich, dass man ihr schließlich eine Spritze hatte geben müssen, um sie zu beruhigen. Und die Szene des heutigen Abends, den jungen Mann, der ihr den Mittelfinger zeigte und sodann, ihren Protest ignorierend, das Haus verließ und krachend die Tür hinter sich ins Schloss warf. Es war, als hätten ihre Tränen von damals in direkter und unvermeidlicher Konsequenz zu dem Hass geführt, den sie heute in seinen Augen gesehen und der sie tief erschreckt hatte.

Gegen Mitternacht war sie zu Bett gegangen, hatte bis vier Uhr entweder gar nicht oder nur oberflächlich geschlafen, auf Geräusche gelauscht, die die Heimkehr ihres Sohnes hätten ankündigen können, und versucht, trotz ihres Herzrasens zu einer ruhigen Atmung zu finden. Endlich war sie eingeschlafen, aber sie erwachte schon um halb sieben wieder, mit trockenem Mund und dröhnendem Kopf.

Stöhnend richtete sie sich auf. Sie hatte einen heftigen Kater. Wahrscheinlich hatte sie viel mehr Alkohol getrunken, als sie überhaupt bemerkt hatte.

Sie erhob sich, schlüpfte in ihren Bademantel und tappte auf bloßen Füßen hinüber zum Gästezimmer, spähte hinein. Es sah dort wüst aus, schon die ganze Zeit, weil Rob weder sein Bett machte noch Wäsche und Strümpfe in Schubladen und Schränke räumte, sondern alles dort fallen ließ, wo er es gerade auszog. Der Geruch seines Rasierwassers hing noch zwischen den Wänden. Er selbst war nicht da.

Sie lief hinunter. Die Fliesen im Flur waren eiskalt unter ihren nackten Füßen. Ein einziger Blick zeigte ihr, dass Robs Jacke nicht an der Garderobe hing und dass auch sein Schlüssel fehlte. Ohne Frage war er in der Nacht nicht mehr nach Hause gekommen.

In der Küche standen zwei leere Weinflaschen auf dem Tisch. Marina starrte sie an. Die eine, so entsann sie sich dunkel, war nur noch halb voll gewesen, die andere hatte sie neu geöffnet. Sie hatte eineinhalb Flaschen ganz allein getrunken. Kein Wunder, dass sie sich fühlte, als sei ihr Kopf in einen Schraubstock gespannt.

Sie nahm ein Glas aus dem Schrank, füllte es mit Leitungswasser, trank es gierig leer, füllte es gleich ein zweites Mal. In einer Schublade fand sie ein letztes Aspirin in einem Röhrchen und warf es in das Glas.

Die Frage war, was sie nun tun sollte.

Draußen dämmerte der Tag herauf, ohne Nebel, es schien sonnig zu werden. Die Kälte kroch an ihren nackten Beinen hoch. Sie wartete, dass sich die Tablette auflöste, und überlegte dabei, ob sie Dennis anrufen sollte. Es hätte ihr etwas von dem belastenden Gefühl der alleinigen Verantwortung genommen, aber andererseits konnte Dennis im Augenblick gar nichts tun und sie hätte ihn nur schwer beunruhigt. Vielleicht war ja gar nichts passiert. Bloß – wo hatte Rob die Nacht verbracht?

Sie trank ihr Aspirin, dann lief sie hinauf ins Bad, duschte lang und heiß, zog sich warm an, lief wieder hinunter, aß ein Toastbrot und trank einen starken Kaffee. Sie fühlte sich schon ein wenig besser. Da es sie verrückt machen würde, hier im Haus herumzusitzen, würde sie sich jetzt ins Auto setzen und die Gegend abfahren. Es mochte völlig sinnlos sein, aber es war andererseits nicht ausgeschlossen, dass er sich irgendwo herumtrieb, und es hatte in jedem Fall mehr Sinn, als einfach nur zu warten. Sie würde sich einen Zeitpunkt setzen, zu dem sie Dennis verständigen und sich dann in Absprache mit ihm an die Polizei wenden würde. Drei Uhr am Nachmittag. Sollte sie Rob bis dahin nicht gefunden haben, sollte er sich nicht gemeldet haben oder wieder bei ihr aufgetaucht sein, würde sie offizielle Wege beschreiten.

Sie verließ das Haus. Der Morgen war kalt, klar und still. Ringsum schienen die meisten Leute noch zu schlafen.

Marina machte sich auf die Suche nach ihrem Sohn.

»Ich bewundere dich«, sagte Cedric sanft, »du bist mutig und stark. Wirklich.«

»Ich wünschte, ich könnte mich so fühlen«, sagte Pam. »Mutig und stark. Im Augenblick habe ich nichts als Angst.«

Sie sah müde aus und versank fast in einem grauen Rollkragenpullover von Cedric, den er ihr überlassen hatte, damit sie ihre eigenen Sachen einmal waschen konnte. Sie war ungeschminkt, hatte die dunklen Haare aus der Stirn gestrichen. Sie wirkte jünger, als sie war. Wie ein Mädchen Anfang zwanzig. Oder sogar noch wie ein Teenager.

Sie saßen im Wohnzimmer von Cedrics Elternhaus, Pam kauerte mit angezogenen Beinen auf der Couch, Cedric saß in einem Sessel. Er hatte immer noch Schmerzen, aber sie waren besser geworden, und er hatte heute Morgen schon etwas weniger Medikamente gebraucht als noch am Vortag.

Draußen drängte mit Macht der Frühling herbei. Drinnen tickte leise eine Uhr. Von der Straße waren an diesem Samstagvormittag keine Geräusche zu hören.

Cedric und Pam warteten auf die Polizei.

Victor hatte sich taktvoll zurückgezogen und war auf den Markt gegangen, um für das Wochenende einzukaufen.

Eine Dreiviertelstunde zuvor hatte Pam eingewilligt, Inspector Fielder zu verständigen, und Cedric hatte gleich dort angerufen.

Fielder, den er persönlich erreichte, hatte ihn sofort angebellt: »Sie ist bei Ihnen? Wie lange schon?«

Cedric hatte keine Lust zu lügen. »Seit Mittwochabend.«

»Und da melden Sie sich erst *jetzt*?«

»Sie hat Zeit gebraucht. Und ich bin kein Denunziant.

Jetzt rufe ich Sie mit Pamelas Einverständnis an, und das war mir wichtig.«

Fielder war wütend, aber er schien selbst zu merken, dass dies nicht der Zeitpunkt war, Cedric die Leviten zu lesen. »Sind Sie jetzt bei Ihrem Vater daheim?«, vergewisserte er sich. »In Ordnung. Ich schicke jemanden von der Polizei in Taunton vorbei. Man wird Miss Luke unverzüglich nach London bringen.«

»Ja, damit haben wir gerechnet«, sagte Cedric förmlich, nannte Fielder die genaue Adresse und legte den Hörer auf.

»Mach dir keine Sorgen«, sagte er nun, »du sagst die Wahrheit, und du wirst Fielder damit überzeugen. Da bin ich sicher.«

»Ich nicht. Ich habe ihn einmal angelogen. Er hat keinen Grund, mir diesmal zu glauben.«

»Dir wird nichts passieren.«

Sie sah sehr traurig aus. »Schade, dass du nicht mitkommen kannst.«

Er schüttelte bedauernd den Kopf. »Ich würde es sofort tun. Aber die Strecke ist zu weit, und ich bin leider noch immer sehr gehandicapt.«

»Klar. Du musst dich schonen. Es ist schlimm genug, was du wegen mir aushalten musst. Ich wünschte, ich hätte dich mit dieser Begegnung mit Pit verschonen können. Aber ...«, sie hob in einer hilflosen, bedauernden Geste beide Arme, »am besten wäre, ich hätte mich nie mit ihm eingelassen. Von diesem Moment an war ein Drama vorprogrammiert.«

»Er war nicht gerade eine glückliche Wahl«, meinte Cedric. Nachdenklich fügte er hinzu: »Ich wüsste gern, was dich zu ihm hingezogen hat. Weshalb du glauben konntest, von ihm geliebt zu werden. Er war so brutal. So gestört. So unberechenbar. Und man hat ihm das sofort angesehen.«

Sie zuckte die Schultern. »Er gab mir das Gefühl, dass ich ihm wirklich wichtig war. Das hatte mir vorher nie jemand gegeben. Für mich fühlte sich das… ganz besonders an. Verrückt, nicht?«

»Nein. Verrückt wohl nicht. Aber absolut fatal.«

Sie nickte langsam, dann wischte sie sich mit beiden Händen über die Augen, als versuche sie, das Bild ihres einstigen Peinigers von ihrer Netzhaut zu löschen. Übergangslos fragte sie: »Wie lange bleibst du, ehe du nach New York zurückkehrst?«

»So lange, bis die Ärzte grünes Licht geben«, sagte Cedric. »Ich bin ganz froh, noch eine Weile hier zu sein. Meinem Vater tut es gut.«

»Er ist sehr einsam.«

»Ja.«

»Und diesen Freund wirst du auch besuchen? Den, der im Rollstuhl sitzt? Der an dem Abend bei dir im Krankenhaus war, als ich zu dir kam?«

»Geoffrey. Geoffrey Dawson. Elaines Bruder. Ja, den werde ich besuchen. Er ist auch sehr einsam.«

»Woher kennt ihr euch?«

»Von… o Gott, wir kennen uns einfach ewig. Wir sind beide hier aufgewachsen. Wir haben schon im Sandkasten zusammen gespielt. Wir sind zusammen zur Schule gegangen. Zusammen zur Universität. Wir waren unzertrennlich. Bis… der Unfall passierte.«

»Was ist da passiert?«, fragte Pam.

Er zögerte. Er sprach nie darüber. Niemals. Und jeder in seiner Umgebung respektierte das. Aber das konnte Pam nicht wissen.

»Es war… ich glaube, ich möchte nicht darüber reden«, sagte er steif.

Sie sah ihn aufmerksam an, entgegnete jedoch nichts.

Cedric wandte mühsam den Kopf zum Fenster. Draußen

lag die Straße im hellen Sonnenlicht. Still und leer. Im Vorgarten schossen die Narzissen aus der Erde. Noch war niemand zu sehen oder zu hören.

Pam war seinem Blick gefolgt. »Falls ich nicht eingebuchtet werde«, sagte sie, »kann ich dich dann einmal in New York besuchen?«

Er war froh, dass sie das Thema *Geoffrey* verlassen hatte.

»Klar«, sagte er, »ich würde mich freuen.«

»Ich bin noch nie in New York gewesen. Noch nie in den Staaten überhaupt. Ich habe immer geglaubt, ich schaffe es nicht, dort einmal hinzukommen.«

»Du wirst New York mögen. Für mich ist es die beste Stadt überhaupt.« Cedric sah noch einmal hinaus, sein Blick umfasste die ruhige Straße, die kleinen Häuser auf der gegenüberliegenden Seite, die hinter Steinmäuerchen und Ginsterbüschen träumten, und die Narzissen, die seine Mutter gepflanzt, gehegt und gepflegt hatte. Nie war es ihm klarer geworden als in diesem Moment, diese dörfliche, friedliche Idylle vor Augen. Trotz des Gefühls, zu Hause zu sein, und trotz des Zaubers, den diese Empfindung auf ihn ausübte, wurde seine Sehnsucht nach New York so gewaltig, dass er in das nächste Flugzeug hätte springen mögen.

»Es ist der einzige Ort, an dem ich leben möchte«, sagte er.

Sie nickte, stand auf und trat an das Fenster.

»Es ist so schön hier«, meinte sie, »du musst dich hier sehr geborgen gefühlt haben als Kind.«

Da hatte sie recht. Geborgenheit hatte er im Überfluss erfahren und in einer Selbstverständlichkeit, dass er sie vielleicht oft nicht zu schätzen gewusst hatte. Kingston St. Mary und das Leben dort hatte er oft als eng empfunden und sich selten Gedanken darüber gemacht, wie viel Stabilität ihm die Fürsorge und gleichmäßige Liebe und Zuwendung seiner Eltern vermittelt hatte. Oft hatte er in den vergangenen Jahren geglaubt, ein Blatt im Wind zu sein, hatte sich gequält und angeklagt, weil er weder beruflich noch in seinem Privatleben in der Lage war, Beständigkeit in sein Dasein zu bringen. Wenn er nun jedoch das Gesicht Pamelas betrachtete, die tief verhaftete Angst in ihren Augen sah, wurde ihm klar, wie viel Kraft er tatsächlich aus seiner friedlichen, glücklichen Kindheit schöpfte. Er mochte viele falsche Wege beschritten haben und sich häufig unsicher fühlen, was seine Zukunft anging, aber er begriff, dass trotz allem ein gesundes Urvertrauen in das Leben Grundlage seines Wesens war, ihn getragen hatte und weiterhin tragen würde. Das Gefühl, letztlich dem Leben gewachsen zu sein, war in ihm so sicher verankert, wie es in Pamela das Gefühl war, mit dem Leben dem unbarmherzigsten Feind überhaupt gegenüberzustehen. Vom ersten Atemzug an hatte sie nur Bedrohung gekannt.

Und er nur Liebe.

Einen flüchtigen Augenblick lang fragte er sich, was zwischen ihnen sein würde, wenn sie wirklich nach New York käme. Sie war anders als alle Frauen, die er je gekannt hatte, und er mochte sie. Sie interessierte ihn mehr, als es andere Frauen getan hatten, und es konnte sein, dass sich dieses Interesse in Faszination wandelte.

Er würde abwarten. Die Frage war, ob sie überhaupt käme. Es würde auch von den polizeilichen Ermittlungen abhängen, davon, ob ihre Geschichte den Befragungen Scotland Yards standhalten konnte.

Er merkte, wie sehr er das hoffte. Wie sehr er hoffte, dass sie ihn nicht belogen hatte.

Er hörte, dass sich ein Auto näherte, langsamer wurde, anhielt.

Pamela wandte sich vom Fenster ab. Sie war sehr blass. »Das sind sie«, sagte sie, »die Polizei.«

Sie wirkte auf einmal völlig verloren. Draußen schlug eine Autotür.

Cedric erhob sich mühsam aus seinem Sessel. Es tat noch immer höllisch weh, wenn er sich bewegte. Er verfluchte seine Langsamkeit. Er kam sich vor wie ein uralter Mann.

»Ich habe Angst«, sagte Pamela.

»Ich weiß«, sagte er. Sie standen einander gegenüber. Eine zweite Autotür schlug. Es mussten zwei Beamte sein, die eintrafen.

»Wäre es wirklich okay für dich, wenn ich nach New York käme?«, fragte Pam. Ihre Augen waren riesengroß. Irgendwie schien viel für sie von seiner Antwort abzuhängen.

»Ich würde mich freuen«, betonte er und merkte, dass es wirklich so war. Er freute sich schon jetzt, dass sie kommen wollte. »Ehrlich, Pam, ich warte darauf.«

Das Gartentor quietschte.

»Also dann«, sagte Pam.

Er hatte plötzlich das Bedürfnis, ihr etwas zu schenken. Irgendein... Pfand, etwas, das sie beide verband, wenn sie jetzt nach London musste, um sich von Inspector Fielder in die Mangel nehmen zu lassen. Wenn er wieder nach New York flog und sich der ganze Atlantik zwischen ihnen erstreckte, wenn die Nähe zwischen ihnen beiden in diesem kleinen Zimmer an einem sonnigen Februartag in immer weitere Ferne rückte.

»Es war im ersten Jahr in der Uni«, sagte er hastig. »Geoff und ich waren beide achtzehn Jahre alt. Ein Freund hatte Geburtstag. Wir waren eingeladen.«

Schwere Schritte draußen auf dem Gartenweg.

Pamela war völlig auf ihn konzentriert.

»Die Eltern dieses Freundes waren nicht daheim. Wir hatten das ganze Haus für uns. Der Typ hatte Gott und die Welt eingeladen. Wir waren bestimmt fünfzig oder sechzig Gäste.«

Die Türklingel schrillte.

Er sprach hastig weiter. »Es war zwei Tage vor Weihnachten. Es hatte nicht geschneit, aber die Nacht war sehr frostig. Eiskalt. Wir tranken Ströme von Alkohol. Die Musik dröhnte. Wir fanden... dass wir nie eine tollere Party erlebt hätten.«

»Ich verstehe«, sagte Pam.

»Ich, Geoff und ein paar andere standen irgendwann auf dem Balkon im ersten Stock des Hauses. Es war gegen vier Uhr morgens. Wir waren ziemlich zugedröhnt. Irgendjemand kam auf die Idee, wir könnten auf dem Balkongeländer balancieren.«

Es klingelte ein zweites Mal an der Tür.

»Das Schlimme ist, niemand wusste nachher genau, wer diesen total idiotischen Einfall eigentlich gehabt hatte. Wie gesagt, wir waren sternhagelvoll. Geoff hat später immer behauptet, dass ich es gewesen sei. Ich kann das weder bestätigen noch abstreiten, ich weiß es ganz einfach nicht.« Er hielt inne.

»Immer zwei von uns kletterten also hinauf und versuchten aneinander vorbeizubalancieren und die andere Seite zu erreichen. Das Geländer war sehr breit. Aber es war auch ziemlich glatt. Mit Raureif überzogen, wie man uns später sagte. Aber auch das merkten wir nicht.«

»Ich verstehe«, sagte Pam noch einmal.

Er merkte, wie sich etwas bewegte in ihm. Die ganze hilflose Verzweiflung, die er seit jener Nacht in sich trug, die er tief in sich vergraben hatte, irgendwo so weit unten, dass er sie nicht sehen und nicht fühlen konnte. Etwas davon schwappte nach oben, verursachte ein würgendes Gefühl im Hals.

»Alles war gut gegangen. Geoff und ich kamen zuletzt an die Reihe. Wir balancierten aufeinander zu...«

Er sah die Szene vor sich. Den dunklen, hohen Himmel voller Sterne. Das Haus mit den vielen hell erleuchteten

Fenstern. Die Gesichter derer, die zusahen. Geoffrey, der sich auf ihn zubewegte, schwankend, betrunken. Er selbst, mit den Armen rudernd, um das Gleichgewicht zu halten. Sie trafen ziemlich genau in der Mitte des Balkons aufeinander.

»Wir versuchten uns umeinander herumzuquetschen. Irgendwie... gerieten wir beide dabei ins Straucheln. Wir fanden das Gleichgewicht nicht mehr, aber ich glaube, wir erschraken deshalb nicht einmal, wir sahen die Gefahr überhaupt nicht.«

Seine Augen brannten. Er hörte Geoffrey rufen: *Ich fliege gleich!*

Es klingelte ein drittes Mal an der Tür, gleichzeitig wurde geklopft.

»Wir rutschten beide im selben Moment ab. Es ging so schnell, viel zu schnell, als dass wir noch etwas hätten steuern können. Was dann passierte, war Schicksal, es lag nicht daran, dass einer von uns sportlicher oder cleverer oder vorausschauender gewesen wäre. Es war einfach Schicksal.«

Sie wusste, was passiert war. »Du stürztest auf die Innenseite des Balkons«, sagte sie, »und dein Freund... auf die andere Seite.«

»Er stürzte nicht nur ein Stockwerk tief«, sagte Cedric. Seine Stimme klang, für ihn selbst wahrnehmbar, seltsam monoton. »Unterhalb des Balkons befand sich ein Schwimmbecken. Zehn mal zehn Meter, Beton. Es war, im Dezember, natürlich leer.«

Der Satz, mit der ganzen Dimension, die sich in der Konsequenz seiner Aussage ergab, klang im Zimmer nach. *Es war, im Dezember, natürlich leer.*

Er war dankbar, dass Pam nichts sagte. Früher, als er noch Kontakt mit den Leuten gehabt hatte, die Zeugen des Unglücks gewesen waren, waren immer Sätze gefallen wie:

Du konntest nichts dafür. Niemand weiß, wer diese blöde Idee hatte. Alle, die bei dem Scheiß mitgemacht haben, waren gleichermaßen schuldig oder unschuldig. Oder: Geoffrey war kein kleines Kind. Er hat sich auf eine Gefahr eingelassen. Niemand hat ihn gezwungen. Er ist selbst verantwortlich für sein Schicksal.

Er mochte das nicht mehr hören. Unabhängig davon, ob es richtig war oder nicht, er mochte es einfach nicht mehr hören.

»Wir müssen die Tür öffnen«, sagte er, »die Polizei stürmt sonst noch das Haus.«

Sie nickte. Und dann umarmte sie ihn, vorsichtig, sehr zart, in einer Geste wortlosen Verstehens.

Ehe sie zur Haustür ging und den beiden Beamten öffnete, die sie nach London zu Scotland Yard bringen würden.

3

Marina fand Rob, als sie schon aufgeben und nach Hause fahren wollte. Sie hatte die ganze Siedlung in sich erweiternden Kreisen abgesucht, in Gärten gespäht, Bushaltestellen angefahren, war sogar ein paar Mal ausgestiegen und ein Stück weit in kleine Parkanlagen hineingelaufen, aber nirgends war eine Spur von ihm zu entdecken. Schließlich sagte sie sich, dass sie naiv gewesen war. Wieso sollte er hier irgendwo herumlungern? Der Tag versprach sonnig zu werden, aber noch war die Luft kalt, und niemand hätte sich nach einer durchwachten Nacht auf der Straße aufgehalten.

Aber wo war er dann? Wo hatte er Unterschlupf gefunden?

Ich hätte ihn nicht gehen lassen dürfen, dachte sie, aber

sie wusste, dass sie kaum eine Chance gehabt hatte, ihn zurückzuhalten. Er war so entschlossen gewesen, entschlossen auch, es notfalls zu einem Eklat kommen zu lassen.

»Verdammt!«, sagte sie laut und schlug mit der Faust auf das Lenkrad. Sie hatte die Schuldgefühle so satt, die sie von allen Seiten bedrängten. Schuldgefühle, weil sie Rob nicht gehindert hatte, in den Abend hinauszulaufen. Schuldgefühle, weil sie sich offenbar die ganze Zeit über falsch ihm gegenüber verhielt. Schuldgefühle, weil sie damals nicht wie eine Mutter gefühlt und gehandelt hatte.

Zum ersten Mal, seit Rob so unerwartet bei ihr aufgekreuzt war, war sie richtig wütend.

Sie fuhr einen letzten Bogen am Siedlungsrand entlang, dort, wo die jüngsten Häuser standen, deren Gärten noch nicht angelegt waren, und wo neues Bauland begann, eine von Brombeerranken und Kiefernschösslingen überwucherte Wildnis, und dort sah sie ihn. Er kam einen der vielen schmalen Trampelpfade entlang, die von Generationen von Hasen geschaffen worden waren, und nichts erinnerte mehr an den aufsässigen, zornigen jungen Mann vom Vorabend, der seine eigenen Wege zu gehen beschlossen hatte. Er sah jetzt eher wie eine Elendsgestalt aus, frierend, hungrig, zerknittert, die Schultern nach vorn gezogen. Zweifellos hatte er eine wirklich scheußliche Nacht verbracht.

Sie bremste direkt neben ihm, neigte sich hinüber und stieß die Beifahrertür auf.

»Los«, sagte sie, »steig ein!«

Er hatte ihr Auto nicht kommen gehört und schrak zusammen. Als er sie erkannte, verfinsterte sich der Blick seiner völlig erschöpften Augen, er presste die Lippen zusammen und schüttelte den Kopf.

»Du bist völlig durchgefroren, und ich wette, du hast noch nicht gefrühstückt«, sagte sie. »Ich an deiner Stelle würde mir eine heiße Dusche, frische Klamotten, einen Kaffee und ein paar Toastbrote nicht entgehen lassen.«

Er kam herangeschlurft, stieg mit mürrischem Gesichtsausdruck zu ihr ein.

Sie ahnte, wo er die Nacht verbracht hatte. Jenseits des Brachlands, über das er gekommen war, befanden sich etliche Schrebergartensiedlungen.

»Du bist in eine Hütte eingestiegen«, sagte sie. »Ich hoffe, du hast nichts kaputt gemacht?«

Er zuckte mit den Schultern.

Sie merkte, dass die Wut noch immer in ihr brodelte.

Sie schaltete den Motor aus. »Okay, hör zu«, sagte sie. »Ich habe keine Lust, dieses Spiel weiterzuspielen. Ich habe keine Lust, jeden Tag in dein finsteres Gesicht zu blicken, mir deine Fragen anzuhören und mich ständig zu rechtfertigen. Ich habe dir alles gesagt, was zu sagen ist. Ich habe dir erklärt, weshalb ich damals auf eine bestimmte Weise gehandelt habe, ich habe dir meine Gründe genannt. Du kannst versuchen, mich zu verstehen, aber dazu kann ich dich natürlich nicht zwingen. Ich möchte mich nicht ständig wiederholen und mich wie eine Angeklagte fühlen müssen. Eine Szene wie gestern Abend möchte ich nicht mehr erleben und keine Nacht wach liegen, ohne zu wissen, wo du steckst. Ich möchte nicht noch einmal einen frühen Morgen lang alle Straßen der Umgebung nach dir absuchen und mich dabei fragen, ob dir vielleicht etwas Schlimmes zugestoßen ist. Hast du das verstanden?«

Er brummte etwas Unverständliches, schaute sie nicht an. Sie sah, dass seine Lippen blau waren vor Kälte.

»Wenn du dein Verhalten mir gegenüber nicht ändern willst«, fuhr sie fort, »dann, so leid es mir tut, kannst du keinen Tag länger bei mir bleiben. Dann solltest du mit dem nächstmöglichen Flug nach Gibraltar zu deinem Vater zurückfliegen.«

Er starrte immer noch auf die Ablage vor sich.

»Ich hab ein Fenster eingeschlagen«, nuschelte er.

Marina nickte. »Wusste ich es doch. Um in einer Garten-hütte zu übernachten.«

»Ja.«

»Wir werden den Eigentümer ausfindig machen. Und du wirst die Scheibe bezahlen. Von deinem Taschengeld.«

Er nickte.

Sie ließ den Motor wieder an. »Also, wir fahren jetzt zu mir. Und dann kannst du mir mitteilen, wie es weitergehen soll. Ob du noch ein paar Tage unter veränderten Voraus-setzungen bei mir bleiben möchtest, oder ob wir gleich ei-nen Flug buchen sollen.«

Jetzt endlich wandte er ihr sein Gesicht zu. Er war sehr blass. »Ich möchte zu Rosanna«, sagte er.

4

Diesmal waren das Clubhaus wie das danebenliegende Haus – in dem der Bootsmann wohnte, wie Marc erklärte – völlig verlassen. Nicht einmal die Putzfrau machte sich dort zu schaffen, kein Auto parkte auf dem Parkplatz, kein Fahr-rad lehnte am Zaun. In der Stille des winterlichen Vormit-tags waren nur die Rufe einiger Wasservögel zu hören. Jen-seits des Flusses schob sich die Sonne den Horizont hinauf, zerteilte mit ihren Strahlen letzte feine Wolkenschleier am Himmel. Ab und zu strich ein Windhauch über die Wellen, dann bewegten sich die Boote entlang der beiden Stege.

»Unverändert«, sagte Marc. Er war ein Stück oberhalb der Gebäude auf dem sandigen Weg, der zum Ufer hinun-terführte, stehen geblieben und betrachtete das Stillleben, das vor ihm lag. »Als wäre kein Tag vergangen. Es riecht sogar noch genauso wie früher.«

Rosanna, die schräg hinter ihm stand, versuchte, die Szene mit seinen Augen zu sehen. Dachte er an unbeschwerte Wochenenden, die er einst mit Frau und Sohn hier verbracht hatte? Sah er sie alle drei vor sich, wie sie das Boot fertig machten? Josh, in Shorts und T-Shirt, fröhlich und glücklich, beide Eltern um sich zu haben. Die schöne Jacqueline, die wahrscheinlich mit einem Sortiment Bleistifte und Zeichenhefte an Bord ging, um Bilder und Stimmungen einzufangen und in Skizzen festzuhalten. Er selbst, Marc, der sich auf ein paar entspannte Stunden freute.

Aber vielleicht war es so gar nicht gewesen. Vielleicht waren auch harmlose gemeinsame Wochenendunternehmungen von Streit und Anschuldigungen überschattet gewesen. Vielleicht hatte Jacqueline auch auf dem Schiff nicht aufgehört, Verdächtigungen auszusprechen und Vorhaltungen zu machen. Vielleicht waren es keineswegs fröhliche Bilder, die Marc vor sich sah.

»Wann warst du zuletzt hier?«, fragte sie.

Er überlegte. »Ich glaube, das war schon eine ganze Weile vor unserer Trennung. Die Wochenenden hier im Club fielen auch nach und nach meiner Arbeitswut zum Opfer, außerdem funktionierte es in unserer Ehe immer schlechter. Jacqueline war schließlich meist nur noch allein mit Josh hier.«

»Hast du es vermisst? Das Boot? Die Freunde?«

»Nach der Trennung habe ich nur noch Josh vermisst. Für etwas anderes war gar kein Raum.«

Sie gingen den Weg weiter hinunter. Der Geruch des Wassers wurde stärker. Marc atmete tief. Er hatte die Macht der Erinnerungen, die ihn an diesem Ort befielen, unterschätzt. Er fand es anstrengend, hier zu sein. Josh hatte das Spielen am Fluss geliebt. Er sah ihn vor sich, wie er Kanäle anlegte, Staudämme baute, ganze Städte aus Erde und Lehm entlang der Böschung entstehen ließ – schnaufend vor Eifer, die Zunge zwischen die Zähne geschoben.

Manchmal hatte sein Vater ihm geholfen, in jenen seltenen Sternstunden, die Beruf und Karriere zuließen.

Er fragte sich, ob Josh an jene Stunden dachte, und ob er es mit einem guten Gefühl tat. Oder waren sie untergegangen und verschwunden in der Erinnerung an einen Vater, der von Termin zu Termin eilte und sich kaum ansprechen ließ – einen Vater, der diese Bezeichnung nicht verdient hatte?

Er wandte sich zu Rosanna um und bemerkte, dass sie ein Stück zurückgeblieben war, ihr Handy am Ohr hatte und mit jemandem sprach. Er hatte das Klingeln nicht gehört, aber er war auch ganz versunken gewesen in eigene Gedanken. Er betrachtete sie. Die Nacht hatte ihr gutgetan, es ging ihr besser als am Vorabend. Sie hatte am Morgen kein Fieber mehr gehabt. Ihm wäre es lieber gewesen, sie hätte den Plan, noch einmal nach Wiltonfield zu kommen, fallen gelassen. Er wünschte, sie würde sich von der ganzen Elaine-Geschichte endlich verabschieden. Wenn es eine gemeinsame Zukunft für sie beide geben sollte, mussten sie Ruhe finden, ohnehin gab es genug Probleme, die auf sie zukommen würden.

Aber vielleicht, dachte er plötzlich, spielt auch gerade das eine Rolle. Das Bewusstsein, welche Hindernisse vor uns liegen. Sie ist verheiratet, und der Gedanke an die Klärung dieser ganzen Situation liegt wahrscheinlich als Zentnergewicht auf ihrer Brust. Solange sie sich mit Elaine beschäftigt, kann sie der Notwendigkeit, sich dieser Last zu stellen, eher ausweichen.

Sie hatte das Gespräch beendet und kam auf ihn zu. Sie sah bedrückt aus.

»Das war Marina. Die Exfreundin meines Mannes. Robs Mutter. Es gibt Probleme mit Rob, er muss völlig durcheinander sein und will unbedingt zu mir. Nicht zu seinem Vater, nicht zu ihr. Nur zu mir.«

»Dann solltest du vielleicht…«

Sie schüttelte den Kopf. »Ich habe gesagt, dass ich heute Nachmittag zu ihr komme. Bis dahin muss er warten.«

Sie liefen zum Clubgelände hinunter. Marc besaß noch seine alten Schlüssel, hatte aber vorsorglich gewarnt, dass in der Zwischenzeit natürlich die Schlösser hätten ausgewechselt werden können. Tatsächlich aber hatten sie Glück: Das Tor, das die Anlage unzugänglich machte, öffnete sich. Sie durchquerten das Gebäude, das Rosanna nun schon kannte, und betraten den Anlegesteg. Er lag im hellen Sonnenschein. Die sauberen kleinen Boote glänzten. Auf einigen thronten Möwen, die, vom Meer kommend, dem Fluss bis tief ins Landesinnere gefolgt waren.

»Sogar das Schiff ist noch an seinem alten Platz«, stellte Marc fest, als sie das Ende des Stegs erreicht hatten und vor der *Heaven's Gate* standen. »Hier hat sich wirklich überhaupt nichts verändert.«

»Können wir mal raufgehen?«, fragte Rosanna.

Er zögerte. »Es gehört mir nicht. Offenbar ja nicht einmal mehr Jacqueline.«

»Aber hier ist kein Mensch. Und was sollte der neue Eigentümer auch dagegen haben? Du könntest sagen, du wolltest dir aus sentimentalen Gründen das Schiff noch einmal ansehen.«

»Aber wir müssen die ganze Plane abnehmen.«

»Es kommt doch keiner«, drängte sie.

Er gab nach. Sie beobachtete, wie er mit geschickten, schnellen Bewegungen die Abdeckplane losknotete und hinten in der offenen Kajüte verstaute. Das Schiff war ihm vertraut, das war deutlich zu sehen. Aber sie erkannte auch, dass ihm nicht wohl dabei war. Er hätte die ganze Aktion – in der er keinen Sinn sah – am liebsten abgebrochen. Sie selbst hätte ihm nicht erklären können, weshalb sie auf das Schiff wollte. Sie folgte einem Gefühl. Dem Gefühl, dass sie hier, in Wiltonfield und auf diesem Schiff, der Antwort auf die Frage nach Elaines Verbleib würde näherkommen können. Wobei sie keine Ahnung hatte, ob das, was sie als *Gefühl* bezeichnete, nicht in Wahrheit nur eine Wunschvorstellung war, die sie am Ende um nicht einen Schritt weiterbrachte.

Sie folgte Marc auf das Schiff. Jetzt, da die Plane entfernt war, schlug modriger Geruch von den Planken hinauf.

»Glaubst du, hier war jemand den Winter über?«, fragte sie.

Er zuckte die Schultern. »Kann man nicht sagen. Es scheint mir eher nicht so. Aber bei Kälte und Nebel zu segeln, ist auch nicht wirklich ansprechend.«

»Können wir ein kleines Stück auf den Fluss hinaus?«

»Was denn noch alles?« Er fuhr sich mit beiden Händen durch die Haare. »Warum, Rosanna? Was glaubst du zu entdecken? Was glaubst du herauszufinden?«

Ebendas konnte sie nicht erklären. »Ich möchte etwas fühlen. Falls Jacqueline an jenem Morgen hinausgefahren ist, dann möchte ich wissen, wie sich das angefühlt hat.«

»Was soll das bringen?«

»Ich weiß es nicht. Vielleicht gar nichts. Ich habe das Gefühl, dass das Schiff wichtig ist. Mehr kann ich nicht erklären.«

»Auf dem Wasser ist es sehr kalt. Viel kälter als hier an Land. Und du bist schon krank. Ich fürchte, alles, was bei diesem Unternehmen herauskommt, wird eine Lungenentzündung bei dir sein. Mehr nicht.«

Sie betrachtete die braune Holzverschalung, aus deren rückwärtiger Wand das Ruder ragte. Auf dem Boden in der Plicht befand sich eine Klappe, die mit einem Vorhängeschloss versehen war.

»Da ist der Motor drinnen, oder?«

»Ja.«

»Hast du den Schlüssel für das Vorhängeschloss?«

»Ich habe den Schlüssel für das Schloss, das wir damals benutzt haben. Der neue Eigentümer hat es sicher längst ausgetauscht.«

»Probier es. Wenn es nicht klappt, können wir nichts machen. Ich verspreche dir, wir verlassen dann das Boot, fahren nach London zurück, und ich fange nie wieder von dieser ganzen Sache an.«

Er fluchte leise, zog seinen Schlüsselbund erneut aus seiner Jackentasche. Autoschlüssel, Wohnungsschlüssel, Büroschlüssel. Es gab noch einen kleinen, viereckigen Schlüssel. Er steckte ihn in das Schloss. Es sprang auf.

»Bingo!«, rief Rosanna.

Er betrachtete das offene Schloss mit einem Gesichtsausdruck, der zwischen Ärger und Resignation schwankte. »Und du möchtest jetzt den Fluss entlangtuckern? Mit einem Schiff, das uns nicht gehört? Weißt du, dass wir in Teufels Küche kommen können?«

»Wir müssen doch gar nicht wissen, dass es Jacqueline nicht mehr gehört. Du zumindest musst es nicht wissen.«

»Das ist doch Blödsinn. Was versuchst du da? Eine Situation zu rekonstruieren? Jacqueline und Elaine an einem Januarmorgen vor fünf Jahren auf diesem Schiff? Was, glaubst du, wird passieren? Denkst du, es kommt plötzlich eine Erleuchtung über dich?«

Sie stand ihm gegenüber auf dem leise schwankenden Schiff, ließ plötzlich die Schultern sinken.

»Vielleicht hast du recht. Vielleicht… habe ich mich verrannt.«

Sie sah frustriert und elend aus. Was sicherlich ebenso sehr an ihrer heftigen Erkältung lag wie an der Enttäuschung, und dennoch tat sie ihm plötzlich leid. Und noch etwas ging ihm auf: Sie musste hier, an diesem Ort, mit etwas abschließen. Für sich selbst etwas klären, was sie anderen gegenüber, und vielleicht sogar vor sich selbst, nicht in Worte fassen konnte. Letztlich ging es womöglich nur darum, Abschied von Elaine zu nehmen und von der Hoffnung, ihr Schicksal aufklären zu können.

»Ich versuche, ob der Motor anspringt«, sagte er, »und wenn ja, dann fahren wir ein Stück raus. Wenn nein – dann werde ich nicht auch noch losgehen und von den anderen Schiffen hier Sprit klauen. Okay? Wenn wir kein Benzin haben, fahren wir nach Hause und vergessen das alles.«

Sie nickte.

Beim dritten Versuch sprang der Motor rumpelnd und stolpernd an.

»Hilf mir, die Festmacher loszubinden«, sagte Marc. »Wir stechen in See.«

Marc hatte recht gehabt, über dem Fluss wehte ein sehr kalter Wind. Rosanna kuschelte sich tiefer in ihre Jacke, schlang beide Arme um sich. Sie zog ihre Wollmütze in die Stirn und wünschte, sie hätte auf Marc gehört: Nach diesem Abenteuer würde sie vermutlich erst richtig krank sein.

Das Schiff machte eine langsame Fahrt. Sie nahmen die gleiche Strecke, die Jacqueline – oder wer auch immer – an jenem Morgen genommen haben musste. Sanfthügelige Wiesen entlang des Ufers, große, alte Weidenbäume, hier und da dichte Schilfgürtel, dann wieder Kieselsteine, über die sanft das Wasser schwappte. Immer wieder ein Dorf, dann ein um diese Jahreszeit noch im Winterschlaf liegendes Städtchen. Sie sahen einen einsamen Radfahrer, der sich den offenbar sehr holprigen Treidelpfad oben auf der Böschung entlangkämpfte. Zwischendurch aber war nur Einsamkeit. Kein Hinweis darauf, dass sie sich noch immer nicht allzu weit von der riesigen Metropole London entfernt befanden. Sie waren mitten auf dem Land, mitten im Nirgendwo. Völlig allein.

Kurz bevor sie Purley erreichten, fragte Marc: »Willst du auch noch durch die Schleuse? Das kann nämlich dauern.«

Sie schüttelte den Kopf, müde plötzlich und resigniert. »Nein. Das muss nicht sein.«

Sie kauerte auf der Sitzbank und überlegte, wie sich Jacqueline Reeve fünf Jahre zuvor gefühlt haben mochte. Eine vielleicht schon tote Elaine an Bord, ungeduldig und nervös überlegend, ob es ihr wohl gelingen würde, die Mapledurham-Schleuse rasch zu passieren. Die Last loszuwerden, Beweise zu vernichten. Zitternd vor Hass auf ihren Mann, verzweifelt, weil dieser Hass sie zu einer schrecklichen Tat getrieben hatte.

Es musste noch winterliche Dämmerung geherrscht haben, der Tag war wohl gerade erst grau, neblig und schwerfällig am östlichen Horizont heraufgekrochen. Eine Vergnügungsfahrt schien Rosanna ausgeschlossen. Es war für sie fast nicht vorstellbar, dass die Fahrt der *Heaven's Gate* in den frühen Morgenstunden des 11. Januar 2003 einen harmlosen Hintergrund gehabt haben konnte.

Als könne er ihre Gedanken lesen, sagte Marc, der am Steuer saß: »Es wäre unbedingt wichtig, den genauen Zeitpunkt des Schiffsverkaufs herauszufinden. Angenommen, er hat ganz kurz vor dem entscheidenden Datum stattgefunden, dann hielte ich es für denkbar, dass der neue Eigentümer, beglückt über den Erwerb, mit dem Schiff sogar einen Ausflug zu einer äußerst ungewöhnlichen Zeit unternimmt. Oder der Verkauf stand kurz bevor, dann könnte es sich auch um eine Probefahrt gehandelt haben.«

»Um diese Uhrzeit? Im Winter?«

Er zuckte die Schultern. »Wenn sich kein anderer Termin für Jacqueline und den Käufer finden ließ? Sie war damals ständig, gerade an den Wochenenden, bei ihrer Mutter in Cambridge. Es war ein Samstag. Der Tag war voll verplant, sie konnte nur diese unmöglich frühe Uhrzeit anbieten. Hältst du das für so abwegig?«

Sie wusste, dass es nicht abwegig war. Für viele seltsame Verhaltensweisen von Menschen gab es überraschend harmlose Erklärungen, schaute man erst einmal hinter die Fassade. Vielleicht war die Einzige, die eine völlig absurde Theorie anbot, sie selbst.

»Ist es in Ordnung, wenn wir wieder umkehren?«, fragte Marc. »Es wäre mir ganz lieb, wenn wir das Schiff wieder im Club und dort festgemacht hätten, ehe irgendjemand auftaucht. Ich glaube wirklich nicht, dass wir uns allzu leicht aus dieser Geschichte würden herausreden können.«

Sie wusste, dass er recht hatte. Es hatte keinen Sinn, noch länger auf dem Fluss zu verweilen. Die Erleuchtung kam nicht. Das Unbehagen blieb, aber ob es berechtigt war oder nicht, hätte sie auch jetzt nicht zu sagen vermocht.

»Ich denke, wir fahren zurück«, sagte sie. »Es war wahrscheinlich eine dumme Idee von mir, diesen… Ausflug zu inszenieren. Es hat mich nicht weitergebracht.«

Es war gegen zehn Uhr, als der Yachtclub wieder in ihre Sichtweite geriet. Noch immer schien sich niemand dort aufzuhalten. Fenster und Türen wirkten fest verschlossen, und soweit Rosanna das erkennen konnte, parkte kein Auto auf dem höher gelegenen Parkplatz. Sie hatten Glück, niemand würde etwas von ihrer Spritztour erfahren.

»Ich weiß, was ich tun werde«, sagte sie. »Ich werde mich endgültig von dieser ganzen Geschichte verabschieden. Ich kann dieses quälende Herumrätseln und Grübeln nicht länger aushalten. Ich habe mich emotional zu tief verstrickt. Ich möchte davon wieder frei werden.«

Sie saßen einander dicht gegenüber. Marc betrachtete sie forschend. »Es wird schwierig«, sagte er, »denn du bist schon sehr weit gegangen.«

»Ich weiß. Aber ich werde das schon schaffen.«

»Aber …«

»Ich werde Inspector Fielder anrufen. Ich werde ihm sagen, was ich herausgefunden habe – dass das Schiff deiner Exfrau an jenem Morgen diese mysteriöse Fahrt unternommen hat. Dass der Pass hier in Wiltonfield gefunden wurde, weiß er vielleicht bereits, jedenfalls wenn Cedric Pam so weit gebracht hat, dass sie sich der Polizei anvertraut. Den Rest muss er sich selbst zusammenreimen. Vielleicht zieht er ja ganz andere Schlüsse als ich.«

»Falls Jacqueline abstreitet, mit dem Schiff unterwegs gewesen zu sein, wird man ihr Alibi überprüfen«, sagte Marc, »und man wird die *Heaven's Gate* kriminaltechnisch untersuchen. Nach Spuren, die belegen könnten, dass Elaine Dawson an Bord gewesen ist.«

»Fünf Jahre danach?«

»Du ahnst nicht, was heute möglich ist. Wenn sie auf dem Schiff war, wird man das herausfinden.«

Er sah elend aus. Sie ahnte, dass es ihm schwerfiel, seine Exfrau, die die Mutter und einzige Bezugsperson seines Sohnes war, als Verdächtige in einem Mordfall an die Polizei auszuliefern. Was dann kam, würde in erster Linie furchtbar für Josh sein. Sollte sich die Schuld Jacquelines herausstellen, wäre es für ihn eine Katastrophe.

Sie streckte den Arm aus, berührte Marc in einem Anflug von Scheu jedoch nicht. »Marc, ich verstehe, wie schwer das ist. Aber ich kann nicht mit meinem Wissen hinter dem Berg halten. Damit … könnte ich nicht umgehen. Ich weiß, das alles kann bedeuten, dass Jacqueline vor Gericht gestellt wird und …«

Er schüttelte den Kopf. Er war noch grauer im Gesicht geworden.

»Jacqueline wird nicht vor einem Gericht landen«, unterbrach er sie. »Sie hat für den gesamten Zeitabschnitt, um den es geht, ein Alibi.«

Sie starrte ihn an. »Was?«

»Am 10. Januar 2003 starb Jacquelines Mutter«, sagte Marc. »An jenem Tag also, an dem ich in Heathrow mit Elaine zusammentraf. Da man im Heim merkte, dass es zu Ende ging, wurde Jacqueline bereits am 9. Januar telefonisch informiert und fuhr sofort nach Cambridge. Am 11. und 12. Januar kümmerte sie sich dort um alle organisatorischen Notwendigkeiten. Josh war so lange bei einer Freundin untergebracht. Jacqueline unterrichtete mich gleich nach ihrer Rückkehr. In der Heimleitung sowie unter dem dortigen Personal hat sie jede Menge Zeugen, die den Sachverhalt bestätigen können.«

Sie begriff immer noch nicht. »Aber… wieso…?«

»Tut mir leid, Rosanna«, sagte Marc, »aber Jacqueline scheidet als Täterin aus.«

5

Das Schiff dümpelte in Ufernähe, abseits der Fahrrinne, immer noch in Sichtweite des Clubs. Wäre dort jemand aufgetaucht, er hätte sofort gesehen, dass die *Heaven's Gate* nicht an ihrem Platz lag, sondern ein kleines Stück flussaufwärts im Wasser zu treiben schien. Sicher hätte das Verwunderung ausgelöst, aber das schien Marc, der es so eilig gehabt hatte, nicht mehr zu interessieren.

Im Übrigen ließ sich auch niemand blicken. Clubhaus, Anlegesteg und Parkplatz waren noch immer menschenleer.

Rosanna saß auf der Bank, auf der sie während der ganzen Fahrt gekauert hatte. Tausend Gedanken schossen ihr gleichzeitig durch den Kopf, ohne dass sie hätte sagen können, worüber genau sie nachdachte. Es war, als bedrängten sie eine Vielzahl von Bildern, Möglichkeiten und

Vorstellungen, die sie am liebsten gar nicht an sich heran-
gelassen hätte.

Marc saß noch immer am Steuer. Der Motor des Schiffs
tuckerte im Leerlauf. Unter dem grellen Licht dieser ganz
zeitigen Frühlingssonne sah Marc fast krank aus.

»Als du mich vor fast zwei Wochen angerufen hast«,
sagte er, »wegen der Reportage für *Cover*, da wusste ich,
dass es Probleme geben würde. Du ahnst nicht, wie entsetzt
ich war, weil nun alles wieder aufgerührt werden sollte. Ich
konnte kaum schlafen in der darauffolgenden Nacht. Und
ich beschloss, mich mit dir zu treffen. Um wenigstens auf
irgendeine Weise die Kontrolle zu behalten.«

Sie fühlte sich wie betäubt. »Das... sagtest du damals
schon«, erwiderte sie mühsam. »Du hattest... Angst, dass
dir wieder etwas angehängt wird. Deshalb machtest du
mit.«

»Ja«, bestätigte er, »deshalb machte ich mit.«

Sie starrte an ihm vorbei zum gegenüberliegenden Ufer.
Trotz der noch kahlen Bäume sah die Landschaft lieblich
aus. Friedlich. Unberührt von den dunklen Seiten der Welt,
von den bösen Geheimnissen, die Menschen in sich trugen.

»Was hast du mir verschwiegen?«, fragte sie. »Was in
der ganzen Geschichte weiß ich noch nicht?«

Er suchte nach einer Formulierung. »Ich habe dir nicht
alles von jener Nacht erzählt«, sagte er dann. »Von der
Nacht, in der Elaine bei mir war.«

»Weil es unbedeutend war?«

Er bedachte sie mit einem fast herablassenden Blick. »Du
weißt genau, dass es bedeutend war. Sonst hätte ich es erzählen können.«

Es war, als senkte sich ein großer, schwerer Stein auf
ihre Brust. Als ziehe sich gleichzeitig ihr Hals zusammen,
so dass sie nicht mehr atmen konnte. Das Unfassbare, das
als Gedanke in ihrem Kopf heranwuchs, war so schockie-

rend, dass sich alles in ihr dagegen zu sträuben schien, es an sich heranzulassen. Sie verstand plötzlich, weshalb sich die Damen der viktorianischen Epoche in eine Ohnmacht zu flüchten pflegten, wenn die Situation, in der sie sich befanden, zu anstrengend wurde. Zum erstenmal in ihrem Leben hätte sie sich das auch gewünscht: einfach die Besinnung zu verlieren und zu hoffen, dass sich alles gelöst hätte, bis sie wieder aufwachte. Was nicht der Fall wäre, beides nicht. Sie würde nicht ohnmächtig, auch wenn ihr das Atmen schwerfiel, und schon gar nicht würde sich irgendetwas verändert haben, bis sie wieder aufwachte.

»Stimmt es, dass Elaine hier auf diesem Boot war?«, fragte sie. Sie fand, dass ihre Stimme seltsam klang. Anders als sonst.

Er nickte. »Ja. Vermutlich würde das auch die Spurensicherung feststellen.«

»Du hast noch immer den Schlüssel. Du bist an jenem Morgen mit dem Schiff hinausgefahren.«

Er nickte wiederum.

»Aber warum?«, fragte sie leise. »Warum hast du Elaine mit auf das Schiff genommen?«

»Ja, warum?«, wiederholte er. »Eine gute Frage. Warum habe ich Elaine überhaupt mit in meine Wohnung genommen? Warum habe ich mich in diese ganze verdammte Geschichte verstrickt?«

»Warum…?«

Er unterbrach sie. »Hast du dich einmal nach *deinen Warums* gefragt? Warum wolltest du über Elaine schreiben? Warum in der Vergangenheit graben? Warum nicht irgendwann Ruhe geben? Warum nicht *einfach irgendwann Ruhe geben*?«

»Am Anfang«, sagte sie, »war es einfach ein Auftrag. Der mich aus der Eintönigkeit meines Lebens herausholte.«

»Und dann? Was war es dann? Wieso hast du irgendwann an gar nichts anderes mehr denken können? Wieso hast du wie eine Besessene agiert? Hast Jacqueline aufgesucht. Im Yachtclub herumgehorcht. Den Schleusenwärter befragt. Warum? Ist das dein Job? Wirst du dafür bezahlt? Warum hast du dich nicht aus einer Sache herausgehalten, für die du überhaupt nicht zuständig bist? Was, verdammt noch mal, hat dich so daran gereizt, den Detektiv zu spielen?«

Sie schob den Rand der Wollmütze zurück, die sie sich tief in die Stirn gezogen hatte. Ihr wurde auf einmal so heiß. Vielleicht stieg das Fieber wieder. Sie empfand Marcs Worte als Angriff und verstand nicht, weshalb er ihr diese Fragen stellen konnte. Sie hatte ihm alles über sich und Elaine erzählt. Er musste wissen, weshalb sie nicht hatte aufhören können, Elaines Schicksal nachzugehen.

Als hätte sie laut gesprochen, sagte er: »Fünf Jahre lang haben dich weder deine Bekanntschaft mit Elaine noch dein Schuldgefühl ihr gegenüber dazu bewogen, diese verrückte Jagd zu beginnen. Und dann plötzlich meinst du, nicht mehr aufhören zu können. Und es ist dir ganz gleich, wen du dabei zerstörst und was alles du kaputt machst!«

Sie versuchte tief zu atmen. »Das Wort *Gerechtigkeit* kommt bei dir überhaupt nicht vor«, sagte sie.

Er lachte bitter. »Gerechtigkeit! Sag mir mal, ob irgendetwas auf dieser Welt überhaupt gerecht ist! War es gerecht, wie Jacqueline Josh gegen mich aufgehetzt hat? War es gerecht, dass mein Sohn jedes Gespräch, jeden Versuch einer Klärung abgelehnt hat? War es gerecht, dass sie ihn mit ihrer Obsession, was mein angebliches ständiges Fremdgehen betraf, so verrückt gemacht hat, dass er mich bis heute hasst? Ist daran irgendetwas gerecht?«

Ihr fiel der Brief ein, den sie erst vor zwei Tagen in seinem Bücherregal gefunden hatte. *Fathers in Defense*. Als sie den Brief las, hatte sie das Gefühl gehabt, in Marcs

Seele zu blicken. Inmitten seiner unpersönlichen, nichtssagenden Wohnung hatte sie in diesem Moment den Kern seiner Seele berührt. Jenen glühenden, schmerzenden Dorn, der ihn quälte und in ihm eiterte, seit Jahren.

Sein Sohn. Der Verlust, den er nicht verwinden konnte. Sie erinnerte sich, dass ihr der Gedanke durch den Kopf geschossen war: Hier liegt der Schlüssel.

Aber sie hatte in jenem Augenblick nicht erkennen können, welche Tür er aufschloss.

»Josh«, sagte sie, »alles hat irgendwie mit Josh zu tun.«

»Ja«, wiederholte er leise, »alles hat irgendwie mit Josh zu tun.«

Ein Wasservogel schoss plötzlich aus dem Schilf empor und schrie dabei laut. Beide, Rosanna und Marc, schraken zusammen.

»Elaine ist tot«, sagte Rosanna, »und sie liegt auf dem Grund des Flusses. Irgendwo jenseits der Schleuse.«

Er nickte.

Sie empfand nicht einmal Wut. Nur Trauer.

»Weshalb ist ihr… Körper nie aufgetaucht?«

»Sie ist mit der Ankerkette umwickelt. Sie konnte nicht auftauchen.«

»Ihre Kleider…«

»Sie war voll bekleidet. Ich habe sogar daran gedacht, ihre Handtasche und ihren Koffer mit zu versenken. Aber als ich ins Auto zurückkehrte, sah ich, dass ihr Mantel dort zurückgeblieben war. Ich warf ihn in den Altkleidercontainer an diesem Ausflugsparkplatz. Was ich nicht ahnte, war, dass sich ihr Pass in der Manteltasche befinden könnte. Ich setzte einfach voraus, dass er in der Handtasche steckte. Aber es war wahrscheinlich so, wie du vermutet hast: Sie hatte ihn griffbereit, um ihn am Flughafen vorzuzeigen.« Er schüttelte den Kopf. »Man sagt ja, die meisten Verbrechen werden genau deshalb aufgeklärt. Wegen einer winzigen Ungenauigkeit, einer kleinen Unaufmerksamkeit. Bei mir war es der Pass. Dieser verdammte Pass. Die Tatsache, dass ich die Manteltaschen nicht durchsucht habe. Das bricht mir jetzt das Genick.«

»Normalerweise wäre alles viel früher aufgeflogen«, sagte Rosanna. »Wäre der Pass nicht aus der Tasche gerutscht und *neben* den Container gefallen, hätte man ihn beim Roten Kreuz wahrscheinlich recht rasch entdeckt und bei der Polizei abgeliefert. Oder wenn ihn jemand anderer gefunden hätte als ausgerechnet Pamela Luke. Eine Frau, die verzweifelt eine neue Identität brauchte. Jeder andere Finder hätte den Ausweis sicher ebenfalls abgeliefert. Die Fundstelle in direkter Nähe zu deinem Yachtclub hätte dich noch viel stärker in den Fokus der Ermittlungen gerückt, und sicher hätte man das Schiff untersucht. In gewisser Weise... hattest du eine Menge Glück.«

»Glück!« Er stützte den Kopf in beide Hände. »Es war ein Alptraum, den ich in jener Nacht erlebte. Einfach nur ein Alptraum. Ich bin kein Mörder, Rosanna. Ich bin in eine Katastrophe geschlittert, die eine Eigendynamik gewann, und ich konnte nur noch reagieren. Ich konnte plötzlich nur noch wie ein Krimineller versuchen, die Katastrophe abzuwenden. Indem ich Spuren verwischte und... eine Leiche beseitigte.« Er hob den Kopf, sah Rosanna an. Seine Augen glänzten unnatürlich. »Es war ein Unfall, Rosanna. Du musst mir das glauben. Es war ein entsetzlicher Unfall, der in jener Nacht geschah, und alles, was ich danach unternahm, sollte mich irgendwie retten, aber es konnte nur ins Verderben führen. Eigentlich konnte es gar nicht anders kommen, als es nun gekommen ist.«

6

»Und hat sie gesagt, was sie da macht – in Wiltonfield oder wie das Kaff heißt?«, fragte Robert. Er hatte diese Frage schon mindestens zehnmal während der letzten Stunden gestellt.

»Die Verbindung war nicht allzu gut, das sagte ich doch schon«, wiederholte Marina dennoch geduldig. »Ich meine, dass sie irgendetwas von einem Bootsausflug auf der Themse erzählte, aber ich bin nicht ganz sicher, weil ich nur Bruchstücke verstehen konnte.«

»Wieso sollte sie an einem Februartag auf der Themse herumkreuzen?«

»Es ist immerhin schön sonnig. Und die Gegend dort draußen ist zauberhaft. Vielleicht kennt sie jemanden, der ein Schiff hat.«

»Wen denn?«

Marina hob die Schultern. »Woher soll ich das wissen? Ich kenne Rosanna doch überhaupt nicht!«

Sie saßen in Marinas Küche. Rob hatte lange geduscht und sich frische Kleidung angezogen, während Marina den Frühstückstisch deckte und eine große Kanne heißen Tee mit Zitrone kochte. Robs Ausbruch, die kalte Nacht in einem Gartenhäuschen, die Tatsache, dass er in recht kläglichem Zustand von seiner Mutter aufgegriffen worden war, hatte sein Verhalten verändert: Seine Aggressionen waren in sich zusammengefallen, der aufsässige, widerspenstige Typ, den er herausgekehrt hatte, hatte sich in einen unsicheren Jungen verwandelt, der nicht zu wissen schien, wie es weitergehen sollte, und der nur noch eine Anlaufstelle sah: Rosanna. Die Frau, die er als Mutter empfand.

»Ich vermute, sie hat einen Mann kennen gelernt«, sagte

Rob düster. Er hatte einen langen Schal um den Hals gewickelt, eine Maßnahme, für die es wahrscheinlich zu spät war, denn seine Stimme krächzte bereits bedenklich. Seine Haare waren noch nass vom Duschen.

»Wieso sollte sie denn einen Mann kennen gelernt haben?«, fragte Marina erstaunt.

»Als ich sie zum ersten Mal in England anrief, war sie gerade mit einem Mann verabredet«, erklärte Rob. »Ich hörte, wie man sie von der Rezeption aus anrief und ihr ausrichtete, dass er da sei. Die beiden wollten offenbar den Abend zusammen verbringen.«

»Daran ist doch nichts Ungewöhnliches! Vielleicht ein alter Bekannter. Vielleicht jemand, der etwas mit ihrem Beruf zu tun hatte. Ein Mann und eine Frau können doch einen Abend zusammen verbringen, ohne deshalb gleich eine Affäre zu haben.«

»Aber ich habe ein dummes Gefühl«, beharrte Rob. »Sie hatte Streit mit Dad. Nicht erst kurz vor ihrer Abreise, sondern schon mindestens das ganze letzte Jahr. Immer wieder. Und jetzt kann sie sich nicht durchringen, nach Hause zu kommen. Dauernd schiebt sie neue Gründe vor. Und dann diese Schifffahrt auf der Themse. Jede Wette, dass sie nicht allein ist!«

»Selbst wenn! Ehrlich, Rob, du siehst Gespenster. Sie hat lange in London gelebt, wie Dennis mir erzählt hat. Natürlich hat sie hier Bekannte. Was ist dabei, wenn sie sich mit ihnen trifft?«

Er starrte auf seinen Teller, auf dem ein unberührtes Toastbrot lag. »Und wenn sie sich nicht meldet?«

»Sie hat aber versprochen, sich zu melden. Heute noch.«

»Und dann wird sie mir irgendein Märchen auftischen. Dass sie nichts hat mit einem anderen. Als Nächstes wird sie mit einer neuen Ausrede kommen, weshalb sie nicht nach Gibraltar zurückkann. Wieso ist sie denn überhaupt noch in London? Sie wollte doch schon am Donnerstag zu ihrem Bruder nach Taunton fahren. Es muss ja irgendetwas ganz Großartiges sein, weshalb sie sich hier nicht losreißen kann!«

»Rob!« Marina lehnte sich vor, sah ihren Sohn ernst an. »Rosanna ist eine erwachsene Frau, und sie kann tun und lassen, was sie möchte. Es steht dir nicht zu, ihr hinterher-zuspionieren oder Rechenschaft von ihr zu verlangen. Das bringt euch beide am Ende nur auseinander.«

Er schob seinen Teller zurück. »Fährst du mich nach Wiltonfield?«, fragte er.

Sie runzelte die Stirn. »Was? Jetzt?«

»Wenn du es nicht tust, werde ich trampen. Irgendeine Möglichkeit finde ich.«

»Aber das können wir nicht machen.«

»Ich will wissen, mit wem sie dort ist. Und ich will mit ihr reden.«

»Dazu hast du kein Recht. Rob, sei vernünftig, du...«

Seine Augen waren sehr groß, seine Lippen zitterten. »Ich habe Angst. Deshalb habe ich das Recht. Ich habe Angst, dass meine Familie kaputtgeht. Ich kann nicht hier sitzen und warten, was passiert. Ich will es wissen.«

Er war aufgestanden, während er sprach. Auch Marina erhob sich.

»Rob...«

»Fährst du mich nun oder nicht?«

Sie nickte resigniert. Er würde sonst wieder ausreißen und sich als Anhalter durchschlagen, und wer wusste, was dann noch passierte.

»Ich fahre dich«, sagte sie.

7

»Ich glaube, die Tragödie begann damit, dass mir Elaine in jener Nacht zu viel von sich erzählte. Als wir in diesem italienischen Restaurant saßen, Pasta aßen und vielleicht etwas zu viel Wein tranken, hatte ich den Eindruck, dass nach und nach ein Staudamm bei ihr brach. Sie war so verzweifelt. Dieser Totalausfall auf dem Flughafen, für mich und Tausende von Passagieren einfach zutiefst ärgerlich, war für sie die komplette Katastrophe – aus ihrer Sicht typisch für eine ewige Verliererin. Sie konnte das überhaupt nicht als das einordnen, was es war: Pech, das aber keineswegs nur sie betraf. Sie war fix und fertig, und dann ergoss sich ihre gesamte Lebensgeschichte über mich, und alles war ein einziges Drama vom ersten Tag an. Sie hatte keine richtigen Freunde, sie war nicht beliebt gewesen in der Schule, sie wurde zu einem unansehnlichen Teenager, sie blieb in der Tanzstunde sitzen, kein Junge interessierte sich für sie, sie verlor vergleichsweise früh beide Eltern, und so weiter. Höhepunkt war dann der Unfall, der ihren Bruder zum Rollstuhlfahrer machte. Dadurch, dass sie seine Betreuung übernahm, sah sie sich endgültig ins Abseits gedrängt, zumal er sie mit allen Mitteln an sich kettete. Sie träumte davon, zu heiraten, Kinder zu haben, aber sie sah überhaupt keine Chance, diesen Wunsch je verwirklichen zu können. Wegen der Rolle, die sie im Leben ihres Bruders eingenommen hatte, aber auch, weil kein Mann sie je ansah. Sie sagte, sie werde im Leben ständig übersehen. Von den Menschen, aber auch von jedem günstigen oder glücklichen Schicksal. Sie jammerte über ihre Unscheinbarkeit. Sie wirkte wirklich verzweifelt auf mich.

Ich hörte ihr zu, aber eher höflich und ergeben als interessiert. Ich hatte eigene Probleme. Einmal der Terminausfall, der sich für mich aus dem gestrichenen Flug ergab, aber dann natürlich auch Josh. Die Scheidung von Jacqueline stand bevor. Ich wusste, es gab keine Chance mehr, dass wir als Familie noch einmal zusammenkommen. Josh wollte mich nicht sehen, aber ich hoffte, doch noch einen Weg zu ihm zu finden, ihn dazu zu bringen, die Situation anders zu sehen und zu beurteilen. Ich überlegte, ob ich ein geteiltes Sorgerecht vor Gericht würde herausschlagen können, was natürlich angesichts von Joshs ablehnender, um nicht zu sagen: hasserfüllter Haltung schwierig werden würde. Kurz: Mein eigenes Leben sah auch gerade nicht allzu rosig aus, aber ich hatte keine Lust, dieser fremden Frau davon zu erzählen. Ich bereute bereits, sie mitgenommen zu haben. Sie redete einfach zuviel, und das in einer so düsteren Art, dass sich meine eigene Stimmung noch verschlechterte.

Als wir wieder in meinem Haus waren, zeigte ich ihr das Gästezimmer. Direkt daneben lag Joshs Zimmer. Jacqueline hatte bei ihrem Auszug vieles daraus mitgenommen, aber was zurückgeblieben war – hauptsächlich Spielsachen, für die Josh zu alt war –, hatte ich ein Dreivierteljahr lang nicht angerührt. Der Raum war jedenfalls unschwer als Kinderzimmer zu erkennen. Die Tür stand offen.

Elaine erkundigte sich sofort, ob ich Kinder hätte, ich sagte, ja, einen Sohn, der bei meiner Noch-Ehefrau lebe. Und nun drehte sie den Spieß um, und das ist es, weshalb ich am Anfang sagte, die Tragödie begann damit, dass Elaine zu viel von sich erzählte. Vielleicht hatte der kurze Rückweg vom Restaurant durch die kalte Winterluft die Wirkung des Alkohols gemindert, oder sie war aus sonst irgendeinem Grund ins Nachdenken gekommen. Auf jeden Fall glaube ich, dass sie zu bereuen begann, sich derart geöffnet zu haben, zumal auf eine Weise, die sie als unattraktive, altjüngferliche Pechmarie darstellte. Ihr war klar, dass ich nun gar nicht anders konnte, als sie mit ihren eigenen Augen zu sehen, und das war kein anziehendes Bild. Zugleich war ihr Schwips doch noch stark genug, dass sie sowohl einen Teil ihrer Schüchternheit als auch ihres Realitätssinns verlor. Ich kann es nicht beschwören, aber ich meinte, Anzeichen zu erkennen, dass sie anfing, sich Hoffnungen zu machen, aus diesem Abend könnte sich eine weitergehende Geschichte für uns beide entwickeln. Es ist nicht so, dass sie etwas Derartiges direkt gesagt hätte. Aber sie deutete an, dass unsere Begegnung ja doch etwas Schicksalhaftes habe. Ich dachte nur, o Gott, bloß nicht! Ich hoffte, sie werde nun schnell zu Bett gehen, sofort einschlafen und am nächsten Tag in aller Frühe mein Haus verlassen. Danach würde ich in meinem ganzen Leben nichts mehr von ihr hören.

Stattdessen biss sie sich an dem Thema Josh fest. Da sie nicht ungesagt machen konnte, was sie nun einmal von sich gegeben hatte, versuchte sie, mich auf ihre Ebene hinunterzuziehen und damit einen Gleichstand zwischen uns herzustellen. Ich glaube nicht einmal, dass das ein bewusstes Handeln war. Sie tat das instinktiv. Vielleicht hätte jeder andere das Gleiche getan.

Elaine war nicht dumm. Dass Josh meine Achillesferse war, hatte sie sofort gewittert. Meine gescheiterte Ehe, der Verlust meines Sohnes – damit war ich ja schon fast ein ebenso trauriger Verlierer wie sie. Ich hatte vielleicht mehr aus meinem Leben gemacht als sie, aber ich hatte ja dann alles wieder in den Sand gesetzt, und am Ende stand ich so einsam da wie sie. Ich sehe sie noch vor mir, sie saß in Joshs Zimmer auf dem Fußboden, streichelte irgendein zerrupftes Kuscheltier und lamentierte über das, was in meinem Leben schiefgelaufen war. Dabei war sie nicht zimperlich. Alles, was sie je über das Schicksal von Scheidungskindern gelesen oder gehört hatte, brachte sie nun aufs Tablett: die Zerrüttung ihrer Seelen, ihre Verstörtheit, ihre Zerrissenheit. Aber auch die lebenslange Traurigkeit eines Vaters, der sein einziges Kind verliert, wurde natürlich thematisiert. Wie würde ich damit leben, damit umgehen? Würde das einen seelischen Krüppel aus mir machen, mich zu einem verbitterten Einsiedler werden lassen?

In diesem Stil ging es weiter. Am Anfang war ich nur genervt, versuchte sie zu bremsen, indem ich auf ihre Fragen nur knappe, nichtssagende Antworten gab und ansonsten schwieg. Aber sie ließ nicht locker. Sie bohrte immer weiter, wollte wissen, woran unsere Ehe denn gescheitert sei. Wie oft ich Josh sehen würde. Wie unser Verhältnis sei. Ob ich glaubte, trotz allem eine enge, vertrauensvolle Beziehung zu meinem Sohn aufbauen und aufrechterhalten zu können.

Heute verstehe ich nicht mehr, wieso die indiskreten Bemerkungen und Fragen einer wildfremden Person, die ich kaum kannte und die nicht die geringste Bedeutung für mich hatte, mich immer mehr in die Enge treiben konnten. Ich bin Anwalt. Ich bin ein erwachsener Mann. Ich war es gewohnt, insistierende Fragen kühl abzuschmettern, das war und ist Teil meines Jobs. Ich kann im Nachhinein nur sagen, dass meine seelische Konstitution, was die Trennung von Josh betraf, damals wohl noch labiler war, als mir selbst klar war. Ich stand in der Tür seines einstigen Zimmers, sah ihn vor mir, wie er abends in seinem Hochbett saß und in Büchern blätterte, oder wie er Stunde um Stunde mit seiner Eisenbahn spielte, und ich begriff in aller Schärfe, dass diese Bilder für immer der Vergangenheit angehörten, dass es neue in dieser Art nicht geben würde. Die ganze Härte des Verlusts traf mich plötzlich mit neuer Kraft, und ich sah diese Fremde dort sitzen, diese mir so unsympathische Person, die ich schon längst nicht mehr in meinem Haus haben wollte, mit der ich nichts zu schaffen hatte, und sie streichelte ein Kuscheltier meines verlorenen Sohnes und laberte, was das Zeug hielt.

Ich erinnere mich, dass das Bild plötzlich vor meinen Augen verschwamm und dass ich einen schrecklichen Moment lang von dem Wunsch nach Gewalt erfasst wurde, ich hätte hingehen und sie packen, grob in die Höhe reißen, ihr meine Faust ins Gesicht schmettern und sie dann auf die Straße werfen mögen. Einfach nur, damit sie still ist. Damit sie aufhört, wieder und wieder ein Messer in meine Wunde zu stoßen. Ich hätte ihr Schmerzen zufügen mögen, damit ich meine eigenen Schmerzen weniger heftig fühle.

Ich tat es nicht. Ich bin kein Mörder, wie ich schon sagte, und ich bin auch kein gewalttätiger Mensch. Im Gegenteil, schon die Tatsache, dass ich überhaupt eine solche Situation vor mir sehen und den Wunsch in mir spüren konnte, sie in die Tat umzusetzen, erschütterte mich. Und ängstigte mich.

Was dann geschah, ist verschwommen in meiner Erinnerung. Ich habe wieder und wieder durchzuspielen versucht, was genau vorgefallen ist. Was ich sicher weiß, ist, dass ich sie nicht angefasst habe. Ich habe ihr kein Haar gekrümmt. Ich glaube, dass ich sogar noch versucht habe, im Guten aus der Situation herauszukommen, und dass ich gesagt habe, ich würde dieses Gespräch ungern fortsetzen, ich würde nun schlafen gehen. In meiner Erinnerung stand sie daraufhin auf, kam auf mich zu und meinte, es sei keine Lösung für mich, dem Problem davonzulaufen, der Auseinandersetzung mit mir selbst auszuweichen. Irgend so etwas. Hausfrauenpsychologie. Bücher mit derlei Phrasen überschwemmen leider den Markt, und jeder hat dadurch für jede Situation ein paar schlaue Bemerkungen parat.

Wie auch immer, sie ließ nicht locker. Sie kapierte nicht, wie wütend ich schon war. Hätte sie nur die Spur von Instinkt gehabt, hätte sie erkannt, dass es höchste Zeit war, von mir abzulassen, dann wäre alles ganz anders ausgegangen. Aber sie hatte sich, glaube ich, in die Rolle meiner psychologischen Beraterin geradezu verliebt. Nichts lenkt so schön von den eigenen Problemen ab wie die intensive Beschäftigung mit den Problemen anderer. Und dann sagte sie, ich müsse lernen, auch meinen eigenen Fehlern ins Auge zu sehen, und da explodierte etwas in mir. Wenn ich etwas getan hatte, seit Jacqueline und Josh gegangen waren, dann war es das Nachdenken über meine Fehler. Ich hatte mich zerfleischt und zerquält. Ich war gnadenlos mit mir ins Gericht gegangen, ich tat es auch nach jener Nacht, und ich tue es bis heute. Ich hatte es nicht nötig, mir von dieser dreiundzwanzigjährigen Landpomeranze so etwas sagen zu lassen. Ich wollte nicht, dass ich Beklemmungen bekam, weil eine Elaine Dawson sich in den Kopf gesetzt hatte, mich zu analysieren. Ich weiß aber heute auch – genau genommen, wusste ich es schon am nächsten Tag –, dass ich mich wie ein Idiot benahm. Es war verrückt, dass ich mich von ihr in die Enge treiben ließ. Sie kannte mich nicht. Jacqueline und Josh auch nicht. Sie hatte keine Ahnung von unserer Situation. Sie redete etwas daher, ohne Bescheid zu wissen. Ich hätte kühl und souverän damit umgehen sollen. Ich hätte mich nicht hinreißen lassen sollen ... ja, wozu?

Ich schwöre, ich weiß nicht genau, was ich sagte oder tat. Ich glaube, ich brüllte sie plötzlich an. Was sie sich anmaße, was sie sich einbilde. Wie sie dazu komme, sich in mein Leben zu mischen. Wie sie sich einbilden könne, mich interessiere irgendetwas aus ihrem jämmerlichen Leben. Sie solle zusehen, dass sie verschwinde. Dass es mir gleich sei, wo sie die Nacht verbringe, in meinem Haus jedenfalls nicht. Sie solle einfach machen, dass sie fortkäme, und sich nicht mehr blicken lassen.

Ich weiß, dass ich zitterte. Ich weiß auch noch, dass sie

schneeweiß im Gesicht wurde. Sie schien zu Tode erschrocken. Sie hatte wirklich nicht bemerkt, dass die Situation schon die ganze Zeit über auf diese Eskalation hingesteuert war. Mein Ausbruch schien sie komplett unvorbereitet zu treffen. Was mich bis heute beschäftigt, ist die Tatsache, dass sie offenkundig echte Angst vor mir bekam. Ich muss ungeheuer bedrohlich auf sie gewirkt haben, viel bedrohlicher, als ich das fühlte. Genau genommen, war meine Wahrnehmung, was mich selbst betraf, eine ganz andere: Ich fühlte mich als Opfer. Als derjenige, der attackiert worden war, der verletzt worden war, dem keine Wahl blieb, als sich schreiend zu wehren. Ich wollte ihr nichts antun. Ich wollte nur, dass sie verschwand. Dass sie den Mund hielt. Dass sie mich einfach in Ruhe ließ.

Sie aber muss geglaubt haben, dass ich jeden Moment auf sie losgehe. Vielleicht habe ich lauter gebrüllt, als mir bewusst war. Vielleicht war mein Gesicht zur Fratze verzerrt. Ich weiß es nicht. Sie ging aus dem Zimmer, bewegte sich rückwärts zur Treppe, behielt mich starr im Auge, als fürchte sie, ich könnte ihr von hinten einen Hammer auf den Kopf schlagen oder etwas Ähnliches. Kann auch sein, dass ich mitging, dass ich ihr dabei zu nahe kam, dass ich eine bedrohliche Haltung angenommen hatte. Wie gesagt, meine Erinnerung an diese Nacht ist lückenhaft und verschwommen.

Die Treppe in meinem früheren Haus ist hoch und steil. Kann sein, Elaine verfehlte schon die oberste Stufe, kann sein, sie kam noch ein paar Stufen hinunter. Ich weiß es nicht. Ich sah sie plötzlich fallen. Ich war erschrocken, aber unfähig zu reagieren. Vielleicht hätte ich sie noch halten können. Vielleicht war aber auch der Abstand zwischen uns zu groß. Auf jeden Fall stand ich wie gelähmt. Sie fiel rückwärts. Ihr Kopf schlug mehrfach hart auf die steinernen Stufen. Es war ein furchtbares Geräusch. So laut. Ein

Krachen. Als zerberste ihr Kopf in tausend Stücke. Was er nicht tat. Als sie unten liegen blieb, sah sie völlig unverletzt aus. Aber als ich endlich hinterherkam – und ich fürchte, das dauerte eine ganze Weile, aber wie viel Zeit genau verstrich, kann ich nicht sagen –, also, als ich endlich hinterherkam und mich über sie beugte, merkte ich, dass sie tot war.

Ich vermute, sie hat sich das Genick gebrochen. Groß, dick, aufgeschwemmt und tot lag sie in der Diele meines Hauses. Eben hatte sie noch in Joshs Zimmer gesessen und mich mit ihren Reden genervt. Es war so schnell gegangen. So schrecklich schnell.

Aber so passieren die meisten Katastrophen, oder? Sie passieren innerhalb von Sekunden. Aus kleinen Irrtümern, winzigen Fehlern heraus. Aus Banalitäten oder Unachtsamkeiten. Meist passiert gar nicht viel, oder nichts, was wirklich dramatisch wäre. Die Situation zwischen mir und Elaine war, von meiner Seite aus, emotionsgeladen gewesen, aggressiv, aber nicht gefährlich für Elaine. Aus ihrer Sicht hatte sich wohl blitzschnell ein vertrauliches, freundschaftliches Gespräch in eine Attacke aus Wut und Zorn verwandelt. Aber bei all dem hätte nichts passieren müssen. Sie hätte nur einfach gehen müssen. Ich glaube sogar, ich hätte sie von der Straße wieder hereingerufen. Ich hätte sie nicht in diese kalte, neblige Nacht hinausgejagt. Wenn sie nur aufgehört hätte, mich wegen Josh anzugehen, wäre ich ein paar Minuten später schon wieder gefasst gewesen. Ich wollte nur, dass sie kapiert, sie muss mich mit diesem Thema in Frieden lassen.

Aber so war es nun zur Tragödie gekommen. Es war nichts mehr zu ändern, nichts mehr gutzumachen.

Ich musste sehen, wie ich mich rettete.«

8

»Und du dachtest, indem du die tote Elaine irgendwie beiseiteschaffst und alles vertuschst, rettest du dich?«, fragte Rosanna.

Sie saß noch immer an derselben Stelle in dem leise schaukelnden Schiff. Marc saß ihr nun gegenüber. Noch immer strich der kalte Wind über das Wasser, aber die Sonne war höher gestiegen, die Kraft ihrer Strahlen nahm zu. Es wurde wärmer. Ansonsten hatte sich nichts verändert, noch immer war kein Mensch am Ufer zu sehen, und bis auf ein einziges kleines Frachtschiff hatte sich auch auf dem Fluss nichts mehr gerührt. Nur die Schreie der Vögel unterbrachen hin und wieder die Stille.

Nichts hatte sich verändert, und doch alles.

Rosanna fühlte eine seltsame Betäubung, die gleichzeitig zwei gegensätzliche Empfindungen in ihr auslöste: Ein Teil von ihr befand sich weit weg von den Geschehnissen, sah das Schiff, den Fluss, den Mann wie durch einen Schleier, nahm alle Geräusche nur gedämpft wahr. Während ein anderer Teil überwach war, in greller und schmerzhafter Klarheit registrierte, was er sah und hörte.

Und was er hörte, hätte er um keinen Preis hören wollen.

Marc hob in einer hilflosen Geste beide Hände. »Was hätte ich sonst tun sollen? Ich hatte eine fremde Frau am Flughafen aufgegabelt und mit nach Hause genommen, und nun lag sie tot vor mir. Wie hätte ich das erklären sollen?«

»So, wie du es mir erklärt hast. Sagen, was passiert ist.«

»Hätte man mir geglaubt?«

»Die Forensik ist sehr weit heutzutage. Ich denke, man wäre in der Lage gewesen, den Unfallhergang zu rekonstruieren und dabei festzustellen, dass du die Wahrheit sagst.«

»Kann sein. Aber das hätte mir auch nicht viel genutzt.«
Er strich sich über die Augen. Sie waren gerötet vor Erschöpfung. »Meiner Karriere hätte diese ganze Geschichte in jedem Fall erheblichen Schaden zugefügt. Unwahrscheinlich, dass sie mich in der Kanzlei, für die ich vorgesehen war, noch hätten haben wollen. Aber was viel mehr wog: Was glaubst du, wie sich dieses... Unglück in der bevorstehenden Scheidung und in einem möglichen Sorgerechtsprozess ausgenommen hätte? Es ging ja immer um mein angeblich so wildes, außereheliches Beziehungsleben. Nun gab ich das Bild eines Mannes ab, der wildfremde Frauen auf Flughäfen anspricht und gleich mitnimmt. Wenn die dann kurz darauf mit gebrochenem Genick am Fuß meiner Treppe liegen, lässt mich das nicht unbedingt seriöser erscheinen. Oder findest du, dass mich das als einen Mann ausweist, in dessen Obhut man gern und mit gutem Gefühl einen minderjährigen Jungen gibt, der ohnehin schon erhebliche Probleme mit seinem Vater hat?«

Josh. Es ging wieder um Josh. Für alles, was in dieser ganzen Geschichte, in dieser Tragödie geschehen war, war er der Dreh- und Angelpunkt.

»Aber dachtest du, du kannst sie verschwinden lassen und niemand wird sie vermissen?«

»Natürlich nicht. Nach allem, was sie mir erzählt hat, war mir klar, dass zumindest ihr behinderter Bruder einen Riesenzirkus veranstalten würde. Aber ich hoffte, dass die Polizei keine allzu großen Anstrengungen in dieser Sache unternehmen würde. Eine erwachsene Frau, die plötzlich verschwindet, ohne dass der geringste Anhaltspunkt für ein Verbrechen vorliegt, löst selten einen besonderen Wirbel aus.«

»Du musstest aber davon ausgehen, dass man euch zusammen gesehen hat.«

»Natürlich. Wir hatten lange genug bei dem Italiener gesessen, bei dem ich gut bekannt war. Wir konnten auch von Nachbarn gesehen worden sein. Aber ich setzte darauf, dass Elaines Foto nirgends erscheinen würde. Sie bringen ja weiß Gott nicht jede verschwundene Frau oder jeden verschwundenen Mann in die Zeitung. Solange das nicht geschah, konnte ich mich einigermaßen sicher fühlen. Dass ich bei all dem über verdammt dünnes Eis lief, war mir klar. Aber es gab die Chance, dass ich davonkommen würde, und ich wollte sie nutzen.«

Sie schüttelte den Kopf. »Du klingst so… kühl. So… kaltblütig!«

»Das mag dir jetzt so vorkommen, fünf Jahre danach. Aber so war es in jener Nacht nicht. Ich glaube, dass ich zunächst unter Schock stand, und das bedeutet immer, dass man erst einmal Schutz findet vor dem eigenen Entsetzen. Ich agierte überlegt, aber das funktionierte nur, weil ich wie abgetrennt von mir selbst war. Ich lief hinaus, holte meinen Wagen und parkte ihn direkt vor der Haustür. Es war mittlerweile halb zwölf, und ringsum in den Häusern war alles dunkel. Sicherheitshalber wartete ich dann noch eine halbe Stunde, aber da sich nirgends etwas regte, wagte ich es, nahm Elaine auf den Arm und trug sie in mein Auto. Das Stück über den Gartenweg war gefährlich. Hätte irgendjemand aus einem der umliegenden Fenster gesehen… aber ich hatte wohl Glück. Ich brachte dann noch ihre Handtasche, ihren Koffer und ihren Mantel ins Auto. Elaine lag auf dem Rücksitz. Ich breitete eine Decke über sie. Dann ging ich ins Haus zurück und brach zusammen.«

Er sah so elend aus, dass sie dachte, wie gern sie, nur für einen Moment, seine Hand genommen hätte. Um ihm zu zeigen, dass sie, trotz allem, noch immer bei ihm war. Aber aus irgendeinem Grund brachte sie es nicht fertig, diesen Schritt zu tun.

»Ich hatte weiche Knie, und meine Hände zitterten. Ich

hätte in diesem Zustand nicht Auto fahren können. Ich glaube, ich setzte mich auf die unterste Treppenstufe, und da saß ich dann einige Stunden lang. Es war schrecklich, als mir nach und nach zu Bewusstsein kam, in welch einer Lage ich mich befand. Dass da draußen eine tote Frau in meinem Auto lag, die unbedingt verschwinden musste. Dass sie in meinem Haus ums Leben gekommen war. Dass ich mir allein dadurch, sie mitsamt all ihren Sachen in den Wagen gebracht zu haben, im Grunde schon den Rückweg abgeschnitten hatte. Ich musste weitermachen, und ich wusste nicht, wie. Alles, was ich wusste, war, dass ich von einem Moment zum anderen in einem Alptraum gelandet war. Und irgendwie begriff ich auch, dass mein Leben, das trotz aller Scherben, die es darin gab, immer noch ein völlig normales Leben gewesen war, nie wieder normal sein würde.«

Sie versuchte, sachlich zu sein. »Wann kam dir die Idee, mit Elaine auf die Themse hinauszufahren?«

»Irgendwann. Das Verrückte an der Situation war, dass ich einerseits verzweifelt war und glaubte, jeden Moment durchzudrehen, und dass gleichzeitig mein Gehirn auf Hochtouren lief, um einen Ausweg zu finden. Ich sagte mir, dass niemand je ihre Leiche finden durfte, denn dann wären richtige Ermittlungen angelaufen, und ich wäre nur allzu bald mitten hineingeraten. Und schließlich fiel mir das Schiff ein. Ich wusste übrigens nicht, dass Jacqueline vorhatte, es zu verkaufen. Es war Zufall, dass sie das kurz darauf offenbar tat.«

»Wann bist du losgefahren?«

»Ich glaube, so gegen sechs Uhr am Morgen. Ich fühlte mich völlig ausgebrannt und leer. Aber auf irgendeine Weise funktionierte ich. Am Yachtclub war natürlich kein Mensch. Zum Glück besaß ich noch alle notwendigen Schlüssel – ich habe sie bis heute, wie du weißt. Das Schiff startklar zu machen, war kein Problem, ich hatte noch immer die nötige Routine. Du kannst mir glauben, es war nicht leicht, Elaine vom Parkplatz den Pfad hinunter zum Schiff zu tragen, ich war schweißgebadet hinterher. Dann holte ich noch den Koffer und die Handtasche. Wie gesagt, den Mantel übersah ich. Er war vom Rücksitz in den Fußraum gerutscht.«

»Weshalb hast du die Schleuse passiert? Das war doch ein völlig überflüssiges Risiko!«

»Das war auch nicht geplant. Aber auf dem Fluss hatte ich ein Frachtschiff vor mir und in einiger Entfernung eines hinter mir. Ich konnte es nicht wagen, einen… größeren Gegenstand über Bord zu werfen, die Gefahr, dabei gesehen zu werden, war zu groß. Ich tuckerte immer weiter, verzweifelt hoffend, dass ich irgendwann der Umklammerung dieser beiden Schiffe würde entkommen können. Das war leider erst nach der Mapledurham-Schleuse der Fall. Ich konnte die Frachter abhängen und… zu Ende bringen, was ich mir vorgenommen hatte.«

»Als du zurückkehrtest…«

»… fand ich den Mantel und wusste, dass er ein Problem darstellte. Aber die Kraft, noch einmal auf den Fluss hinauszufahren, hätte ich nicht mehr gehabt. Außerdem wurde es immer heller, die Gefahr wuchs, dass irgendjemand im Club auftauchte. Also fuhr ich einfach los, und als ich an dem Parkplatz mit den Kleidercontainern vorbeikam, beschloss ich kurzerhand, den Mantel dort verschwinden zu lassen. Es war ein Risiko, aber andererseits sagte ich mir, wer sollte schon dieses Kleidungsstück mit Elaine in Verbindung bringen? Es war der durchschnittlichste, gewöhnlichste Mantel, den man sich denken kann. Er würde mit jeder Menge Pullovern und Hosen in diesem Container liegen und schließlich bei irgendeiner bedürftigen Familie landen. Tatsächlich hat es deswegen ja auch nie ein Problem gegeben. Wäre der Pass nicht in der Tasche gewesen…«

Sie dachte, dass der schlimmste Schmerz in der augenblicklichen Situation darin bestand, sich klarmachen zu müssen, wie geschickt sich Marc ihr gegenüber immer wieder verstellt hatte. »Als wir nach Northumberland fuhren«, sagte sie, Bitterkeit in der Stimme, »und ich voller Hoffnung war, Elaine zu finden, glücklich über diese Möglichkeit auch deinetwegen, weil es dich endgültig von jedem Hauch eines Verdachts befreit hätte – da saßest du neben mir im Auto und wusstest die ganze Zeit, dass wir sie nicht antreffen würden. Es konnte ja gar nicht sein. Aber du hast so getan, als ob du…«

»Wie hätte ich mich denn verhalten sollen? Hätte ich dir sagen sollen, Rosanna, die Fahrt können wir uns sparen, Elaine liegt auf dem Grund der Themse, und das weiß ich deshalb so genau, weil ich selbst sie dorthin gebracht habe? Ich konnte doch nur irgendwie mitspielen. Ich war ziemlich irritiert, auch angespannt, aber ich dachte an eine zufällige Namensgleichheit. Als dann diese Geschichte mit dem Pass aufkam, als du sagtest, es handele sich definitiv um Elaines Pass, da war ich wie vor den Kopf geschlagen. Ich überlegte verzweifelt, wie das geschehen sein konnte. Pamela Luke erzählte, sie habe das Papier in der Wohnung dieses Zuhälters gefunden, aber wie war es dorthin gekommen? Ich hatte ja gedacht, der Pass befinde sich in der Handtasche, aber selbst wenn man annahm, die Tasche habe sich irgendwie gelöst und sei ans Ufer geschwemmt worden, so hätte man das doch sehen müssen. So ein Ausweis liegt doch nicht wochen- oder monatelang im Wasser und sieht hinterher aus wie neu! Aber als dann Wiltonfield ins Spiel kam, war mir klar, was passiert sein musste. Und ich wusste in diesem Augenblick, dass es aus war.«

Dennoch hatte er auch dann noch weitergespielt. Hatte sich ihre Theorien angehört, war besorgt und einfühlsam gewesen. Hatte sich um ihre Erkältung gekümmert und hatte sie in der vergangenen Nacht fest in den Armen gehalten. War das alles gespielt gewesen? Auch seine Gefühle? Hatte er ihr Liebe vorgeheuchelt, um sie emotional in den Griff zu bekommen? Um sie daran zu hindern, mit ihrem Wissen, hätte sie es erst einmal erlangt, schnurstracks zur Polizei zu laufen?

Er fuhr fort: »Das Verrückte – oder Tragische – ist, meine damalige Situation wurde durch das ganze Vertuschungsmanöver auch nicht besser. Geoffrey Dawson inszenierte einen solchen Wirbel um seine Schwester, dass ihr Bild tatsächlich in der Presse landete. Ein paar Tage nach den Geschehnissen bekam ich einen Tipp von meiner Nachbarin. Eine sehr liebe Frau, die unter ihrem tyrannischen Ehemann leidet. Sie zischte mir über den Gartenzaun hinweg zu, ihr Mann werde zur Polizei gehen, weil er überzeugt sei, die verschwundene Frau aus der Zeitung mit mir zusammen gesehen zu haben. Da wusste ich, dass der Stein ins Rollen gekommen war. Als Nächstes würde sich die Belegschaft des Restaurants erinnern. Ich musste in die Offensive gehen. Also meldete ich mich selbst bei der Polizei, praktisch zeitgleich mit meinem Nachbarn. Ich erzählte die ganze Geschichte, aber natürlich mit einem anderen Ausgang. Du kennst ja meine Variante.«

»Und du warst nicht ungeschickt im Ausschmücken. Denn ich nehme an, den geheimnisvollen *Freund,* von dem Elaine dir angeblich erzählt hat, hattest du erfunden?«

»Ja«, gab er zu. »Ich wollte die Theorie untermauern, dass Elaine wirklich durchgebrannt sei. Die Polizei war auch sehr schnell von dieser Theorie überzeugt. Dazu trug übrigens auch Geoffrey Dawson selbst bei. Er tyrannisierte die Polizei dermaßen mit seiner Hysterie, dass irgendwann jeder dort glaubte, Elaine könne niemals vorgehabt haben, freiwillig zu ihm zurückzukehren. Jeder verstand nur zu gut, dass sie es vorgezogen hatte, mit ihrem Liebhaber auf Nimmerwiedersehen zu verschwinden.«

»Man hätte Leichenspuren in deinem Auto feststellen können.«

»Niemand sah einen Sinn darin, mein Auto zu untersuchen. Ich hatte ja zugegeben, dass Elaine darin gefahren war. Wie ich auch zugegeben hatte, dass sie in meinem Haus gewesen war. Ich war offen und kooperativ. Die Polizei erklärte mich zu keinem Zeitpunkt offiziell für verdächtig. Die Presse allerdings tat es, weil Dawson gegen mich hetzte und man dort eine Story brauchte. Das hatte natürlich eine fatale Wirkung auf Josh. Dass ich dieses Mädchen mitgenommen hatte, bestätigte ja, was Jacqueline ihm ständig über mich erzählte. Wahrscheinlich hätte alles nicht schlimmer kommen können, wenn ich von Anfang an die Wahrheit gesagt hätte. Wenn ich in jener Nacht gleich Polizei und Krankenwagen gerufen und alles genau geschildert hätte. Denn auch so verlor ich meinen Sohn, meinen guten Ruf und zumindest teilweise meine Karriere. Aber«, er hob bedauernd die Schultern, »man blickt eben nicht in die Zukunft.«

9

Als sie am Anlegesteg ankamen, sprang Marc vom Schiff, zog es dicht an den Steg heran und vertäute es dort sorgfältig. Dann half er Rosanna, die in ihrer Betäubung zu kaum einer vernünftigen Handlung mehr fähig war, an Land. Als sie neben ihm stand, betrachtete er sie prüfend. Sie zitterte leicht.

»Du bist völlig fertig«, sagte er, »und ich habe den Eindruck, dein Fieber steigt wieder. Hör zu, sei vernünftig, geh hoch zum Parkplatz, setz dich ins Auto und warte dort auf mich. Ich versorge das Schiff, und dann komme ich nach.«

Sie fühlte sich zu elend, um sich gegen diesen Vorschlag zu wehren. Sie wäre gern bei Marc geblieben und hätte ihm tausend Fragen gestellt, aber sie spürte, wie wackelig sie auf den Beinen war, und dass ihre Stirn glühte. Die Schifffahrt durch den kalten Wind über der Themse würde ihrer Gesundheit den Rest geben. Ganz zu schweigen von dem, was sie dort draußen erfahren hatte.

»Okay«, sagte sie leise.

Er zog sie für einen Moment an sich. Seine Umarmung fühlte sich an wie immer: stark, tröstlich und liebevoll. Und dennoch traf Rosanna in diesem Augenblick fast schmerzhaft die Erkenntnis, dass sie keine Wärme mehr fand in seiner Umarmung. Jetzt jedenfalls, und vielleicht nie wieder.

Langsam stieg sie den Abhang hinauf. Einmal wandte sie sich um, aber Marc bemerkte ihren Blick nicht, er war auf dem Schiff beschäftigt.

Er hat sie nicht umgebracht, sagte sie sich, insofern muss ich meine Einschätzung, dass er kein Verbrecher ist, nicht revidieren. Es ist einfach ein Unglück passiert. Ein Unglück, das weder von ihm noch von Elaine vorhergesehen werden konnte. Solche Dinge passieren.

Aber sie wusste gleichzeitig, dass *solche Dinge* für gewöhnlich nicht vertuscht wurden. Menschen kamen ums Leben, weil sie unglücklich stürzten, die falschen Tabletten schluckten oder im Swimmingpool ertranken, aber niemand schaffte sie danach auf ein Schiff und versenkte sie auf dem Grund eines Flusses. Und spielte der gesamten Umwelt ein großes Theater vor.

Aber war das ein Verbrechen?

Sie langte beim Auto an und stellte fest, dass ihr Atem keuchend ging. Nur wegen dieser kurzen Steigung. Sie musste wirklich sehr angeschlagen sein.

Der Wagen war nicht verschlossen. Sie öffnete die Beifahrertür, sank auf den Sitz, lehnte den Kopf zurück und schloss die Augen. Sie war völlig erschöpft, sehnte sich nach einem Bett, in dem sie sich verkriechen, in dem sie Wärme und Ruhe finden konnte. Aber in ihrem Innern vibrierte sie zugleich, war überwach und wusste, dass sie nirgends auf der Welt jetzt hätte Schlaf finden können.

Sie musste versuchen, ihn zu verstehen. Wenn sie ihn verstand, würde für sie beide vielleicht eine gemeinsame Zukunft möglich sein. Blieb sie hingegen irritiert, verunsichert und verängstigt zurück, dann war sie am Ende ihrer kurzen Beziehung zu Marc Reeve angelangt.

Hatte er sich kriminell verhalten?

Er hatte sich an jenem Abend in einer emotionalen Ausnahmesituation befunden. Seine Scheidung stand dicht bevor, ein Umgangsrecht oder ein geteiltes Sorgerecht für den Jungen, der ihm so viel bedeutete, würde nun gerichtlich ausgehandelt werden müssen. In seinen eigenen Augen, aber auch in denen von Josh und möglicherweise in denen des Richters, hatte er bislang als Vater versagt. Zwei Dinge konnten ihm angelastet werden: seine Fixierung auf seine Karriere, praktisch rund um die Uhr, und seine permanente eheliche Untreue. Ersteres gab er unumwunden zu, Letzteres stritt er vehement ab. Aber gerade für den zweiten Punkt lag nun ein handfester Beweis vor: eine junge Frau, die er am Flughafen kennen gelernt und mit nach Hause genommen hatte und die sich zu allem Unglück noch auf seiner Treppe das Genick gebrochen hatte. Eine fatale Verkettung von Ereignissen, die geeignet war, einen Menschen die Nerven verlieren zu lassen. Im Kurzschluss hatte er die tote Elaine und alle ihre Besitztümer in sein Auto geschafft. Wie er selbst gesagt hatte, war ihm dann aufgegangen, dass er nun kaum noch zurückkonnte – dass die Leiche hin- und hergetragen worden war, hätten Kriminaltechniker sofort herausgefunden, vermutlich hätte sich das sogar in der Autopsie gezeigt. Innerhalb kurzer Zeit hatte Marc aus einer Situation, aus der ihm möglicherweise, zumindest in strafrechtlicher Hinsicht, niemand einen Strick gedreht hätte, Umstände geschaffen, die ihn suspekt erscheinen ließen. Es gab nur sein Wort, dass er Elaine nicht gestoßen hatte, bevor sie fiel. Nachdem er alle Vorbereitungen getroffen hatte, die Geschichte zu vertuschen – wie viel wäre sein Wort dann noch wert gewesen?

Die nun einsetzende Eigendynamik der Ereignisse hatte ihn in einen Zugzwang gebracht, dessen einzelne Schritte er sehr rasch nicht mehr hatte steuern können. Sein erstes überstürztes Handeln unmittelbar nach Elaines Tod hatte ihn in die Lage versetzt, nur noch reagieren zu können, je nachdem, wie sich die Erfordernisse stellten. Bis hin zu der Notwendigkeit, selbst bei der Polizei vorstellig zu werden, was ihn dann am Ende ironischerweise in genau die Schwierigkeiten gebracht hatte, die er hatte vermeiden wollen. Er hatte seinen Sohn verloren und war beruflich eingebrochen.

Sie öffnete ihre Augen, blickte hinaus. Von Marc war nichts zu sehen, er schien noch am Schiff beschäftigt zu sein.

Vielleicht ist es auch gar nicht der Gedanke, er könnte sich kriminell verhalten haben, der mich quält, dachte sie, sondern das Bewusstsein, von ihm getäuscht worden zu sein. Er hat mir die ganze Zeit etwas vorgespielt.

Aber was hätte er sonst tun sollen?

Vielleicht hätte er mit seinem Geständnis früher herausrücken sollen. Zu dem Zeitpunkt, da sie einander nicht mehr bloß sympathisch waren, sondern eine Beziehung begannen. Vielleicht auch dann noch, als er merkte, wie schwer die ganze Geschichte auf ihr lastete, wie sehr sie sich um Aufklärung bemühte. Stattdessen hatte er sein Lügengebilde immer weiter aufrechterhalten. Erst als er mit dem Rücken zur Wand stand, als ihm klar war, dass ihre Aussage bei der

Polizei auf seine Überführung hinauslaufen würde, hatte er alles zugegeben. Von Freiwilligkeit oder eigenem Antrieb konnte nicht die Rede sein. Ganz gleich, wie es weiterging, diese Tatsache würde als bitterer Geschmack bleiben.

Auch über Elaine hatte sie manches erfahren. Sie versuchte, sich die junge Frau in jener Nacht vorzustellen. Es war so typisch für Elaine, dass sie ihr ganzes Lebensschicksal jammernd und klagend vor einem wildfremden Mann ausgebreitet hatte. Völlig untypisch war die Rolle, in die sie hinterher offenbar geschlüpft war – die der Trösterin, der Seelenberaterin. Erstaunlich, dass sie den beherrschten, gefassten Marc Reeve, der perfekt Fassaden um sich herum errichten konnte, so sehr als Objekt für ihre wahrscheinlich gut gemeinte Intervention empfunden hatte. Wie viel Einsamkeit, Schmerz, Verletzlichkeit mochte Marc an jenem Abend ausgestrahlt haben? Elaine jedenfalls schien einen hilfsbedürftigen Menschen in ihm gesehen zu haben – wie sehr auch das Motiv, von ihrer eigenen Offenherzigkeit abzulenken, bei ihren unerwünschten Analysen und Ratschlägen eine Rolle gespielt haben mochte. Und vielleicht lag genau hier auch eine weitere zutreffende Antwort auf die Frage, weshalb Marc Elaine überhaupt mitgenommen hatte. Er hatte es immer mit seinem Mitleid erklärt, das er gegenüber einer offenkundig hoffnungslos verzweifelten jungen Frau empfunden hatte. Aber auch er mochte auf dem Flughafen Heathrow Angst gehabt haben vor der Vorstellung, allein in sein dunkles, leeres Haus zurückzukehren – allein mit der Erinnerung an Josh und mit den Gedanken an die bevorstehende Scheidung. Der Termin in Berlin hatte für ihn auch bedeutet, einer von ihm als quälend empfundenen Situation für ein oder zwei Tage zu entkommen. Darin urplötzlich gestoppt, mochte er in einer Geste der Hilfsbereitschaft durchaus einen Gewinn für sich selbst gesehen haben: Elaine war unattraktiv, verheult und nervend, aber sie lenkte ab, und das machte sie in einer einzigen, bestimmten Hinsicht wertvoll für ihn. Rosanna zweifelte nicht daran, dass er keine Sekunde lang eine schnelle Affäre vorgehabt hatte. Aber sie bei sich zu haben, sie reden zu lassen, hatte sein eigenes Grübeln wenn nicht verhindert, so doch gebremst. Leider hatte sie dann zu viel geredet. Und über das falsche Thema.

Sie merkte, wie heiß ihr war, und öffnete die Wagentür. Die kühle Luft, die augenblicklich hereinströmte, legte sich besänftigend auf ihre brennenden Wangen. Sie stieg aus, ging um das Auto herum, versuchte zwischen Büschen und Bäumen hindurch hinunter zum Steg zu spähen. Sie konnte das Clubhaus sehen, das still und verlassen in der Sonne lag, und einige Schiffe, aber nicht die *Heaven's Gate*. Von der Stelle aus, an der sie sich befand, versperrte das Clubhaus den Blick zu ihrem Anlegeplatz.

Wie lange brauchte Marc eigentlich, um dort alles in Ordnung zu bringen? Wie viel Zeit war überhaupt vergangen? Ein Blick auf die Uhr zeigte ihr, dass es fast zwölf war, aber das half ihr nicht weiter, weil sie nicht wusste, um wie viel Uhr sie unten angelegt hatten. Nach ihrem Gefühl meinte sie, dass mindestens fünfundvierzig Minuten vergangen waren, seitdem sie zum Auto zurückgegangen war. So lange konnte es kaum dauern, bis er die Abdeckplane an ihren alten Platz gebracht hatte, oder? Vielleicht kam er nicht zurecht. So erfahren er im Umgang mit Schiffen sein mochte, aber seine Nerven spielten sicherlich nun auch verrückt.

Obwohl sie noch immer weiche Knie hatte, machte sie sich auf den Weg nach unten, um ihm zu helfen.

Der Steg lag nun in vollem Sonnenschein. An Sommertagen musste es herrlich sein, hier zu sitzen und die Füße ins Wasser baumeln zu lassen. Dieser Gedanke ging Rosanna durch den Kopf, als sie bis ganz nach vorn lief. Ein schöner, ein romantischer Ort. Das Bild eines Mannes, der in den frühen Morgenstunden eines nebligen, dunklen Januartages die Leiche einer Frau hier entlangschleppte, mochte so gar nicht zu dieser stillen Idylle passen.

Sie blieb vor der *Heaven's Gate* stehen. Sie hatte erwartet, Marc hier anzutreffen, entweder noch immer mit dem Schiff beschäftigt oder in sich zusammengesunken auf einer Bank sitzend, sein Leben, seine Zukunft überdenkend. Aber stattdessen war das Schiff völlig leer. Es war auch nicht abgedeckt worden. Es sah nicht anders aus als eine knappe Stunde zuvor, als sie es verlassen hatte.

»Marc?«, rief sie. Ihr Stimme klang fremd und unwirklich in dieser Stille. Wie ein störender Laut. Etwas, das nicht hierherpasste.

»Marc? Bist du da?« Sie versuchte, in die Kajüte zu spähen, aber es war zu dunkel hinter den Fenstern, sie konnte nichts erkennen. Sie zog das Schiff näher an den Steg heran und stieg hinüber. Es kostete sie einige Kraft, die Klappe, die den Niedergang verschloss, zu entfernen, aber endlich hatte sie es geschafft und kroch in den niedrigen Raum hinunter. Es roch feucht und muffig. Sie erkannte zwei einander gegenüberstehende Polsterbänke, einen Tisch, Fächer, die sich die Wände entlangzogen und mit vielerlei Krimskrams gefüllt waren – eine Flasche Sonnenöl, zwei Taschenbücher, eine Brille, ein paar Pennys. Nicht die Spur von Marc und auch kein Anzeichen, dass er hier unten gewesen war.

Aber hier auf einer dieser Bänke, dachte sie plötzlich, hat wahrscheinlich der Leichnam von Elaine damals gelegen. Sicher hat er sie hier unten versteckt, alles andere wäre zu gefährlich gewesen.

Sie bekam eine Gänsehaut auf den Armen und verließ rasch die Kajüte. Die Bilder, die vor ihren Augen aufstiegen, waren zu bedrückend, sie mochte sie nicht länger zulassen.

Als sie wieder auf dem Steg stand, schaute sie sich erneut um, aber niemand war zu entdecken als die Möwen, die unvermindert ihre jähen, scharfen Schreie ausstießen. Die ganze Zeit über hatte Rosanna die Möwen kaum mehr wahrgenommen, sie waren Teil der Landschaft, Teil dieses Tages geworden, aber auf einmal schrak sie zusammen, wenn sie sie hörte. Die Schreie der Möwen verstärkten das Gefühl völliger Einsamkeit, das über der Gegend lag. Trotz allem, was in den letzten Stunden geschehen war, hatte Rosanna den Tag als hell und sonnig empfunden, als einen freundlichen Vorfrühlingstag. Innerhalb weniger Minuten hatte er sein Gesicht verändert. Jetzt sah sie die kahlen Bäume, das kalte Blau des Himmels, die abweisend verschlossenen Fensterläden des Hauses, in dem der Bootsmann lebte. Keine Rauchsäule, die sich in den Himmel schraubte, keine Stimmen, keine Geräusche, die auf die Nähe von Menschen verwiesen.

Ich bin ganz allein hier, dachte sie.

Nein. Marc muss auch irgendwo sein.

Und auf einmal hatte sie Angst.

»Marc?«, rief sie erneut, aber ihre Stimme klang nun zaghaft und leise, und das lag nicht nur an ihrer Erkältung.

Sie lief über den Steg zurück und durchquerte den offenen Teil des Bootshauses. Sie rüttelte an der Tür, die in den Clubraum führte, aber die war fest verschlossen. Ob Marc auch hierzu noch immer einen Schlüssel besaß? Aber weshalb sollte er sich im Clubraum einschließen?

Jenseits des Zauns blieb sie stehen und starrte zum Parkplatz hinauf. Vielleicht war Marc inzwischen bei seinem Auto aufgekreuzt. Sie vermochte nichts zu erkennen. So schnell sie konnte, lief sie den Weg hinauf. Sie hatte stechende Schmerzen in der Brust, bei jedem Atemzug tat ihr die kalte Luft im Hals weh. Sie fror und war gleichzeitig am ganzen Rücken nass geschwitzt.

Marc befand sich weder im Auto noch irgendwo erkennbar in der Nähe. Rosanna blieb stehen, versuchte, wieder zu Atem zu kommen. Sie verstand nicht, was los war. Er hatte nur rasch das Boot abdecken wollen. Vielleicht hatte ihn alle Energie verlassen, vielleicht hatte er plötzlich nicht weitermachen können. Er musste emotional heftig aufgewühlt sein.

Aber warum versteckte er sich dann vor ihr?

Weil ich seine größte Bedrohung darstelle.

Sie musste schlucken, weil die Angst mit einem Mal so heftig über sie hereinbrach, dass in Sekundenschnelle ihr Mund austrocknete und die Zunge zum Watteball wurde. Die ganze Zeit über hatte sie über ihre Enttäuschung, ihren Schmerz, den Verlust an Vertrauen nachgedacht, die Marcs Offenbarung in ihr ausgelöst hatte, aber ihr war nicht in den Sinn gekommen, dass auch er sie nun zwangsläufig in einer anderen Position ihm gegenüber sehen musste. Bislang waren sie einerseits ein Team gewesen, das gemeinsam einer ungeklärten Geschichte nachging, auf derselben Seite stehend, am selben Strang ziehend. Wie sich herausgestellt hatte, hatte dies so nie gestimmt, es war auf Marcs Seite ein Vorgaukeln gewesen und auf Rosannas Seite eine Illusion.

Andererseits waren sie ein Liebespaar. Wieweit Marc dabei gespielt hatte, war noch nicht geklärt.

Aber nun kam etwas anderes hinzu: Marc konnte im Handumdrehen zu einem Mann werden, der von der Polizei verfolgt wurde. Und Rosanna war der Mensch, der die Jagd auf ihn auslösen konnte.

Sie hatten nicht darüber gesprochen, was nun weitergeschehen würde. Das Letzte, was er von ihr zu diesem Thema gehört hatte, war ihr Entschluss gewesen, Inspector Fielder anzurufen und ihm mitzuteilen, was sie wusste – zu diesem Zeitpunkt war das die Tatsache gewesen, dass Elaines Pass in Wiltonfield gefunden worden war, dass Jacqueline Reeve dort ein Boot besessen hatte und dass das Schiff am frühen Morgen des 11. Januar 2003 die Mapledurham-Schleuse passiert hatte.

Inzwischen wusste sie weit mehr. Und sie hatte nicht gesagt, dass sie ihr Wissen für sich behalten wollte. Tatsächlich hatte sie über diesen Punkt überhaupt noch nicht nachgedacht. Die Frage war, wieviel Angst hatte Marc vor ihr? Und zu welchen Mitteln würde er greifen, eine ihm drohende Gefahr abzuwenden?

»Quatsch!«, sagte sie laut. Gleichzeitig blickte sie sich nervös um, aber noch immer war niemand zu sehen.

Marc war kein Verbrecher. Elaines Tod war ein Unfall gewesen, auf den er kopflos und damit völlig falsch reagiert hatte, aber er hatte sie nicht umgebracht.

Darauf habe ich sein Wort. Nichts sonst.

Sie würde es nie ganz genau wissen. Ihr ganzes Leben lang nicht. War Elaine rückwärts zur Treppe gewichen und dann gestürzt? Oder war Marc auf sie losgegangen, hatte sie gestoßen, geschlagen, hatte vielleicht vollkommen die Beherrschung verloren, viel mehr, als er nun zugab?

Marc war weit gegangen, die unglückselige Geschichte, wie auch immer sie sich genau zugetragen haben mochte, zu vertuschen. Wie weit würde er noch gehen? Selbst wenn ihm die Polizei seine Version abnahm, selbst wenn er ausschließlich für seine Vertuschungstaktik bestraft würde und nicht für ein Tötungsdelikt, würde seine Karriere diesen erneuten Einbruch nicht überstehen. Die Presse würde ihn vernichten, noch einmal würde ihm ein Neuanfang nicht gelingen. Eine Versöhnung mit Josh, auf die er mit dessen fortschreitendem Alter und damit wachsender Einsicht noch immer hoffte, rückte in aussichtslose Ferne.

*Ich bin der Schlüssel zur endgültigen Katastrophe in sei-
nem Leben.*

Er kannte ihre Schuldgefühle gegenüber Elaine. Ihr Verpflichtungsgefühl gegenüber deren Bruder. Gab es in ihm
die geringste Hoffnung, sie werde sich bereit erklären, über
all das zu schweigen, was sie an diesem Morgen an Bord
der *Heaven's Gate* erfahren hatte?

Und wenn er diese Hoffnung nicht hegte, was würde
er tun? Darauf warten, dass sie zu Scotland Yard ging?
Oder…

Warum versteckt er sich? Wo ist er? Was hat er vor?

Hastig öffnete sie die Wagentür, klappte das Handschuhfach vor dem Beifahrersitz auf, wühlte darin herum. Natürlich war kein Zweitschlüssel darin zu finden, wer depo-
nierte schon seinen Ersatzautoschlüssel im Handschuhfach?
Sie konnte nicht weg. Sie stand hier in dieser gottverlassenen
Einsamkeit und konnte nicht weg, und irgendwo, ganz nah,
war Marc, ein Mann, der sich als völlig in die Enge getrieben empfand. Der, zumindest seinem Gefühl nach, nichts
mehr zu verlieren hatte.

Kurz erwog sie, sich ins Auto zu setzen, die Türen zu
verriegeln und zu hoffen, dass irgendwann entweder der
Bootsmann auftauchte oder eines der Clubmitglieder. Wollte denn niemand auf den Fluss hinaus an diesem schönen
Frühlingstag? Oder sein Boot reparieren oder einen Früh-
schoppen im Clubraum trinken, oder *irgendetwas* tun?
Vielleicht am späteren Nachmittag. Am Samstag gingen die
meisten Leute zunächst zum Einkaufen. Es konnte dauern,
bis jemand aufkreuzte.

Und niemand wusste, wo sie war.

Halt, das stimmte nicht. Ihr fiel der Anruf ein – wie viele
Stunden lag er jetzt zurück? Marina, Robs Mutter und
Dennis' Exfreundin. Sie hatte ihr gesagt, wo sie war, aber
die Verbindung war schlecht gewesen, sie wusste nicht, wie

viel die andere verstanden hatte. Im Übrigen hatte sie versprochen, sich später zu melden. Es würde dauern, bis es Rob komisch vorkam, dass sie sich nicht rührte. Falls er das überhaupt seltsam fand. Sie hatte ihn schon einmal vergessen in den letzten Tagen.

Marc hatte den Autoschlüssel. Er konnte die Türen jederzeit von außen entriegeln, und wie sollte sie dann so rasch die Kontrolle über vier Türen und einen Kofferraum wiedererlangen?

Sie fuhr herum, als sie hinter sich ein Geräusch zu hören glaubte, aber da war nichts, sie musste sich getäuscht haben. Unten am Clubhaus und am Bootssteg rührte sich nichts. Marc konnte sich in einem Bogen durch den Wald bis nach hier oben ungesehen durchschlagen und plötzlich von der anderen Seite kommen. Er konnte von *jeder* Seite kommen. Sah er das als seine einzige Chance? Rosanna mundtot zu machen und dann zu hoffen, dass die Polizei Pamela Lukes Aussage nicht mit ihm in Verbindung brachte? Würde er so weit gehen?

Sie kannte ihn nicht. Eigentlich kannte sie ihn überhaupt nicht. Sie hatte sich in ihn verliebt – in sein attraktives Äußeres, in seine Freundlichkeit, vielleicht auch in seine Melancholie. Aber an wesentlichen Stellen hatte er gelogen, als er über sich sprach, immer wieder hatte er sich verstellen und ihr etwas vormachen müssen, und deshalb wusste sie bislang nicht viel mehr von ihm, als dass er ein guter Schauspieler war. Im Grunde wusste sie nicht einmal, ob er nicht doch ein notorischer Ehebrecher war, wie Jacqueline behauptete.

Und sie wusste nicht, ob er ein Mörder war.

Sie musste fort von hier. So rasch sie konnte. Sie wartete schon viel zu lange, und es gab keine harmlose Erklärung mehr für Marcs Verschwinden. Die harmloseste wäre noch die, dass er zu Fuß den Fluss entlangflüchtete, obwohl es nicht zu ihm passte, etwas letztlich so Sinnloses zu tun. Weniger harmlos war die Vorstellung, dass er in einem Hinterhalt saß und auf eine günstige Gelegenheit wartete, die Frau zu beseitigen, die seine Zukunft zerstören konnte.

Das nächste Dorf, Wiltonfield, war zweieinhalb Meilen entfernt. Eine beachtliche Strecke zu Fuß, aber ihr blieb nichts anderes übrig.

Lauf, so schnell du kannst!

Sie hielt ihre Handtasche fest umklammert und versuchte den Umstand zu ignorieren, dass ihre Beine unter ihr nachgeben wollten. Ihre Stirn brannte. Krank sein konnte sie später.

Sie lief los, wandte sich immer wieder um.

Alles blieb still und leer.

10

»Wiltonfield!«, rief Rob, der das Schild zuerst entdeckt hatte. »Noch drei Meilen!«

»Du lässt dich nicht davon abbringen, dort aufzukreuzen, oder?«, fragte Marina. »Wenn Rosanna eine Bootsfahrt unternimmt, treffen wir sie sowieso nicht an.«

»Dann warten wir eben. Ich möchte wissen, mit wem sie zusammen ist.«

»Rob! Das steht dir doch nicht zu!«

Er starrte geradeaus, antwortete nicht. Marina kannte ihn inzwischen gut genug, um zu wissen, dass er gnadenlos stur sein konnte.

Sie erreichten den Ort Wiltonfield, fuhren langsam die Hauptstraße entlang. Zu ihrer linken Seite floss die Themse, die Sicht auf den Fluss war jedoch meist von Häusern und einem schmalen Waldgürtel verstellt. Aufmerksam suchten sie nach einem Schild, das auf einen Hafen oder eine Anlegestelle hinwies oder Ausflugsfahrten anbot. Es war nichts zu entdecken.

»Hier gibt es so etwas nicht«, sagte Marina, als sie sich schon wieder dicht vor der Ortsausfahrt befanden. »Ich habe dir ja gesagt, die Verbindung war miserabel. Ich weiß nicht einmal, ob ich den Namen des Ortes richtig verstanden habe.«

»Aber es ist unsere einzige Möglichkeit, hier zu suchen«, beharrte Rob. »Eine andere haben wir ja nicht!«

»Doch. Wir haben die Möglichkeit, nach Hause zu fahren und zu warten, dass Rosanna anruft. Dann kannst du ihr alle Fragen stellen, die dich bedrängen.«

Er sah seine Mutter mit einem fast verächtlichen Blick an. »Und du denkst, sie sagt mir dann die Wahrheit? Dass sie irgendeinen anderen Kerl kennen gelernt hat und sich demnächst abseilen wird? Sie wird sich herausreden. Sie redet sich seit Tagen heraus.«

Sie passierten bereits das Ortsschild, als Rob plötzlich sagte: »Halt mal an! Ich frage die Frau da drüben!«

Eine ältere Dame kam die Straße mit ihrem Hund entlang. Marina bremste, Rob sprang hinaus. Als er zurückkam, wirkte er aufgeregt. »Ich glaube, du hast Rosanna doch richtig verstanden! Hier gibt es einen Yachtclub. Etwa zweieinhalb Meilen vom Ort entfernt. Einfach die Straße entlang.«

Marina, die gehofft hatte, das Unternehmen werde sich zerschlagen, verdrehte die Augen. Sie fand die Situation peinlich, und ihre eigene Rolle dabei behagte ihr überhaupt nicht. Dass der sechzehnjährige Rob, getrieben von Angst und Eifersucht, seiner Stiefmutter hinterherspionierte, war eine Sache; dass sie, eine erwachsene und vernünftige Frau, ihn dabei unterstützte, war eine andere. Sie selbst kannte ihre Motive: die Furcht, dass er wieder abhauen würde, die Sorge vor einem neuen Streit. Sie hatte wenig Lust, sich damit gegenüber der Ehefrau ihres einstigen Freundes zu blamieren. Letztlich gab sie damit zu, dass sie nicht im Mindesten mit dem Kind zurechtkam, das sie vor sechzehn Jahren in die Welt gesetzt und das andere für sie aufgezogen hatten.

Wiltonfield selbst lag auf einer Anhöhe. Die Straße führte in einem sanft geschwungenen Bogen nach unten und tauchte dann in einen dichten Wald ein. Obwohl die Bäume noch unbelaubt waren, standen sie so eng beieinander, dass kaum Sonnenlicht zwischen ihnen hindurchfallen konnte. Im Sommer musste es hier anheimelnd, schattig und ein wenig verwunschen sein. An diesem Februartag hatte die Atmosphäre etwas eher Düsteres und Bedrohliches.

»Jetzt müsste aber bald ein Schild kommen«, sagte Marina, und fast im selben Moment rief Rob: »Da ist sie! Halt an! Da ist sie!«

Marina trat auf die Bremse. Zu ihrer Verwunderung sah sie eine Frau die einsame, dunkle Straße entlangkommen. Sie lief nicht, sie schleppte sich eher. Sie hielt sich einen Schal vor das Gesicht. Ihre Gestalt war leicht vornübergebeugt.

»Da ist Rosanna!«, schrie Rob.

Der Wagen kam unmittelbar vor ihr auf dem Seitenstreifen zum Stehen. Rob sprang sofort hinaus.

»Rosanna!«

Die Frau zuckte zusammen. Marina konnte weit aufgerissene Augen über dem Schal erkennen. Augen, in denen Angst stand.

»Was ist passiert, Rosanna?«, rief Rob.

Marina stieg ebenfalls aus.

»Ich bin Marina«, sagte sie und streckte Rosanna die Hand hin, »Robs Mutter. Wir haben telefoniert. Es tut mir leid, dass wir hier einfach aufkreuzen, aber Rob war so ungeduldig, und…«

»Wir müssen hier weg«, unterbrach Rosanna. Ihre Stimme klang krächzend. Marina erkannte jetzt, dass sie heftig erkältet war und offenkundig Fieber hatte.

Nicht gerade der Zustand, in dem man einen Bootsausflug im Februar unternehmen sollte, dachte sie konsterniert.

»Sind Sie ohne Auto hier?«, fragte sie und blickte sich um, als erwarte sie Rosannas Auto irgendwo stehen zu sehen.

Auch Rosanna blickte sich um, nervös, wie es den Anschein hatte. »Wir sind mit Marcs Auto gekommen. Aber...« Sie sprach nicht weiter. Marina hatte den Eindruck, dass sie nicht wusste, wie sie eine komplizierte Geschichte in wenigen Worten erzählen sollte.

»Wer ist Marc?«, fragte Rob sofort.

»Euch schickt jedenfalls der Himmel«, sagte Rosanna anstelle einer Antwort. Dann nieste sie. »Ich habe leider eine scheußliche Grippe«, setzte sie hinzu.

Marina nahm ihren Arm. »Sie gehören ins Bett. Nicht auf die Straße, und schon gar nicht in ein Boot. Kommen Sie. Wir fahren erst einmal zu mir nach Hause. Dann können wir über alles sprechen.«

Sie wollte zum Auto zurück. Aber plötzlich zögerte Rosanna.

»Marc ist noch im Yachtclub«, sagte sie, »zumindest glaube ich das.«

»Wer, zum Teufel, ist denn Marc?«, wiederholte Rob seine Frage.

Rosanna strich ihm abwesend über die Haare. »Das alles zu erklären, führt jetzt zu weit. Es ist nur... wir haben uns irgendwie verloren, und ich dachte... aber ich mache mir Sorgen um ihn...« Sie sah Marina an. »Würden Sie mir einen großen Gefallen tun? Und mit mir zum Yachtclub zurückfahren? Ich fühle mich sicherer, wenn Sie und

Rob bei mir sind, und ich kann wenigstens noch einmal nach Marc sehen.«

Marina verstand nicht im Mindesten, was los war und worum es genau ging, aber sie hörte die Sorge im Drängen der anderen Frau.

Sie nickte. »In Ordnung.«

Das Auto stand an seiner alten Stelle oben auf dem Parkplatz. Halb und halb hatte Rosanna gehofft, Marc sei inzwischen damit fortgefahren oder sitze wenigstens hinter dem Steuer, aber es sah nicht so aus, als sei er in der Zwischenzeit überhaupt am Parkplatz gewesen. Alles schien leer und verlassen. Noch immer regte sich nichts im Haus des Bootsmanns, und auch unten am Clubhaus oder am Anlegesteg war niemand eingetroffen.

Ich hätte hier ewig sitzen und warten können, dachte Rosanna, aber wo sitzt und wartet Marc? *Und worauf?*

»Kannst du uns jetzt vielleicht endlich mal erklären, was los ist?«, fragte Rob vom Rücksitz. Gleichzeitig sagte Marina: »Das ist aber einsam hier. Ist das der Wagen Ihres... Bekannten?«

»Ja. Ich frage mich...« Rosanna öffnete die Beifahrertür. Die müssen mich für ziemlich konfus halten, dachte sie, und wahrscheinlich bin ich das auch. Ich hätte zusehen sollen, dass wir alle schleunigst wegkommen.

»Ich verspreche, ich erkläre später alles«, sagte sie hastig. »Aber jetzt gehe ich noch einmal hinunter zum Schiff und sehe nach Marc. Wenn ich in fünfzehn Minuten nicht zurück bin, ruft ihr bitte die Polizei.«

Rob bekam große Augen, und Marina keuchte: »Ach, du lieber Gott!«

Sie ging langsam den Weg hinunter. Zum wievielten Mal an diesem Tag? Sie wusste es nicht, sicher war nur, dass ihr Herz mit jedem Mal schwerer wurde. Es war so viel geschehen, was sie verarbeiten musste. Aber in einem Punkt war sie sich klar geworden, was ihr weiteres Vorgehen anging, sie hatte etwas beschlossen, während sie die endlose Straße entlang durch den Wald stolperte: Sie hatte beschlossen, Marc zu glauben. Zu glauben, dass ein Unfall passiert war mit Elaine, und kein Verbrechen. Und sie hatte begriffen, dass sie damit würde leben können, ihr Wissen für sich zu behalten. Wenn die Polizei nicht über Pamelas Aussage hinter die ganze Geschichte kam, würde sie von ihr jedenfalls nichts erfahren. Es war nicht ihre Aufgabe, Detektiv zu spielen. Es war nicht ihre Aufgabe, den Mann anzuzeigen, den sie liebte. Er musste das erfahren. So schnell wie möglich.

Das Problem war, dass sie vor dem Mann, den sie liebte, in diesem Moment Angst hatte. Womit sie ihm, dessen war sie sich ebenfalls bewusst, womöglich bitter Unrecht tat. Er war verschwunden, aber das musste nicht bedeuten, dass er auf eine Möglichkeit sann, ihr etwas anzutun. Hätte er nicht längst Gelegenheit dazu gehabt? Sie hatte ewig dort oben im Auto gesessen, wäre völlig wehrlos gewesen. Das hatte er nicht ausgenutzt. Vielleicht befand er sich auf der Flucht. Kopflos, gefangen in seiner eigenen Panik. So wie in jener Nacht.

Sie durchquerte das Bootshaus, lief den Steg entlang. Sie hegte kaum Hoffnung, ihn am Boot anzutreffen, und tatsächlich war das Schiff so leer und verlassen wie zuvor.

Sie sah sich um. Er konnte sich natürlich in jedem anderen Boot verborgen halten, aber was sollte ihm das bringen?

»Marc?«, rief sie.

Niemand außer einer Möwe antwortete.

Sie fühlte sich etwas sicherer, seit sie wusste, dass Rob und Marina in der Nähe warteten, und dennoch empfand sie die Situation als unheimlich und beängstigend. Noch einmal rief sie seinen Namen, aber alles blieb still.

Langsam ging sie zum Ufer zurück, trat in die Dunkelheit des Bootshauses. Wieder umfing sie der intensive Holzgeruch. Rechter Hand befanden sich die Fächer, in denen die Optis, die Boote für die Kinder, untergebracht waren. Sie erkannte einen Gang, an dessen Seite sich die abgeschlossenen Spinde der Clubmitglieder aufreihten. Sie lief den Gang entlang, konnte aber im Dunkeln fast nichts mehr sehen und stand bald vor einer Wand. Niemand versteckte sich hier.

Wieder zurück warf sie im Licht der zu beiden Türen einfallenden Sonne einen Blick auf ihre Uhr. Fast zehn Minuten waren vergangen. Sie musste sich beeilen, sonst alarmierten Rob und seine Mutter die Polizei. Sie blickte die Treppe hoch, die zu dem dunklen Dachboden führte.

»Marc?«, rief sie leise hinauf.

Sie hatte noch ein paar Minuten. Es würde reichen, um hinaufzuhuschen und dort oben nach ihm zu sehen.

Mit laut klopfendem Herzen stieg sie die Treppe hinauf. Sie hatte erwartet, oben von völliger Finsternis empfangen zu werden, und gefürchtet, den Lichtschalter in der Eile nicht zu finden, aber tatsächlich fiel durch ein kleines, ziemlich verdrecktes Dachfenster ein wenig Helligkeit ein. Der Raum war riesig, denn er nahm die gesamte Grundfläche des Gebäudes ein. Und er war völlig unüberschaubar: An den breiten Deckenbalken befanden sich Aufhängungen, an denen entlang sich Segel spannten. Riesige, weiße Segel. Sie mussten zu den Jollen gehören und waren vermutlich zum Lüften oder Trocknen aufgehängt. Sie unterteilten den Dachboden in eine Art Labyrinth, grenzten eine Menge kleiner Nischen, Gänge und Räume ein. Jedes Kind wäre bei diesem Anblick in helles Entzücken ausgebrochen.

Rosanna dachte nur: O Gott!

Ihr erster Impuls war umzukehren, wieder hinunterzulaufen und sich möglichst rasch auf den Weg zurück zum

Auto zu machen. Ihr blieb ohnehin fast keine Zeit mehr. Es erschien ihr unwahrscheinlich, dass Marc hier oben kauerte. Er mochte in Panik sein, aber würde er sich ein derart absurdes Versteck suchen, in dem man ihn schnell entdecken würde und in dem er überdies nicht lange verweilen konnte? Es sei denn, er hatte nicht die Absicht, sich zu verstecken. Sondern er hatte darauf gewartet, dass sie hinaufkam, damit er …

Ich dachte, du hättest beschlossen, an ihn zu glauben?

Sie hatte auf einmal das unerklärliche Gefühl, nicht allein zu sein. Nicht unbedingt in diesem Raum, aber in diesem Gebäude. War es Einbildung oder ein echter Instinkt? Wahrscheinlich spielten ihre Nerven verrückt. Sie blieb völlig reglos stehen, lauschte in die Dämmerung, die sie von allen Seiten umschloss. Ihr Herz hämmerte. Sie konnte ihren eigenen Atem hören. Sie konnte Wände und Balken knacken hören, aber sie wusste, dass das normal war in einem Haus, das vollständig aus Holz gebaut war. Wahrscheinlich rührte daher auch ihr Gefühl, es sei noch irgendjemand anwesend. Die Lebendigkeit des Holzes. Die Tatsache, dass es unermüdlich arbeitete. Kein Grund, sich verrückt zu machen.

Sie wandte sich um, zurück zur Treppe. Sie musste zum Auto. Hier oben war niemand. Es hatte keinen Sinn, sich durch das Gewirr der Segel zu kämpfen.

Und in diesem Moment vernahm sie es. Ein Geräusch, das sie nicht identifizieren, nicht einordnen konnte. Sie hätte nicht zu sagen gewusst, ob es sich um fremden Atem handelte, um Schritte … Aber es war ein Geräusch, das sich abhob vom Knistern und Knacken des Holzes, es gehörte dort nicht hin, es war anders. Es kam von der Treppe.

Jemand kam die Treppe herauf.

Jemand, der sich Mühe gab, dabei nicht gehört zu werden.

Lautlos wich sie einen Schritt zurück. Im ersten Moment war sie versucht, seinen Namen zu rufen.

Marc? Bist du das? Ich bin hier oben!

Ihr Instinkt riet ihr, den Mund zu halten.

Wer auch immer es war – weshalb schlich er sich an?

Die Erkenntnis, dass ihr der Weg versperrt war, traf sie in ihrer ganzen Wucht wie ein Schlag in den Magen. Sie saß hier oben wie ein Kaninchen in der Falle. Rob und Marina würden die Polizei rufen. Wie lange würde es dauern, bis die Beamten hier waren? Würden Rob und seine Mutter auf eigene Faust nach ihr suchen?

Sie wollte schreien, aber sie brachte keinen Ton hervor. Sie hörte es jetzt deutlich und war ganz sicher: Es war jemand auf der Treppe.

Die Wände aus Segeln nahmen sie schützend auf. Grobes Leinen kratzte an ihren Wangen. Eine Menge Gerüche mischten sich in diesem Dunkel: Wasser, Holz, Maschinenöl, Reinigungsmittel, Moder. Sie zog sich tiefer zurück.

Der andere – *Marc?* – war oben angekommen. Sie konnte hören, dass er verharrte. Sich zu orientieren suchte. Seine Augen mussten sich erst an das fahle Dämmerlicht anpassen. Ihre Augen hatten das bereits hinter sich, was ihr einen Vorsprung gab. Der ihr am Ende womöglich nichts bringen würde. Denn irgendwann stand sie an der Wand. Oder schlug sich unaufhörlich durch das Labyrinth der Segel. Bis der andere vor ihr war. Sie konnten jeden Moment aufeinandertreffen.

Eine Bodendiele knarrte unter ihren Füßen. Sofort hielt sie inne, hörte auf zu atmen. Mit jeder Bewegung konnte sie ihren Standort verraten. Sie musste vorsichtiger sein.

Sie schlüpfte um die nächste Ecke, wäre beinahe über einen Haufen Seile gestolpert, die zusammengerollt auf dem Boden lagen. Im letzten Moment gelang es ihr, einen großen Schritt darüber hinweg zu machen.

Die Segel um sie herum bewegten sich. Jemand kam unmittelbar hinter ihr her.

Und dann, im nächsten Augenblick, geschah alles gleichzeitig.

Ohne noch darauf zu achten, möglichst kein Geräusch zu verursachen, lief Rosanna um die nächste Ecke.

Jemand rief: »Rosanna!«

Sie blieb stehen und schrie, schrie voll Entsetzen, Fassungslosigkeit und Angst vor dem, was sie da sah, und dann waren da plötzlich Arme, die sie von hinten umfingen, starke, warme, tröstliche Arme, ein Gesicht presste sich gegen ihres, und sie hörte Robs heisere Stimme: »Schau nicht hin, Rosanna, schau bloß nicht hin!«

Sie aber konnte den Blick nicht abwenden. Von dem Körper, der vor ihr kaum merklich, ganz sacht hin und her schwang. Von den im Todeskampf verzerrten Gesichtszügen Marc Reeves.

»Rosanna, ich halte dich!«

Sie konnte nicht aufhören, zu schreien.

Samstag, 1. März

»Du solltest nach ihr sehen«, drängte Pam, »sie ist jetzt seit fast einer Stunde da oben. Vielleicht braucht sie dich.«

»Aber sie wollte unbedingt allein sein«, meinte Cedric unbehaglich. Er fürchtete einen Zusammenbruch seiner Schwester und wollte nicht derjenige sein, der ihn auffangen musste. »Möchtest du nicht lieber ...?«

»Du bist ihr Bruder. Zu mir hat sie doch überhaupt keine Beziehung.«

Schließlich stieg Cedric widerwillig aus dem Auto. Sie parkten vor dem Haus, in dem Marc Reeve gewohnt hatte. Jacqueline Reeve hatte Rosanna den Schlüssel überlassen und ihr gesagt, sie dürfe sich eine Erinnerung aus der Wohnung holen, was immer sie wolle. Es ging Rosanna nicht gut, deshalb hatten Cedric und Pam sie begleitet, aber sie hatte dann doch darum gebeten, allein nach oben gehen zu dürfen.

»Ich brauche einen Moment für mich«, hatte sie gesagt.

Pam hatte recht: Der Moment währte nun bereits eine Stunde.

Cedric überquerte die Straße. Seine gebrochenen Rippen schmerzten noch immer, aber die Situation war nicht mehr mit der am Anfang vergleichbar. Er konnte sich viel besser bewegen und hatte sogar die Reise von Taunton nach London gut überstanden. Bald würde er wieder ganz der Alte sein.

Die Tür zum Haus war nur angelehnt. Er stieg die Treppen hinauf und betrat die Wohnung. Seine Schwester stand mitten in Marcs Wohnzimmer, und fast hatte es den Anschein, als habe sie sich seit ihrer Ankunft nicht von der Stelle gerührt.

»Pam meinte, ich soll mal nach dir sehen«, sagte er, »du bist schon so lange hier oben.«

Sie wandte sich langsam zu ihm um. »Schon lange?«, fragte sie.

»Seit einer Stunde.«

Sie wirkte überrascht. »Das habe ich gar nicht bemerkt.«

Er ließ seinen Blick durch das Zimmer schweifen. Die kleine, weiß gefliese Küchenzeile. Die preiswerten Möbel, die weder hässlich noch schön, sondern einfach nur neutral waren. Der schlichte Teppichboden. Er merkte, dass er fröstelte.

Wie kann man so leben, fragte er sich, wie kann man es in einer solch grauen Kühle aushalten?

Der einzige persönliche Gegenstand war ein Aquarell an der Wand. Ein Schiff vor einer Hafenmauer. Das Gemälde stellte zwar wenigstens eine Besonderheit inmitten der reinen Zweckmäßigkeit aller anderen Gegenstände dar, aber sein Motiv war so dunkel und melancholisch, dass es die allgemeine Tristesse nicht im Mindesten aufhellte.

Rosanna war seinen Blicken gefolgt.

»Wir leben alle so sehr in Klischees«, sagte sie, »selbst dann, wenn wir glauben, die Dinge in ihrer Wahrheit und Richtigkeit bis auf den Grund zu durchschauen. Marc war perfekt darin, sein eigenes Bild zu kreieren, und selbst ich habe nicht bemerkt, wie absolut unvollständig seine Selbstdarstellung war. Erfolgreicher Anwalt. Ehrgeizig. Attraktiv. Intelligent. Ja, das war er alles. Aber vor allem war er ein zutiefst depressiver Mensch. Er hat ungeheuer viel Kraft darauf verwandt, dies niemanden merken zu lassen.«

»Die Wohnung lässt diesen Schluss zu, ja«, sagte Cedric. »Ich habe noch nie einen Raum gesehen, der so…« Er suchte nach dem richtigen Wort.

»Unpersönlich«, sagte Rosanna. »Kalt. Leblos. Wie sieht es in einem Mann aus, der sich eine solche Umgebung schafft?«

»Glaubst du, die Sache mit Elaine hat ihn in diese Verfassung getrieben? Oder die Geschichte mit seinem Sohn?«

»Ich glaube, dass er schon vorher depressiv war. Sein rücksichtsloses Vergraben in seiner Arbeit war schon Ausdruck davon. Aber ich weiß so wenig über ihn, Cedric. Praktisch gar nichts. Nichts über seine Kindheit und Jugend, seine Herkunft. In den zwei Wochen, die wir einander kannten, war er ja nur damit beschäftigt, seine Version der Geschichte vom Januar 2003 aufrechtzuerhalten. Er muss sich gefühlt haben wie jemand, der mit dem Rücken zur Wand steht. Ständig musste er neu auf das reagieren, womit ich daherkam. Ich ließ nicht locker, ich ließ ihn nicht einmal Atem holen. Ich war verbissen in den Gedanken, seine Unschuld zu beweisen. Und am Ende... habe ich ihm keinen Ausweg mehr gelassen.«

Er konnte ihre Traurigkeit spüren, sie war fast greifbar, vermischt mit dem Schmerz, den Marc Reeve in diesem Raum zurückgelassen hatte. Er hätte sie gern in die Arme genommen, aber er hatte das Gefühl, dass sie das nicht gewollt hätte.

So sagte er nur: »Er hat sich seine Ausweglosigkeit selber gezimmert, Rosanna. Er hat in der Nacht damit begonnen, in der Elaine verunglückte. Wenn es wirklich ein Unfall war, dann hätte er ihn nie vertuschen dürfen. Das war der Anfang vom Ende.«

»Ja«, sie starrte wieder zum Fenster, hinter dem ein grauer Himmel den Tag auch nicht fröhlicher machte, »das war es. Aber das Ende hätte nicht so sein müssen, wie es dann tatsächlich war. Wenn ich zu ihm gestanden hätte... wenn er gewusst hätte, dass ich zu ihm stehe... dann hätte es doch Hoffnung für ihn gegeben.«

»Vielleicht auch nicht. Es ist müßig, zu spekulieren. Rosanna, ich kann mir denken, wie du dich fühlst, aber… es nützt nichts. Du machst dich kaputt damit. Auch damit, hier in dieser schrecklichen Wohnung herumzustehen. Nimm etwas, irgendeinen Erinnerungsgegenstand, und dann lass uns gehen.«

»Was soll ich denn nehmen? Wirklich, Cedric, ich weiß nicht, was von den Dingen hier eine Verbindung zwischen mir und ihm darstellen sollte.«

Sie sah so unglücklich aus. Er hätte sie gern an der Hand genommen und einfach aus diesem Haus gezogen.

»Wie geht es nun weiter?«, fragte er.

Sie zuckte die Schultern. Trotz des Kummers in ihren Augen hatte Cedric den Eindruck, dass es sie ein wenig erleichterte, für den Moment aus dem Grübeln um Marc Reeve gerissen zu werden.

»Ich weiß es noch nicht. Ich denke, dass ich mir einen Job in London suchen werde. Und eine Wohnung.«

»Du gehst definitiv nicht zu Dennis zurück?«

»Nein.«

»Und Rob?«

Etwas Warmes und Weiches in ihrem Ausdruck glättete für den Augenblick die Linien, die sich während der letzten acht Tage in ihren Zügen eingegraben hatten. »Er war wie ein Fels in der Brandung, Cedric. In diesem schrecklichen Moment, als ich… Marc fand… Mein Gott, Rob ist sechzehn Jahre alt. Aber er war so stark. So gefasst. Er hielt mich fest, und ich glaube, nur so konnte ich diesen Moment überstehen. Ich weiß nicht, was ohne ihn passiert wäre.«

»Er liebt dich sehr.«

»Er würde gern bei mir leben.«

»Dazu bräuchtest du aber Dennis' Zustimmung.«

»Vielleicht lässt er mit sich reden. Es ging ihm immer

nur darum, dass Rob glücklich ist. Ich denke, wir beide, Rob und ich, haben eine Chance.«

Sie schwiegen, und Cedric versuchte zu begreifen, dass seine kleine Schwester gerade ihr gesamtes Leben aus den Angeln hob und umstürzte, und dass sie dies mit einer Entschlossenheit und Klarheit tat, die er nur bewundern konnte.

»Ich fliege in ein paar Tagen nach New York zurück«, sagte er schließlich, »ich bin schon wieder ziemlich fit. Der Arzt meinte zwar, ich solle noch warten, aber das Herumhängen bekommt mir nicht. Es muss jetzt irgendwie weitergehen.«

»Nimmst du Pamela mit?«

»Sie würde sehr gern mitkommen. Ich bin noch unschlüssig. Ich glaube nicht, dass ich ihre Zuflucht sein kann – ausgerechnet ich! Ich muss erst einmal mein eigenes Leben in Ordnung bringen.«

»Vielleicht braucht sie nur ein Sprungbrett. Sie ist stark, Cedric, sonst hätte sie die letzten Jahre gar nicht überstehen können. Ich glaube nicht, dass sie dir lästig sein wird.«

»Ich mag sie«, sagte Cedric, »aber ich habe noch keine Ahnung, was letztlich daraus werden könnte.«

»Ich habe auch keine Ahnung, was aus meinem Leben wird«, entgegnete Rosanna.

»Schöner Mist, das alles«, meinte Cedric und strich sich die Haare aus der Stirn, eine Verlegenheitsgeste, mit der er häufig schwierige Momente überspielte.

»Ich war bei Geoff«, fuhr er dann übergangslos fort, »zum letzten Mal vorerst. Habe mich verabschiedet.«

»Und er hatte sicher Oberwasser, nicht wahr? Weil er es die ganze Zeit über gewusst hat?«

Jetzt musste Cedric lachen. Zum ersten Mal an diesem Tag. »Der gute alte Geoff. Unser Cato. Ceterum censeo, Marc Reeve ist der Täter. Das kam ja schon gebetsmühlenartig von ihm. Und nun hat er tatsächlich recht behalten. Aber er hat nicht triumphiert. Er wirkte einfach nur erleichtert, dass er Bescheid weiß, dass er abschließen kann. Nur das war letztlich wichtig.«

Sie konnte das verstehen. Abschließen zu können war wichtig. Gewissheit zu haben.

Er schien zu ahnen, was sie dachte.

»Ist es das, was dich so sehr quält?«, fragte er vorsichtig. »Dass du nie die letzte Gewissheit haben wirst, ob Marc die Wahrheit gesagt hat? Dass es ein Unfall war mit Elaine? Und nicht doch ein Angriff von seiner Seite?«

Sie schüttelte den Kopf.

»Nein. Ich habe mich noch draußen in Wiltonfield entschlossen, ihm zu glauben, und ich bleibe dabei. Ich glaube ihm. Was mich quält, ist, dass... ich ihn das nicht mehr habe wissen lassen können. Dass ich nichts getan habe, ihn einen anderen Ausweg sehen zu lassen als den, für den er sich am Ende entschieden hat. Das quält mich. Das wird mich immer quälen.«

Was sollte er darauf erwidern?

»Marcs Selbstmord war ein Akt der Panik«, sagte er schließlich, »so wie die Beseitigung von Elaines Leiche. In kritischen Situationen neigte er offenbar zu Kurzschlusshandlungen.«

»Auch etwas, was man nicht geglaubt hätte, wenn man ihm im Alltag gegenüberstand«, sagte Rosanna. »Nein, nicht im Mindesten hätte man es geglaubt. Seine Maske war immer perfekt.« Sie streckte den Arm aus, nahm die Hand ihres Bruders.

»Komm, lass uns gehen. Ich finde hier einfach nichts, was ich mitnehmen möchte. Es liegt nicht nur daran, dass diese Wohnung nichts hergibt. Es liegt vor allem daran, dass ich ihn nicht kannte.«

Sie traten auf die Straße. Der Wind fegte kalt zwischen den Häusern hindurch, obwohl es der erste März war und der Frühling zum Greifen nah schien.

Der erste März, dachte Rosanna, Joshs Geburtstag. Er wird sich nie mit seinem Vater versöhnen können. Aber vielleicht hätte er es auch nicht gewollt.

Pamela hatte das Auto verlassen und ging auf dem Gehsteig auf und ab, beide Arme fest um ihre Mitte geschlungen. Ihre Nase war rot, die Lippen bläulich. Aber sie sah entspannter aus, wirkte nicht mehr so gehetzt. Sie hatte sich vor ihrem Peiniger Pit Wavers für immer in Sicherheit gebracht, indem sie ihn erschoss. Sie hatte den Mörder von Jane French und den mutmaßlichen Mörder von Linda Biggs damit zur Rechenschaft gezogen. Der allererste Anflug eines neuen Selbstbewusstseins, einer neuen Kraft, war seither in ihren Augen zu lesen.

»Meine Güte, endlich«, sagte sie, als sie die Geschwister auf sich zukommen sah, »es ist schrecklich kalt hier draußen. Ich erfriere fast.«

Unschlüssig standen die drei einander gegenüber.

»Und was nun?«, fragte Cedric. »Was machen wir mit dem Rest des Tages?«

Was machen wir mit dem Rest unseres Lebens?, dachte Rosanna, aber sie sprach es nicht aus. Wer hätte ihr auch darauf eine Antwort geben sollen? Cedric, bei dem sie spürte, dass er sie für ihre vermeintliche Entschlossenheit bewunderte? Wie sollte er die Leere in ihrem Innern verstehen? Wie sollte er ahnen, dass das, was er für Entschlossenheit hielt, bloße Verzweiflung war?

»Was mich betrifft«, sagte Pamela, »ich könnte jetzt erst einmal eine Stärkung brauchen. Eine kuschelige Kneipe und einen doppelten Schnaps.«

»Gute Idee«, stimmte Cedric sofort zu.

Sie ließen den Wagen stehen und gingen nebeneinander

die Straße entlang, in einträchtigem Schweigen. Irgendwo in der Nähe würden sie eine Kneipe finden. Und dann würde ihnen einfallen, was sie als Nächstes tun konnten. Und als Nächstes.

Für den Rest des Tages.

Für die Zeit danach.

Anmerkung der Autorin

Den Ort Wiltonfield und den dort befindlichen Yachtclub habe ich erfunden und mir die Freiheit genommen, ihn zwischen den – tatsächlich existierenden – Orten Binfield Heath und Reading anzusiedeln. Mir lag daran, keinen der entlang der Themse ansässigen Yachtclubs mit den in diesem Buch geschilderten Ereignissen in einen Zusammenhang zu bringen.